U0315887

特殊钢丛书

高 温 合 金

黄乾尧 李汉康 等编著

北 京
冶 金 工 业 出 版 社
2000

内 容 简 介

《高温合金》是由中国金属学会特殊钢专业学会组织编写的《特殊钢丛书》之一，它是我国第一本全面介绍高温合金专业科技知识的实用参考书。内容包括高温合金发展简史；高温合金强化原理及其成分、组织和性能；高温合金熔炼、塑性变形和精密铸造工艺；高温合金表面稳定性和强韧化；航空、航天和民用高温合金系列以及计算机材料辅助设计等。本书可供冶金、航空、航天、动力机械、石油化工、能源等工业部门的广大科技人员和高等院校的有关师生参考。

图书在版编目(CIP)数据

高温合金/黄乾尧，李汉康等编著．－北京：冶金工业出版社，2000.4
(特殊钢丛书)
ISBN 7-5024-2481-4

Ⅰ.高… Ⅱ.①黄… ②李… Ⅲ.耐热合金 Ⅳ.TG132.3

中国版本图书馆 CIP 数据核字(1999)第 66196 号

出版人　卿启云(北京沙滩嵩祝院北巷 39 号，邮编 100009)
责任编辑　王成蓓　王雪涛　美术编辑　李　心　责任校对　王贺兰
北京昌平百善印刷厂印刷；冶金工业出版社发行；各地新华书店经销
2000 年 4 月第 1 版，2000 年 4 月第 1 次印刷
850mm×1168mm　1/32；13 印张；345 千字；401 页；1－2000 册
30.00 元
冶金工业出版社发行部　电话：(010)64044283　传真：(010)64044283
冶金书店　地址：北京东四西大街 46 号(100711)　电话：(010)65289081
(本社图书如有印装质量问题，本社发行部负责退换)

序

特殊钢是钢铁工业的一个重要领域。特殊钢的品种繁多,性能各异,质量要求高,应用范围广,国家的经济建设、国防建设乃至人民的日常生活都与特殊钢有密切关系。因而通常把特殊钢品种、质量、产量作为衡量一个国家钢铁工业科学技术和工业化水平的重要尺度。

当前,我国的四化建设和改革开放正向深广方向发展,中共中央和国务院作出关于加强科学技术进步的决定,广大职工积极要求掌握科学技术专业知识。在这样的形势下,中国金属学会特殊钢专业学会发起并组织编写一套具有自己特色的《特殊钢丛书》,是有时代意义的。

这套丛书分卷撰写,陆续出版。本丛书是由中国金属学会特殊钢专业学会及其15个专业学术委员会组织国内冶金与材料界的知名专家教授编写的,因此具有一定的权威性。编写这套丛书是为了介绍中国特殊钢工业的发展情况和科学研究成果以及国外在这方面的进展情况,总结和整理国内老一辈专家们的丰富学识和实践经验。这套《特殊钢丛书》将重点介绍特殊钢的现代生产工艺技术、特殊钢各大钢类钢种的性能特点和应用指南,为特殊钢生产、科研和使用部门的科技人员在职学习提供素材,为有关大专院校师生提供教学参考。

组织编写特殊钢方面的系列图书,在国内尚属首次,在国外也不多见,难免存在疏漏和不足之处,欢迎指正。期望这套《特殊钢丛书》能在普及提高科学知识、合理生产和合理使用钢材方面发挥积极作用。

《特殊钢丛书》编委会

前　言

高温合金于20世纪40年代问世，最初主要是为满足喷气发动机对材料的苛刻要求而研制的。今天，先进的航空发动机中，高温合金用量所占比例高达50%左右。可以毫不夸张地说，没有高温合金，就不可能有高速、高效率、安全可靠的现代航空事业。此外，在航天、核工程、能源动力、交通运输、石油化工、冶金等领域，高温合金也有广阔的用途。

我国高温合金起步于1956年。40多年来，我国的高温合金从无到有，从仿制到独创，至今已研制和生产了百余种牌号的高温合金，建立了我国高温合金体系，保证了我国国防工业及民用工业对高温合金的需求。

我国高温合金所取得的成就举世瞩目，主要有：(1)开发和研制了一批新的铁基和镍基高温合金，特别是60年代研制成的GH1140、GH2135、GH761和K214等铁基高温合金，成功地代替相应的镍基合金，在我国得到广泛应用，具有国际水平。(2)结合国情，在60年代就创造性地发展和应用了高温合金生产新工艺和新技术，如电渣重熔工艺、电渣熔铸涡轮盘技术、难变形高温合金的包套挤压、包套轧制和包套锻造、模锻的热加工工艺以及多孔空心叶片精铸工艺等。(3)全面、系统地研究了镁、磷、硅等微量元素的作用，广泛有效地采用了镁微合金化技术，发现了磷、硅等元素在高温合金中的偏析作用，并开发出低偏析高温合金系列。

本书以我国高温合金的研究、生产和使用实践为基础，结合国外最新研究成果，对高温合金专业技术知识作了全面介绍，为从事高温合金研究、开发、生产和使用的技术人员及其相关院校师生提供基础理论和生产实用知识。

本书共13章，分别由下列人员撰写：第1、8、12章由黄乾尧执笔，第2、4、13章由陈国良执笔，第3、5章由郭建庭执笔，第6、11

章由李汉康执笔，第 7 章由张舒声和黄乾尧执笔，第 9 章由周瑞发和丁桂山执笔，第 10 章由柳光祖执笔，全书最后由黄乾尧做了必要的修改和补充。

在全书写作过程中，高温合金学术委员会和在高温合金领域长期共同工作的同事们给予了大力支持和帮助，在此一并致谢。由于作者水平所限，书中错误和不足之处，敬请指正。

编　者

目　录

1 高温合金概述

1.1 国外高温合金发展简史

高温合金的发展与航空发动机的进步密切相关。1929 年，英美的 Merica、Bedford 和 Pilling 等人将少量的 Ti 和 Al 加入到 80Ni－20Cr 电工合金，使该合金具有显著的蠕变强化作用，但这并未引起人们的注意。1937 年德国 Hans von ohain 涡轮喷气发动机 Heinkel 问世，1939 年英国也研制出 Whittle 涡轮喷气发动机。然而，喷气发动机热端部件特别是涡轮叶片对材料的耐高温性和应力承受能力具有很高要求。1939 年英国 Mond 镍公司(后称国际镍公司)首先研制成一种低 C 且含 Ti 的镍基合金 Nimonic 75，准备用作 Whittle 发动机涡轮叶片，但不久，性能更优越的 Nimonic 80 合金问世，该合金含铝和钛，蠕变性能至少比 Nimonic 75 高 50℃。1942 年，Nimonic 80 成功地被用作涡轮喷气发动机的叶片材料，成为最早的 $Ni_3(Al, Ti)$强化的涡轮叶片材料。此后，该公司在合金中加入硼、锆、钴、钼等合金元素，相继开发了 Nimonic 80A、Nimonic 90……等合金，形成 Nimonic 合金系列。

美国的 Halliwell 于 1932 年开发了含铝、钛的弥散强化型镍基合金 K42B，该合金在 40 年代初被用以制造活塞式航空发动机的增压涡轮。美国开始发展航空燃气涡轮是在 1941 年以后。Hastelloy B 镍基合金 1942 年用于 GE 公司的 Bellp-59 喷气发动机及其后的 I-40 喷气发动机，1944 年西屋公司的 Yan Kee19A 发动机则采用了钴基合金 HS 23 精密铸造叶片。美国对精密铸造叶片情有独钟，主要是由于其生产效率高于锻造叶片。1950 年美国出兵朝鲜，由于钴的资源短缺，镍基合金得到发展并被广泛用作涡轮叶片。在这一时期，美国的 PW 公司、GE 公司和特殊金属公司分别开发出了 Waspalloy、M-252 和 Udmit 500 等合金，并在这些合金发展基础上，形成了 Inconel、Mar-M 和 Udmit 等牌号系列。

在高温合金发展过程中，工艺对合金的发展起着极大的推进作用。40 年代到 50 年代中期，主要是通过合金成分的调整来提高合金的性能。50 年代真空熔炼技术的出现，合金中有害杂质和气体的去除，特别是合金成分的精确控制，使高温合金前进了一大步，出现了一大批如 Mar-M 200、In 100 和 B 1900 等高性能的铸造高温合金。进入 60 年代之后，定向凝固、单晶合金、粉末冶金、机械合金化、陶瓷过滤等温锻造等新型工艺的研究开发蓬勃发展，成为高温合金发展的主要推动力，其中定向凝固工艺所起的作用尤为重要，采用定向凝固工艺制出的单晶合金，其使用温度接近合金熔点的 90%，至今，各国先进航空发动机无不采用单晶高温合金涡轮叶片。上述高温合金的发展过程如图 1-1 所示。

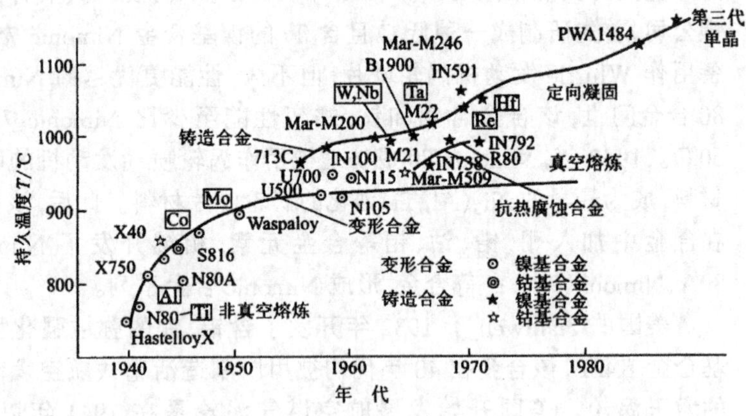

图 1-1　高温合金的发展历程

（在 137MPa、100h 的持久温度）

1.2　我国高温合金发展历程

和国外一样，航空喷气发动机生产的需要是我国高温合金发展的动力。1956 年我国正式开始研制生产高温合金，第一种高温合金是 GH3030(ЭИ435)，用作 WP-5 火焰筒，由抚顺钢厂、鞍山钢铁公司、冶金部钢铁研究总院、航空材料研究所和410厂共同承担试制任务,1957年顺利通过长期试车后投入生产。到1957年底,继GH3030合金之后,WP-5发动机用的GH4033(ЭИ437Б)、GH34(ЭИ415)和K412合金相继试制成功。

60年代初,全国在“独立自主、自力更生”的方针指引下,先后研制成功GH4037、GH3039、GH3044、GH4049、GH3128、K417等高温合金,至70年代初,我国高温合金的生产试制和研究已初具规模,在这一阶段通过仿制、消化和发展苏联高温合金为主体的合金及其工艺,质量达到或超过苏联标准和实物水平,航空发动机所需材料全部立足于国内。

由于我国资源缺镍少钴,又有国外的封锁,铁基高温合金的研制、生产和应用成为六七十年代的一道绚丽的风景线。至70年代初,研制生产的铁基高温合金牌号达33个,其中我国独创的达18种之多。大量应用至今的有GH1140、GH2135、GH35A和K213等4种合金。

70年代以后,我国开始引进欧美发动机WS-8、WS-9、WZ-6、WZ-8,并研制生产WP-13等发动机,相应引进和试制了一批欧美体系的高温合金,并按欧美标准进行质量管理和生产,使我国高温合金生产水平接近西方工业国家的水平。与此同时,我国自行研究和开发了一批新的镍基合金,如GH4133、GH4133B、GH3128、GH170、K405、K423A、K419和537等。

40多年来,我国在自力更生的基础上,学习和吸收外国先进技术,结合我国航空发动机研制和生产的需要,研究、试制和生产了100多种高温合金,总计产量达6万t左右。用于生产高温合金的装备有大型真空感应炉,不同容量的电渣炉,1~7t大型真空电弧炉,200kg真空电子束炉以及大型快锻、精锻机、挤压机、水压机等设备。

在高温合金体系建立过程中,还研究开发了一系列有特色的工艺技术,其中低偏析新技术和加镁微合金化两项水平之高,为国际公认。通过低偏析技术,控制杂质元素磷、硫、硅等的低含量,创制了一系列低偏析合金，其承温能力比原型合金高 20℃～25℃。在国外加 Mg 净化材质和改善热加工性能基础上，我国七八十年代进一步发现 Mg 的偏聚晶界、改变晶界行为可显著提高合金的持久强度和塑性等性能。

从 60 年代开始，为适应我国航天工业的发展，先后为各种火箭发动机研制了一批高温合金，其中有些是专为航天工业的需要而开发的。1964 年，高温合金开始推广应用到民用工业部门，如柴油机增压涡轮、地面燃气轮机、烟气轮机、核反应堆燃料空位格架等等。在民用工业的推广应用中，除传统的高温高强度的高温合金外，还相继开发出一批高温耐磨和高温耐蚀的高温合金。

1.3 高温合金的性能特征及其用途

高温合金是指以铁、镍、钴为基，能在 600℃ 以上的高温及一定应力作用下长期工作的一类金属材料。高温合金具有较高的高温强度，良好的抗氧化和抗热腐蚀性能，良好的疲劳性能、断裂韧性、塑性等综合性能。高温合金为单一奥氏体基体组织，在各种温度下具有良好的组织稳定性和使用的可靠性，基于上述性能特点，且高温合金的合金化程度很高，故在英美称之为超合金（Superalloy）。

高温合金从一开始就主要用于航空发动机，在现代先进的航空发动机中，高温合金材料用量占发动机总量的 40%～60%，可以说高温合金与航空喷气发动机是一对孪生兄弟，没有航空发动机就不会有高温合金的今天，而没有高温合金，也就没有今天的先进航空工业。在航空发动机中，高温合金主要用于四大热端部件，即：导向器、涡轮叶片、涡轮盘和燃烧室。

除航空发动机外，高温合金还是火箭发动机及燃气轮机高温热端部件的不可替代的材料。鉴于高温合金用途的重要性，因此对高温合金质量之严，检测项目之多是其他金属材料所没有的。高温合金外部质量要求有外部轮廓形状、尺寸精度、表面缺陷清理方法等。如锻制圆饼应呈鼓形且不能有明显歪扭；锻制或轧制棒材不圆度不能大于直径偏差的70%，其弯曲度每米长度不能大于6mm；热轧板材的不平度每米长度不能大于10mm等等。高温合金内部质量要求有化学成分、合金组织、物理和化学性能等。高温合金的化学成分除主元素外，对气体氧、氢、氮及杂质微量元素铅、铋、锡、锑、银、砷等的含量都有一定的要求。一般高温合金分析元素达20多种，单晶高温合金分析元素达35种之多。如铋、硒、碲、铊等微量有害元素的含量要求在10^{-6}以下。合金组织有低倍和高倍要求外，还要提供其高温下的组织稳定性的数据，其检测项目有晶粒度、断口分层、疏松、晶界状态，夹杂物的大小和分布，纯洁度等等。高温合金力学性能检测项目有室温及高温拉伸性能和冲击韧性，高温持久及蠕变性能，硬度，高周和低周疲劳性能，蠕变与疲劳交互作用下的力学性能，抗氧化和抗热腐蚀性能。为了说明合金的组织稳定性，不仅对合金铸态、加工态或热处理状态进行上述力学性能测定，而且合金经高温长期时效后仍需进行相应的力学性能测定。高温合金物理常数的测定通常包括密度、熔化温度、比热、热膨胀系数和热导率等。

为了保证高温合金生产质量和性能稳定可靠，除上述材料检验和考核外，用户还必须对生产过程进行控制，即对生产中的原材料、生产工艺、生产设备和测量仪表、操作工序和操作人员素质，生产和质量管理水平等进行考核和“冻结”。合金转厂生产除具备考核条件外，经有关航空生产工程来源批准后，生产出的合金必须检验三炉批全面性能，并检查主要生产工序中半成品质量。新研制的合金还需经地面台架试车和空中试飞，作出能否应用的鉴定结论。

70年代以来，高温合金在原子能、能源动力、交通运输、石油化工、冶金矿山和玻璃建材等诸多民用工业部门得到推广应用，这类高温合金中一部分主要仍然利用高温合金的高温高强度特性，而另有一大部分则主要是开发和应用高温合金的高温耐磨和耐腐蚀性能。据资料报导，目前美国高温合金总产量约为每年2.3～3.6万t，大约1/2～1/3应用于耐蚀的材料。高温耐磨耐蚀的高温合金，由于主要目标不是高温下的强度，因此这些合金成分上的特点是以镍、铁或钴为基，并含有大约 20%～35%的铬，大量的钨、钼等固溶强化元素，而铝、钛等 γ 形成元素则要求含量甚少或者根本不加入。我国民用高温合金发展迅速，这方面内容在本书第 12 章“民用高温合金”中有详尽叙述。

1.4 高温合金分类和牌号表示法

高温合金分类有如下几种，通常按合金基体元素种类来分，可分为铁基、镍基和钴基合金三类，目前使用的铁基合金含镍量高达 25%～60%，这类铁基合金有时又称为铁镍基合金。根据合金强化类型不同，高温合金可分为固溶强化型合金和时效沉淀强化型合金，不同强化型的合金有不同的热处理制度。根据合金材料成形方式的不同，则高温合金可分为变形合金、铸造合金和粉末冶金合金三类。变形合金的生产品种有饼材、棒材、板材、环形件、管材、带材和丝材等，铸造合金则有普通精密铸造合金、定向凝固合金和单晶合金之分，粉末冶金则有普通粉末冶金高温合金和氧化物弥散强化高温合金两种。对于从事高温合金的生产、研究和使用的人员，上述三种分类方法必须非常清楚。此外，按使用特性，高温合金又可分为高强度合金、高屈服强度合金、抗松弛合金、低膨胀合金、抗热腐蚀合金等等。

国外高温合金牌号按各开发生产厂家的注册商标命名，合金牌号和相应注册商家如下所示：

合金牌号	注册商家
CMSX	Cannon－Muskegon Corporation(佳能－穆斯克贡公司)
Discaloy	Westinghouse corporation(西屋公司)
Gatorize	United Aircraft Company(联合航空公司)
Haynes	Haynes Stellite Company(汉因斯．司泰特公司)
Hastelloy	Cabot Corporation(钴业公司)
Incoloy	Inco Alloys International, Inc(国际因科合金公司)
Inconel	Inco Alloys International, Inc(国际因科合金公司)
Mar－M	Martin Marietta Corporation(马丁·马丽塔公司)

Multiphase	Standard Pressed Steel Co(标准压制钢公司)
Nimonic	Mond Nickel Company(蒙特镍公司)
René	General Electric Company(通用电气公司)
REP	Whittaker Corporation(惠特克公司)
Udmit	Special Metal, Inc,(特殊金属公司)
Unitemp	Universal – Cyclops steel Corporation(宇宙 – 独眼巨人钢公司)
Vitallium	Howmet Corporation(豪梅特公司)
Waspaloy	Pratt & Whitney Company(普拉特 – 惠脱尼公司)

我国高温合金牌号的命名考虑到合金成形方式、强化类型与基体组元,采用汉语拼音字母符号作前缀。变形高温合金以“GH”表示,“G”、“H”分别为“高”、“合”汉语拼音的第一个字母,后接4位阿拉伯数字,前缀“GH”后的第一位数字表示分类号,1和2表示铁基或铁镍基高温合金,3和4表示镍基合金,5和6表示钴基合金,其中单数1、3和5为固溶强化型合金,双数2,4和6为时效沉淀强化型合金。“GH”后的第2、3、4位数字则表示合金的编号。如GH4169,表明为时效沉淀强化型的镍基高温合金,合金编号为169。铸造高温合金则采用“K”作前缀,后接3位阿拉伯数字。“K”后第1位数字表示分类号,其含义与变形合金相同,第2、3位数字表示合金编号。如K418,为时效沉淀强化型镍基铸造高温合金,合金编号为18。粉末高温合金牌号则以“FGH”前缀后跟阿拉伯数字表示,而焊接用的高温合金丝的牌号表示则用前缀“HGH”后跟阿拉伯数字。近些年来,成形工艺的发展,新的高温合金大量涌现,在技术文献中常常可见到“MGH”、“DK”和“DD”等作前缀的合金牌号,它们分别表示为机械合金化粉末高温合金、定向凝固高温合金和单晶铸造高温合金。

顺便说一下,在70年代以前,我国高温合金牌号表示比现在简单,变形高温合金只有3位数字编号,铸造高温合金只有2位数字编号,即省略了前缀后的表示基体类别和强化型类别的第一位数字,如“K17”,即现在的“K417”,“GH39”即为现在的“GH3039”等等,在本书中有个别高温合金牌号仍沿用这种表示方法,这是因为当时它们尚未被列入国标(或航标),请读者留意。

参 考 文 献

1 W. Betteridge and J. Heslop. The Nimonic Alloys. Edward Arnord Ltd. London, 1974: 1～35

2 C T Sims *et al*. Superalloys Ⅱ – hightemperature materials for aerospace and industrial power. John wiley & Sons, Ine. New York. 1987

3 冶军编 . 美国镍基高温合金 . 北京:科学出版社,1978

4 师昌绪,陆达,荣科主编 . 中国高温合金四十年 . 北京:中国科学技术出版社,1996

2 高温合金强化原理

当前广泛使用的高温合金是镍基高温合金,此外还有铁基高温合金和钴基高温合金。所有高温合金都含有多种合金元素,有时多达十几种。所谓合金强化就是把多种合金元素加入到基体元素(镍、铁或钴)中,使之产生强化效应。这些强化效应包括固溶强化,第二相强化(沉淀析出强化和弥散相强化)以及晶界强化。高温合金的发展过程实际上是把合金强化理论与高温合金实际相结合的过程。另一方面,高温合金发展过程又是高温合金生产工艺(或技术)的不断改善和革新的过程。这就是合金强化与工艺强化相结合,两者不断相互促进,使高温合金得到最新发展。工艺强化是指通过采用新工艺,或者改善冶炼、凝固结晶、热加工、热处理及表面处理等环节改善合金组织结构而强化,这是一种非常重要的强化途径。

本章重点阐明合金固溶强化、第二相强化及晶界强化原理,简略介绍工艺强化。

2.1 高温合金中基体元素的作用

镍基高温合金的基体元素是镍,铁基高温合金的基体元素是铁,钴基高温合金的基体元素是钴。由于基体元素镍、铁、钴的基本属性不同(表 2-1),因而这三类高温合金的合金强化特点不同,合金的某些特性也不同,主要有以下几点:

(1)镍为面心立方结构,没有同素异构转变,而铁、钴室温下分别为体心立方和密排六方结构,高温下为面心立方奥氏体结构(表 2-1)。目前,几乎全部高温合金的基体都是具有面心立方结构的奥氏体,因为奥氏体比体心立方的铁素体有更高的高温强度。图 2-1 是一个含铬约 25%的合金,随着含镍量增加,组织从纯铁素体逐步转变为纯奥氏体,其600℃和700℃的蠕变强度逐渐提高,奥

表 2-1 镍、铁、钴的某些物理性能

元素	晶体结构 低温→高温	熔点/ ℃	密度/ $g\cdot cm^{-3}$	线膨胀系数/ $1/℃^{-1}$(0~100℃)	导热系数/ $J\cdot(s\cdot cm\cdot ℃)^{-1}$ (0~100℃)	相稳定性的次序
Ni	fcc	1453	8.9	13.3×10^{-6}	0.88	最稳定
Fe	bcc→fcc→bcc	1538	7.87	12.1×10^{-6}	0.71	最不稳定
Co	hcp→fcc	1492	8.9	12.5×10^{-6}	0.69	居中

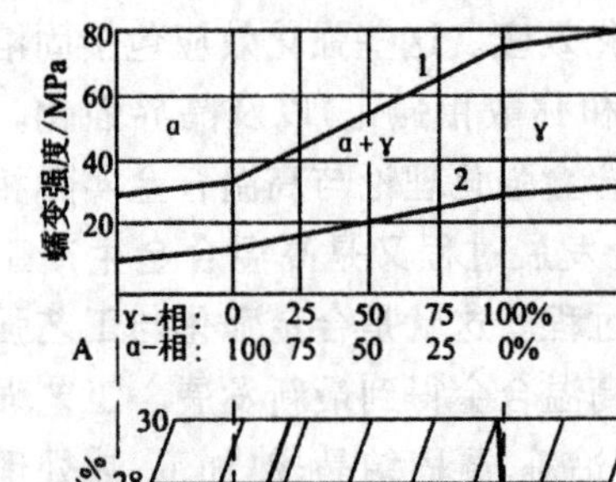

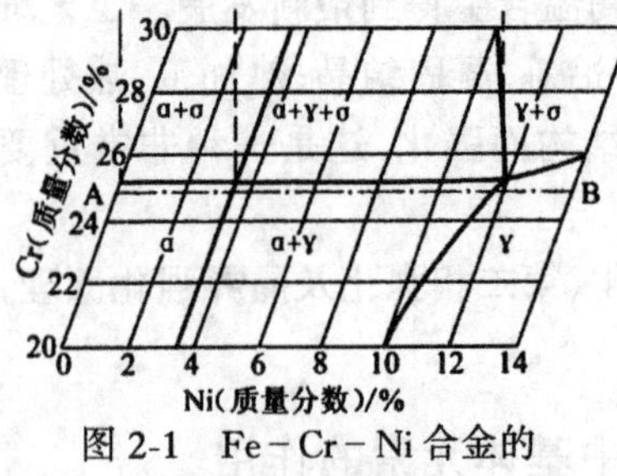

图 2-1 Fe－Cr－Ni 合金的组织与蠕变强度

1—600℃;2—700℃

氏体的高温强度较高的原因是它的原子扩散能力较小，即自扩散激活能较高。α-Fe(bcc)和 γ-Fe(fcc)的自扩散激活能分别为 249952 和 284702J/mol。因此，为了得到直到低温仍然稳定的奥氏体结构，铁基和钴基合金中必须加入扩大奥氏体的合金元素，此外锰也有一定的扩大奥氏体的能力。

(2)镍具有较高的化学稳定性，在 500℃ 以下几乎不氧化，常温下不易受潮气、水及某些盐类水溶液的浸蚀。钴和铁的抗氧化性能都比镍差，但钴的抗热腐蚀能力比镍强(由于钴的硫化物熔点较高及硫在钴中的扩散较慢)。无论镍基、铁基或钴基高温合金均需加入铬以改善其抗氧化耐蚀性，但由于镍、铁、钴基体元素特性的差别，一般镍基合金的抗氧性最佳，而钴基合金却有更好的抗热腐蚀性。

(3)镍、铁、钴的合金化能力不同，镍具有最好的相稳定性，铁最差(表 2-1)，这是最重要的特性。镍或镍铬基体可以固溶更多的合金元素而不生成有害的相，而铁或铁铬镍基体却只能固溶较少的合金元素,有强烈的析出各种有害相的倾向。这一特性为改善镍的各种性能提供了潜在的可能性,而铁和钴则受到一定限制。镍、铁、钴的这种特性与其各自的电子结构有关,并且可以从对比它们的二元及多元相图,例如 Ni-Cr-Me、Fe-Cr-Ni-Me 及 Co-Cr-Me 相图的差别中得到证实。

(4)镍铁钴的某些物理性能略有差别(表 2-1),铁的密度最小,但膨胀系数最大(γ-Fe),导热能力较好。钴与镍比较,其导热性较好,膨胀系数较低,所以其热疲劳性能较优。

镍、铁与钴的上述基本特性不同,因而它们的合金强化的特点也不同,合金的基本特性也有差异。镍是一种最佳的基体金属,使得镍基高温合金成为最佳的高温合金系列。在某些使用条件下,钴基合金可以发挥其优势,例如在耐热腐蚀及耐热疲劳性方面。此外,钴基合金具有比较平坦的应力－断裂时间(温度)曲线,也就是有较长的使用寿命,所以高温低应力下长期使用的静态部件往往用钴基合金。易析出有害相,使铁基合金的发展受到限制。铁基合金的使用温度范围较镍基和钴基低。

2.2 高温合金的固溶强化

2.2.1 奥氏体的固溶强化机制

固溶强化是将一些合金元素加入到镍、铁或钴基高温合金中,使之形成合金化的单相奥氏体而得到的强化。无论是均匀分布于基体的或非均匀分布于基体的溶质原子都有强化作用。从物理本质分析,固溶强化与下列因素相关:

(1)与溶质原子大小相关的尺寸因素引起的弹性应力场的作用。Mott 和 Nabarro[2]认为均匀分布于基体的溶质原子可以产生长程内应力场,增加位错运动阻力,由此导出对于稀固溶体屈服强度 τ 的计算式:

$$\tau = 2G\varepsilon C \tag{2-1}$$

式中 G 是切变模量; C 是溶质原子浓度; ε 是错配度; ε 可用基体

元素的点阵常数 a_0和它与溶质原子点阵常数之差 Δa 表示

$$\varepsilon = \frac{1}{a_0}\frac{\mathrm{d}a}{\mathrm{d}C} \tag{2-2}$$

由式 2-1 看出，这类固溶强化程度应与溶质浓度 C 和 ε 有关，实际上对于某些合金系统，也可以呈 $\sqrt{C}$ 关系。由 Feltham[3] 发展的理论可以解释这种关系。

(2)Fleischer[4] 认为均匀分布的溶质原子的作用不仅要考虑由于原子尺寸因素不同而引起的畸变弹性应力场，还应考虑由于溶质和溶剂原子的弹性模量的差别而产生的强化效应，这是通过改变溶质原子处的位错应力场的弹性能大小而得到的。类似于式 2-2，定义模量失调度

$$\varepsilon_G = \frac{1}{G}\frac{\mathrm{d}G}{\mathrm{d}C} \tag{2-3}$$

$$或\ \varepsilon'_G = \varepsilon_G/(1 + \frac{|\varepsilon_G|}{2})$$

由此得到单位浓度溶质引起的位错运动切应力增加 $\frac{\mathrm{d}\tau_C}{\mathrm{d}C}$ 与 $|\varepsilon'_G - \alpha\varepsilon|$ 呈线性关系（α 为常数）。这时固溶强化程度将与 ε_G, ε 及 C 诸因素有关。

(3)静电交互作用引起的非均匀分布固溶强化[5]。晶体中刃型位错产生的弹性畸变会引起费密能变化，导致金属导电电子从受压缩区域流向受拉伸区域，产生电偶极子。因此溶质原子的导电电子必须参与分布，使之得到一个带正电荷的离子，从而在它与位错之间出现一个短程的静电交互作用，使位错运动阻力增加。计算证明，这种作用比弹性交互作用还要小很多。

(4)化学交互作用引起的非均匀分布固溶强化[6]。这是由于面心立方金属中存在层错，而溶质原子在层错处的平衡浓度会不同，这种不均匀分布导致位错运动阻力，即所谓铃木气团（Suzuki 气团）。它的强化作用与体心立方金属中因弹性交互作用产生的 Contrell 气团和 Snock 气团强化相比要小一个数量级，但其稳定性远比后者高。估计将位错从 Suzuki 气团脱钉出来所需的激活能

高达 1eV。因此对于高温强度来说，它的作用较大。

(5)短程有序原子分布引起的固溶强化[7]。当溶质原子数量较多，并且异类原子之间的作用能不同于同类原子时，固溶体可能出现一定程度的短程有序。位错运动通过有序区时，由于全部或部分破坏了原子有序关系，而增加了位错运动阻力，由此得到短程有序下位错运动切应力 τ 的计算式

$$\tau = 16\left(\frac{2}{3}\right)^{\frac{1}{2}} \frac{C(1-C)\nu\alpha}{a^3} \tag{2-4}$$

式中 C 为溶质浓度(摩尔分数/%)；ν 为净交互作用能($\nu = \nu_{AB} - \frac{\nu_{AA}+\nu_{BB}}{2}$)；$\alpha$ 为短程有序度；a 为点阵常数。温度对有序强化的影响较小。这种强化机制对高温强度影响比较重要。

2.2.2 高温合金的固溶强化

高温合金中，合金元素的固溶强化作用首先是与溶质和溶剂原子尺寸因素差别相关联，此外两种原子的电子因素差别和化学因素差别都有很大影响，而这些因素也是决定合金元素在基体中的溶解度的因素。固溶度小的合金元素较之固溶度大的合金元素，会产生更强烈的固溶强化作用，但其溶解度小却又限制其加入量。而固溶度大的元素却可以增加其加入量而获得更大的强化效果。图 2-2 是不同原子对镍晶格常数影响以及对镍的屈服强度影响。而在相同晶格常数变化条件下，各合金元素对屈服强度影响的程度与合金元素在周期表中的位置及电子空位数(N_v)有关(图 2-3)。

各合金元素的固溶度是不同的(图 2-4 是各元素在镍中的溶解度曲线)，一般倾向是 Cr＞Mo＞W＞V＞Nb＞Ta＞Al＞Ti＞Be，而固溶强化的能力却相反，即 Cr＜Mo＜W＜V＜Nb＜Ta＜Al＜Ti＜Be。因此必须综合考虑，如以一个高水平镍基高温合金的 γ 固溶体成分为例[8]：

成分：	Co	Fe	Cr	Mo	W	V	Al	Ti
摩尔分数/%：	20	10	20	4	4	1.5	2	1

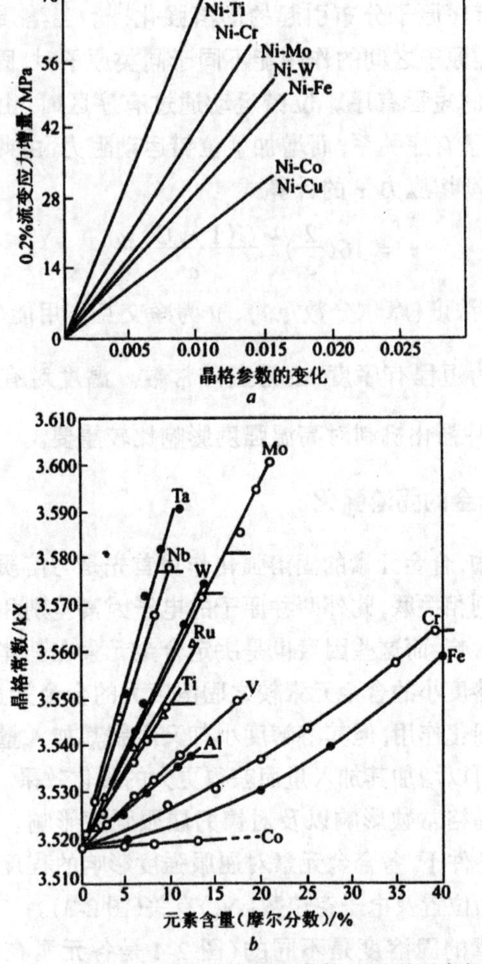

图 2-2　不同原子对镍晶格常数及屈服强度的影响

a—晶格常数变化对镍基合金流变应力的影响；

b—合金元素对镍的晶格常数的影响

可以估算出它们提高屈服强度的程度为：

成分：	Co	Fe	Cr	Mo	W	V	Al	Ti
强度/MPa：	18	56	160	170	180	34	67	40

（设 Al 的 $N_v < 7.66$）

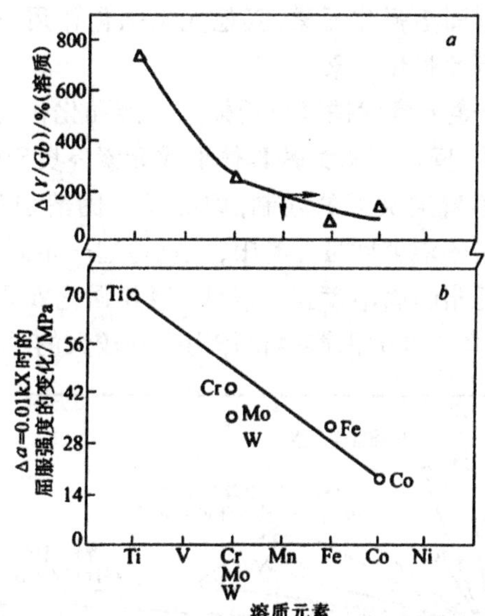

图 2-3 合金元素在周期表中的位置及其电子空位数(N_v)对镍基二元合金的影响

a—合金元素对层错能的影响；

b—单位晶格常数的变化对屈服强度的影响

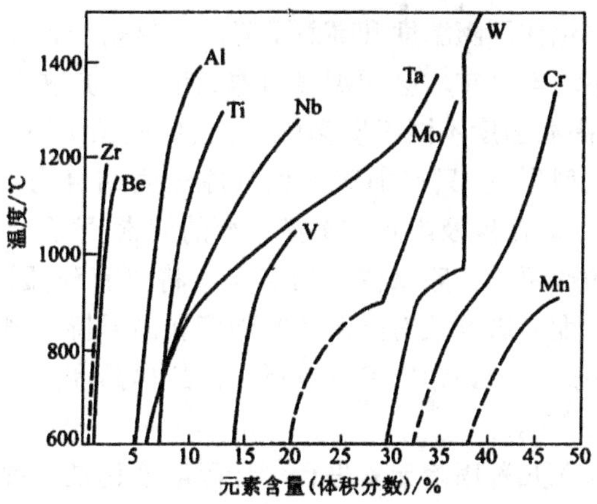

图 2-4 合金元素在镍中的溶解度曲线

可见钨钼铬是强固溶强化元素，其他元素强化作用较弱，实际上，铝钛是主要的沉淀强化元素。

图 2-5 为合金元素对铁基奥氏体的固溶强化作用[9]。按强化率大小排列应为：间隙元素＞铁素体形成元素＞奥氏体形成元素。但如果考虑到溶解度极限的限制，间隙元素固溶强化作用很小。铁素体形成元素的溶解度虽然有限，但仍可起一定固溶强化作用。而奥氏体形成元素的固溶度虽然较大，但其强化效果却也是有限的。因此，铁基奥氏体的固溶强化作用受到较大的限制。

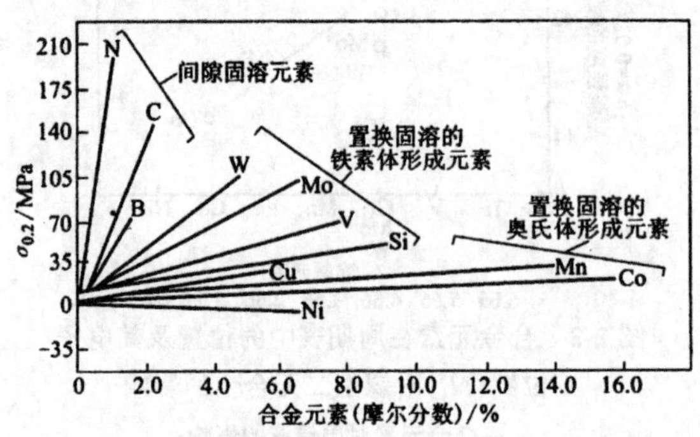

图 2-5　合金元素对铁基奥氏体的固溶强化作用[9]

固溶强化作用随温度升高而下降。晶格畸变弹性应变能的作用及原子不均匀分布均会因温度升高，使原子扩散能力增大而减弱。同时，高温强度不同于室温强度，它更依赖于原子扩散能力，甚至有扩散型形变，只有那些能提高原子间结合力，降低扩散系数，提高再结晶温度及阻止扩散型形变的元素，才会有更佳的提高高温强度的作用。一般来说高熔点元素将更有利，因此铬钼钨对低温瞬时强度的影响及对高温瞬时强度和高温持久强度的影响是不同的。高熔点的钨钼比铬具有更强烈的提高高温持久强度的作用，如表 2-2 所示。

同时加入几种固溶元素进行多元固溶强化是一种有效的固溶强化手段。图 2-6 说明多元合金化的作用。元素的加入量分别为 10％Cr、2％Ti、6％W、3％Mo、2％Nb和5％Co。以镍固溶体——

表 2-2　10%铬、钨或钼对镍的固溶强化作用[10]

镍合金与纯镍的强度比	屈服强度	持久强度			
	室温	650℃ 1h	650℃ 100h	815℃ 1h	815℃ 100h
Cr-Ni/Ni	1.5	3.0	2.6	2.0	2.0
Mo-Ni/Ni	2.4	3.1	3.6	2.4	2.4
W-Ni/Ni	2.6	3.2	4.6	3.0	2.7

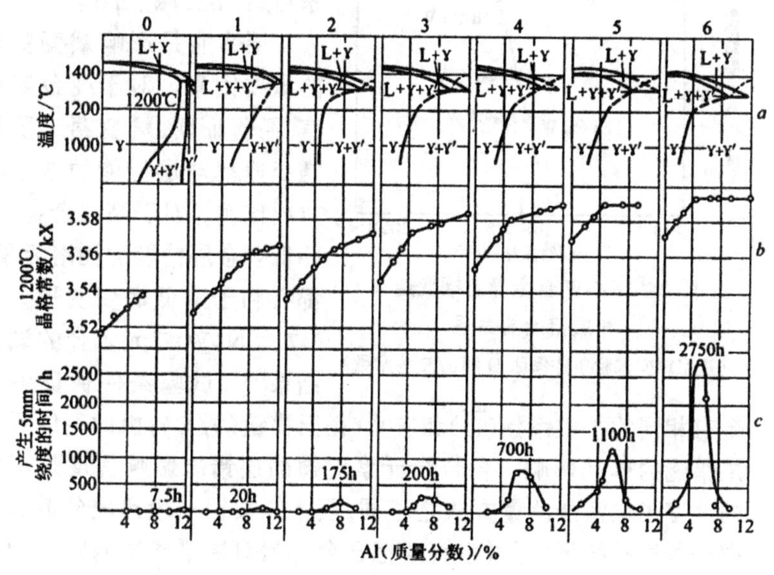

图 2-6　镍固溶体－铝合金系的组织与性能

a —成分－相关系；*b* —成分－点阵常数关系；*c* —成分－耐热性关系

合金系：

1—Ni-Al；2—Ni-Cr-Al；3—Ni-Cr-Ti-Al；

4—Ni-Cr-Ti-W-Al；5—Ni-Cr-Ti-W-Mo-Al；

6—Ni-Cr-Ti-W-Mo-Nb-Al；7—Ni-Cr-Ti-W-Mo-Nb-Co-Al

铝截面图(含 Al 量最高为 12%)为基础，对比镍固溶体的点阵常数与 900℃、120MPa 下蠕变变形(弯曲变形)5mm 的时间，可以看出，多元合金化显著提高高温蠕变强度。一方面它使晶格常数变化愈来愈大，另一方面使扩散激活能提高。纯镍的扩散激活能约

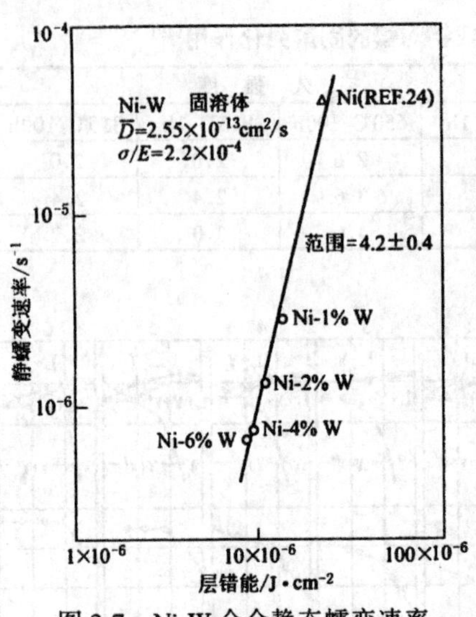

图 2-7　Ni-W 合金静态蠕变速率和层错能的关系

（真空蠕变试验条件保证 $\overline{D}$ 和 σ/E 为常数）

为 216.5kJ/mol, Ni-Ti 二元系提高到 287.2kJ/mol, Ni-Cr-Ti 三元系则为 351.7kJ/mol, Ni-Cr-Ti-W-Al 系为 363kJ/mol, 六元及七元系达到 381 ~ 410kJ/mol, 而八元系可达 468.1kJ/mol。

层错能是影响蠕变变形的重要因素。对于纯金属而言,经验证明,蠕变第二阶段蠕变速率与层错能的 3.5 次方成比例。对于高温合金,凡降低合金层错能的固溶元素,都有利于降低蠕变变形。图 2-7 为 Ni-W 二元合金的试验结果[11],试验条件保证各合金有相同的扩散系数($\overline{D}$)和应力/杨氏模量(σ/E),由此可以看出层错能的单独影响。各合金元素对镍的层错能影响程度是不同的。鉴于层错能测量方法之不同,层错能数据一般比较分散。根据一些试验结果,可以粗略地把合金元素对层错能影响归纳为线性关系。合金元素对镍的层错能的影响按下列次序递减:W＞Ti＞Cr＞Co＞Cu＞Fe。对于奥氏体铁,合金元素对层错能的影响也很显著,低层错能合金的高温强度较高。

2.3　高温合金的第二相强化

高温合金主要依赖于第二相强化。它又分为时效析出沉淀强化、铸造第二相骨架强化和弥散质点强化等。高温合金的时效沉淀强化主要是 $\gamma'(Ni_3AlTi)$, $\gamma''(Ni_xNb)$ 或碳化物的时效沉淀强化。弥散强化主要是氧化物质点或其他化合物质点的强化。钴基铸造合金常有碳化物骨架强化。

2.3.1 第二相质点与位错交互作用机制

第二相质点与位错的交互作用是合金第二相强化的本质。对于高温合金,以下机制是重要的:

(1)Mott－Nabarro[2]认为第二相质点强化是由于两个相晶格错配产生的弹性应力场对位错运动施加的阻力,其作用完全与固溶强化中由溶质原子尺寸不同引起的弹性应力场的作用相似,得到以下公式

$$\tau_c \approx 2G\varepsilon f_v \tag{2-5}$$

式中 ε 为两相晶格错配度($\frac{a_{\gamma'} - a_{\gamma}}{a_{\gamma}}$);$f_v$ 为第二相的体积百分数。显然这个模型是有缺陷的,其强化程度只与第二相的数量有关,而与第二相的大小和本质无关,这是不符合实验结果的。

(2)位错切割第二相质点模型[12]。当第二相质点的本质是软的,强度较低,特别当二相的界面具有共格关系时,位错可能以切割方式通过第二相质点,这时位错运动附加阻力来自几个方面:

1)第二相质点与基体之间的弹性应力场——共格强化;

2)切割第二相质点后增加了表面积——表面强化;

3)切割后造成层错,而第二相与基体之间层错能不同,影响位错运动——层错强化;

4)质点与基体的弹性模量不同——模量强化;

5)第二相质点为有序相时,切割成反向畴界面(APB)。因此位错一般成对进行切割,第一个位错切过生成一个 APB。第二个位错再切过,APB 就消失了(图 2-8 *c*),这就是反向畴有序强化;

6)运动位错受阻于第二相质点,在外力作用下,位错以某机制通过第二相时,会产生一定角度 ϕ 的弯曲,当第二相质点强度低时,角 ϕ 接近 180°时就可通过(切割方式)。当第二相质点强度大时,位错弯曲很大即 ϕ 很小时,位错才能通过。这个位错弯曲引起的附加阻力与质点强度有关－弥散质点强化(图 2-9)。

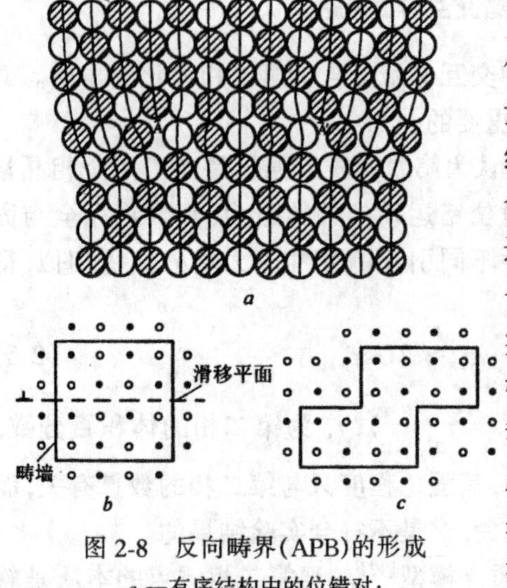

图 2-8　反向畴界(APB)的形成

a—有序结构中的位错对；

b—位错通过前；

c—位错通过后

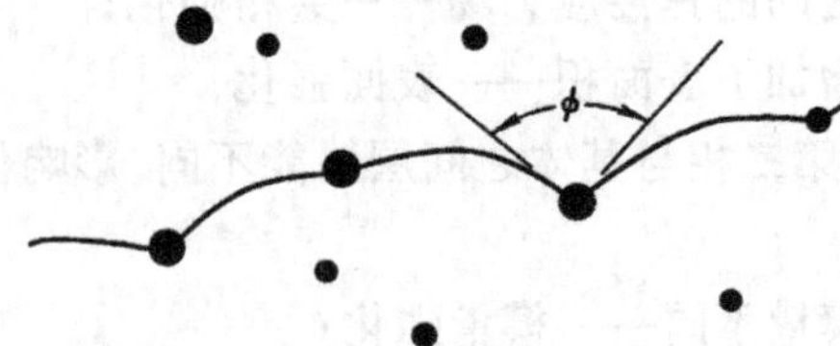

图 2-9　位错运动在第二相质点处受阻形成一定的弯曲角

表 2-3 列出由各种强化机制导出的屈服强度增量方程式。由于推导过程细节不同，得到的描述式也略有区别。然而所有上述理论描述均只考虑存在一种强化机制。对于一个实际合金，上述各种强化机制均可以起作用。在这种情况下，可以用加和性原理来估计总的效应。由表 2-3 各式可以看出，晶格错配度愈大，质点/基体界面能愈高，层错能差愈大，模量差别愈大，反向畴界能愈高，第二相本身愈强($\phi \rightarrow 0$)，则切割第二相质点引起的屈服强度增量愈大。增加第二相质点数量，一般将增加强化程度。质点直径 l 及与此相适应的 R_s 及 R_0 值愈大，位错切割第二相阻力愈大。

应该指出，根据位错切割的具体情况，有序强化中的 APB 能可以用复合层错能代替，它包括层错能、APB 能及超结构层错能等。

(3)位错绕过第二相质点的 Orowan 机制[23]。当第二相质点强度很高，或者是第二相为非共格析出时，运动位错难于切割这类质点，则可以弯曲并最终绕过第二相质点，如图2-10所示。由此

表 2-3　各种强化机制造成的屈服强度增量方程式

机　制	作　　者	屈服强度增量 $\Delta\tau$
共格强化	Gerold, Haberkorn[13]	$\beta G\varepsilon^{3/2}(l/b)^{1/2}f^{1/2}$
	Gleiter[14]	$11.8G\varepsilon^{3/2}(l/2b)^{1/2}f^{5/6}$
表面强化	Kelly, Nicholsen[15]	$(\sqrt{6}/\pi)\gamma_s(2f/l)$
	Harkness, Hren[16]	$(60.4/b^3)(T/b)^{1/2}(\gamma_s)^{3/2}(l/2)^2f^{1/2}$
层错强化	Hirsch, kelly[17]	$(4/\pi)(2/3\pi)^{1/2}[(\gamma_m-\gamma_p)/b][3k(\alpha)l_m(\gamma_m/\gamma_p)/T]^{1/3}(2\bar{\omega}/l)x(1-3\pi\bar{\omega}/16l)f^{2/3}$　　$l\gg\bar{\omega}$
	Gerold, Hartmann[18]	$(8/\pi)^{1/2}G[(\gamma_m-\gamma_p)/Gb]^{3/2}(l/2b)^{1/2}f^{1/2}l_m$
模量强化	Kelly[19]	$(\Delta G/4\pi^2)(3\Delta G/Gb)^{1/2}[0.8-0.143\ln(l/2b)]^{3/2}(l/2)^{1/2}f^{1/2}$
	Weeks *et al*[20]	$(\Delta Gb/2\pi\lambda)[(\pi^2/12)+\ln(l/R_0)]$
反向畴有序强化	Gleiter, Hornbogen[21]	$(0.28\gamma_0^{3/2}\gamma R_0^{1/2}f^{1/3})/b^2G^{1/2}$
	Brown, Ham[22]	$(\gamma_0/2b)[(4\gamma_0 fR_s/\pi T)^{1/2}-f]$, $\pi Tf/4\gamma_0<R_s<T/\gamma_0$ $(\gamma_0/2b)[(4f/\pi)^{1/2}-f]$　　$R_s>T/\gamma_0$
硬质点强化	Brown, Ham[22]	$\tau_c=(0.8Gb/L)\cos(\phi/2)$　　$\phi\leqslant 100°$ $\tau_c=(Gb/L)[\cos(\phi/2)]^{3/2}$　　$\phi\geqslant 100°$

表中　β—常数(刃位错为 3，螺位错为 1)；ε—点阵错配度；γ_m—基体的层错能；γ_s—质点/基体的界面能；γ_p—第二相层错能；$\bar{\omega}$—平均层错带宽；$k(\alpha)$—分解位错的分解力与分开距离的乘积；γ_0—比反向畴界能；l_m—质点直径 l 和 γ_p 的复杂函数；ΔG—基体与第二相模量差；R_s—滑移带交割质点的平均尺寸；R_0—位错核心半径；b—柏氏矢量；ϕ—位错弯曲角；T—位错线张量；f—第二相质点体积分数；L—质点间距。

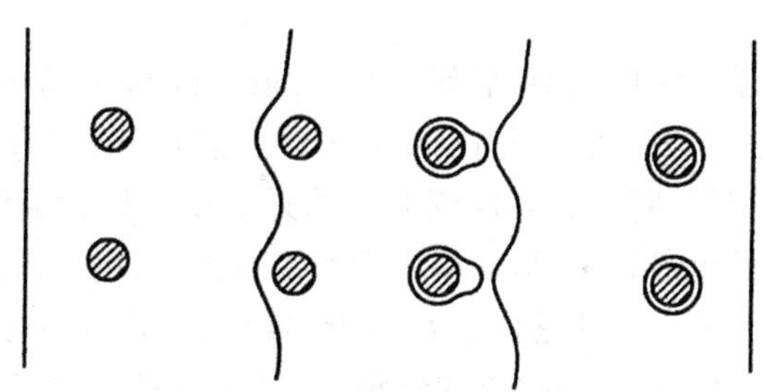

图 2-10　Orowan 绕过质点机制，
它在质点周围留下一个位错环

得到屈服强度增量

$$\Delta\tau = 0.2Gb\phi\,\frac{2}{\lambda}\ln(h/2b) \tag{2-6}$$

式中 λ 为质点间距；ϕ 为柏氏矢量和位错线夹角的函数；h 为质点大小。对于一定尺寸的质点，第二相体积百分数的增加，就意味着质点间距的减小，从而导致阻力增加。或者对于一定的 λ 值，第二相体积百分数增加意味着质点尺寸增加，由此根据质点造成的共格应变场及有效尺寸，增加位错运动阻力。

(4)在高温蠕变条件下，位错可以通过交滑移及攀移通过第二相质点。在某种条件下，运动位错在第二相质点前受阻并产生弯曲。到一定程度后，可以通过交滑移方式通过第二相。但对于奥氏体合金这一类面滑移材料，交滑移是不容易进行的。在这种条件下，这类交滑移机制所需应力与产生 Orowan 机制的应力在同一数量级，这样 Orowan 机制将优先进行。

对于恢复型蠕变，位错的攀移是蠕变控制因素。其静态蠕变速率直接与基体元素自扩散系数成比例。例如：

$$\dot{\varepsilon}_s = \frac{\pi\sigma^4 L^2 D}{rG^3 KT} \tag{2-7}$$

式中 σ 为外应力；L 为质点间距；D 为基体元素自扩散系数；r 为第二相质点尺寸；T 为温度；K 为常数；G 为切变模量，当增加第二相数量时，质点间距变短，或质点尺寸变大，则导致蠕变强度增加。

上述各种机制中，显然只用 Mott－Nabarro 的弹性应力场机制来描述第二相的阻碍位错运动作用是有局限性的。由于共格粒子易受切割，所以其共格应力场总是重要的强化因素。在切割机制的诸强化因素中，除共格应力场因素外，反向有序强化是另外一个重要的因素。这是由于共格析出相往往是有序相。例如，高温合金析出的 $Ni_3Al(\gamma')$有序结构，它导致成对位错切割 γ'的位错运动特征。此时还不只是局限于 APB 的作用，应该考虑超点阵层错、复杂层错及 APB 等各种能量的作用。

第二相质点的大小、间距、数量及分布，直接影响其强化机制。

图 2-11 定性说明质点状态的作用。对于切割机制，在一定的第二相体积百分数条件下，随质点尺寸增加，切割阻力变大(表 2-3 反向畴有序强化式中 R_s 增大，共格强化式中 l 增大)。当质点大到满足 $R_s=\frac{T}{r_0}$ 或 $\tau_{max}=\frac{Gb}{L}$ 时，其应力已超过 Orowan 绕过机制开动所需最大应力，从而 Orowan 机制将代替切割机制。以后随质点尺寸变大，质点间距变大，位错更容易绕过第二相质点，强化程度下降。因此，图 2-11 *a* 可以代表一般的共格析出时效沉淀硬化曲线。在时效初期阶段，随析出第二相数量增加，尺寸变大到一个临界尺寸之前，切割机制起作用，在过时效以后，Orowan 机制起作用，随质点变大，其间距变大，强化效应减弱。对于非共格沉淀硬化，时效初期，由于析出量增加，质点间距变小，过时效条件下已析出完全，随质点长大而间距变大，也可以得到类似的时效硬化曲线，但不一定有强化机制的变化，而一直是 Orowan 机制起作用。同理可知，当其他条件不变时，随第二相体积百分数增加，强化作用更加显著，同时临界质点尺寸也变大(图 2-11 *b*)。

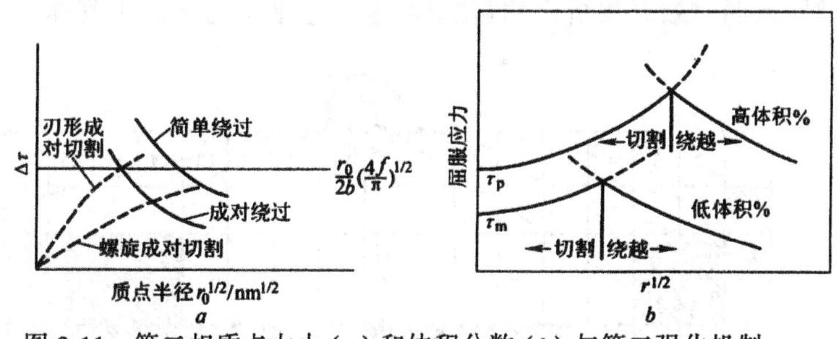

图 2-11　第二相质点大小 (*a*) 和体积分数 (*b*) 与第二强化机制

温度升高，特别是在蠕变条件下，交滑移及攀移的机制更容易起作用，扩散往往成为控制变形速率的因素。因此固溶体基体的强化将仍然起重要作用，通过合金化降低基体元素自扩散能力与得到适当的第二相强化配合(增大体积百分数使第二相质点变大，同时间距变小)，可以得到很好的高温强化效果。

2.3.2 高温合金的 γ′(及 γ″)相析出沉淀强化

镍基高温合金由于可以获得共格的 Ni_3(AlTi)或 γ′强化相而得到非同寻常的发展，成为现代不可缺少的高温合金。

图 2-12 给出镍与周期表中其他元素的作用。镍及其相邻元素铁、钴等，由于原子尺寸、晶体结构和电子结构的相似性，可以形成连续固溶体，与位置稍远的元素组成有限固溶体，与更远的元素生成离子化合物，甚至没有作用。镍和有限固溶元素 Ti、V、Nb、Ta、Mo、Al、Be 主要生成 B_3A 型金属间化合物，当这些有限固溶元素加入量过多，或存在第三组元时，还可能形成 BA 型、B_2A 型、μ 和 σ 等金属间化合物。B_3A 有 Ni_3Al(γ′)及 Ni_3Ti(η)两种。γ′相是共格析出的主要强化相。Ni_3Ti 本身不是共格强化相，但在析出 Ni_3Ti 型 B_3A 相的合金系中，只要含 Al，在时效时就先共格析出 γ′过渡相。在铁或铁镍基合金中，只要有足够的镍(一般 25% 左右)和铝、钛，也可以析出共格的 γ′相。Ni-Al 系或多元 Ni 固溶体-Al 系中的 γ′相溶解度随温度变化较大(见图 2-6)，具备高温时 γ′溶解，低温时效时再析出的可能性，并且总是均匀析出于基体上。γ′

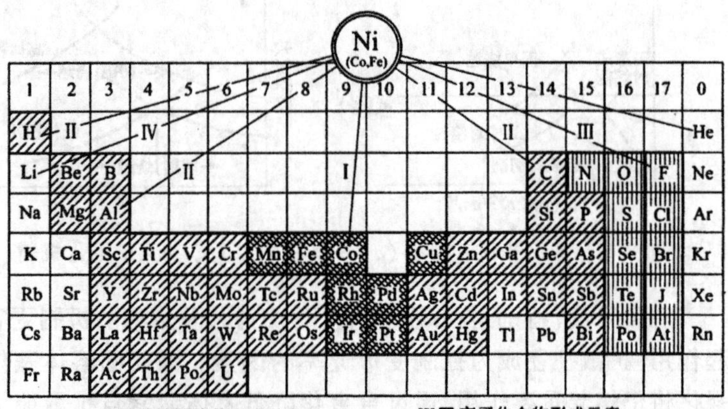

图 2-12 与镍形成固溶体的合金元素周期表

相本身既有较好的强度又是可以参与形变的，不会由于析出大量γ′或存在大块γ′相而造成严重的脆性。如此种种，使得γ′相成为高温合金的主要强化相。

共格应力强化是γ′相强化的一个重要方面。图2-13表示在以γ′相强化的Ni-Al二元合金中加入铌、钽、钒、硅、锰、镓及碳等元素，改变了γ-γ′的晶格错配度，其高温硬度随晶格错配度线性增加，其760℃高温抗拉强度也有相同变化趋势。铌、钛、钽是强烈增加γ－γ′错配度的元素。我国用铌合金化GH4033合金得到GH4033A合金，大大增强了γ′强化作用。美国发展的Inconel 718合金中含有更多的Nb(5%)，得到亚稳定的γ″相(γ′及γ″相的结构见第4章)，其晶格错配度更大，使得Inconel 718合金具有特别高的屈服强度，对发展涡轮盘合金，起到了突出作用。

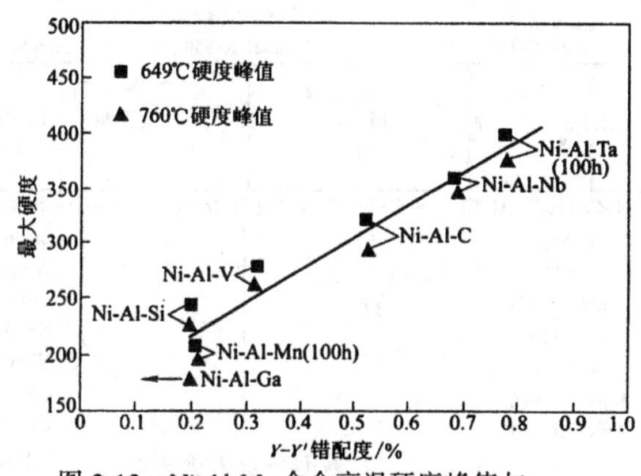

图2-13　Ni-Al-Me合金高温硬度峰值与γ-γ′错配度(871℃/50h时效后)的关系

共格应力强化作用大约在650～700℃以下有效(约为0.6 $T_{熔}$)，高温下，错配度大的γ″及γ′相不稳定倾向通过聚集长大和改变为位错型界面结构而松弛弹性应力。对更高温度使用的高温合金，错配度较小的γ′析出相更加稳定，这可以通过加入主要进入γ基体的合金元素，增大基体的晶格常数，减小γ-γ′的错配度。例如

Mo、W 等。图 2-14 表示各合金元素对晶格错配度的影响及高温合金发展的关系。图 2-15 表示晶格错配度对 Ni-Cr-Al 合金 700℃、148MPa 下的蠕变寿命的影响。可见当错配度接近零时蠕

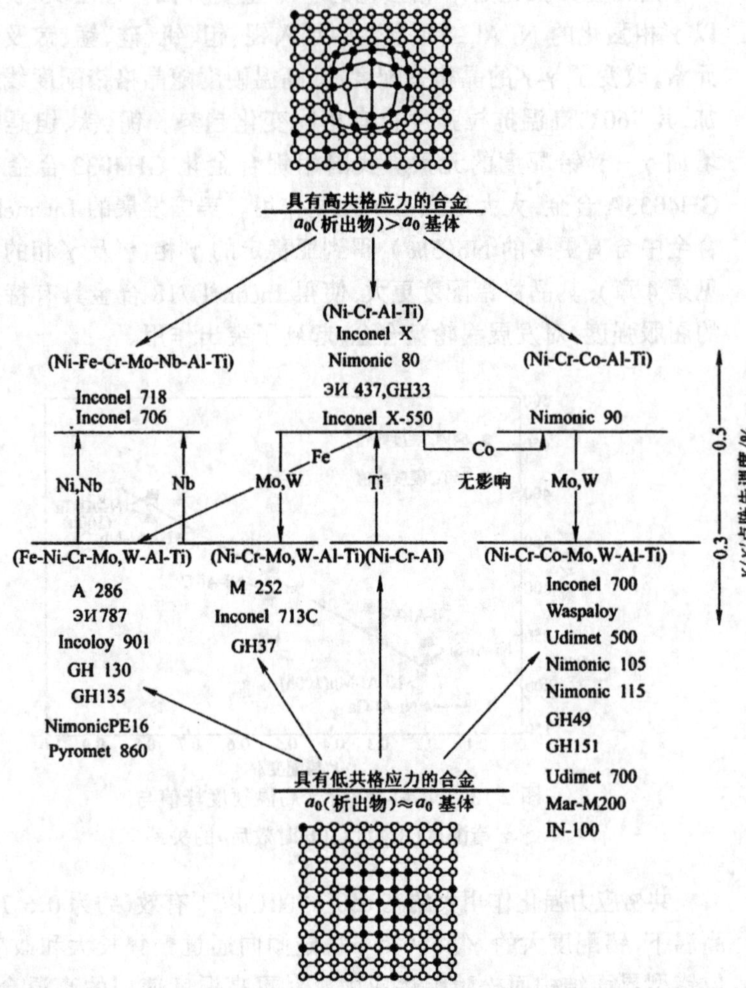

图 2-14　合金元素 Fe、Ni、Co、Mo、W、Nb、Ti、Al 的加入对 γ′(γ″)相强化为主的铁、镍基高温合金点阵错配度和共格应力影响的示意图[24]

变寿命最长。同理推测，如果 γ 与 γ′的弹性模量差较小，其合金的稳定性也好，高温蠕变性能也好。

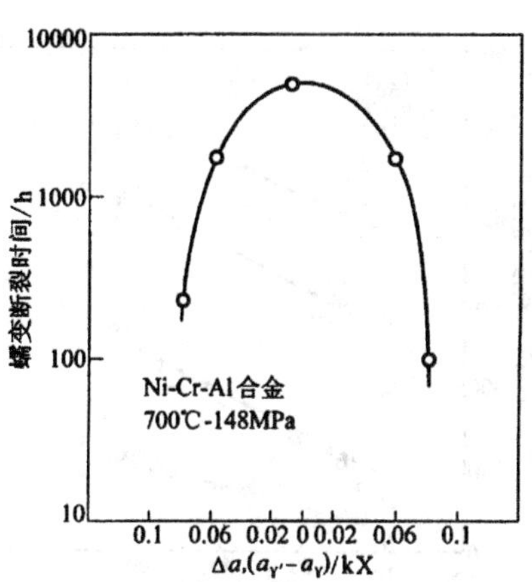

图 2-15 晶格错配度对 Ni-Cr-Al 合金蠕变寿命影响[25]

γ′相大小是一个非常重要的参量。正如前节所述，存在一个临界质点尺寸。小于临界尺寸时切割机制起作用，大于临界尺寸时 Orowan 绕过机制起作用。图 2-16 是一个证明。临界尺寸处可以获得最大的强化效果。临界质点尺寸与 γ′数量有关，γ′相数量愈多，临界尺寸愈大。一般 γ′含量少于 20% 时，γ′相的适宜尺寸为 10～30nm，γ′为球形有共格应力。此时，无论是镍基或铁基合金，质点大小的影响更大于 γ′相数量的影响。γ′质点少量长大，γ′质点间距增加较大，强度很快下降。另外，对于短时强度和蠕变强度，其合适质点的大小是不同的。一般对蠕变，质点尺寸要小一些，以使质点间距更小，而蠕变速率与间距的平方成比例(式 2-7)。当 γ′量在 40% 以上，质点临界尺寸比较大，γ′相尺寸可达 200nm，形貌为立方，无共格应力，此时 γ′相尺寸的影响较小，而 γ′的数量及本质有更大影响。

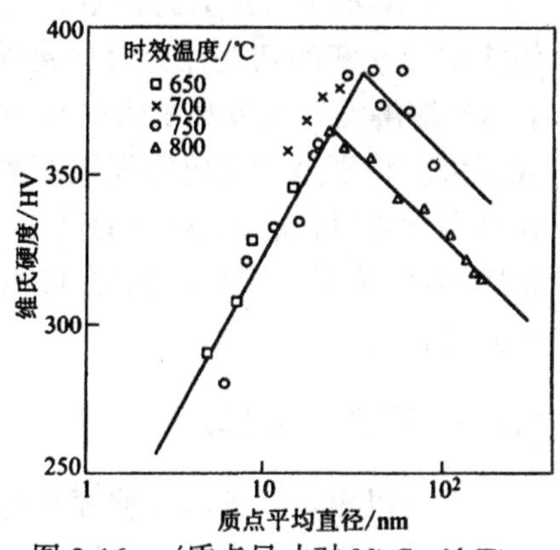

图 2-16 γ′质点尺寸对 Ni-Cr-Al-Ti 合金性能的影响[25]

γ′相的数量是获得强化效果的基本条件。对镍基合金，可以

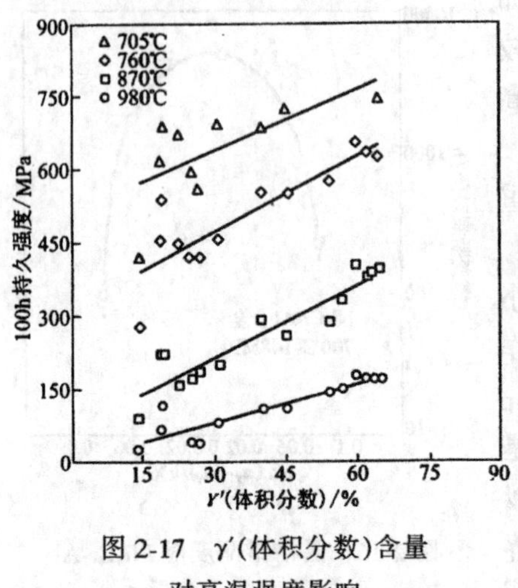

图 2-17 γ′(体积分数)含量对高温强度影响

通过加入铝、钛、铌等γ′形成元素而大量增加 γ′相数量,也可以用钴、铁、铬等元素降低 γ′相的溶解度来增加 γ′相数量。镍基合金 γ′相数量已从约 10%增加到 65%以上。γ′尺寸也较大(250～300nm),但仍可以是切割机制起作用。图 2-17 看出 γ′含量对高温强度的有利作用。对于铁基合金,γ′相数量的增加是有限制的(约 20%Vol),过多的铝、钛只会生成β相和 Ni_3Ti 相。

γ′相的本质有重大的作用,一方面是通过提高 APB 及各类层错能增加 γ′相的切变应力而引起强化作用,另一方面是通过提高γ′相的溶解温度及聚集长大的稳定性,使 γ′相强化作用不致减弱或消失。特别是对使用温度很高的高温合金,加入许多难熔元素和钴等元素,可获得更稳定的高度合金化的 γ′相。同时多元合金化固溶体,降低元素扩散能力,使固溶强化作用与第二相强化作用得到更佳配合。

2.3.3 高温合金的碳化物强化及质点弥散强化作用

对于以碳化物析出沉淀硬化的铁基和钴基高温合金,由于碳化物硬而脆的本质及其非共格析出特点,其强化作用有以下特点:

(1)低温下位错以 Orowan 绕过方式通过碳化物第二相。高温蠕变条件下,位错攀移机制起重要作用,位错切割碳化物是非常困难的。

(2)并非所有碳化物具有强的时效强化能力,作为主要时效强化相的碳化物,必须具备以下条件:

1)具有高温下可以溶解和低温下析出的可能性。极稳定的碳化物高温下难于溶解，低温下就不能有效析出。

2)碳化物的结构与奥氏体基体相似，具有均匀析出的条件。晶界碳化物只对晶界行为产生有利或不利的影响。

3)作为主要强化相的碳化物必须有一定的稳定性。高温下容易长大的碳化物将失去强化效果。

在碳化物强化的铁基合金中，各类碳化物的强化作用不同，VC具有强时效硬化能力，$M_{23}C_6$及NbC次之。图2-18指出，这三种碳化物溶解析出规律不同。NbC十分稳定，高温固溶时溶解困难，故无强烈的时效析出硬化。$M_{23}C_6$析出温度高，倾向于沿晶界析出，时效硬化作用也小。VC起最强的时效强化作用，VC的析出，溶解与硬度的升高、下降相对应。对于钴基合金，$M_{23}C_6$是主要的析出相和强化相(图2-19)。$M_{23}C_6$可以是凝固结晶时形成的碳化物骨架，也可以在时效处理或使用过程中析出。析出极细的$M_{23}C_6$是钴基合金重要强化手段。若$M_{23}C_6$以大块、胞状或连续析出时引起合金脆化。钴基合金中的MC型碳化物在凝固结晶过程中往往以块状或汉字骨架形式析出，这种骨架可能像复合材料中的网状增强剂一样起强化作用。另外，MC在长期使用中会发生退化反应，使MC不断减少并析出$M_{23}C_6$，产生强化效果。

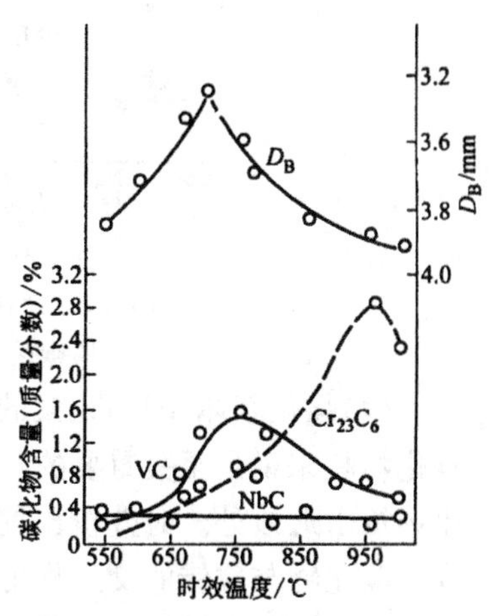

图2-18　GH36合金经1140℃/80min水冷处理后不同温度下时效16h后的析出相及硬度变化

(3)增加碳化物数量及弥散度有利于提高强化效果，但过分高的碳饱和度，往往有利于形成大块碳化物(共晶及二次析出)，引起脆性。一般碳化物总量不能太大，因此强化程度是有限制的。

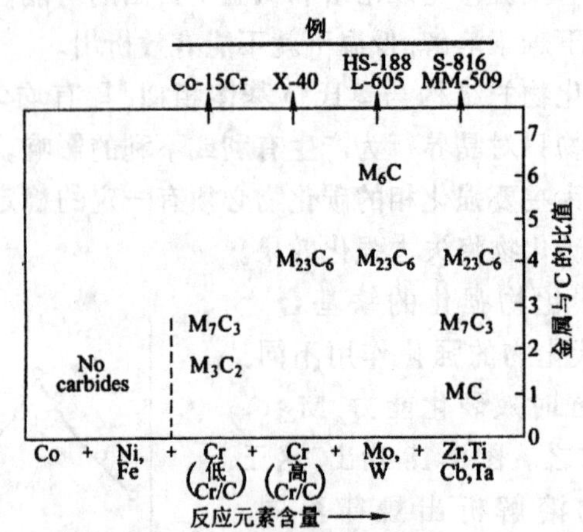

图 2-19　合金元素对钴基合金中的碳化物种类的影响

(4)强化基体，减小元素的扩散能力，这对于较易聚集长大的碳化物相来说是至关重要的。基体固溶体中的位错及层错处是碳化物析出形核处。时效析出前，固溶体结构状态对碳化物的析出以及碳化物与位错的交互作用有重要影响。碳化物在使用中发生的应变时效有强的强化效果。

对于弥散强化的高温合金(ODS 合金与 MA 合金)，主要是用氧化物(如 Y_2O_3)或其他与基体固溶体不起作用的第二相强化。在这种条件下强化的特点主要有：

(1)强化机制是 Orowan 绕过机制。因此控制氧化物等质点弥散，细小与数量，对保证最大强化效应很重要(图 2-20)。但目前弥散相的数量仍在 15%～20%以下。

(2)氧化物等第二相质点非常稳定，保证在较高温度下具有很高的高温强度(0.85 $T_{熔}$左右)。图 2-21 对比了两种弥散强化合金，MA754 是固溶强化的弥散强化合金，MA6000 是固溶加第二相强化的弥散强化合金，它们与两种最强的变形(U700)和铸造(M-M200)镍基合金对比，高温下弥散强化合金的强度总是较高，中温下的强度则与基体的强化程度相关。

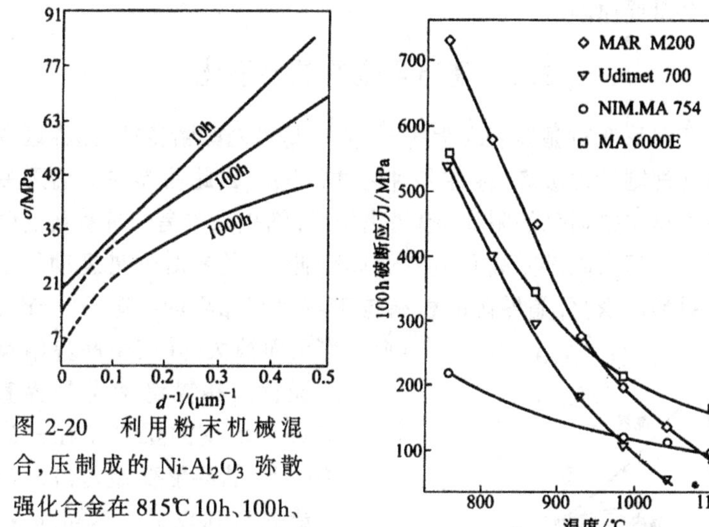

图 2-20　利用粉末机械混合,压制成的 Ni-Al_2O_3 弥散强化合金在 815℃ 10h、100h、1000h 的持久强度与弥散质点间距的关系

图 2-21　弥散强化合金与镍基合金的强度与温度关系

(3)如图 2-21 所示,合金本身的强化是重要因素,可以对基体进行固溶强化及共格或非共格的时效析出强化,使合金在中温及高温下都有满意的强度,同时极细小弥散的氧化物质点可以存在于基体及 γ′相之中,这时位错除切割 γ′外,还可能被氧化物质点钉扎。

(4)弥散强化合金有平坦的 $\lg\sigma$ -$\lg t_r$ 蠕变曲线,蠕变速率方程中应力指数值很大,这是弥散质点强化的特点,与弥散质点的弥散性及稳定性相关。

铸造合金第二相析出特点在于凝固结晶的偏析造成的枝晶干和枝晶间的析出不均匀性,造成枝晶内 γ′析出较稀,枝晶边缘 γ′分布较密。元素的严重偏析可能导致出现枝晶间及晶界共晶相(γ/γ′共晶及 γ/MC 共晶等)。碳化物强化的铸造钴基和铁基合金中,碳化物在枝晶界及晶界上形成骨架,这些加剧了晶界及枝晶间区的形变阻力,这是一般铸造高温合金的高温蠕变性能要比变形态(相同合金)好的重要原因之一。当然铸造高温合金晶粒较大也是一个重要原因。

2.4 高温合金的晶界强化

高温形变时晶界表现为薄弱环节，呈沿晶破断特征，晶界区原子排列规则性被破坏，存在各种晶体缺陷。因此晶界在低温形变条件下是位错运动的阻碍，起强化作用，细化晶粒是一种重要的强化手段。但当温度升高和应变速率降低时，晶界对位错运动的阻碍作用易被恢复，晶界区的积塞位错容易与晶界的缺陷产生交互作用而消失，并产生晶界滑动及迁移。晶界滑动是晶界直接参与形变的机制。在一定条件下，晶界形变量可占总形变量的50%以上。这样，高温形变条件下晶界就成为薄弱环节。图2-22描述了这一过程，并定义一个“等强温度”的概念（$T_{等强}$）。等强温度与应变速率有关，应变速率愈慢，等强温度愈低。所以等强温度实际上是一个温度区间。高温合金总是在等强温度区或更高温度下使用，所以晶界强化是高温合金的基本问题。

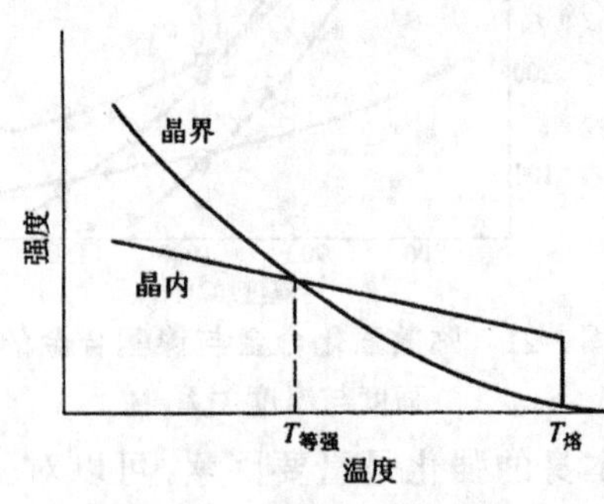

图2-22　等强温度示意图

2.4.1 纯洁度与微合金化

高温下晶界变为薄弱环节直接与晶界结构有关。但从工程角度来看，晶界区的杂质可能起更重要的作用。由于晶界结构与晶内不同，一些杂质元素倾向于在晶界发生偏析。杂质在合金中的平均含量很低时，就可能在晶界上产生很高的偏聚量。例如对一个四级晶粒度的镍基合金，当杂质含量只有10^{-5}（十万分之一）时，每个晶粒都可以包满一层杂质原子。可以想象，这种分布会严重影响晶界特性。

凡能够降低晶界能的元素都可能发生晶界平衡偏析。从相图上看，溶解度低的元素产生晶界偏析大。周期表中有许多元素属于易偏聚元素，从它对高温合金的作用来说，可以分为两类：

(1)有害杂质，这些杂质元素往往是低熔点的，并与基体元素生成低熔点的化合物或共晶体。它们使合金的热加工性及高温力学性能显著降低。愈是高级的高温合金，杂质控制要求愈高。首先是要严格控制气体（N_2，O_2，H_2）含量。图 2-23 为氧对合金性能的影响。对于高级的镍基高温合金，氧和氮的含量必须在几个 10^{-6}左右（小于 10×10^{-6}）。一般的高温合金，其含氮量也不超过几十个 10^{-6}（约 $40\times10^{-6}\sim50\times10^{-6}$）。对高温合金的含硫和磷量控制，已引起广泛重视。如果能把 S、P 量降到 5×10^{-6}水平，合金的性能可得到明显的提高(表 2-4)。

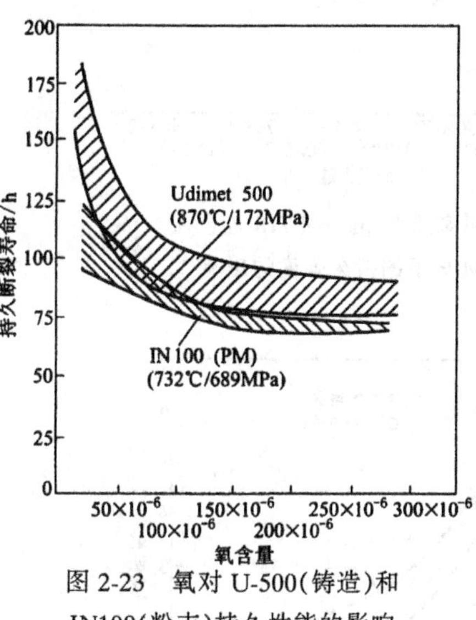

图 2-23　氧对 U-500(铸造)和 IN100(粉末)持久性能的影响

表 2-4　硫、磷对高温合金热强性的影响

Incoloy901 合金含磷量（质量分数）	650℃持久试验 630MPa		650℃、600MPa 150h	M38 合金含磷量（质量分数）	100h 持久性能/MPa	
	断裂时间/h	伸长率/%	蠕变变形量/%		950℃	800℃
30×10^{-6}	87	10.2	0.325	50×10^{-6}	180	460
$<5\times10^{-6}$	115.5	17.3	0.085	5×10^{-6}	210	540

其他有害杂质元素很多，按 1970 年美国宇航材料标准 ASM2280 规定(表 2-5)，对铋、碲、硒、铅、铊等 5 个元素控制很严，它们是有明显危害的元素。图 2-24、2-25 表示了这种影响。同时

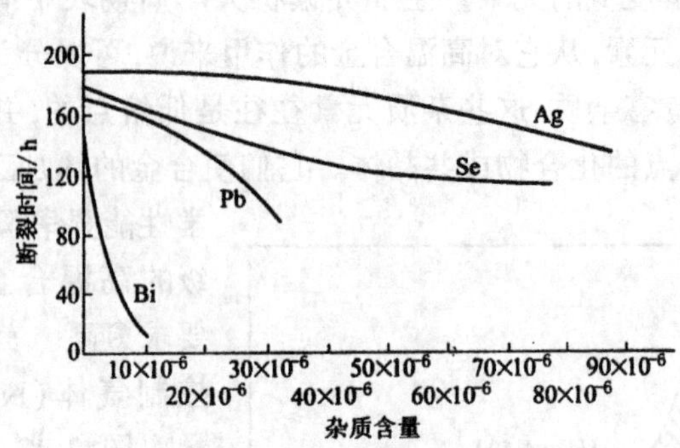

图 2-24　微量杂质对 Inconel 718 合金在 649℃ 690MPa 下的持久强度的影响

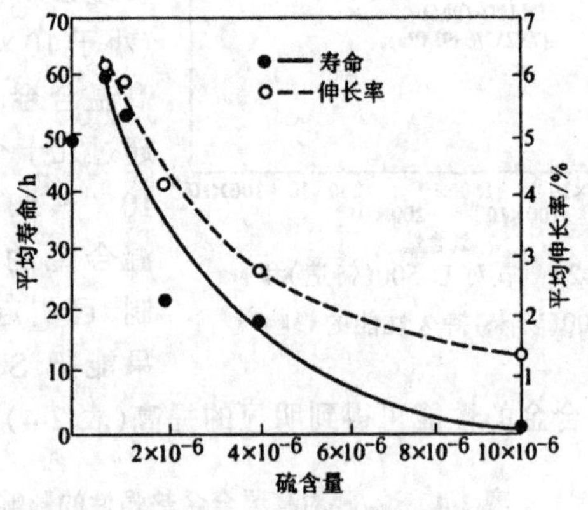

图 2-25　碲对 IN100 铸造高温合金 950℃ 232MPa 持久寿命与伸长率的影响

还对表 2-5 中 15 个元素进行控制。到了 1975 年该标准将严格控制的有害元素扩大至 39 种。

(2)有益的微合金化元素，主要包括稀土元素，镁、钙、钡、硼、锆及铪等元素。这些元素往往通过净化合金及微合金化两个方面来改善合金。有许多元素，例如稀土元素和碱土元素等，对气体元素，硫，磷等有害杂质元素有很强的亲和力，形成难熔化合物，在冶

表 2-5　ASM2280 对镍基合金微量杂质的要求

元素	含量(质量分数)	下列元素含量分别不超过 50×10^{-6}，其总和不超过 400×10^{-6}		
Bi	$\leqslant0.5\times10^{-6}$	Sb	Au	Na
Te	$\leqslant0.5\times10^{-6}$	As	In	Th
Se	$\leqslant3\times10^{-6}$	Cd	Hg	Sn
Pb	$\leqslant5\times10^{-6}$	Ga	K	U
Tl	$\leqslant5\times10^{-6}$	Ge	Ag	Zn

炼时作为纯净剂去除气体及夹杂，从而消除了这些有害杂质的危害。另外一些有益元素的作用还不仅如此，它们还可以偏析于晶界，改善晶界组织，起到强化晶界的微合金化作用。

稀土元素与碱土元素纯洁合金的作用比较明显，而硼、锆、镁及铪等元素主要起强化晶界作用。图 2-26 为各微量元素对

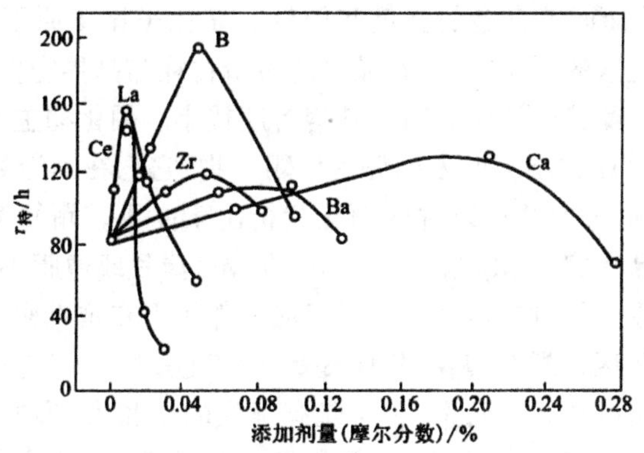

图 2-26　铈、镧、钡、钙、硼、锆对 CrNi80Ti(GH4033 成分)合金在 700～800℃下持久强度的影响

ЭИ437 合金热强性的影响。可以看出这两类元素都有益于合金热强性，但后者比较明显。表 2-6 进一步说明这两类元素的复合微合金化的效果更佳，同时提高强度与塑性。微合金化的效果与元素含量密切相关，含量太低，其有利作用发挥不足，含量过高则反而恶化性能(图 2-26)，因此必须控制最佳含量范围。

表 2-6　硼、锆对 U500 合金 870℃，172.6MPa 蠕变的影响[8]

合金	第一阶段蠕变量	断裂寿命/h	伸长率/%(4D)	应力 $\dot{\varepsilon}_{ss}$ ①	n ②
基体	0.002	50	2	117.7	2.4
+0.19%Zr	0.002	140	6	158.9	4
+0.009%B	0.002	400	8	193.2	7
+0.009%B +0.01Zr	0.002	647	14	220.6	9

①应力 $\dot{\varepsilon}_{ss}$表示静态蠕变速率为 4×10^{-5}/h 下的蠕变应力值。

②n 为蠕变速率方程中的指数(应力范围为 138～207MPa)。

虽然微合金化技术已成为高温合金的主要强化手段，但是有关硼，锆，镁，铪等强化晶界元素的作用机制却还不完全清楚。一般认为它们有强烈的晶界偏析倾向，偏析于晶界以后改善了晶界第二相(碳化物等)的形态和分布以及晶界附近区域的组织(如贫γ′区)，从而改善合金的强度和塑性。硼原子比碳原子大，比替代式合金元素的原子小，它在晶界的偏析往往与晶界空位相联系，认为是非平衡偏析性质。同时其溶解度较小。硼化物主要是 M_3B_2，还发现过有 M_4B_3 和 MB_{12}等其他硼化物，它们在固溶处理时可以溶解，在时效时往往以弥散颗粒状析出于晶界。硼的偏析及晶界析出使晶界胞状 $M_{23}C_6$、大块 MC 或 MC 薄片或薄膜不易析出，改善了晶界。同时推迟合金在蠕变应力作用下在垂直应力方向上出现 γ′贫化区及蠕变裂纹，从而提高了蠕变强度。镁是一种有效的高温合金微合金化元素，它与硫有很强的亲和力，形成硫化物，从而减少硫的有害作用。同时镁又是一个强烈偏析于晶界及相界的元素，通过晶界及相界的作用，大大改善了合金的蠕变强度及塑性。图 2-27 为典型例子。镁的主要作用是延长蠕变第二阶段及蠕变第三阶段，推迟蠕变空洞的形成与扩展。作者的大量研究工作指出，镁的晶界强化作用机制包括以下几个方面：

1)镁强烈偏析于晶界及相界(图 2-28)，甚至在相界都有一个很薄的偏析层，并且这种偏析是平衡偏析(图 2-29)。

2)适量的镁，可改善晶界第二相形态，从而强化晶界。例如在 GH220 合金中，Mg 改善晶界碳化物的形态和分布(图 2-30)，当镁

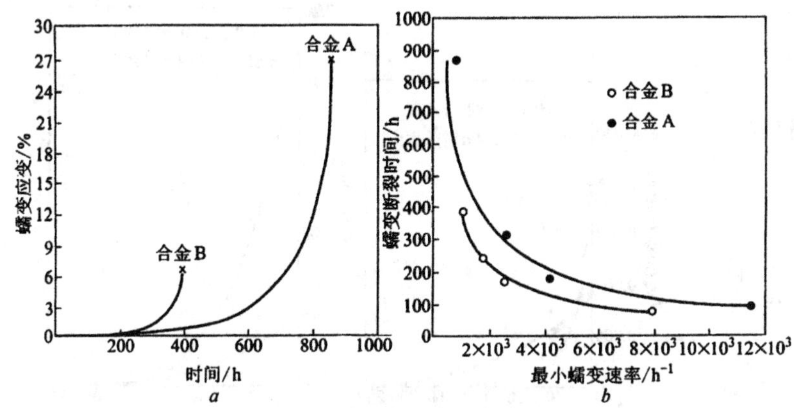

图 2-27　Mg 对 GH698 合金蠕变的影响

合金 A—0.005%Mg(质量分数)，$\varepsilon_s = 1.757 t_r^{-1.2355}$

合金 B—无 Mg，$\varepsilon_s = 3.436 t_r^{-1.2355}$

a—蠕变曲线；*b*—断裂时间对最小蠕变速率曲线

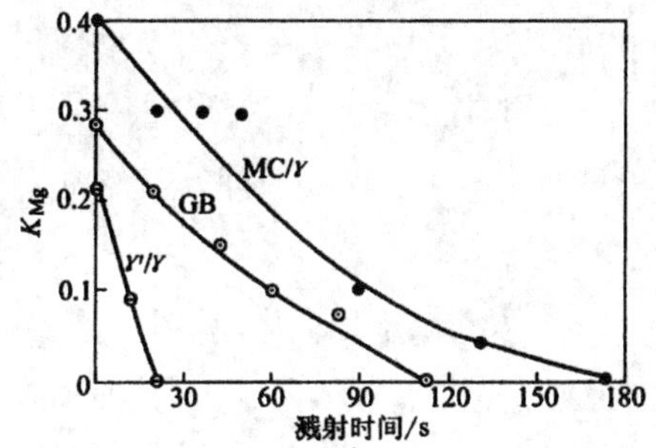

图 2-28　镁在晶界(GB)、MC/γ 相界及 γ/γ′相界的偏析

的含量适合时，晶界可以得到细小颗粒状分布的碳化物和硼化物；当镁量不足或过多时出现大块的连续分布的碳化物；当镁量过高时甚至出现镁的化合物。这些都会弱化晶界。

3)镁强烈提高晶界的性能，作者通过镁在晶界的偏析及其作用的计算机模拟，证明晶界镁平衡偏析于晶界位错核心处，晶界能

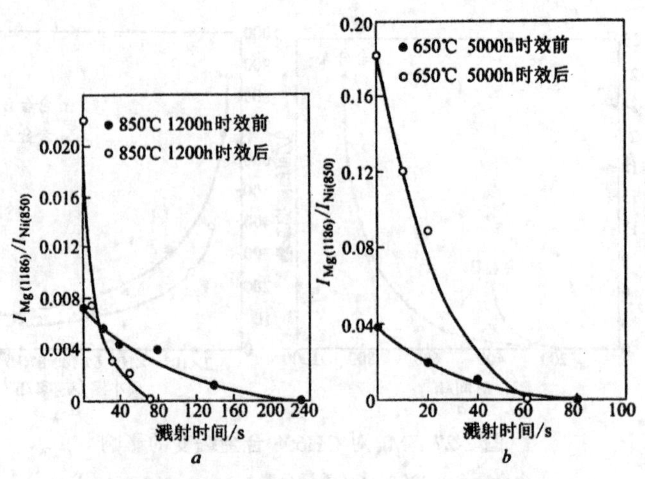

图 2-29 长期时效后镁的晶界偏析

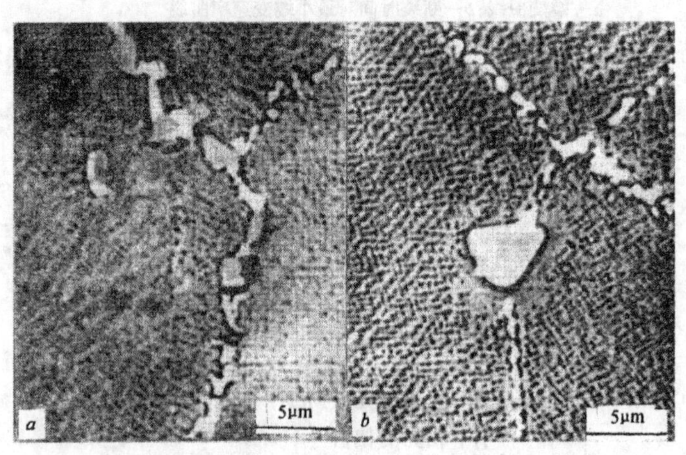

图 2-30 Mg 改善 GH220 合金晶界 M_6C 相分布

a—无镁；b—0.0048％Mg

下降，晶界原子间结合力增加，空位形成能下降（图 2-31），从而降低晶界裂纹扩展速度，使蠕变裂纹不易形成和长大，导致强度与塑性同时增加。

2.4.2 晶界控制

晶粒大小及其与部件厚度比对力学性能有重要影响。大晶粒材料一般有较高的持久强度与蠕变强度,较小的蠕变速率。小晶粒材料却表现出有较高的抗拉强度与疲劳强度。在高温静态下工作的材料晶粒可以控制得大一些,对于在中温动态下工作的材料晶粒则应小些。晶粒大小的选择是十分重要的合金设计内容。图 2-32 为部件厚度与晶粒大小之比对蠕变强度的影响。对于变形合金,随着固溶温度升高,晶粒长大,在一定的厚度比之下蠕变速率随晶粒长大而减小,在一定固溶温度下(即一定晶粒大小下),随厚度比增加蠕变断裂时间增长。但对于铸造合金,只要厚度比一定,晶粒在 2～7mm 之间,都可获得相似的性能。这些规律对薄壁件十分重要。

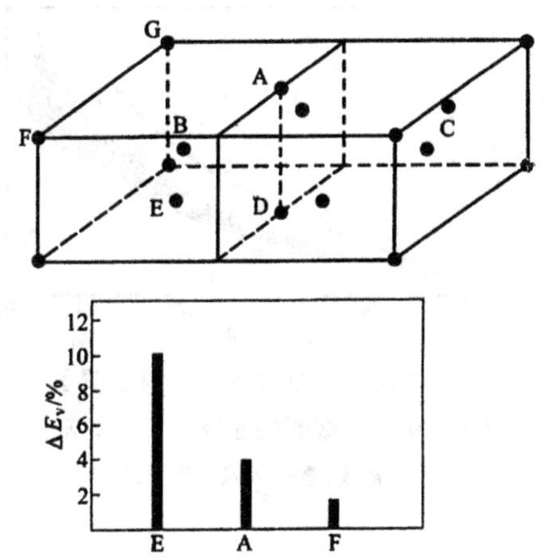

图 2-31 镁对晶界空位形成能的影响

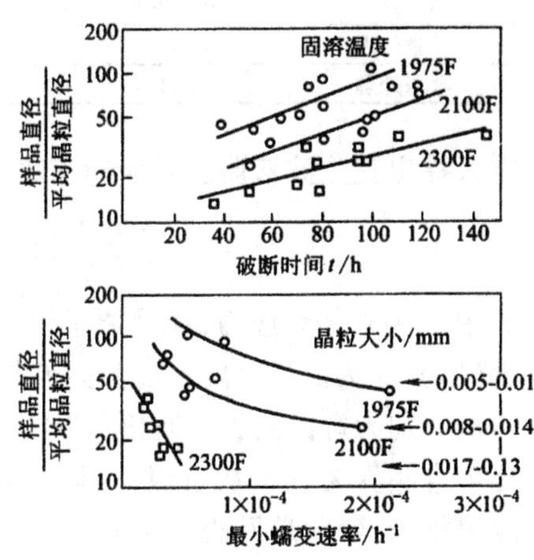

图 2-32 部件厚度与晶粒大小比值对蠕变的影响

晶界的平直与弯曲对蠕变性能有重要的影响。通过一些特殊途径获得弯曲晶界是一种强化晶界的有效方法[26]。业已证明,许

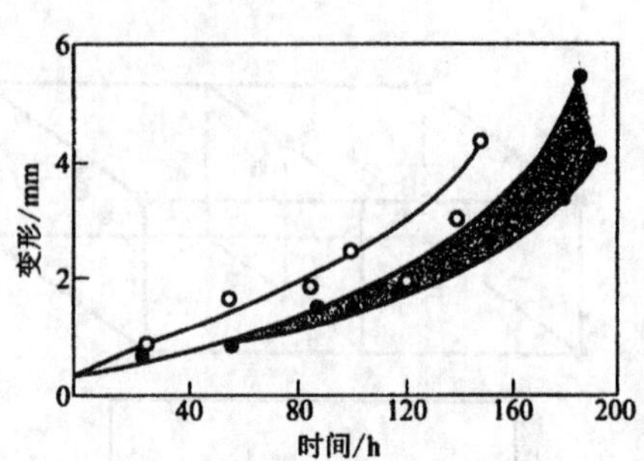

图 2-33　弯曲晶界与平直晶界的 GH220 合金蠕变性能(850℃,343MPa)
○—常规;●—等温处理弯晶结构

多奥氏体铁基高温合金和镍基高温合金都可以得到弯曲的晶界组织。图 2-33 为平直晶界与弯曲晶界的 GH220 合金的蠕变曲线,弯曲晶界有效地降低蠕变变形,同时弯曲晶界也有利于提高高温瞬时性能(表 2-7)。晶界弯曲阻碍晶界滑动及楔形晶界裂纹的形成,同时阻止沿晶裂纹(孔洞)的连接。

表 2-7　平直晶界与弯曲晶界的 GH220 合金的 950℃ 拉伸性能

热处理	σ_b/MPa	伸长率/%	断面收缩率/%
直晶处理	546	13.6	19.7
弯晶处理	591	20.7	25.4

有人提出正弦波弯曲晶界滑动速率 v 可用下式表示:

$$v = \frac{2}{\pi}\frac{\tau\Omega}{KT}\frac{\lambda}{h^2}\left[1 + \frac{\pi\omega}{\lambda} - \frac{D_{gb}}{D_L}\right]$$

式中 τ 为外加切应力;Ω 为原子体积;K 为波尔茨曼常数;T 为温度(°K);ω 为晶界厚度;D_{gb}为晶界扩散系数;D_L 为体扩散系数;λ 与 h 分别为弯曲晶界的波长和振幅。一般弯曲晶界的 λ 与 h 值均比平直晶界大一个数量级,所以晶界滑动速率约小一个数量级。应该指出,弯曲晶界的处理工艺不当引起第二相粗化,将使高温强度降低,但仍起显著提高塑性的作用。

消除横向(与外应力垂直的方向)晶界能非常有效地提高高温强度。横向晶界,甚至树枝晶界,总是裂纹优先形核与扩展的地点。所以消灭横向晶界将会推迟蠕变裂纹的形成与扩展。进一步消灭晶界得到单晶合金,则性能又进一步提高。图 2-34 表示定向凝固(DS)与单晶(SC)合金能大大提高合金的蠕变强度与塑性。

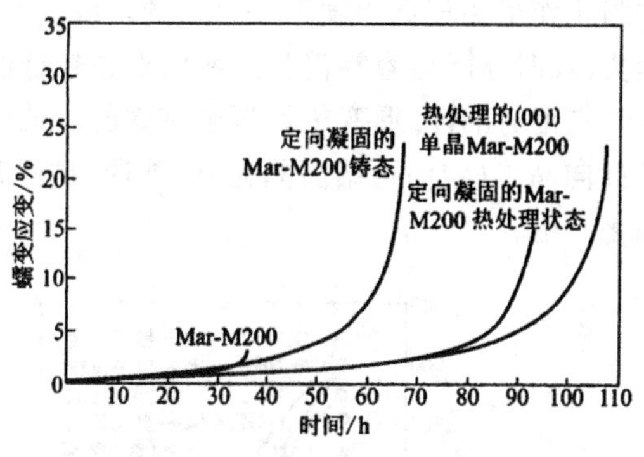

图 2-34　Mar-M200 合金在
980℃,206MPa 下的蠕变曲线

2.5　高温合金的强化工艺途径

通过改善和强化工艺提高材料力学性能是非常有效的。一项新工艺的引入,往往使高温合金的性能获得一个飞跃,发展出一批新型高温合金。一个老合金通过不断强化工艺,可以使性能大幅度提高。本节介绍几个重要的工艺途径。

2.5.1　形变热处理强化

通过形变与热处理的结合,优化合金的组织结构,提高合金的强度,称为形变热处理。除了传统的冷加工强化以外,高温合金常采用中温形变热处理与高温形变热处理(或直接时效工艺)。中温形变热处理是在低于再结晶温度下进行适当的形变,以后再时效处理或恢复去应力处理。中温形变造成微观组织与结构不均匀性,促进晶内均匀细小析出,有利于碳化物等第二相在位错等缺陷处析出及减小横向晶界的作用(晶粒拉长),从而提高合金强度。高温形变热处理在再结晶温度以上结合热加工进行。结合晶界相的控制,可以优化晶界组织,控制合适的晶粒大小及晶界形状,也有利于以后进行直接时效处理(没有固溶处理)时均匀细小析出,强化析出相与位错的交互作用,从而提高强度。图 2-35 说明形变热处理的强化作用在较低温度下是有效的。温度升高，其强化作用逐渐消失，长时强度更容易消失。所以对在较低温度下承受较大应力短时作用的部件，形变热处理是有效的。某些造成弯曲晶界及消除横向晶界（定向再结晶晶粒）的处理，在较高温度下仍有重要的强化作用。

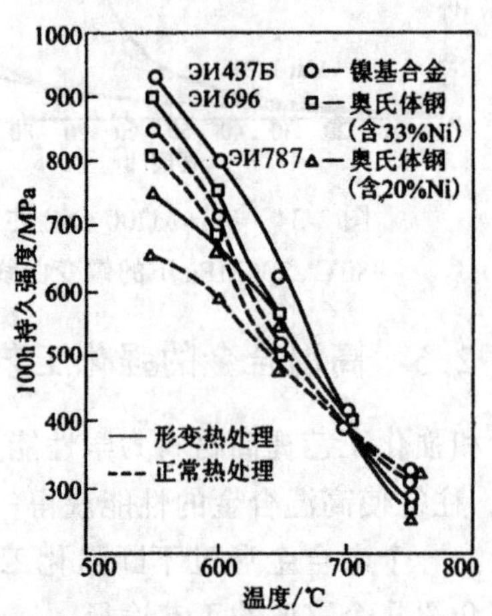

图 2-35 镍基及铁基合金经形变热处理后的性能

——高温形变热处理制度：1120℃加热固溶→热模锻形变30%→空冷后，再在750℃/16h时效；

----正常热处理制度：

ЭИ437Б－1080℃/9h/空＋750℃/16h/空；

ЭИ787－1120℃/6h/空＋750℃/16h/空；

ЭИ696－1120℃/2h/空＋750℃/16h/空

2.5.2 复相组织强化

复相组织是指尺度相差不多的两个相的混合组织，定向共晶组织和纤维强化高温合金的组织属于这一类组织。一般一个是基体相（软的固溶体相），另一个是起增强作用的硬相。对一些脆性材料，也可以是脆的基体相（如金属间化合物）加上起增塑作用的韧性相。

复相组织的性能与两个组成相都有关。如果两个相都可以形变，并且其贡献全是相互独立的，则复相组织的性能为其加数平均值。但实际上两个相在形变中是有交互作用的。在应力作用下，软相先进行滑移，如果硬相很少，则主要的变形都将在软相中进行。当变形量很大时，软相的流变将围绕硬相发生。复相组织的强度也主要由软相决定。当硬相占 30％(体积分数)时，软相已不再完全连续，这时软、硬二相均参与变形。在微观上两个相的应变或多或少接近相等，即可近似用等应变原则进行估算复合组织的强度。

$$\sigma_{Avg} = f_1\sigma_1 + f_2\sigma_2$$

式中 f_1、f_2 分别为两个相的体积百分数；σ_1, σ_2 分别为两个相的强度。当硬相占 70％以上时，硬相的性能决定了复合组织的性能。定向共晶高温合金，一般有镍或钴基固溶体与碳化物共晶、固溶体与金属间化合物共晶、固溶体与难熔金属(钨，钼等)共晶等。纤维强化高温合金有金属丝(钼，钨，铌，钽等)增强的，和低比重的非金属纤维增强的(Al_2O_3、SiC 等)。可见复相组织中的一个相有时是难于参与形变的，在这种条件下，增强剂只发生弹性变形，而后不经过塑性变形就断裂，此时软的基体材料仍处于塑性变形阶段而没有达到强度极限，结果使总的复合组织的强度反而低于基体的强度极限。这样就存在一个临界的增强剂含量，低于这个值，复合组织的强度低于基体的强度极限，增强剂的断裂强度愈大于基体的强度极限，这个临界含量愈小。对于某些新型复合材料的组织，主要的相是硬而脆的相，少量的是软相。这时软相的作用在于阻止硬相发生过早的断裂，起到增塑作用，同时硬相强度也得以发挥，导致同时提高复合组织强度与塑性的效果。

复合组织的强化程度还与增强剂的尺寸与分布有关，强度随增强剂直径变小或间距(λ)变小而增加：

$$\sigma = a\lambda^{-b}$$

式中 a, b 为常数。图 2-36 是一个典型的例子，说明纤维直径愈细，高温强度愈好。

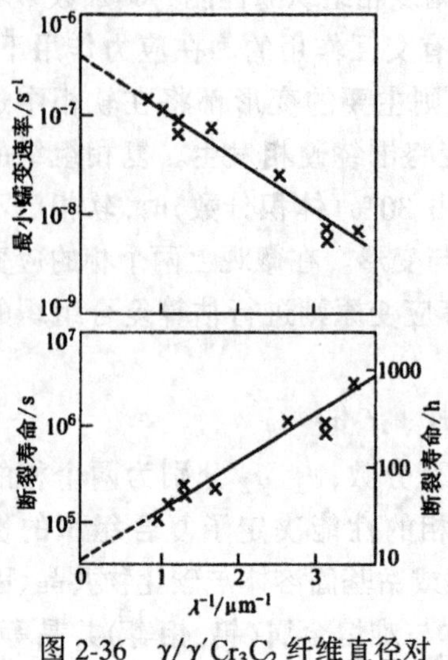

图 2-36 $\gamma/\gamma' Cr_3C_2$ 纤维直径对高温强度影响

2.5.3 单晶体位向与织构控制

单晶体的位向对强度有重大影响。一般说〔001〕方向是强度高的方向,〔111〕及〔011〕方向次之。图 2-37 是一个典型例子。上述三种取向的蠕变寿命分别为 1900、1100 和 5h,可见取向有明显的影响。进一步研究证明,γ′相颗粒大小、取向及蠕变温度之间有重要的相互作用。对于 760~850℃ 蠕变性能,γ′相大小与取向的影响极为明显。对于 980~1050℃ 蠕变性能,γ′大小及取向的影响减弱,但仍可表现出〔001〕方向较强。图 2-38 表示 γ′大小与取向对 760℃ 下蠕变性能的影响。当 γ′为 0.35~0.5μm 时,〔001〕位向是最强的,〔111〕次之,

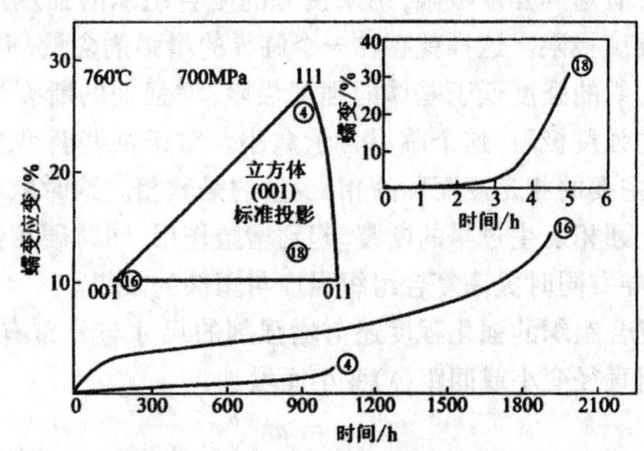

图 2-37 在 760℃,700MPa 下 Mar-M200 单晶拉伸轴线接近于〔001〕〔111〕和〔011〕方向的蠕变特性

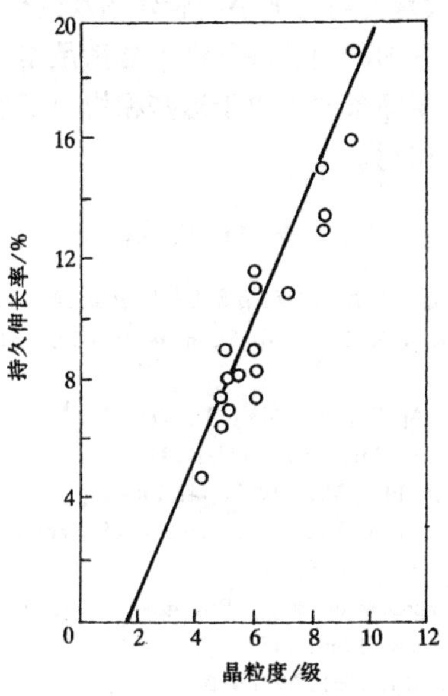

图 2-38　CMSX-2 单晶 γ′大小对蠕变的影响

〔001〕最差。但 γ′为 0.2μm 时,〔111〕位向反而最强。因此可以通过调整 γ′相大小来减小〔001〕位向和〔111〕位向的性能差别。

同样,对于某些多晶体板材,如果出现织构,也将影响力学性能,例如冷冲压性能。

2.5.4　快速凝固工艺

快速凝固得到的高温合金,表现出较高的强度与塑性,其主要原因是由于快速凝固条件下合金组织细化,偏析降低,固溶体基体过饱和度和缺陷增加,从而达到改善已有合金的组织,使前述各种强化手段的作用得以充分发挥。同时原来在一般凝固条件下不能获得良好组织的合金,在快速凝固条件下则可以获得优良的非平衡状态组织,从而发展出一系列新型快速凝固合金。例如在快速凝固条件下,镍基高温合金的主要强化相可以不仅是传统的 γ′

相,还可以得到大量的均匀细小的碳化物及硼化物相、α-Mo 相等。这些析出相在正常的凝固条件下都不能满足作为主要的强化相的要求。但在快速凝固条件下由于这些相均匀细小的时效析出或共晶析出而起强化作用。

参 考 文 献

1 陈国良主编 . 高温合金学 . 北京:冶金工业出版社,1992

2 Mott N F, Nabarro F R N. Report of Conference on Strength of Solids Physical Society. 1948, 1

3 Felthan P. Br. J. Appl. Phy. 1968 (1) : 303

4 Fleischer R. L., Acta Met. 1963 (11) : 203

5 Cottrell A H, *et al*. Phil. Mag. 1953; 44: 1064

6 Suzuki H. Dislocation and Mechanical Properties of Crystals. 1957: 361

7 Flim P A. Acta Met. 1958; 6: 631

8 Decker R F. Symposium on Steel - Strengthening Mechanisms. Zurich. CLIMAX Molybdenum Company. 1969: 147

9 Irvine K J, *et al*. JISI. 1961; 199: 163

10 Pelloux P M N, Grant N J. Trans AIME 1960; 218: 232

11 Johnson W R, *et al*. Met. Trans. 1972; 3: 963

12 Kelly A, *et al*. Acta Met. 1957; 5: 365

13 Gerdd V. Haberkorn H. Phy. Stat. Solidi. 1966; 16: 675

14 Gleiter H. Acta Met. 1968; 16: 829

15 Kelly A, Nicholson R B. Prog. Materials Sci. 1963; 10: 151

16 Harkness S D, Hren J J. Met. Trans. 1970; 1: 43

17 HIRSCH P B, Kelly A. Phil. Mag. 1965; 12: 881

18 Gerold V, Hartmann K. Phil. Mag. 1965; 12: 509

19 Kelly P M. Int. Metall. Reviews. 1973; 18: 18

20 Weeks R W, *et al*. Acta Met. 1969; 17: 1403

21 Gleiter H, Hernbogen E. Phys. Stat. Solidi 1965; 12: 251

22 Brown L M, Ham R K. Strehgthening Methods in Crystals. London: Elsevier 1971, 9

23 Foreman A J E, Makin M J. Phil. Mag. 1966; 14: 911

24 Decker R F, Mihalisin J R. Trans. ASM, 1969; 62: 481

25 Stoloff N S. The Superalloys, N. Y., 1972: 79

26 叶瑞曾,陈国良 . 机械工程材料 .1985;9(4):1

3 高温合金韧化途径与机理

随着航空工业的发展,航空发动机涡轮前温度不断提高,对高温合金的高温强度提出了越来越高的要求,与此同时,对材料的韧化也提出了更高的要求。为了保证材料安全使用,并且没有缺口敏感性,工程上一般希望材料的伸长率大于5%,冲击功不低于23.5J,持久伸长率或蠕变断裂伸长率大于4%,对于许多高温合金,这些要求已被正式列入技术条件中,作为生产厂检验和使用厂复验的正式标准,塑性也影响低周疲劳性能。疲劳性能,特别是大应力低周疲劳性能是高温合金不可缺少的重要性能,是决定涡轮盘寿命的关键指标。根据 Manson[1] 的通用斜率方程:

$$\Delta\varepsilon = 3.5\frac{\sigma_u}{E}N_f^{-0.12} + D^{0.6}N_f^{-0.6} \tag{3-1}$$

可以很容易地看出,如果材料受到已知的总应变 $\Delta\varepsilon$,则其寿命 N_f 取决于塑性 D、抗拉强度 σ_u 和弹性模量 E。这一方程包括弹性和塑性应变两部分的作用。在小应力长寿命时,弹性应变为主,材料的强度作用显著。相反,在大应力短寿命时塑性应变为主,材料的塑性作用明显。因此,高温合金塑性的提高,必然有利于大应力低周疲劳寿命的延长。

通过合金化和工艺改善,使高温合金的强度不断提高,然而强度的增加往往伴随着塑性和韧性的降低。60年代国外广泛使用的 INCO 合金,70年代国内广泛使用的 K417 合金,其韧性已降至高温合金可以应用的边缘。实践表明,航空发动机高压涡轮零件发生故障的主要原因往往都与塑性和韧性太低有关。因此,采用各种强化手段不断使高温合金得到强化的同时,也必须考虑高温合金有足够的塑性和韧性,以保证高温零件长期可靠地使用。本章重点介绍高温合金的韧化途径和机理。

3.1 控制 TCP 相的析出

在高温合金基体中加入各种合金元素，可使合金不断强化。然而，强度和塑性是一对矛盾，强度太高，往往塑性和韧性太低，以至于工程上不能接受采用。

高温合金的固溶强化尽管都在强化元素的溶解度限以内，但许多固溶强化元素，都是形成 σ、μ、Laves 等 TCP 脆性相的主要元素，它们的含量越高，高温合金基体形成 TCP 相的倾向越大。高温合金的沉淀强化元素主要有铝和钛。铝形成 γ'-Ni_3Al 相，其中约60％的铝可被钛置换，因此，这种 γ' 相也表达为 $Ni_3(Al, Ti)$ 相。在 GH4169 类型的合金中，还可形成 γ''-Ni_xNb，一般写成 $Ni_3(Al, Ti, Nb)$。高温合金中加入的沉淀强化元素越多，沉淀强化相的数量越大，合金的强化效果越好，但是沉淀强化元素含量太高，合金中要析出一些新的 GCP 相，如 Ni_2AlTi、NiAl、Ni_3Ti、Ni_3Nb 等，这些相往往都对合金的塑性有害，同时，这些相的大量析出，使合金基体中固溶强化元素铬、钼、钨等含量相对增加，从而增大了析出 TCP 相的倾向性。

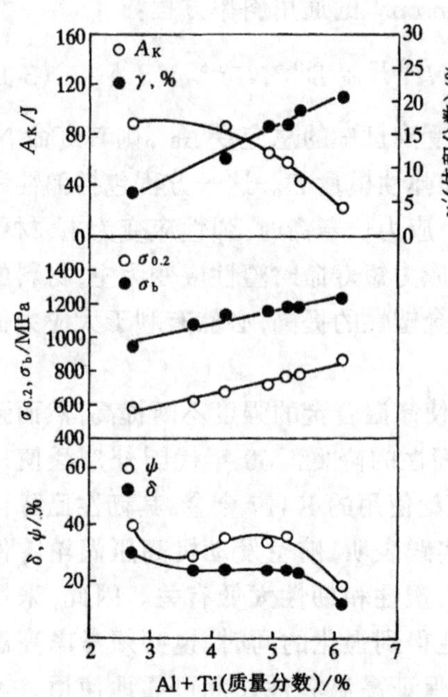

图 3-1　Al+Ti 含量对 GH2135 室温拉伸性能、冲击韧性和 γ′数量的影响

从图 3-1[2] 可以看出，铁镍基高温合金 GH2135 中，Al + Ti 含量从 2.71％增加到 6.06％，γ' 相的数量从 6.35％ 直线增加到 20.75％，相应屈服强度成正比例增加，抗拉强度亦对

应提高，然而，当铝、钛之和超过5%，γ′相的数量超过16.2%时，由于在晶界和晶内析出颗粒状和短棒状Ni_2AlTi相，在拉伸试验时，裂纹容易在晶界与相界形核与扩展，造成塑性和韧性明显降低，以至达不到工程应用的最低值而不能应用。另一方面，由于γ′相的大量析出，铬、钼、钨、铁等在剩余基体中明显增多，经800℃ 500h时效或者700℃ 5000h时效，合金基体中析出FeCr型σ相和Fe_2W型Laves相，使合金进一步变脆。

TCP相通常以三种方式影响力学性能[3]。第一是形态，长针状或薄片状的TCP相，往往是裂纹的发源地和裂纹迅速扩展的通道，一种35Ni-15Cr型铁基高温合金，由于σ相呈长针状大量析出，不仅使持久寿命平均降低80%，而且使塑性和韧性明显恶化[2,4,5]。第二是分布，当TCP相大量析出于晶界，形成一种脆性薄膜而包围晶粒时，裂纹将易于沿晶产生和扩展，使合金呈沿晶脆性断裂，而且强度也明显降低。Incoloy901合金经700℃ 5000h时效，Laves相在晶界大量析出，使持久寿命缩短95%[3]。第三是数量，当TCP相的数量超过某一数值时，不管它们的形态和分布如何，由于它们的存在，消耗了大量的固溶强化元素如铬、钨、钼、钴、镍等，从而削弱了基体强度。同时，它们大量存在，增大了裂纹形成与连接的几率，因而对塑性和韧性也极为不利。在Fe-Ni-Cr系中，当σ相的含量大于或等于5%，合金的冲击韧性就大大降低[6]。Inconel718合金中有2%～3%的Laves相，就降低室温塑性和强度[7]。因此，TCP相对高温合金力学性能的影响取决于它们的形态，分布与数量。当它们的数量很少，而且呈颗粒状分布于晶内时，对力学性能并不发生明显影响，有一种奥氏体不锈钢甚至用σ相作为强化相。但是具有TCP相形成倾向的高温合金热端零部件，在高温和应力的同时作用下，TCP相会加速形成并迅速长大，严重威胁着航空发动机和燃气轮机的安全。因此在高温合金组织中防止TCP相析出是改善高温合金塑性和韧性的重要方法和途径。

σ相最初由Sully和Heal确认为一种电子化合物，后来Des等人[8]提出 σ 相的化学键是由 3d 层的电子空位形成的。Laves 相是一种尺寸因素化合物，组元之间的原子直径之差约 20%～30%。但是电子结构因素也影响 Laves 相的形成。既然 σ 等 TCP 相的化学键是由电子空位连接的，那么能否把电子空位理论应用于高温合金，以避免脆性的 TCP 相的形成呢？

60 年代中人们开始致力于把电子空位理论应用到复杂的高温合金，以预测 TCP 相是否出现，然而要在实际合金中应用这一理论，还需要解决两个问题：

第一，为了能够判定实际高温合金在热处理或长期使用过程中，是否会形成 σ 相，需要的不是对 σ/σ+γ 相界进行电子空位数计算，而是对 γ/γ+σ 相界进行计算。由于 σ 相是电子化合物，它的化学键是由电子空位贡献的，因而可以用电子空位理论来进行计算。而 γ 是一个多组元固溶体，不属于电子化合物，因而无法用电子空位理论进行计算。除非 γ/γ+σ 相界平行或近似平行于 γ+σ/σ 相界，或者至少平行或近似平行于 σ 相区的中心线。那么，γ/γ+σ 相界与 γ+σ/σ 相界一样是一条等电子空位数线，从而就可以用电子空位理论来进行计算。幸好实际高温合金多属这一情况。图 3-2 给出的 Ni-Cr-Co 三元相图[9]，可以看出 γ/γ+σ 相界平行于 σ/σ+γ 相界。而 Ni 基和 Co 基高温合金剩余基体的成分，一般都落入这一相图中，因而这一问题基本得以解决。

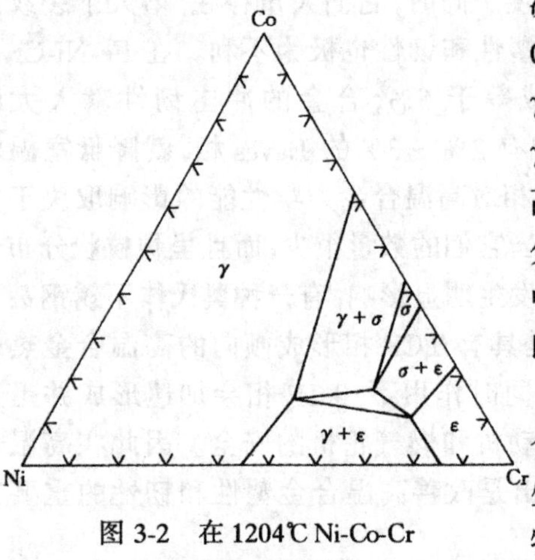

图 3-2 在 1204℃ Ni-Co-Cr 三元等温截面图

第二，由于实际高温合金成分非常复杂，往往生成各种化合物，如硼化物，碳化物和金属间化合物。这样，合金熔炼的化学成分不再能代表形成 TCP 相的 γ 基体成分，两者之间有很大差别。要解决这一问题，可以根据合金的实际情况，进行一系列计算，扣除上述各种相所消耗的元素，求出剩余基体的化学成分，就可以进行基体的平均电子空位数计算。

解决了上述两个问题后，我们就可以着手对复杂的高温合金用电子空位理论进行计算。计算公式为

$$\overline{N}_{\mathrm{v}} = \sum_{i=1}^{n} m_i (N_{\mathrm{v}})_i \tag{3-2}$$

式中 $\overline{N}_{\mathrm{v}}$ 为平均电子空位数；m 为各元素的摩尔分数；N_{v} 为各元素的电子空位数。根据 Pauling 理论，元素 Cr、Mn、Fe、Co 和 Ni 的电子空位数分别为 4.66、3.66、2.66、1.66 和 0.66。其他过渡元素要定量地给出电子空位数是很困难的。至今，人们的实践都假定在周期表的同一组内电子空位数为一常数，例如 Mo、W 与 Cr 的电子空位数一样，均为 4.66。而ⅢB、ⅣA 和ⅤA 族中的合金元素，可以指定这些元素的 $N_{\mathrm{v}} = 10.66 - \mathrm{GN}$，GN 为该族元素的序数。如 V、Nb、Ta 的电子空位数为 5.66；Hf、Si 为 6.66 等。

当合金的平均电子空位数高于某一数值(临界值)时，合金倾向于形成 TCP 相。相反，平均电子空位数低于该值时，合金就不形成 TCP 相。

由于这种计算比较复杂，一般都采用电子计算机。这种计算程序叫做相计算(Phacomp)。关于高温合金相计算方法及其计算机辅助设计程序将在第 13 章作详细介绍。

目前已发展了几种主要的相计算方法。Boesh 和 Slaney 方法[10]只考虑 γ' 相。在扣除了 γ' 相所消耗的合金元素之后，对剩余基体按公式 3-2 计算平均电子空位数 $\overline{N}_{\mathrm{v}}$。这一方法的临界电子空位数为 2.32。这种方法由于未考虑碳化物和硼化物相，精确性较差，初期应用较普遍，目前应用较少。

Woodyatt－Sims－Beattie 方法[11]除考虑 γ' 相外，还考虑硼化物和碳化物。扣除三种相所消耗的各种合金元素之后，对剩余基体成分按公式 3-2 计算 $\overline{N}_{\mathrm{v}}$。通过 500 多种商业和试验合金的计

算与试验结果对比得出了形成 σ 相的临界值 $\overline{N}_v$ 为 2.45～2.52，形成 Laves 相的临界值为 2.30。作者对 32 种 35Ni～15Cr 型铁基试验合金和许多商用合金计算表明，铁基高温合金 Laves 和 σ 相的临界电子空位数为 2.77。这种方法精确性较好，目前应用比较普遍。国内用这种方法计算 K417、GH2135 和 GH2132 等合金的平均电子空位数，调整合金成分，避免 TCP 相析出。

Barrow 和 Newkire 方法[12]是在前一方法的基础上，对每一个剩余基体都计算一个惟一的临界电子空位数 N_v^C。如果 $N_v^C - \overline{N}_v \leqslant 0$，则合金有 σ 相形成倾向。这种方法精确性更好一点，但应用不如第二种方法普遍。以后，一些作者在上述方法的基础上，作了某些改进，以期使这种方法更完善。

在高温合金的生产和使用过程中，应用相计算方法比较方便预测一个合金是否会形成 TCP 相，在长期使用时是否会变脆。过去通常采用的办法是在合金的工作温度进行长期时效和应力时效，然后用金相、电镜和 X 射线结构分析等方法确定组织结构，这样既费时间，又浪费大量人力物力。

应用相计算方法可以发展新合金[13]。根据预定的工作条件，提出对新合金某些方面的突出要求，然后决定加入某一些主要合金元素的含量。通过相计算确定其他元素的加入量，这样可以在保证主要性能要求的同时，使合金的组织依然稳定，避免在使用过程中出现 TCP 相，而使合金塑性和韧性显著降低。

应用相计算方法可以在改进形成 TCP 相倾向的原合金基础上发展新合金。文献〔14〕报道，用 Woodyatt – Sims – Beattie 方法，在 IN100 基础上发展了一种无 σ 相的 René100 合金，文献〔15〕报道用 Boesch – Slaney 方法，在 Astroloy 和 U700 合金基础上，发展了一种无 σ 相的变形和铸造两用的合金 René77。有人[16]使用同一方法，由钴基合金 L605 发展了一种组织稳定的合金 HS188。这些新合金与原合金比较，塑性和韧性都有明显改善，经长期使用不会脆化。

应用相计算方法还可以对那些边缘合金，即平均电子空位数接近临界电子空位数的那些合金，进行逐炉计算。可以方便地区分有 σ 相倾向和无 σ 相倾向的炉号，然后根据使用条件分级使用。

然而相计算也存在某些不足。例如，对析出相的成分、数量和顺序所做的假设，不是对所有合金都符合实际；临界电子空位数对个别合金有例外；个别元素的电子空位数随成分而变化；没有考虑铸造高温合金存在的成分偏析等。但是可以相信，它在今后的实践中必将进一步完善和发展。

1984 年日本学者汤川夏夫和森永正彦以 DV－X_α Cluster 分子轨道计算法为基础，发展了一种新的相计算方法（New Phacomp）[17]。该方法引进两个重要物理参数：结合次数 B_0 和合金元素 d 轨道能 M_d。对于复杂成分的合金，利用下式可求得平均 $\overline{M}_d$ 和 $\overline{B}_0$：

$$\overline{M}_d = \sum_i X_i \cdot (M_d)_i \tag{3-3}$$

$$\overline{B}_0 = \sum_i X_i \cdot (B_0)_i \tag{3-4}$$

式中 X_i 为 i 组元的摩尔分数。$(M_d)_i$ 和 $(B_0)_i$ 分别为 i 组元的 M_d 和 B_0 值。

参数 M_d 和电负性及原子尺寸有关，可以定量描述 γ 固溶体的溶解度。在 Ni-Cr-Co 和 Ni-Co-Mo 三元合金系中，均可析出 σ 相或者 μ 相，其 γ/γ＋σ 相的相界可以很好地用一条等 $\overline{M}_d$ 线表示，其值为 0.925。这对于 Ni 基高温合金是非常有用的。在 Fe-Ni-Cr 三元相图中，计算的 $\overline{M}_d = 0.900$ 直线与 γ/γ＋σ 相界很接近。此外，γ/γ＋μ、γ/γ＋Laves、γ/γ＋γ′和 γ/γ＋β 等相界也可以用等 $\overline{M}_d$ 直线表示。通过对 50 种三元相图计算表明，$\overline{M}_d$ 方法是正确的。

这种新的相计算方法较前一种方法预示 TCP 相要更精确可靠一些，但目前尚未得到广泛应用。

3.2 加入适量有益微量元素

除前一节介绍的控制合金元素含量避免 TCP 相析出，改善高温合金塑性外，本节将主要介绍利用微量有益元素，通过改善晶界状态，从而改善高温合金塑性。

3.2.1 改善拉伸塑性和冲击韧性

微量元素 Mg、La 等加入高温合金，往往偏聚于晶界，改变晶界状态。GH4037 合金中 Mg 的加入量仅 0.0017%～0.0021%，就在晶界发生明显偏聚，改变了晶界区域的化学成分，使晶界粗大碳化物颗粒变得非常细小，使拉伸或冲击断口由脆性的沿晶断裂变为塑性的穿晶断裂或混合断裂。因而 GH4037 合金从室温至 900℃ 的拉伸塑性和冲击韧性都得到显著提高，而对于室温至 900℃ 的强度没有产生强化效应，见图 3-3[18]。不同镁含量对 Ni-10Cr-15Co-6W-6Mo-4Al-2.5Ti 合金室温拉伸性能影响的研究结果表明，0.005% Mg 可使伸长率和面缩率成倍提高，而对拉伸强度和屈服强度不发生影响[19]。主要原因是由于 Mg 偏聚于晶界及相界面，使碳化物细块化，使晶界能和相界能降低，提高界面结合力，使裂纹形核与扩展难以进行，从而改善合金塑性。

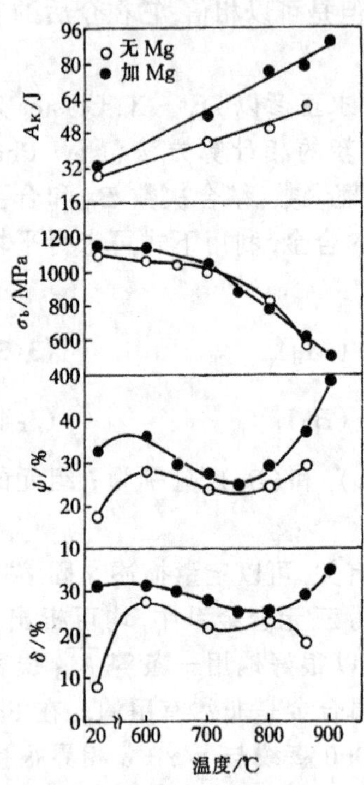

图 3-3 镁对 GH4037 合金室温和高温拉伸性能及冲击韧性的影响

稀土元素镧可有效改善高温合金的高温拉伸塑性。在 Co-23Cr-22Ni-15W 基合金中，加入 0.020%～0.054% La，俄歇能谱证明镧偏聚在晶界区域，从而影响了碳、铬、钨等元素在晶界的含量，使碳化物的析出发生变化。镧含量提高，使碳化物析出速率减慢。加入 0.020%La,合金在 750℃的拉伸塑性可提高一倍,而对高温强度没有影响,见图 3-4[20]。

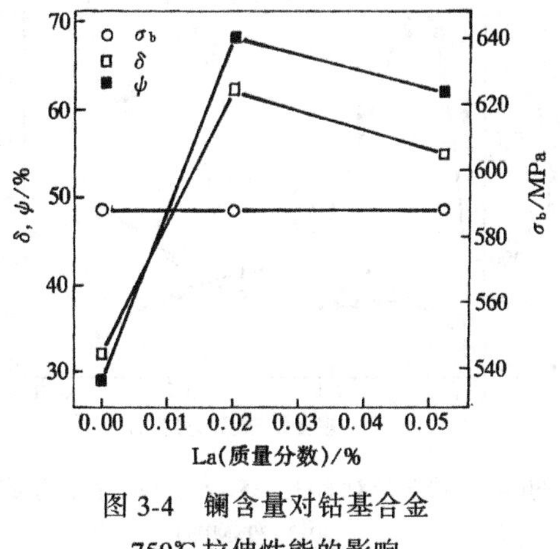

图 3-4　镧含量对钴基合金
750℃拉伸性能的影响
(合金经固溶处理后 760℃时效 5h)

3.2.2　提高持久或蠕变断裂塑性

微量元素碳和硼,也是一种偏聚于晶界的主要有效微量元素。作者系统研究了碳和硼含量对 GH2135 合金高温持久塑性与持久时间的影响[21]。当碳含量由 0.01%增加到 0.03%～0.05%时,750℃、294MPa 条件的持久塑性由 3%增加到 12%,提高了 3 倍,而持久时间亦达到峰值。进一步提高碳含量,持久时间急剧降低,而持久伸长率继续缓慢增加。俄歇能谱分析证明,碳偏聚于晶界,并产生细小颗粒状二次 TiC,阻止晶界滑动和裂纹形成,从而有利于持久塑性和持久时间的提高,但是碳含量太高,晶界二次 TiC 析出太多,甚至构成 TiC 薄膜,使晶界变脆,裂纹易于扩展,持久时间缩短。

作者的结果表明,在硼含量为 0.006%左右时,持久塑性明显提高,持久时间达到最大值。硼含量进一步提高,持久时间明显降低,持久塑性缓慢增加。硼原子偏聚于晶界区域,减少了晶界的缺

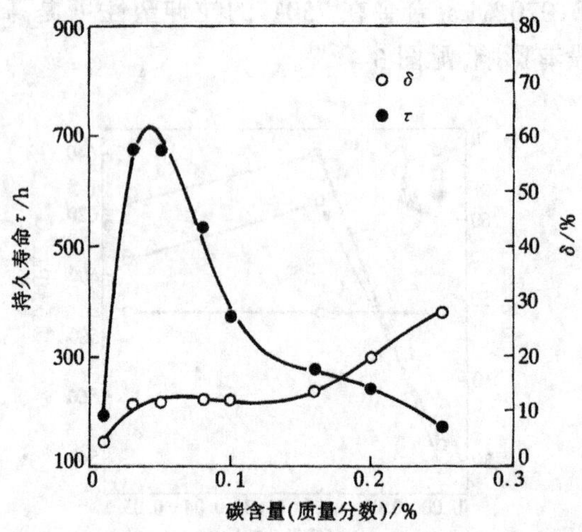

图 3-5 碳含量对 GH2135 合金持久性能的影响
(750℃,294MPa)

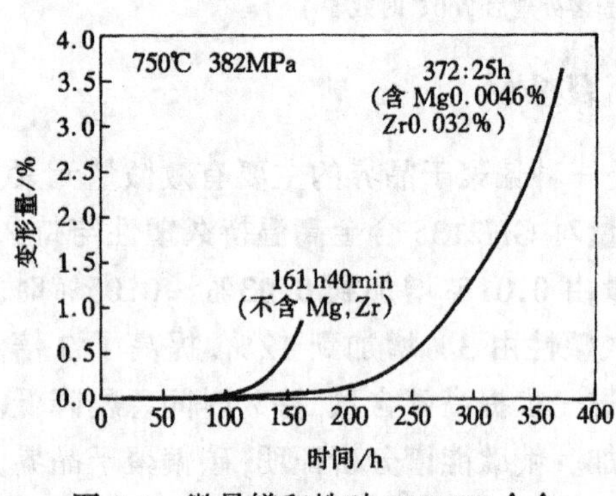

图 3-6 微量镁和锆对 GH4698 合金蠕变性能的影响

陷,增加晶界原子间结合力,同时也析出少量的颗粒 M_3B_2 相,从而有助于持久塑性的提高和持久时间的延长。

多个微量有效元素加入,往往能收到更好的韧化效果。在 GH4698 合金中同时加入 0.0046% Mg 和 0.032% Zr,与不加镁和锆的合金比较,在 750℃、382MPa 条件下的蠕变断裂塑性提高 4 倍,蠕变断裂时间提高 30%,见图 3-6[22]。断口由沿晶脆性断裂转变为穿晶韧性断裂。

3.2.3 增加长期时效后的持久塑性

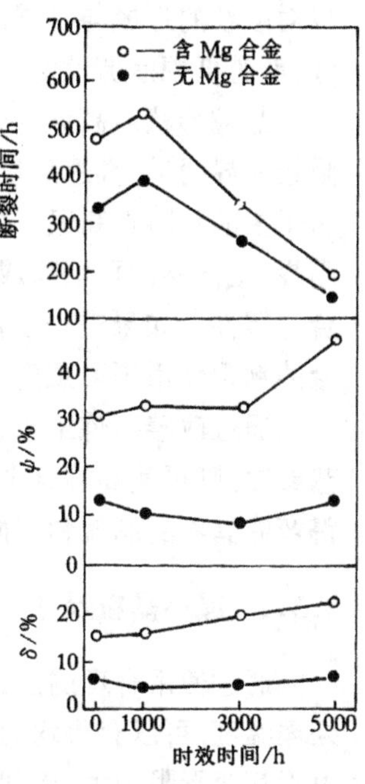

图 3-7 镁对 GH4169 合金 650℃、686MPa 持久性能和室温拉伸塑性的影响

微量元素的有益作用不仅表现在上述两方面，在合金经过长期使用或长期时效后，其韧化作用仍然保留。GH4169 合金中加入 0.0094% Mg，经 650℃ 1000h、3000h 和 5000h 时效后，其在 650℃、686MPa 应力下的持久塑性与无 Mg 合金比较，均获成倍提高，见图 3-7[23]，可见镁的韧化作用并未减弱。这主要是偏聚于晶界的 Mg 原子，使晶界表面能发生变化，使斜方点阵的 δ－Ni_3Nb 不易在晶界形成，调整了晶内和晶界强度的配合，使蠕变第三阶段明显延长，占总蠕变变形的 2/3 到 3/4，蠕变断裂伸长率提高 3～4 倍，而且断裂模式由无 Mg 的沿晶脆性断裂变为穿晶－沿晶混合断裂。

有益的微量元素除镁、镧、碳、硼、锆外，还有钇、铈、钙、铪等等。但不是所有的微量有益元素对同一牌号的高温合金都有韧化作用。而且往往有一最佳含量范围，太低则不起韧化作用，太高往往因种种原因而起脆化作用。必须根据高温合金的种类、用途、特点，选择合适的微量元素，通过试验确定加入微量元素的种类和数量。

3.3 控制晶粒尺寸与形状

高温合金材料晶粒尺寸增大后，常常造成塑性和韧性降低，室温和中温强度以及低周疲劳性能恶化。对于涡轮盘这类零件，它们的使用温度一般在 650℃ 以下，少数在 700～850℃ 的等强温度范围或接近等强温度。晶粒尺寸减小，晶界总面积增大，可增加晶界对裂纹的形成与扩展的阻力，从而提高涡轮盘材料的韧性与塑性，改善低周疲劳性能。

晶粒形状对高温合金韧化也起重要作用。弯曲晶界可有效地阻止晶界滑动，推迟裂纹的形成与扩展，有利于改善合金的塑性。由于多晶材料在高温下的断裂，一般起始于垂直于主应力的横向晶界，定向凝固可消除或大大减少横向晶界，因而可有效改善高温合金塑性。如果进一步将高温合金制成单晶，消除一切晶界，对合金的韧化作用则可想而知。

通过改善冶炼工艺、热加工工艺和热处理工艺等，严格控制工艺参数，则可使高温合金获得细小晶粒、微晶甚至纳米晶，也可获得弯曲晶界的晶粒和定向、单晶组织。

3.3.1 减小晶粒尺寸

通过使用合理的热加工工艺参数，然后控制冷却速度和固溶处理温度，可以获得均匀细小的晶粒度。但对于高温合金涡轮盘，由于其变形阻力大，冷却速度不易控制，所以采用第二相析出以阻碍晶粒长大的工艺来获得细小晶粒的盘坯。这种可以利用的第二相一类是 γ'，如 Nimonic 80A、Waspaloy、M 252、René41，Astroloy 和 René95 等；另一类为其他相，δ、η、μ、Laves 相等，如 GH4169、GH2136、GH2132、GH2901、D-979 等。获得细小晶粒的工艺很复杂，如屈服强度很高的盘材变形合金 René95，在 1010～1135℃ 范围锻压，变形量为 50%，终锻温度低于 1093℃，然后在 1135℃ 保温再结晶，第二次锻造，终锻温度仍低于 1093℃，接着在 900℃ 时效 24h，γ' 均匀析出，再在 1093℃ 固溶 1h，就得到均匀细小的晶粒，最后在 760℃ 时效 16h，其性能才能保证。GH4169 合金涡轮盘，目前采用细晶锻造或直接时效工艺，以获得具有 10 级左右晶粒度的组织。

晶粒尺寸减小可以使冲击韧性增加。从图 3-8[24] 可以看出，涡轮盘合金 GH4698，GH4738，ЭИ698ВД 及涡轮叶片合金 GH4037 的冲击韧性随晶粒尺寸的减小直线增加，而且这些直线近似平行。将 J_{1C}概念引申，从理论上可以推导出：

$$A_K = A + Kd^{-1} \quad (3\text{-}5)$$

这里 A_K 为冲击功，可以看出，它与晶粒的平均直径的倒数成正比，这与试验结果是一致的。常数 A 是试样开裂前裂纹尖端的弹性储存能，对一定的材料，弹性模量 E 一定，则 A 为一个固定常数。比例常数 K 反映晶界对裂纹形成、扩展的阻力，对 GH4698、GH4738、ЭИ698ВД 和 GH4037，K 值分别为 0.67、0.71、0.74 和 0.65。即对于镍基合金 K 值基本相同。式 3-5 是在通过不同固溶温度获得不同晶粒度的基础上获得的。如果固溶温度升高，晶粒度突然长大，此式可能不适用。

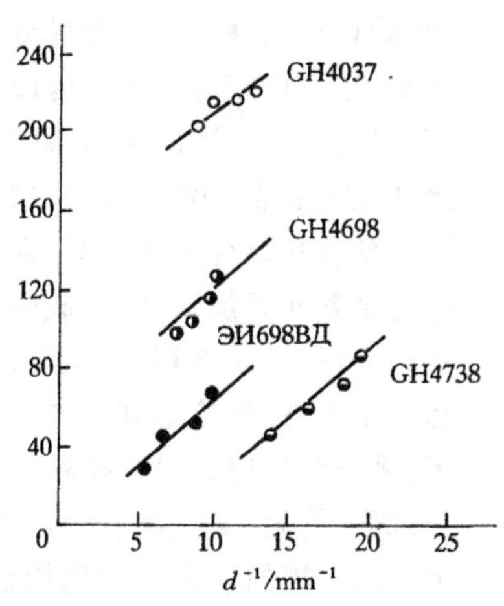

图 3-8　冲击功与晶粒度的关系

晶粒尺寸减小还可以改善拉伸塑性和持久塑性。对于 GH4169 合金采用不同变形量，不同终锻温度获得三种圆饼组织，在 650℃ 和 690MPa 条件下的持久试验结果表明（见图 3-9）[25]，持久伸长率随平均晶粒度的减小直线增加。持久伸长率增加，有助于缺口敏感性的消除，在平均晶粒度小于 6 级

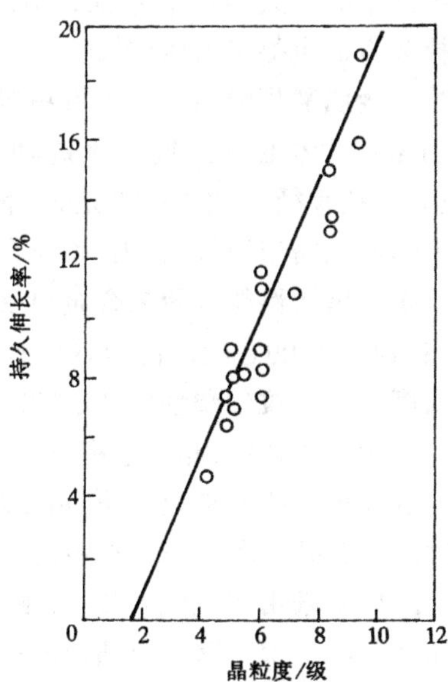

图 3-9　晶粒度对持久伸长率的影响（650℃、690MPa）

时，缺口持久寿命高于光滑持久寿命。细晶粒材料由于伸长率的提高，还可使疲劳强度大为改善。例如 GH2135 合金旋转弯曲疲劳强度，当晶粒度从 4～6 级减小至 7～9 级，室温由 284MPa 上升至 392MPa，而 700℃ 从 392MPa 增加到 578MPa[26]。

随着高温合金的发展，合金化程度不断提高。特别是一些高熔点金属元素加入后，造成铸件严重偏析，如 Nb、Ti 等元素的偏析系数可达 3～5 以上，从而产生严重的宏观偏析，像树枝状偏析和点状偏析，使合金难于热加工成型。60 年代末出现一项新技术，采用粉末冶金生产高温合金涡轮盘，由于冷却速度快，粉末细小，成分均匀，偏析很小。而且晶粒非常细小，通常在 12～13 级以上。新发展的粉末冶金涡轮盘材料 René 88DT 在等温锻和热处理之后典型的晶粒尺寸为 20～40μm[27]。因此粉末材料性能明显优于铸锻材。例如 Udimet700 合金粉末挤压材在 760℃、583MPa 条件下的持久伸长率为 10.5%，较铸锻材的 1.5% 提高 6 倍，相应持久寿命也提高 5 倍[28]。

金属雾化喷射沉积具有粉末高温合金的特点，冷凝速率可达 10^3K/s～10^6K/s 之间。用这种方法制取高温合金，晶粒组织细小，晶粒直径可达 10～30μm。而且喷射沉积没有粉末高温合金中的原始粉末边界(PPB)和粗大的金属间化合物相，氧含量也低得多。因而性能较粉末合金更优异。例如喷射成型合金 René 80 在 800～1000℃ 的高温拉伸塑性约 15%，而粉末 René 80 在同样温度范围的拉伸塑性仅 3% 左右，提高达 5 倍左右。

细晶粒材料，晶粒直径约小于 5μm，往往具有超塑性，在适当的温度范围和变形速率下，可以均匀的伸长几倍至 20 倍而不发生缩颈或断裂。利用细晶材料的超塑性可以进行超塑性成型。

如果采用快速凝固技术，使高温合金的冷凝速度大于或等于 10^5℃/s 时，粉末颗粒更细(10～100μm)，晶粒将更小，晶粒直径可达几个 μm。这种微晶材料的塑性和强度都得到明显提高，例如快凝 IN738LC 镍基合金，伸长率从普通铸造的 5%～8% 提高到 15%～25%，提高达 3 倍，而拉伸强度也从 1087～1127MPa 提高到 1127～1176MPa。

随着科学技术的不断进步，有朝一日将复杂高温合金制成纳米晶材料，晶粒度在 100nm 以下，必将使高温合金的塑性、韧性和强度发生根本变化。

3.3.2 改变晶粒形状

通过形变热处理和特殊热处理，可使变形高温合金的晶界由平直变为弯曲。前者使合金在变形与热处理的共同作用下，通过部分再结晶或再结晶造成晶界迁移，形成弯曲晶界，后者通过固溶处理后等温处理、固溶处理或控制冷却处理，在晶界析出 γ' 相或碳化物，引起晶界局部迁移，形成弯曲晶界。GH4220 合金获得弯曲晶界后，能显著改善室温和高温拉伸塑性及持久塑性，同时对强度也有改善，这主要是由于弯曲晶界可以延缓裂纹在晶界的萌生与扩展，使晶内产生更多的变形所致。

GH2135 合金经 1000℃ 形变热处理，晶界呈锯齿状，这种弯曲晶界是由于晶内滑移与晶界扩散共同作用造成的。其室温冲击功由标准热处理状态的 41J 提高到 93J，在 650℃、549MPa，700℃、431MPa 和 750℃、343MPa 条件下的持久伸长率均提高 2.5 倍[26]。

通过定向凝固，可以使多晶铸造高温合金的晶粒沿某一方向择优生长，使晶界彼此平行或接近平行，制成高温零件时，使柱晶晶界平行于主应力轴，这样可以消除或基本消除横向晶界的有害影响，从而改善合金蠕变断裂寿命和断裂塑性。尽管合金断裂寿命的改善程度因合金和试验条件的不同而不同，但是，所有的镍基合金在定向凝固后蠕变断裂塑性都显著增加。图 3-10[29] 为镍基高温合金在普通铸造和定向凝固条件断裂伸长率的数据分布带，很清楚地说明了柱晶的蠕变断裂塑性较普通等轴晶要高得多。塑性的提高可以使温度变化时产生的热应力得以松弛，从而使定向凝固合金的热疲劳性能明显改善。

弥散强化高温合金（ODS 合金）通过二次再结晶热处理也可

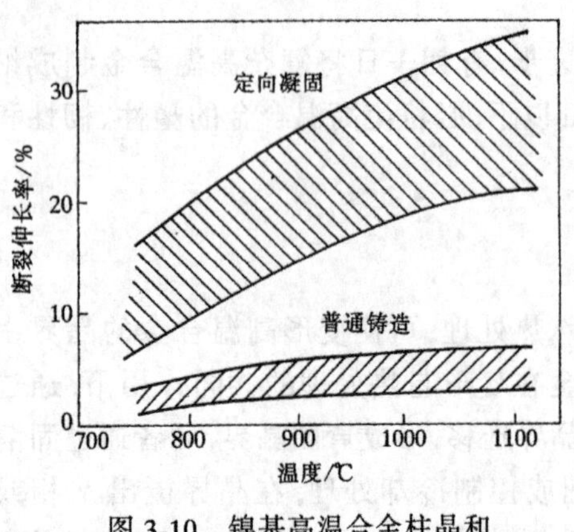

图 3-10　镍基高温合金柱晶和等轴晶蠕变断裂伸长率的比较

获得粗大而伸长的柱状晶。例如 MA956 合金挤压棒材经 1300℃、1h，空冷退火处理，其定向晶粒组织类似于定向凝固涡轮叶片的组织，挤压方向上单个晶粒的长度达半米以上，横截面晶粒直径约 1cm。MA754 也可获得类似晶粒组织，这种组织使高温塑性和强度得到显著改善[30]。

如果把定向高温合金的纵向晶界全部消除，制成单晶高温合金。高温合金的横向性能因横向晶界的消除而得到明显改善。由于去除了合金中的晶界强化元素，提高了合金的初熔温度，采用高于 1260℃ 的固溶处理，获得高达 65%左右的细小 γ' 相，单晶高温合金的性能大幅度提高。

3.4　提高合金纯洁度

有害杂质元素包括 H、O、N、S、P、Si、Sb、Pb、Sn、As 等约 40 种。为了减轻有害杂质的不利影响，人们从精选原材料、控制冶炼工艺参数等方面入手，使有害杂质的含量尽可能降低，以改善合金的塑性、韧性和其他力学性能。

降低有害杂质含量，改善 K417 合金 900℃ 拉伸塑性的研究结果[31]表明，把铅含量从 50×10^{-6} 降低至 2×10^{-6} 以下，面缩率由 5.9%增加到 17.2%；把 Te 含量从 10×10^{-6} 降低至 5×10^{-6}，面缩率从 6.9%提高至 13.2%；同样把 As 和 Sn 的含量分别由 13×10^{-6} 和 240×10^{-6} 减少至 5×10^{-6}，面缩率分别由 10.3% 和 14.9%上升至 13.2%和 17.2%。从图 3-11[32]可以清楚看出，当 GH2132 合金中的 Pb 含量不大于 1×10^{-6}，合金在 700℃ 的高温

拉伸塑性保持在36%以上，相反，当Pb含量大于1×10^{-6}时，塑性显著降低。

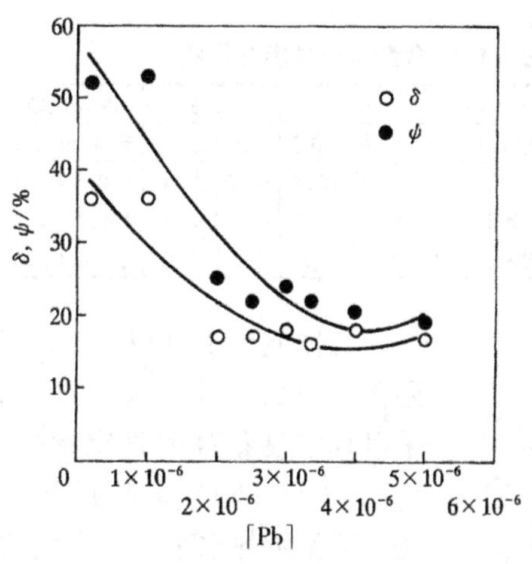

图3-11　Pb含量对GH2132合金700℃拉伸塑性的影响

P、S、Si在高温合金中通常认为也是有害元素。作者研究了这些元素对K4169合金组织、偏析和力学性能的影响。结果[33]表明，把合金中的P含量由0.032%降低至0.0008%，室温和650℃拉伸塑性及650℃/620MPa条件下的持久塑性都将获得显著改善。

从表3-1[33]可以看出，把K4169合金中的S含量由0.051%降低至0.0038%，室温伸长率由7.3%提高至16.0%，650℃伸长率由8.2%增加至10.8%，持久伸长率由2.0%上升至5.7%。S在K24合金中有类似影响[34]。

表3-1　硫含量对铸造合金K4169拉伸和持久性能的影响

合金号	S含量(质量分数)/%	$\sigma_{0.2}$/MPa		σ_b/MPa		δ/%		ψ/%		持久性能	
		室温	650℃	室温	650℃	室温	650℃	室温	650℃	寿命/h	δ/%
1	0.0038	1159	870	1207	910	16.0	10.8	30.6	37.0	188.5	5.7
7	0.014	1102	823	1164	864	8.7	8.7	24.0	36.0	78.0	3.6
8	0.051	1040	808	1105	841	7.3	8.2	21.0	21.5	19.0	2.0

高温合金中的Si原子也偏聚于晶界，降低晶界塑性，GH2135合金中的Si含量降低至0.7%以下时，合金的室温拉伸塑性、冲击韧性均获明显改善，与此同时，强度也相应增加。从表3-2可以看出，K4169合金中的Si含量从0.95%减少至小于0.05%。室温伸长率提高8倍，650℃的伸长率提高6倍，持久伸长率也成倍提高，可见降低Si含量，对合金韧化的效果是明显的。

表 3-2　Si 含量对 K4169 合金拉伸性能的影响

合金号	S 含量(质量分数)/%	$\sigma_{0.2}$/MPa		σ_b/MPa		δ/%		ψ/%		持久性能	
		室温	650℃	室温	650℃	室温	650℃	室温	650℃	寿命/h	δ/%
1	<0.05	1159	870	1207	910	16.0	10.8	30.6	37.0	188.5	5.7
9	0.34	1100	878	1179	889	8.7	6.7	24.0	32.0	136.5	4.2
10	0.95	982	795	988	858	2.0	1.8	2.6	7.8	57.0	2.4

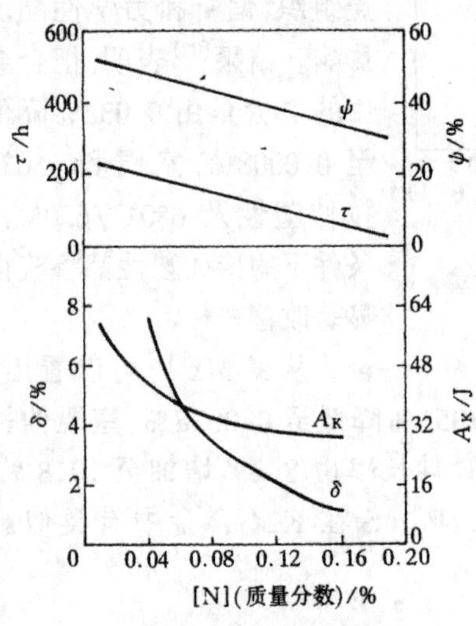

图 3-12　氮对 GH2036 合金力学性能的影响

ψ—高温断面收缩率；τ—650℃ 持久寿命；A_K—室温冲击韧性；δ—持久伸长率

气体元素 H、O 和 N 对高温合金的力学性能危害严重。采用真空度很高的真空冶炼，可以把 H 和 O 降低到几个 10^{-6}数量级的水平。在大气熔炼或电渣重熔过程中，降低 N 含量是困难的。但是降低 N 含量可使合金质量明显提高。图 3-12[32]说明，把 GH2036 合金中的氮含量从 0.16% 降低至 0.02% 左右，可以使高温拉伸塑性、室温冲击和 650℃ 持久塑性都大为改善，而且可以消除缺口敏感性。

当合金中 O 和 N 含量较高时，还要形成氧化物和氮化物夹杂物，这些夹杂物往往都是裂纹产生和扩展的有利位置，严重降低合金塑性和低周疲劳性能。因此，国外对新料和返回料钢液进行陶瓷过滤。对于铸造高温合金，除对母合金进行过滤外，还在浇注零件时再次过滤。K417 合金和 K403 合金返回料钢液经陶瓷过滤后夹杂物含量(以浮渣表面积定量)分别降低 90% 和 85%[35]。Waspaloy 合金经过滤后氮含量降低 20%，氧含量降低 56%[36]。很显然，陶瓷过滤器过滤高温合金钢液对于降低氧、氮夹杂物含量，改善合金韧性，提高合金质量是非常有效的措施。

以上我们讨论了高温合金韧化的种种途径。有些只起韧化作用,对强化没有影响;另一些则在起韧化作用的同时,降低合金的强度;还有一些途径既可韧化合金,也可强化合金。对一种合金或一个牌号的合金,究竟选用哪一种途径,要根据合金的成分、工艺、组织和用途等方面的特点,加以综合考虑。

参 考 文 献

1 Manson S S. ASTM. 1971: 495

2 郭建亭等. 金属学报. 1978;14:227

3 郭建亭. 物理. 1982;11:661

4 郭建亭,徐嘉勋,安万远. 金属学报. 1980;16:386

5 郭建亭等. 金属学报,1978;14:348

6 Talbot A M, Furman D E. Trans. ASM. 1953; 45: 429

7 Sullivan C P, Donachie M J. Metal Eng. Quart. 1971; 11 (4) : 1

8 Das D K, *et al*. Trans. AIME. 1952; 194: 1071

9 Lund C H, *et al*. International Symposium on Structural Stability in Superalloys. Metals and Ceramics Information Center. 1968: 95

10 Boesh W J, Slaney J S. Met. Prog. 1964; 86: 109

11 Woodyatt L. R., Sims C. T., Beattie H. J., Trans. AIME, 1966; 236: 519

12 Barrow R. G., Newkire J. B., Met. Trans. 1972; 3: 2889

13 渡边力藏,九重常男,鉄と鋼,1975;61:2274

14 Ross E W J. Metals. 1966; 18: 1119

15 Ross E W. Met. Prog. 1968; 93: 89

16 Herchenroeder R B. International Symposium on Structural Stability in Superalloys. Meeals and Ceramics Information Center. 1968: 167

17 Morinaga M *et al*. J. Phys. Soc. Jpn., 1984; 53: 653

18 金槿秀. 高温合金中微量元素的作用与控制. 北京:冶金工业出版社,1987,272

19 可大年,仲增墉. 高温合金中微量元素的作用与控制. 北京:冶金工业出版社,1987,47

20 王淑荷,代彤孚,师昌绪. 高温合金中微量元素的作用与控制. 北京:冶金工业出版社,1987,426

21 郭建亭. 金属学报. 1980;16:30

22 吴涛,赵玉才,许经峰,蒋景和,朱金元. 高温合金中微量元素的作用与控制. 北京:冶金工业出版社,1987,134

23 徐志超,王迪,傅杰,谢锡善,倪克铨,陈国良,金鑫,朱金元. 高温合金中微量元素的作用与控制. 北京:冶金工业出版社,1987:147

24 王志兴,王磊,刘世贵,杨洪才．北京科技大学学报.1991;13(增刊):504
25 张建英,鲁风鸣,于万众,耿庆全．第六届全国高温合金年会论文集．冶金部钢铁研究总院五室汇编.1987:139(未公开出版)
26 师昌绪,肖耀天,郭建亭等.GH2135(808)铁基合金汇编．冶金部金属研究.1974:242(未公开出版)
27 Blankenship C P, *et al*. Superalloys. Eds Kissinger R. D. etc. TMS. 1996: 653
28 郭建亭,朱耀霄,师昌绪．金属学报.1974,10:74
29 Piearcey B J, Terkelson B E. Trams. Metall. Soc. AIME. 1967; 239: 1143
30 郭建亭,能源材料通讯,1984,2:8
31 金属所等.M17镍基高温合金及铸造空心涡轮叶片.1972:35
32 傅杰,徐志超,于永泗,赵文祥,高良,李顺来．高温合金中微量元素的作用与控制.北京:冶金工业出版社,1987:341
33 Guo Jianting, Zhou Lan Zhang. Superalloys. Pennsylvania. TMS. 1996: 451
34 Sun Cha, *et al*. High Temperature Technology. 1988; 6: 145
35 肖永明．铸造高温合金论文集．北京:中国科学技术出版社.1993:222
36 王盘鑫,刘传习,胡尧和,王迪,陈国良．第六届全国高温合金年会论文集．冶金部钢铁研究总院五室汇编.1987:625(未公开出版)

4 高温合金显微组织

高温合金是由十多种组元组成的合金,合金中还存在一些不可避免的杂质元素。高温合金的显微组织控制、各种合金相的形成规律及金相形态是高温合金的基本问题。

4.1 高温合金的典型显微组织

图 4-1 示出镍基高温合金显微组织随着合金强度提高而演变的情况。从图看出合金组织由固溶强化的单相奥氏体(含有少量碳化物)演变为用 γ′强化的多相合金。图 4-1 *a* 为固溶强化合金,图 4-1 *b*、*c* 为 γ′相强化的变形合金,图 4-1 *d*、*e*、*f* 为铸造合金的组织。对于固溶强化合金,随着合金强度提高,合金强化元素饱和度不断提高,长期时效后会有新相析出。以金属间化合物 γ′强化

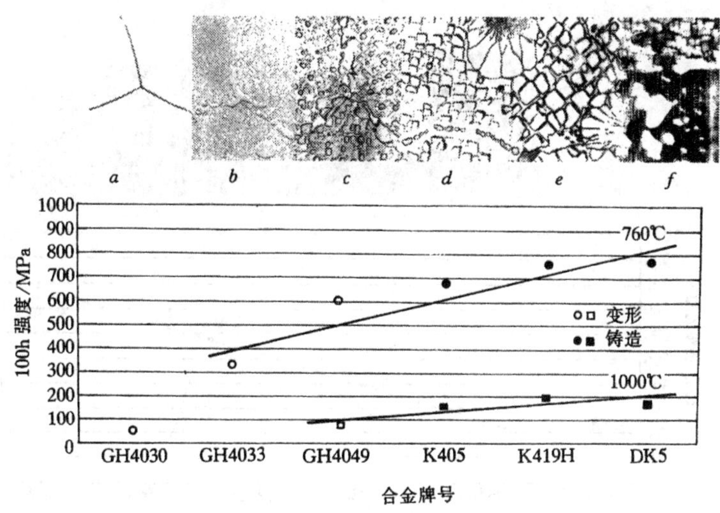

图 4-1 镍基合金的典型显微组织

的合金，随着合金强度的提高，γ′强化相的变化包括：γ′相数量由约10%增加到60%～70%；γ′相形态由球形逐步变为立方形；尺寸逐步变大，并且由一种球形的γ′相演变为大小两种尺寸的γ′相共存；γ′相组成中也含有更多的难熔元素铌、钽、铪等；晶界则由两侧为贫γ′区的链状碳化物逐步变为有γ′相膜包覆的链状碳化物；随着合金化程度的提高，组织中出现(γ+γ′)共晶；同时铸造合金中的成分和组织不均匀性加剧。为了得到更高强度的合金，发展了定向铸造合金和单晶合金。

图4-2示出铁基和铁镍基合金显微组织随强度提高而演变的情况。图4-2*a*为固溶强化的铁基奥氏体合金，其组织除奥氏体外，还有一些碳氮化物。图4-2*b*、*c*为碳化物时效硬化型铁基合金的组织，强化水平低的合金一般以$M_{23}C_6$为主要强化相，分布不均匀，颗粒较大。强化水平高的合金常以MC为主要强化相，呈弥散、细小质点均匀析出。图4-2*d*、*e*、*f*为金属间化合物强化的铁基合金，随着合金强度提高，显微组织演变的趋势为：γ′相的数

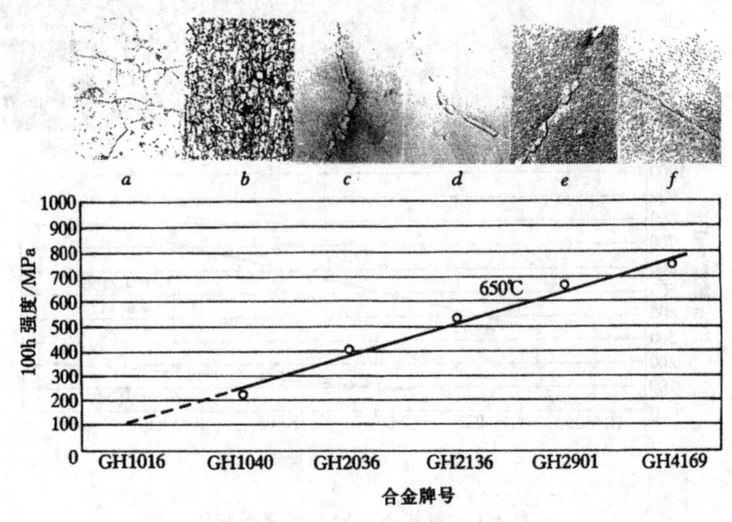

图4-2　铁基和铁镍基合金的典型显微组织

量由 2%～3%增加到约 20%，γ'相大小保持在 15～30nm，形状一直为圆球形；碳化物相由单一的 MC 到多种晶界碳化物；固溶体过饱和度不断增加，析出 Laves 和其他相的倾向较大，高度强化的铁基合金一般皆存在 Laves 相，图 4-2*e* 所示 GH130 合金组织的晶界相中有 Laves 相。为了获得高屈服强度，发展了以 γ'相强化为主的时效硬化合金（图 4-2*f*）。

钴基合金的主要强化相为碳化物，有 MC、M_7C_3、$M_{23}C_6$、M_6C 等类型。

图 4-3*a* 为强度低的钴基合金 X-40，有晶界和枝晶间块状的 $M_{23}C_6$、M_7C_3 和（$\gamma+M_{23}C_6$）共晶，共晶中的 $M_{23}C_6$ 为细片状。图 4-3*b*、*c* 为强度较高的钴基铸造合金的显微组织，特点是有骨架状和块状的 MC、共晶 $M_{23}C_6$ 和块状 M_6C。

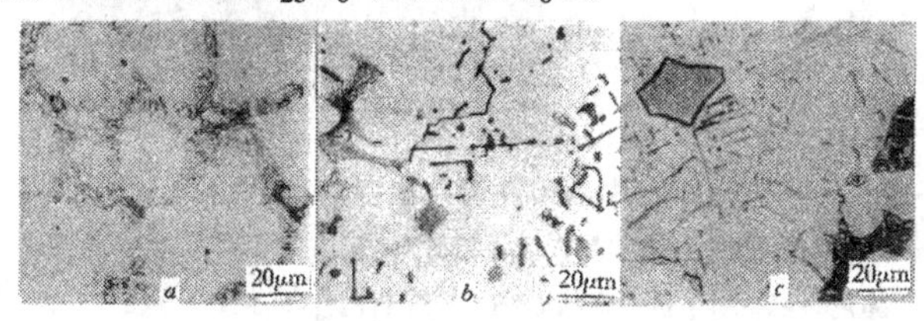

图 4-3　钴基合金的典型显微组织

4.2　异常的显微组织

高温合金中异常显微组织往往损害合金性能，或降低强度，或增加脆性等等，但在某些特殊条件下，人们可以利用这些组织发挥有利作用。

图 4-4 为各类强度水平不同的镍基高温合金中可能出现的主要异常组织。$M_{23}C_6$ 晶界胞状析出，片状甚至是魏氏组织状的 σ 相和 μ 相均有损合金性能。图 4-5 为铁基合金中的异常组织，η-Ni_3Ti 和 δ-Ni_3Nb 片状是过时效产生的稳态相，σ 相以沿晶颗粒析出和晶内片状析出。Laves 相及 μ 相亦类似。铁基合金容易出现异常组织，限制了铁基合金的发展，铁基合金容易析出晶界 MC 或

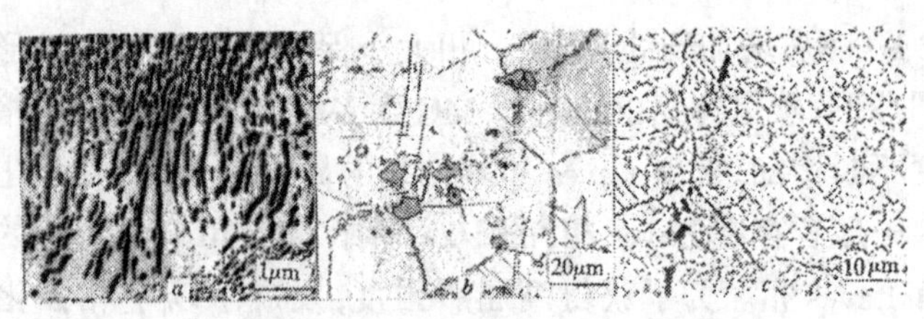

图 4-4　镍基合金中的异常显微组织

a —晶界胞状 $M_{23}C_6$；*b* —针状 σ 相；*c* —片(针)状 μ 相

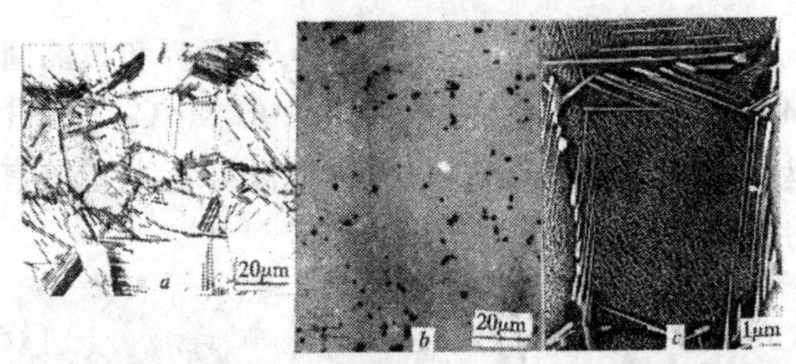

图 4-5　铁基和铁镍合金中的有害组织

a —晶界胞状 η 相或晶内魏氏组织 η 相；*b* —晶界块状 σ 相或晶内针状 σ 相；*c* —胞状 δ-Ni_3Nb 或晶内片状 δ-Ni_3Nb 相

硼化物薄膜,严重影响合金的塑性,导致缺口敏感性。

4.3　高温合金中的成分偏析

高温合金由于合金化程度高而极易产生成分偏析。随着合金强化程度的提高和生产产品质量的增大,使凝固过程不可避免造成的成分偏析更加严重。这种偏析不仅对铸造合金而且对变形合金的组织与性能都有很大的影响。

图 4-6*a*、*b* 为用电子探针测定的 K419 合金的树枝晶和 γ/γ' 共晶偏析的情况。对于树枝晶偏析(图 4-6*a*),钨和钴(含量 10%~20%)容易偏析于晶轴内,而钛、钼、铬、铝、铌、锆(还有微量元素硫和锡)等都偏聚于树枝晶间隙。$(\gamma+\gamma')$共晶处一般含钛、铝、铌和镍量要高于平均含量,含铬、钼、钴量低于平均含量,$(\gamma+\gamma')$共

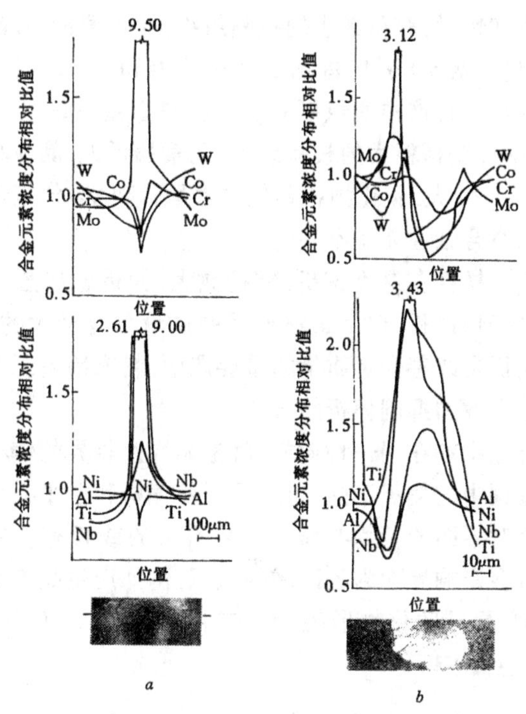

图 4-6　镍基铸造合金中的偏析

a —K419 树枝晶间的合金元素分布

b —K419($\gamma+\gamma'$)共晶附近合金元素的分布

晶边缘处的偏析比共晶心部更为严重。由于存在上述两类偏析，所以在 γ' 共晶周围的枝晶处，元素的偏析为上述两类偏析的叠加，结果造成此处极富铬、钼等 TCP 相形成元素。元素的树枝晶间偏析也常常造成碳化物共晶，硼化物共晶和其他相(例如 Y 相)析出。因此，控制铸造合金的铸造工艺以调整偏析是一项重要的环节。此外，铸造工艺还将影响合金的枝晶组织、晶粒度以及各种相的析出形态、数量和分布，它们又对合金性能产生显著的影响。铸造工艺中很重要的因素之一是控制合金的凝固速度，一般规律是当凝固速度快时，获得细小的枝晶组织，元素偏析小，晶粒度细，而且析出相(包括 $\gamma+\gamma'$共晶、MC 型碳化物和 M_3B_2 型硼化物)尺寸细小，分布均匀，这样的组织有利于提高合金的综合性能；而当凝固速度慢时，获得粗大的枝晶组织，元素偏析大，晶粒粗大，而且($\gamma+\gamma'$)共晶尺寸大，碳化物和硼化物常呈骨架状，分布也不均匀，这样的组织对合金性能是不利的。

铸锭中同样存在这类偏析，锭径愈大，偏析愈严重，这类偏析对钢锭的热变形过程，以及最终产品的质量都有极大的影响。减小钢锭的偏析是改善合金质量的重要课题，粉末冶金工艺、快速凝固工艺都是有效的抑制偏析的方法。

高温合金中存在另一种偏析，就是晶界及相界的偏析，这种偏析与凝固过程中的偏析不同，可以是平衡偏析和非平衡偏析，这种偏析本身会对界面的行为与特性产生有害的或者有利的影响，同时这种偏析会影响界面附近区域的组织，例如产生晶界贫化区，晶界 γ'膜，改变晶界碳化物形貌及第二相的形貌，从而对合金的组织与性能产生影响。

4.4 高温合金中各类第二相的典型金相形态

高温合金中常见第二相可以分为两类，一类是过渡金属元素与碳、氮 、硼(氢)形成的间隙相，一类是过渡金属元素之间形成的金属间化合物。

4.4.1 过渡金属元素与碳、氮、硼形成的间隙相

这种间隙相的晶体结构的特点是金属原子尽可能密排，而原子半径小的碳、氮、硼原子位于金属原子的间隙之中，这种间隙相的共同特性是都具有高熔点、高硬度和高脆性，同时又具有某些金属特性。

表 4-1、表 4-2 列出各类氮化物、碳化物的晶体结构和物理化学性能。由表可见，各个间隙相的晶体结构是不同的，按晶体结构可以分三类：

表 4-1 各类氮化物和硼化物

化合物名称	晶体结构		形成热 $-\Delta H^{\circ}_{298}$/ kJ·mol^{-1}	熔点/ ℃	显微硬度 (负荷)/ kg·mm^{-2}
	类型	点阵常数/kX			
TiN	面心立方	4.23	336.6	2950	
ZrN	面心立方	4.56	344.2	2980	1520(50g)
VN	面心立方	4.13	170.8	2030	1520(50g)
NbN	面心立方	4.39	247.0	2030	1396(50g)
TaN	密排六方	a = 3.05	243.3	2980	
		c = 4.95			
CrN	面心立方	4.14	123.5	1500(分解)	1093(50g)
Cr_2N	六　　方	a = 4.80			1571(50g)
		c = 4.4			
BN	六　　方	a = 2.504	140.3	3000(升华)	
		c = 6.661			
AlN	密排六方	a = 3.104	268	2230	1205～1230
		c = 4.965			
$CrMoN_2$	密排六方	a = 2.84			
		c = 4.57			
M_4B_3	四　　方	a = 7.71			
		c = 10.16			
M_3B_2	四　　方	a = 5.72～5.85Å			
		c = 3.11～3.20Å			
Ti_2SC	六　　方	a = 3.20Å			
(Y)		c = 11.20Å			
π	面心立方	a = 10.75			
Z	四　　方	a = 6.78Å			
		c = 7.387Å			

第一类是具有简单密排结构的碳化物和氮化物。包括各种面心立方和密排六方结构的碳化物和全部氮化物相。间隙原子碳或氮都处于八面体间隙位置，故称八面体间隙化合物。

第二类也是密排结构，但由于金属原子比较小，所以这种密排结构是具有较大的三棱间隙的结构，间隙原子碳就在这种间隙位置，又称非八面体间隙化合物，如 M_3C、M_7C_3 等。

第三类是具有复杂结构的碳化物，如 $M_{23}C_6$、M_6C，亦称为半碳化物。金属原子高度密排，碳原子处于间隙位置。全部硼化物

表 4-2 各类碳化物

碳化物	晶体结构		形成热 $-\Delta H^{\circ}_{298}$/kJ·mol^{-1}	显微硬度 (50g)/kg·mm^{-2}	熔点/℃	密度/g·cm^{-3}
	类型	点阵常数/kX				
TiC	面心立方	4.313	183.6	2850～3200	3200	4.39
ZrC	面心立方	4.683	184.6±3.35	2836	3175±50	6.9
HfC	面心立方	4.641	−339.1	2830(100g)	3890±150	11.8～12.6
VC	面心立方	4.182	117.2±41.9	2094	2830	5.36
NbC	面心立方	4.4572	1406.8±3.35	2055	3500±125	7.56
TaC	面心立方	4.4564	150.7	1547	3880±50	14.32
Ta_2C	密排六方	a =3.1042 c =4.9410	71.2		3400(分解)	14.86
Mo_2C	密排六方	a =3.002 c =4.724	17.6	1479(100g)	2690±20(分解)	9.18
MoC	简单六方	a =2.898 c =2.809	8.4	1500(100g)	2700(分解)	8.4
W_2C	密排六方	a =2.96 c =4.71	−54.4	3200	2750	17.2
WC	简单六方	a =2.900 c =2.831	37.5±12.6	1730	2600(分解)	15.5～15.7
Cr_3C_2	正交	a =2.821 b =5.52 c =11.96	87.9	1300	1895(分解)	6.683
Cr_7C_3	斜方	a = 4.523 b = 6.99 c =12.107	51.3	1450	1680(分解)	
$Cr_{23}C_6$	复杂面心立方	10.638	434.6	1300	1500(分解)	6.75
$Mn_{23}C_6$	复杂面心立方	10.564				
Mn_7C_3	斜方	a = 4.53 b = 6.935 c =12.011	278～284.7		1728	
M_3C	正交		104.7±8.4	1605(含 Fe)	1520	6.89
Fe_3C	正交	a = 4.5144 b = 5.0787 c =6.7297		1340	1650	7.67
M_6C	复杂面心立方	10.8/12.5		1070(Fe_4Mo_2C) 1350(Fe_3Mo_3C)	～1400(分解)	

都是复杂结构的，图 4-7 和图 4-8 分别为 M_6C 和 $M_{23}C_6$ 的点阵结构。

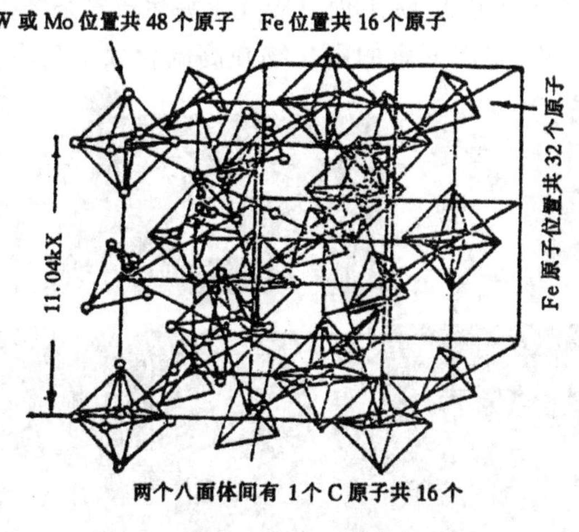

图 4-7　$Fe_3M_3C(M_6C)$型结构

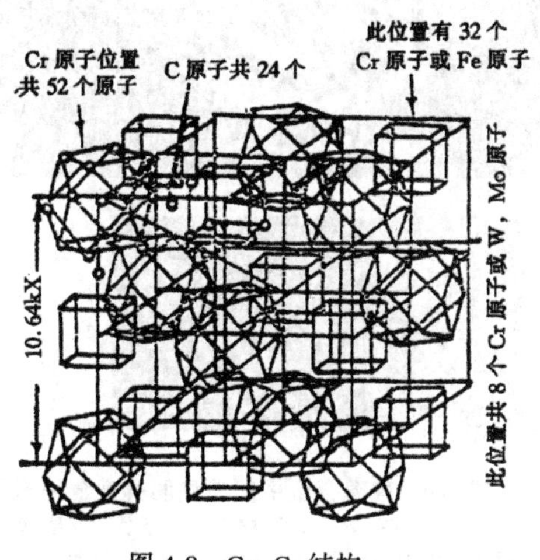

图 4-8　$Cr_{23}C_6$ 结构

高温合金中八面体间隙化合物、半碳化物和硼化物比较常见，而非八面体间隙化合物比较少见。这些相多半是以固溶体形式存在，不但金属原子可以互相取代，碳、氮、硼原子也可以互相取代一部分，分子式可以是 M_1M_2X 或 $M_1M_2X_1X_2$ 等。周期表中Ⅳ、Ⅴ族元素易生成 MC 及 MN，而Ⅵ族元素易生成复杂结构 $M_{23}C_6$、M_7C_3 和 M_6C，Ⅶ、Ⅷ族元素的碳化物在高温合金中是不存在的。高温

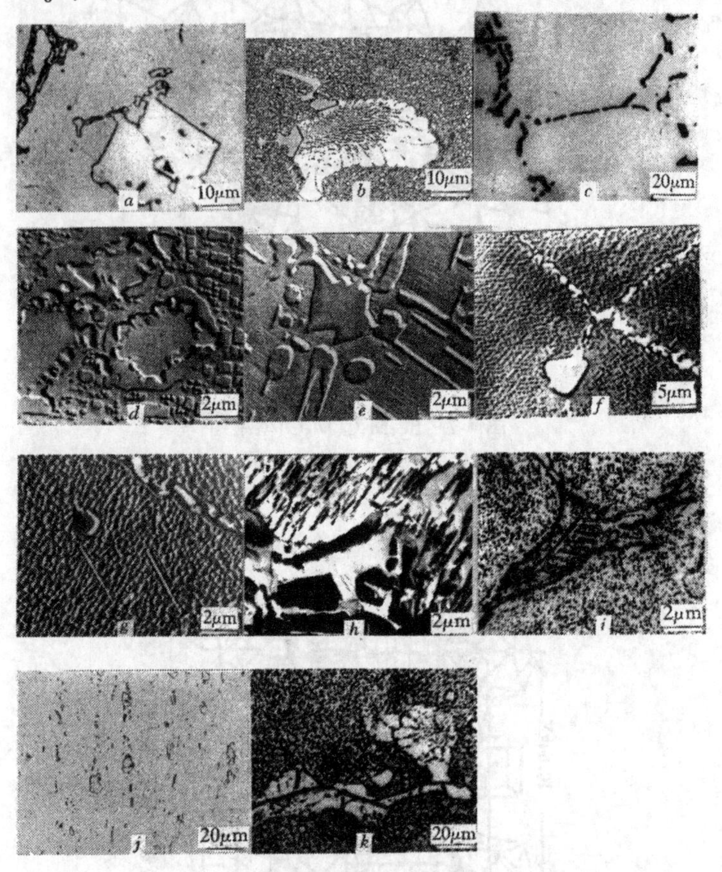

图 4-9 高温合金中间隙相的典型金相形态

a—棱形 TiN；*b*—块状 MC；*c*—条状及骨架状 MC；
d—MC 分解为 $M_{23}C_6$ 和 γ′包膜；*e*—MC 分解为针状 M_6C；
f—晶界 M_6C 颗粒；*g*—晶界链状 $Cr_{23}C_6$ 和晶内块状 MC，σ 针；
h—大块 MC，小块 M_3B_2；*i*—骨架状 M_3B_2；
j—块状 Z 相；*k*—长条状 Y 相

合金中常见的硼化物为 M_3B_2 型，固溶成分范围广，可以是 $M'_2M''_1B_2$ 或 $M'_1M''_2B_2$ 型，式中 M′指大原子半径的 Mo、W、Ti、Al 等元素，而 M″指具有较小原子半径的 Fe、Ni、Co、Cr 等。图 4-9 为各类间隙相的金相形态。

4.4.2 GCP 相及其金相形态

高温合金中常见的金属间化合物是过渡金属元素间的化合物。表4-3列出高温合金中常见的金属间化合物的晶体结构及物

表 4-3 高温合金中常见的金属间化合物

相	典型组成	晶体结构		熔点/℃	常温硬度/kg·mm^{-2}	形成条件	
		类型	点阵常数/nm			原子半径之比 R_A/R_B	平均电子浓度 e/a
γ′	B_3A(Ni_3Al 型)	面心立方(有序)	$a=0.3$	1378	200	1.17	8.25
η	B_3A(Ni_3Ti 型)	密排六方(有序)	$a=0.511\sim0.512$ $c=0.830\sim0.832$	1395	510	1.17	8.25
β	BA(NiAl)	体心立方(有序)	0.291~0.292			0.87	6.5
Ni_2AlTi	B_2A	面心立方	0.581~0.5868				
γ″	Ni = Nb	体心四方(有序)	$a=0.3624$ $c=0.7406$ $c/a=2.04$				
δ	Ni_3Nb	正交(有序)	$a=0.5106$ $b=0.4251$ $c=0.4536$				
Laves	B_2A	密排六方	$a=0.425\sim0.483$ $c=0.769\sim0.777$	1530	700	1.05~1.68	<8
μ	B_7A_6	三角	$a=0.476\sim0.479$ $c=2.57\sim2.59$	1480	980	1.10~1.18	7.1~8.0
χ	$Fe_{36}Cr_{12}Mo_{10}$	立方(α - Mn)	0.891~0.894	1490	~1000	1.03~1.15	6.3~7.6
σ	BA(FeCr)	四方	$a=0.879$ $c=0.4559$ $c/a=0.52$	1520	1100~1300	0.93~1.15	5.6~7.6
G	$A_6B_{13}Si_7$	复杂面心立方	1.113~1.147				
α′	富铬固溶体	体心立方					
Ni_5Hf	B_5A	立方	6.683			<1.30	

理性能。按晶体结构可分为两类，一类称几何密排相(GCP 相)，另一类称拓扑密排相(TCP 相)。

GCP 相都是密排的有序结构，晶体结构都是由密排面按不同方式堆垛而成，只是由于密排面上 A 原子和 B 原子的有序排列方式不同和密排面的堆垛方式不同，产生了多种不同结构。高温合金中常见的有 Cu_3Ti 型面心立方有序结构(γ'相)，Ni_3Ti 型密排六方有序结构(η-Ni_3Ti 相)，Cu_3Ti 型正交有序结构(δ-Ni_3Nb 相)和 Cd_3Mg 型有序结构(ε-Co_3W 相)等，配位数都是 12，分子式一般为 B_3A。另外还有 δ-Ni_3Nb 型过渡相及 γ''-Ni_xNb 相。还有 NiAl、Ni_2AlTi，前者是体心有序相，后者是面心有序相，α'为体心固溶体。

γ'和 γ''相是高温合金中的主要强化相，有明显的时效硬化能力。对含钛和铌量很高的高温合金，该两相为非稳定的过渡相，长期时效后转变为稳定相 η-Ni_3Ti 相和 δ-Ni_3Nb 相，图 4-10 为 γ'和 γ''相的结构。

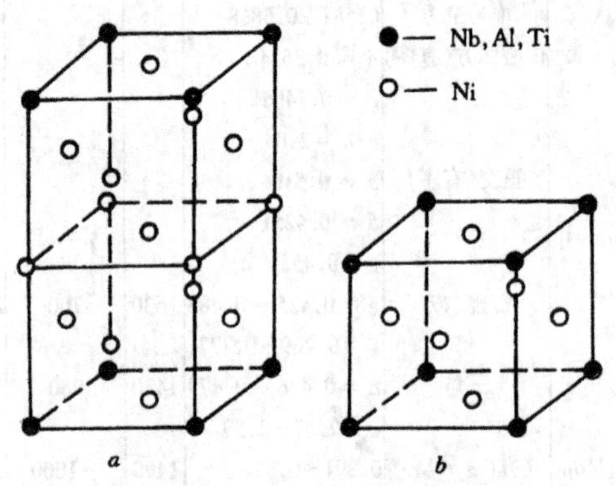

图 4-10　γ'、γ''相的晶体结构

a —体心正方的 γ''相；*b* —面心的 γ'相

相的成分对其强化能力有很大影响。图 4-11 表明许多元素可以溶解于 Ni_3Al(γ'相)，其中，钴可以置换镍，钛、钒、钽、铌可置换铝，而铁、铬既可置换镍，也可置换铝。表 4-4 列出了各合金元

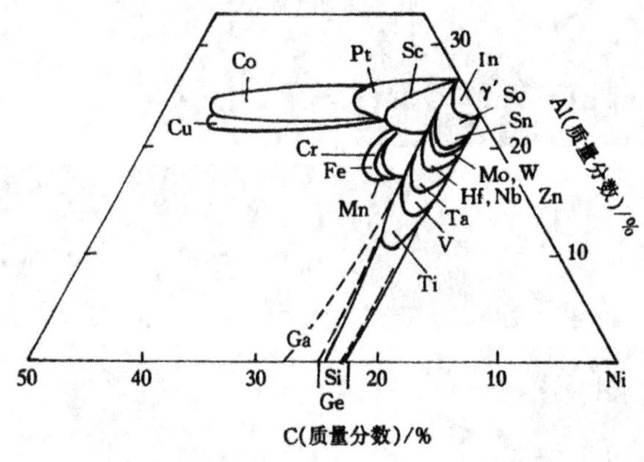

图 4-11　各元素在 Ni_3Al 中的溶解度

素在 γ′和 γ 基体中的分配比例，表中数据是 14 个国产镍基合金的平均值。由表可见，铝、钛、铌、钽、钒均优先进入 γ′相，而钴、铬、钼优先进入 γ 基体，钨大致平均分配在两相中。此外，铁是优先进入 γ 基体的元素，铪是能进入 γ′相的元素。总之，随合金化水平的提高，γ′相中含铌、钽、钨等难熔元素的数量不断增加，这是一个重要的特点。此外，钨和钼虽然性质相近，但在合金中所起的作用确有区别，钼基本上是固溶强化元素，而钨既能加强第二相强化作用，本身又是固溶强化元素。图 4-12 为各种 GCP 相的典型金相形态。

表 4-4　镍基合金中合金元素在 γ′和 γ 基体中的分配

元　素	γ′:γ	元　素	γ′:γ
Al	1:0.33	Cr	0.19:1
Ti	1:0.17	Mo	0.34:1
Nb	1:0.12	W	1.16:1
V	1:0.60	Co	0.61:1
Ta	1:0.06		

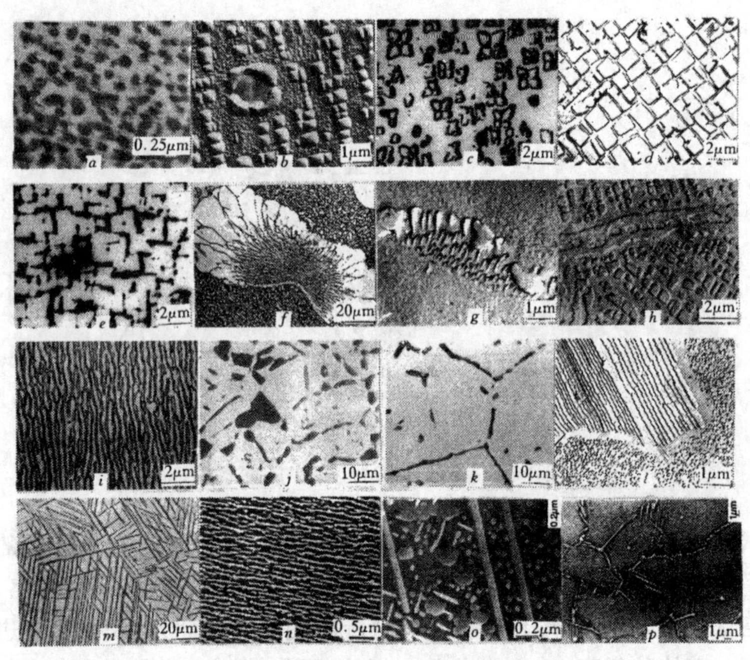

图 4-12　GCP 相的典型金相形态

a —球状 γ′相；*b* —方形及球形 γ′相；*c* —花状 γ′相；*d* —方形 γ′相；*e* —田字形 γ′相；*f* —γ+γ′共晶；*g* —胞状 γ′相；*h* —晶界 γ′包膜；*i* —长条状 γ′相；*j* —NiAl 相；*k* —Ni_2AlTi 相；*l* —胞状群体 η 相；*m* —魏氏体 η 相和 μ 相；*n* —长条 γ″相(应力时效时形成)；*o* —圆盘状 γ″相，球状 γ′和片状 δ 相；*p* —魏氏体 σ 相

4.4.3　TCP 相及其金相形态

TCP 相是指 Laves 相(B_2A)、σ 相(BA)、μ 相(B_7A_6)、χ 相等。其中 A 元素通常指周期表中 Mn 族以左的元素，如钛族、铬族等；B 元素为 Mn 族以右的元素，如铁、钴、镍等，这些相的成分范围较宽。TCP 相的晶体结构都是很复杂的，其共同点是原子排列比等径球体的最密排列还要紧密，配位数达到 14～16，原子间距极短，只有四面体间隙，没有八面体间隙。为了得到这种只有纯四面体间隙的长程规则排列，必须要有两种大小不同的 A 原子和 B 原子。两种原子的比例要适当，原子的可压缩性大，易于调整尺寸。

TCP相原子的外层电子之间的相互作用强烈，发生电子迁移，A原子往往失去电子，B原子得到电子。电子因素对TCP相的形成有重要作用，其中某些相（如σ相）甚至被认为是一种电子化合物。此外还有G相，G相是一种体心衍生的空位有序相。图4-13为主要的金属间化合物的组成简图。σ相为正方点阵，似β铀结构，晶胞中有30个原子，垂直于C轴有两层原子面排列成六角层状结构。六角层结构中间各有一串严格垂直排列的原子，这两层原子间距极短，均小于纯组元最密排列时的原子间距，说明σ相的排列紧密，同时说明形成σ相原子直径必须有较大变化。晶体中原子位置可分为五种类型（见图4-14），直径大的原子常占配位数高的位置。要求两元素的原子半径比在0.93～1.15之间。典型的σ相成分为铬铁，

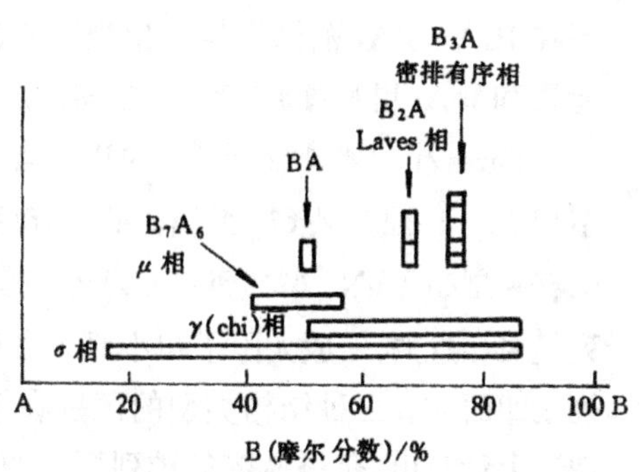

图4-13　金属间化合物的组成

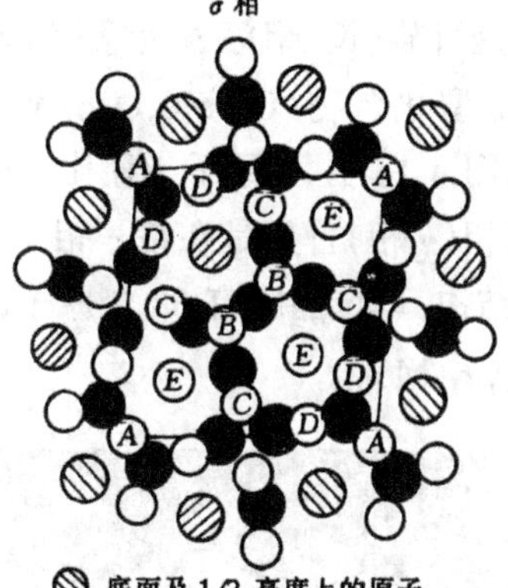

图4-14　(001)面原子上投影图

原子位置的类型	晶胞中的原子数	配位数
A	2	12
B	4	15
C	8	14
D	8	12
E	8	14

但在 $B_4A \sim BA_4$ 范围内均可出现 σ 相(图 4-13)。ⅤA、ⅥA 族过渡元素和ⅦA、ⅧA 过渡族元素之间形成 σ 相。

Laves 相的典型分子式为 AB_2。具有三种结构：$MgCu_2$ 型、$MgZn_2$ 型和 $MgNi_2$ 型。$MgCu_2$ 型属面心立方点阵类型，晶胞中有 24 个原子。$MgZn_2$ 型和 $MgNi_2$ 型均属六方点阵类型。这三种结构类型的原子排列是极相近的，一般大原子和小原子占据的位置不同，小原子完全排列成四面体。三种结构类型的区别在于各个四面体堆垛方式不同。理论上计算出，获得最密集排列要求原子半径比为 1.225，实际上在 1.05～1.68 之间变化。奥氏体铁中的 Laves 相有 $MgZn_2$ 型(铁和钛、铌、钽、钨、钼形成)和 $MgCu_2$ 型(铁和锆、铪形成)。

μ 相是Ⅵ族(钨、钼等 A 元素)和Ⅷ族元素(铁、钴等 B 元素)形成的 B_7A_6 型化合物(Co_7Mo_6、Co_7W_6、Fe_7W_6、Fe_7Mo_6……)，其成分范围见图 4-13，A、B 原子半径比一般为 1.10～1.18。

Chi 相(χ 相)首先是在铬－钼－镍耐热钢中发现的，具有 α－Mn 晶体结构，单位晶胞有 58 个原子，成分范围见图 4-13，典型成分为 $Fe_{36}Cr_{12}Mo_{10}$。

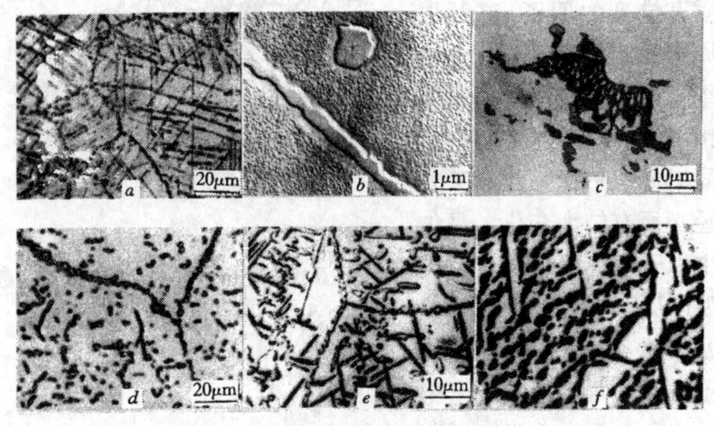

图 4-15　TCP 相的典型金相形态

a—魏氏体 σ 相；*b*—晶界 Cr 相；*c*—Ni_5Hf 相；
d—Laves 相；*e*—针状 μ 相；*f*—块状 χ 相

G 相是一种三元的硅化物，一般认为它的组成是$A_6B_{16}C_7$，其中 C 为硅原子，A 为Ⅳ族元素，B 为钴、镍元素。

TCP 相是高温合金中的主要微量相，对性能有重要影响。图 4-15 为其典型金相形态。

4.5 平衡态组织与实用相图

合金中平衡相关系可用相图来预测，因为实际商用合金都是多元的，因此相图的应用受到某些限制，虽然如此，可以采取措施以扩大相图的应用范围，主要是根据有限的目的做出与实际合金比较接近的相分关系图，以备参考。下面简述几种实用相图和组织控制解析式。

4.5.1 极相图

由于电子因素与晶体结构有一定依赖关系，因此可能用直角相图和极相图的形式归纳各个合金系统的相分关系。图 4-16 为直角相图，图 4-17 为极相图，这类图总结了很宽的成分范围和温度范围内的相分关系，直角相图上水平轴为铬、钼、钨等难熔金属的含量，垂直轴按电子浓度的大小排列第一长周期中各个元素。

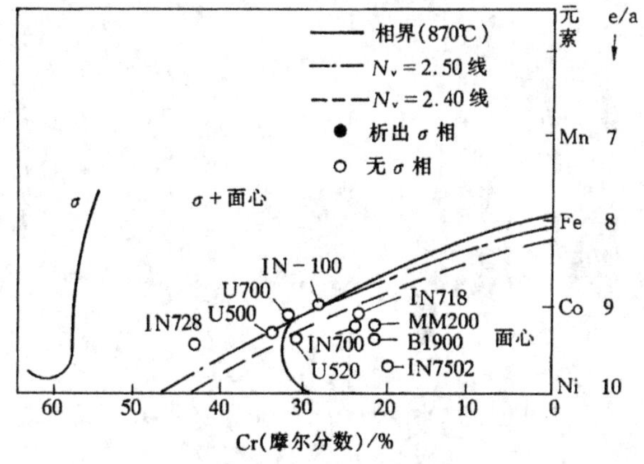

图 4-16 铬的直角相图

极相图的顶点为铬、钼、钨等难熔金属，圆周上按电子浓度大小排列第一长周期中的各个元素，极坐标的半径上标明顶点元素的百分数，圆周上标明第一长周期元素的百分数，所以一个极相图好像由几个略为变形的普通三元相图合并而成的。这种相图没有温度坐标，它是根据一系列试验温度下最大的试验数据概括而画出来

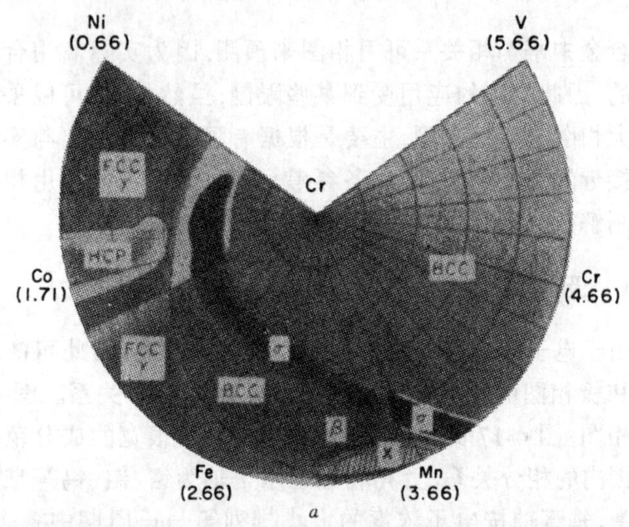

a

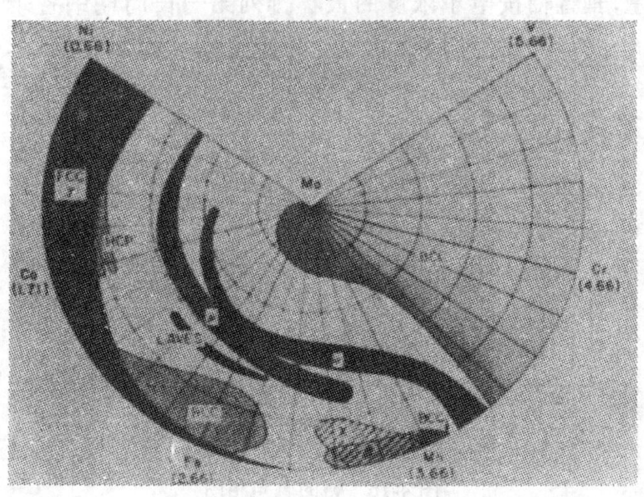

b

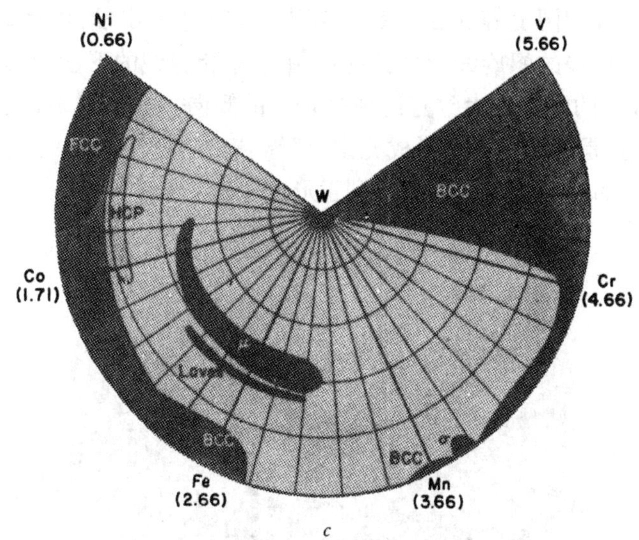

c

图 4-17　铬、钼和钨的极相图

的，这种图不是很精确的，但能够比较全面地反映各合金系的相分关系，能够比较清楚地反映电子浓度与相形成之间的关系。

图 4-17 *a* 中 Ni-Co-Cr 扇形是一个三元系，同样也可把 Ni-Fe-Cr 扇形看成一个三元系，此时 Co-Cr 连线相当于含 Cr 的 50%Ni－50%Fe 合金系。

极相图上总有一个大的 γ 相区，一个大的体心立方 α 相区，γ 相区位于 Ni 端，α 相区位于 V 端，这两个区域都属于固溶体区。在这两个固溶体相区之间存在着一系列 TCP 相区，相区的这种分布反应了各个相有不同的电子浓度，体心立方的 α 相总是处于电子浓度最低的区域，面心立方的 γ 相总是处于电子浓度最高的一端，而 TCP 相居中。在 TCP 相中间，σ 相总是处于较低电子浓度区域，一般靠近顶点铬的一边，而 μ 相处于较高电子浓度区域，Laves 相处于更高电子浓度区，也就是从 σ、μ 相到 Laves 相，它们的相区位置由靠近顶点区域逐步向圆周方向移动。这个规律与上节说明的规律一致。

在极相图上等 e/a 线是一条从 Ni-Cr 连线出发，以反时针方向向外扩展的螺旋线，对比极相图中各个相界线的形状，可以看出 γ 和 σ 相的相界线大致有这种等 e/a 的倾向。对比图 4-17 *a*、*b*、*c* 看出，铬是强烈的 σ 相形成元素；而钨、钼有利于 μ 相和 Laves 相，这是因为它们的尺寸因素不利于形成 σ 相。

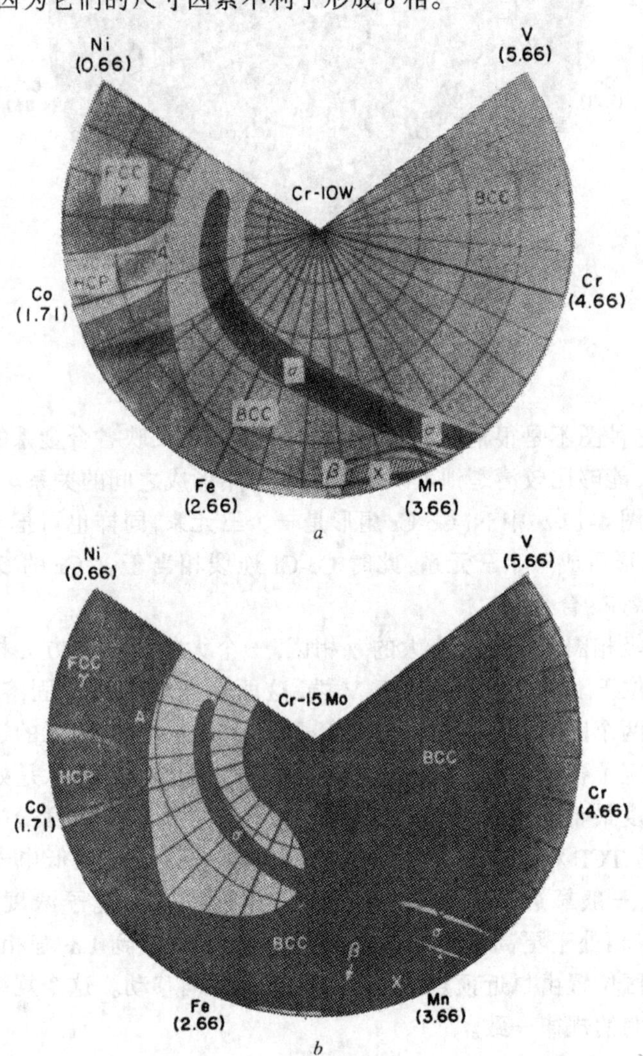

a

b

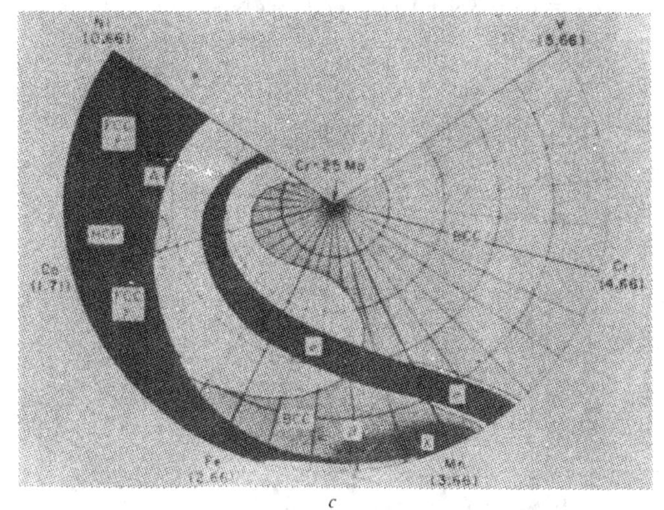

c

图 4-18 四元极相图

许多实用合金的残余固溶体成分不是三元的，而是四元的，如 Ni-Co-Cr-Mo、Fe-Cr-Ni-Mo、Fe-Co-Cr-Ni 等等，为解决这些问题，进一步作出如图 4-18 所示的极相图，图中顶点元素不是一个而是一个二元对，其比例选择接近实际合金中的比例，如 Cr-15Mo、Cr-25Mo 和 Cr-10W 等。

为估计合金的长期稳定性，可以把一个合金的残余固溶体的成分标在上面，如图 4-18 中的 A 点，用来判断它们能否析出 TCP 相，如图 4-16 表明，IN-100、U-700、U-500 都可能析出 σ 相。

4.5.2 伪平衡图

为了分析多元合金在实用条件下的相析出规律，可用平面图式解析式的形式描述在实用条件下的相分关系。图 4-19 和图 4-20 是两个例子，图 4-19 说明铝和钛量对 15Cr-25Ni-Fe 基合金组织的影响。图 4-20 说明 18-8 类不锈钢经 1150℃ 热加工及空冷后的组织。图中

$$Cr' = Cr + 3Si + 10Ti' + Mo + 4Nb'$$

$$Ni' = Ni + 0.5Mn + 21C'$$

$$Ti' = Ti - 4[(C - 0.03) + N]$$

$$Nb' = Nb - 8[(C - 0.03) + N]$$

$$C' = 0.03$$

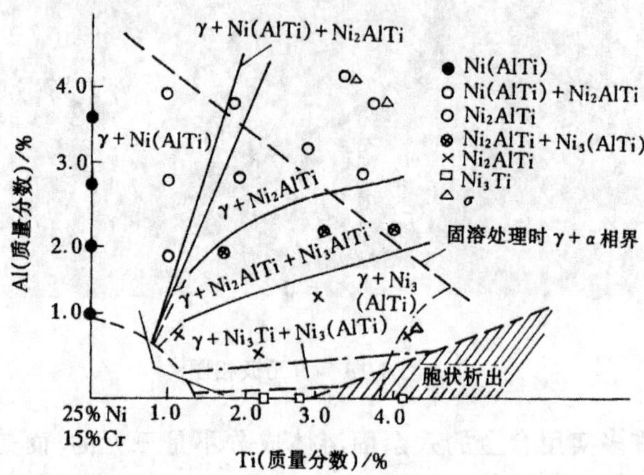

图 4-19 15Cr-25Ni-Fe 基合金 800℃的组织图

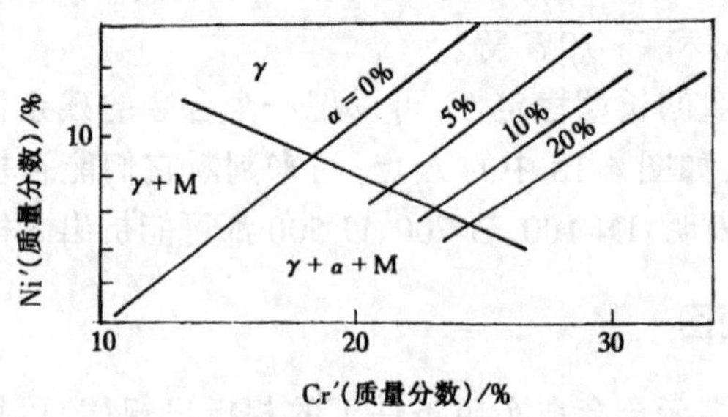

图 4-20 不锈钢组织图

(1150℃热加工后空冷)

图 4-21 是碳化物相形成的经验规律。当合金中以铬为主时易生成 $Cr_{23}C_6$，当合金中钨、钼超过一定量后形成 M_6C(M = Mo,

W),其经验关系为:

$$\frac{Cr\%(\text{摩尔分数})}{(Cr+Mo+0.7W)\%(\text{摩尔分数})}>0.82 \text{ 时} \quad \text{生成 } Cr_{23}C_6$$

$$\frac{Cr\%(\text{摩尔分数})}{(Cr+Mo+0.7W)\%(\text{摩尔分数})}<0.72 \text{ 时} \quad \text{生成 } M_6C$$

$$0.72<\frac{Cr\%(\text{摩尔分数})}{(Cr+Mo+0.7W)\%(\text{摩尔分数})}<0.82 \text{ 时}$$

依热处理而变

应该指出,$Cr_{23}C_6$ 和 M_6C 的析出温度范围不完全相同,析出 M_6C 的温度区间高于析出 $M_{23}C_6$ 的温度区间。另外,碳化物的形成与合金中金属间化合物相的形成互相关联(见下节)。

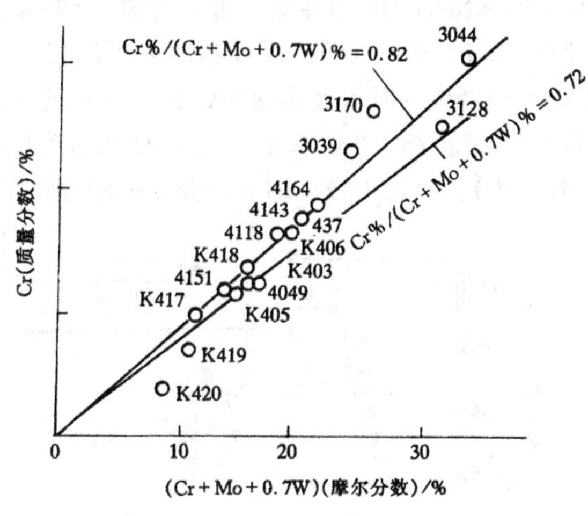

图 4-21 碳化物形成图

4.6 高温合金中过渡态组织与相间转化

高温合金由于含有多种扩散系数不同的合金元素,所以经一定热处理后往往只得到过渡态组织,而且这个组织较稳定,只有经长期高温处理后或在长期使用过程中发生转变。其次高温合金的多组元性,导致不同的热处理温度会析出不同的相。第三是由于高温合金在生产过程中总会产生一定偏析，合金相析出规律更为复杂。由于上述三方面的原因，人们在研究高温合金显微组织时就不可忽略过渡态组织与平衡态组织的差别及其相互转变的影响，而时效析出的TTT曲线和长期时效组织转变曲线很好地表达了这种相转变关系。

4.6.1 TTT曲线图

温度－时间－转变(TTT)曲线反映析出过程的动力学(图4-22)，TTT曲线一般呈“C”字形状，它指出转变开始的温度和时间。图4-22上还画出了热处理规范，由图可见，U700经1175℃4h空冷处理后只有未溶的MC和冷却时析出的细γ′(图4-23*a*)，经二次固溶处理(1080℃4h空冷)后晶界和晶内析出粗大的方形γ′相(图4-23*b*)，再经中间时效处理(850℃24h空冷)使γ′进一步析出并析出晶界$M_{23}C_6$(图4-23*c*)，最后经760℃16h空冷后析出细小γ′相(图4-23*d*)。由图4-22，U700合金经长期时效将析出σ相。

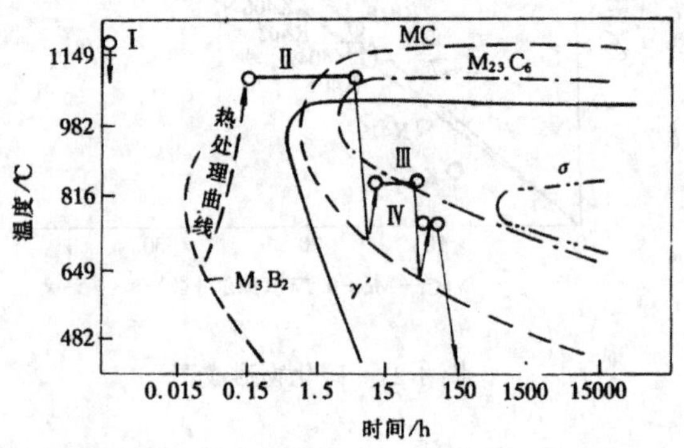

图4-22 U700合金的TTT图

4.6.2 长期时效组织变化曲线

这种图反映经长期时效后相的变化，一般是根据2000～

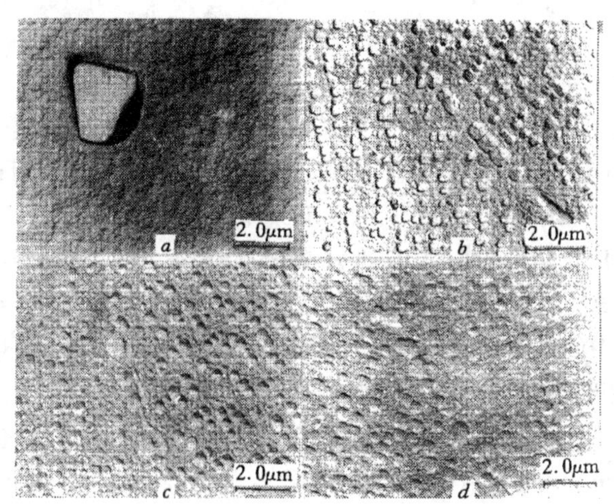

图 4-23 U700 热处理对组织的影响

a —经 1175℃ 4h 空冷；
b —1175℃ 4h 空冷 + 1080℃ 4h 空冷；
c —1175℃ 4h 空冷 + 1080℃ 4h 空冷 + 845℃ 24h 空冷；
d —1175℃ 4h 空冷 + 1080℃ 4h 空冷 + 845℃ 24h 空冷 + 760℃ 16h 空冷

5000h 长期时效试验的 X 线半定量分析数据得出的，图 4-24 是 IN－100 合金长期时效后的组织转变曲线。在长期时效过程中会发生相间反应，可以用下列反应式表示：

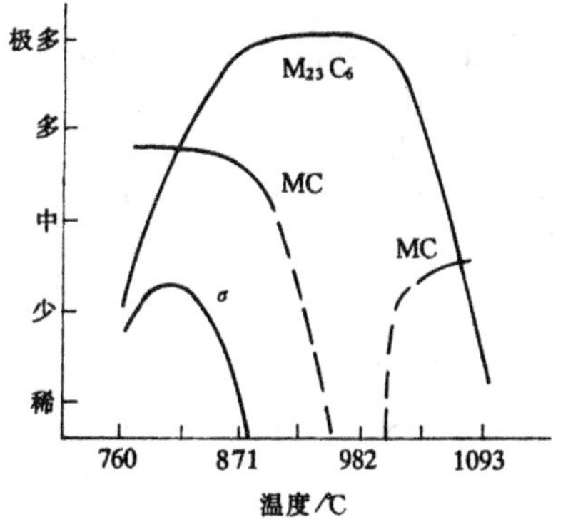

图 4-24 IN100 长期时效后的组织变化

时效时间：为 5000h

半定量坐标：极多 >1.2%
多 0.8%左右
中 0.4%左右
少 0.1%左右
稀 <0.05%

$$\gamma(\text{含 C}) \rightarrow MC(\text{或 } M_xC) + \gamma \quad (4\text{-}1)$$

$$MC + \gamma \rightarrow M_{23}C_6(\text{或 } M_6C) + \gamma \quad (4\text{-}2)$$

$$(Ti, Mo)C + (Ni, Cr, Al, Ti) \rightarrow Cr_{21}Mo_2C_6 + Ni_3(Al, Ti) \quad (4\text{-}3)$$

$$(Ti, Mo)C + (Ni, Cr, Al, Ti) \rightarrow Mo_3(Ni, Co)_3C + Ni_3(Al, Ti) \quad (4\text{-}4)$$

$$MC + M \rightarrow M_7C_3 + M \rightarrow M_{23}C_6 + TCP\text{ 相}(\sigma) \quad (4\text{-}5)$$

$$MC + M \rightarrow M_{23}C_6(\text{或 } M_6C) + \gamma(\text{贫化}) \quad (4\text{-}6)$$

式 4-1 表示通常析出二次碳化物的反应。式 4-2～式 4-4 表示镍基合金中的 MC 蜕化反应。钴基合金没有 γ' 相，MC 蜕化反应由式 4-5 和式 4-6 表示。

表 4-5 表示高温合金中钨、钼含量及碳化物类型对合金长期时效后析出 TCP 相类型的影响。

表 4-5　钨、钼含量及碳化物类型对 TCP 相类型的影响

合金类型	W + Mo/%		碳化物类型	TCP 相类型
	质量分数	摩尔分数		
K417	3	约 1.7	MC, $M_{23}C_6$	σ
K418	4.2	约 2.4	同上	σ
GH4118	3.7	约 2.3	同上	σ
GH4146	4	约 2.35	同上	σ
U700	5.2	约 2.4	同上	σ
Nimonic115	3.5	约 2.0	同上	σ
Incoloy901	6	约 3.5	MC	μ(高 B), Laves(低 B)
Pyromet860 型合金	6～7	2.5～3.5	MC, $M_{23}C_6$ 或 M_6C	σ、μ、Laves 均可能
B－1900	6	约 3.5	MC, $M_{23}C_6$, M_6C	σ、μ
K－405	9	约 3.8	MC, M_6C, $M_{23}C_6$	高 Cr 易有 σ
AF2－1DA	9	约 3.7	同上	μ
AF－1753	10	约 3.7	同上	μ
MM－200	12.5	约 4.0	同上	μ
René－41	10	约 6.0	同上	μ
M－252	10	约 6.1	同上	μ
ЖС－6	12	约 5.2	同上	μ
GH3170	20	约 7.2	M_6C	μ
GH3128	16	约 8	MC, M_6C, $M_{23}C_6$	μ

4.7 高温合金显微组织的识别与显示

现代金相技术为高温合金显微组织的研究提供了广阔前景,采用这些技术,人们可以对高温合金中各个相的数量、形状、大小、分布、化学组成和晶体结构,以及各相之间的交互作用,合金断裂特征及形貌等作出详细的描述,从而对合金成分、铸造凝固、成形工艺、加工变形及热处理工艺等作出正确选择,并对合金材料的工作环境(诸如应力、温度、气氛等)的影响作出正确判断。

本节将简要介绍高温合金显微组织的识别及其显示方法。

4.7.1 高温合金显微组织的识别

显微组织的识别基本上有如下三个内容:(1)相的形态特征即相的数量、形状、大小及其分布的确定;(2)相的类型、晶体结构和化学组成的鉴定;(3)相与基体或与其他相之间的关系的鉴别。

为进行上述显微组织的识别,经常采用的金相技术有:光学金相显微镜、透射电子显微镜、扫描电子显微镜、电子探针、能谱仪、X 射线衍射仪以及化学相分析技术。

(1)光学金相显微镜　除一般确定相的形态特征之外,还可利用各相的物理和化学性能不同,进行暗场、偏光、相衬、显微硬度等操作,如果与图像分析仪配套,还可进行定量金相的研究。光学金相显微镜最大放大倍数 2000 倍,分辨率为 200nm。

(2)透射电子显微镜　可作复型、萃取复型和金属薄膜三种技术操作。高温合金常用的复型是塑料－碳二级复型,制备方法简单,稳定性好。复型只能观察合金相的形态特征。萃取复型由于碳复型中有着被萃取下来的第二相质点,因此除了可以观察形态特征之外,还可对第二相进行选区电子衍射,由相的电子衍射花样确定相的类型和晶体结构。如果萃取相过于粗大,电子束难于穿透,此时需采用超高压电镜。金属薄膜主要用于细小弥散相的形态识别以及晶体结构、取向和位错的观测。透射电镜放大倍数最高,可达 800000 倍,分辨率达 0.3～0.5nm。

(3)扫描电子显微镜　由于扫描电子显微镜的焦深和景深比透射电镜大，相的形貌和断口的立体感强，因此它被广泛用于金属断口、材料表面形貌、深腐蚀后的组织和第二相的三维立体形貌的观察，通过选区电子通道花样，扫描电镜还可用来确定晶体取向及晶内缺陷的分布。带有电子探针和能谱附件的扫描电镜，还能进行相成分分析和结构分析等工作。扫描电镜放大倍数没有透射电镜高，为 20～200000 倍，分辨率达 7nm。

(4)电子透镜与能谱仪　这两种仪器是用来分析显微组织中各相的化学组成，它们都可作点、线和面分析操作，以测定某个相或某个区域内的点、线和面上的成分分布情况。电子透镜能分析原子序数 $Z \geqslant 5$ 的所有元素，探测的浓度极限约为 100×10^{-6}，能谱分析的元素的原子序数 Z 不小于 11，其探测浓度极限约 2000×10^{-6}，精度不如电子探针。两者分析用的样品为金相抛光试样和萃取复型。能谱分析的优点是不用晶体分光、灵敏度高，特别适合于弱 X 射线和波长较长的软 X 射线，此外能谱探测器不需聚焦就能从试样粗糙断口表面上接收到所发射的 X 射线，电子探针则难以做到这一点。

(5)X 射线衍射　所用的试样是萃取粉末或是整块的金属材料，其合适的颗粒大小为 0.3～10μm，最小不得小于 100nm。X 射线衍射技术主要用于相的鉴定，即测定第二相的类型、结构和数量。

(6)相分析法　这是采用化学分析方法来测定合金中第二相的组成和含量的方法，通常有如下三步骤：相的萃取、各萃取相的分离和分离后各相的化学分析。高温合金中萃取碳化物、硼化物等第二相的化学萃取液主要是氯化铜－氯化钾－盐酸溶液和溴－甲醇溶液，电解萃取液主要是盐酸－甲醇溶液。γ' 相的电解萃取液主要是磷酸水溶液和硫酸铵－柠檬酸(或酒石酸)水溶液。萃取相的分离则主要是利用各相对化学试剂的作用不同，使萃取相中各相依次选择性地溶解。相分离的主要困难是那些成分与结构相似的相如 $M_{23}C_6$ 与 σ 相、M_6C 与 μ 相等，成对的两种相出现时，分离起来就比较困难。此时采用化学分离联合衍射定量分析法可以求得比较满意的结果[28]。以该实验合金为例，其化学分离联合衍射定量分析法步骤如下：用5%$HCl-2\%C_6H_8O_7-CH_3OH$溶液电解萃取出MC、$M_{23}C_6$、M_6C、μ及σ等5相，经5%H_2SO_4+25%H_2O_2溶液沸腾加热使MC、M_6C与μ相溶解而与$M_{23}C_6$、σ相分离，对$M_{23}C_6$、σ相残留物进行X射线衍射测定，并经二元方程组联立求解出其衍射常数K_{ZnO}^{σ}与$K_{ZnO}^{M_{23}C_6}$，再以$M_{23}C_6$为对比，对上述5相混合物作衍射测定，并标出$K_{M_{23}C_6}^{\mu}$，$K_{M_{23}C_6}^{MC}$与$K_{M_{23}C_6}^{M_6C}$。

实际上，在高温合金进行显微组织识别时，经常采用上述多种方法的组合，以达到精确鉴定和识别的目的。

4.7.2 高温合金显微组织显示

金相试样经磨制抛光后光亮的镜面，为显示高温合金中各相组织，以便在显微镜和电镜下观察，通常采用化学或电化学腐蚀显示法。化学腐蚀实际上是一个电化学腐蚀过程，这是由于合金显微组织中各相的化学组成或晶体结构的不同，在化学腐蚀剂内形成了多对微小的局部电池，其中正电位较高的一相成为阴极而不受腐蚀，其余负电位较高的各相成为局部电池的阳极而溶入腐蚀液内。通常高温合金的化学稳定性较高，采用化学腐蚀仍难以清晰显示合金显微组织，往往采用电解腐蚀法。电解腐蚀采用外接电流，试样在腐蚀剂溶液中为阳极，另接一极为阴极，工作电压2～6V，工作电流为0.05～0.3A/cm^2。

显示高温合金一般组织的化学和电解腐蚀剂如表4-6、表4-7[27]所示，应根据不同合金成分、不同工艺状态和不同热处理制度，选用合适的腐蚀剂和腐蚀规范，以得到最好显示效果。

透射电子显微镜不能直接观察大块金属试样，需采用“复型”技术，即将经腐蚀的金相试样蚀面浮雕复制到塑料薄膜或是蒸发沉积的高纯碳膜上，然后将这种薄膜复型在透射电子显微镜下观察。目前高温合金常用的复型方法是塑料－碳二级复型和萃取复型。

表 4-6 显示高温合金显微组织的电解腐蚀液

序号	电解液名称	成　分	电解浸蚀规范			显 示 合 金	显示特点
			电流密度/$A \cdot cm^{-2}$	电压/V	时间		
1	HCl－HNO_3－甘油	5:1:9 或 3:1:5	0.2	6～8	3～10s	GH4037、GH4049、GH4151 GH2135、GH1015、GH2901、K405 等	一般组织
2	HCl－酒精	1:1	0.2		5～30s	GH3128 等	固溶组织
3	HCl－HNO_3－HF	80:7:13	0.2～0.3		10～60s	GH4169 等	一般组织
4	HCl－甲醇	1:4～9	0.2～0.3		2s	K405 等 Ni 基合金	碳化物 M_3B_2
5	HNO_3－酒精	1:100		2～6	30～75s	GH3039 等	一般组织
6	HNO_3－HF－甘油	1:3:5		3～4	2～4s	K403、K405、K419 等	一般组织
7	HNO_3－HF－甘油	1:1:3		3～4	2～4s	K401、K419、GH4118、GH1140	一般组织
8	HNO_3－甲醇	1:2	0.9～1.5			GH3039 等 Ni 基合金	一般组织
9	HNO_3－冰醋酸－H_2O	1:2:17		1.5	20～60s	Ni 基合金	晶界
10	H_2SO_4－H_2O	1:19		1.5～4.5	3～15s	Ni 基和 Fe－Ni 基合金	晶界
11	H_2SO_4－H_2O	1:19		1.5～4.5	3～15s	Ni 基和 Fe－Ni 基合金	晶界
12	H_2SO_4－NaCl－$FeSO_4$－H_2O	10:3.5:3:90	0.2		5～10s	GH2136、GH4118 等	一般组织
13	H_3PO_4－H_2O	1:5～20		8	2min	GH2135、GH2901、GH1140、K403 等	一般组织
14	H_3PO_4－H_2SO_4－H_2O	65:20:15	0.25		5～30s	GH3128 等	时效组织
15	H_3PO_4－H_2SO_4－HNO_3	12:47:41	0.1		15～30s	GH4033、GH3170、GH2136、GH1016、K405、K213、K418 等	一般组织
16	HF－甘油	1:19		5		GH1140	时效组织
17	HF－甘油－水	1:2:17		3.5		GH1140 等	时效组织
18	HF－甘油－酒精	1:2:17		30	2.5～3min	GH4033 等	一般组织
19	草酸－H_2O	1:9	0.1	3～6	15～60s	GH3030、GH2901、GH1140、K418 等	一般组织，Z 相

续表 4-6

序号	电解液名称	成　分	电解浸蚀规范			显示合金	显示特点
			电流密度/$A \cdot cm^{-2}$	电压/V	时间		
20	酒石酸 - H_2O	3:17	0.2		10～20s	K406 等	碳化物
21	高氯酸 - 冰醋酸	21:79	0.5			GH1140 等	
22	KOH - H_2O	1:1.5～9	0.2～0.5		5～10s	K417、K418、K423 等	σ、MC
23	NaOH - H_2O	1:1.5	0.2～0.5			K417、K405 等	σ、MC
24	NH_4OH - H_2O	1:1.5		4～8	2s	K403 等	碳化物、硼化物
25	CrO_3 - H_2O - 冰醋酸	25:7:130	0.3		1～2min	GH4169、GH2136	晶界和一般组织
26	硫脲 - H_3PO_4 - H_2O	1:2:100		6	12～20s	GH4302 等	TiC,晶界
27	硫代硫酸钠水溶液	1:49	0.2	5		K405 等	γ′、MC
28	甲醇 - 酒精	1:9				GH2135 等	时效组织
29	$CuSO_4$ - 柠檬酸钠 - 甲醇 - H_2SO_4 - H_2O	50:80:126:200:1000				GH2130 等	一般组织

表 4-7　显示高温合金显微组织的化学腐蚀剂

序号	化学腐蚀剂名称	成　分	显示合金	备　注
1	HCl - HNO_3 - H_2O	10:1:10	GH3044、GH4169 等	一般组织
2	HCl - H_2SO_4 - HNO_3	92:5:3	GH2130、GH1131、K405、GH2136、GH2132、GH4302	一般组织
3	HCl - H_2SO_4 - HNO_3 - 甘油	90:5:3:100	GH4302 等	一般组织
4	HNO_3 - HF	15mL HNO_3 + 1～2 滴 HF	K419、K420 等	一般组织
5	H_2O_2 - NH_4OH	1:1	GH4049 等	M_6C
6	$CuSO_4$ - HCl - 酒精	1.5:40:20	Ni 基合金	一般组织
7	$CuSO_4$ - HCl - H_2SO_4 - H_2O	4:20:1:16	K406、K417 等	一般组织
8	$FeCl_3$ - HCl - H_2O	1:10:20	GH2036 等	一般组织
9	碱性赤血盐溶液	1:1:10	GH4049、GH4118、GH1015 等	$M_{23}C_6$、M_6C、M_3B_2、σ

塑料－碳二级复型制备方法简单、稳定性好，其制备步骤如下：先用试管将1％～2％火棉胶－醋酸异戊脂溶液直接滴在所腐蚀的金相磨面上，形成一层均匀的厚约70～100nm的塑料薄膜，并使它自然干燥，使薄膜的内表面把样品的浮雕复制下来；然后把透明胶纸平整地压贴在塑料膜上，利用胶纸把塑料一级复型膜从金相样品上剥离开来。将胶纸连同塑料一级复型膜以某一合适的喷镀角度置于真空镀膜机内，复型膜面朝上，碳棒经点接触通电加热，蒸发的碳蒸气沿预定角度方向沉积在塑料复型膜面上，沉积厚度达10～20nm左右。取出喷碳后的复型膜，用刀片切割成小块，用丙酮试剂或乙醚∶乙醇＝3∶1溶液将火棉胶溶解除去，碳复型经清洗用铜网捞起，干燥后可在电镜上观察。

萃取复型是粘附着第二相质点的复型，其复型的制备方法与上述相同，重要的是腐蚀剂及腐蚀规范，要选择合适的腐蚀剂，使基体腐蚀而使萃取的第二相露出表面，其次要进行深腐蚀，使第二相能被萃取下来并粘附于复型膜上，高温合金常用的电解萃取液如表4-8[27]所示。

表4-8　显示高温合金显微组织的电解萃取液

序号	试剂名称	成　分	萃取条件	适用合金	萃取特点
1	$HCl-HNO_3$－甘油	1∶3∶5	电压10V	GH1015等	碳化物
2	HCl－甲醇－甘油	1∶21∶2	－5℃ $0.2A\cdot cm^{-2}$	GH4118、K417等	碳化物、微量相
3	HCl－酒精	1∶9		K417	碳化物
4	$HCl-HNO_3$－甘油	9∶5∶1	$0.3A\cdot cm^{-2}$	GH4151、GH4037等	晶界碳化物
5	$HCl-HNO_3-HF$	80∶7∶13	$0.3A\cdot cm^{-2}$	GH4169	δ相
6	高氯酸－冰醋酸－酒精－甘油	1∶2∶7＋甘油		GH4118等	γ'相
7	高氯酸－冰醋酸	1∶9	电压10V	GH1140	γ'相

要使电子束能穿透金属试样成像，以便在高倍电子显微镜下直接观察金属内部的显微组织，特别是它们的位向关系等，对于一般100kV的电镜来说，必须制备厚度100nm以下的金属薄膜试

样。制备金属薄膜试样通常经切片和减薄两步骤，即用线切割机，切割下厚度为0.1～0.5mm的薄片，经机械研磨、化学抛光和电解抛光的方法减薄到100μm左右，剪切成约3mm×3mm的小方片，最终在双喷减薄仪上穿孔减薄即可供电镜观察。

参考文献

1 陈国良主编．高温合金学．北京：冶金工业出版社，1988

2 Sims C T, Hagel W C. The Superalloys. New York, 1972

3 李玉清，刘锦岩．高温合金晶界间隙相，北京：冶金工业出版社，1990

4 蔡玉林，郑运荣编．高温合金的金相研究．北京：国防工业出版社，1986

5 Sahm P R, Speidel M O. High Temperature Materials in Gas Turbines. Amsterdam. Elsevier Scientific Publishing Company. 1974

6 今井勇之進，增本健．日本金属学会会报．1962；1(6)：7

7 武田修三，湯川夏夫．日本金属学会会报．1967；6(11)：12

8 西义澈．特殊钢．1971；20：8

9 今井勇之進，河島千尋．耐热材料．东京．1965

10 渡边力藏，九重常男 鉄と鋼．1970；56：1775

11 Collins H E. J. Materials. 1969;62(3)

12 Sabol G P, *et al*. Phy. Stat. Sol. 1969;35:11

13 Sullivan C P, Danachic M J. Metals Eng. Quart ASM. 1971; 11(1):4

14 Beattie H. J., Hagel W. C., Trans. AIME, 1961; 221; 28

15 Beattie H. J., Hagel W. C., Trans. AIME, 1965; 233:277

16 Goldschmidt H. J., JISI, 160(19), 345

17 Benesovsky F. High Temperature Materials. 1968; 6:514

18 Jaffee R I, Wilcox B A. Fundamental Aspects of Structural Alloy Design. Plenum Publishing Cor. 1977

19 Wlodex S T. Trans. ASM Quart. 1964; 57:110

20 Boesch W J, *et al*. J. of Met. 1969; 21(10):24

21 Collin H E. Trans. ASM. 1969; 62:28

22 Barroes R G, Newkirk J B. Met. Trans. 1972; 3:2889

23 Westbrook J H, Wiley John. Intermetallic Compounds. N. Y. 1967

24 Rudman P S, *et al*. Phase Stability in Metals and Alloys. N. Y., Mcgraw-Hill. 1967

25 Giessen B C. Developments in the Structural Chemistry of Alloy Phases. N. Y., Plenum press. 1969

26 Sinha A K Topologically Close-Packed Structures of Transition Metal Alloys. Oxford. Pergamon Press. 1972

27 《高温合金金相图谱》编写组．高温合金金相图谱，北京：冶金工业出版社；1979

28 黄乾尧．师燕渝，金属学报．1988；24(6)：A399

5 高温合金表面稳定性及表面强韧化

高温合金成分十分复杂，含有铬、铝等活泼元素，高温合金零件表面在氧化或热腐蚀环境中表现为表面化学不稳定，同时，经机械加工而制成的零件表面留下加工硬化和残余应力等表面缺陷，这些对高温合金零件的化学性能和力学性都带来十分不利的影响。为了克服或减轻这些影响，人们采用表面防护、喷丸处理、表面晶粒细化以及表面改性等措施。本章简要介绍高温合金的氧化、腐蚀与防护，表面残余应力与喷丸处理，粗晶与表面晶粒细化以及表面损伤与改性。

5.1 高温合金的氧化

高温合金要承受温度、应力与环境的综合作用。前面介绍了高温合金的强化与韧化，主要涉及到温度与应力的交互作用，本节将重点介绍温度与环境的交互作用，同时也将介绍一些温度、应力和环境三者的交互作用。由于高温合金的氧化和热腐蚀，表面生成各种氧化物和腐蚀产物，减少工件的有效截面积，增大所承受的应力，同时，也由于内氧化和内腐蚀的发生，氧化、腐蚀沿晶界优先深入，成为蠕变裂纹、疲劳裂纹或热疲劳裂纹源，造成零件在工作状态早期破坏。为了减轻和消除这种有害影响，人们在高温合金零件表面制成防护涂层。

纯金属在空气中的高温氧化行为研究历史最长，氧化机理研究比较完善。高温合金含有多种合金成分，既有易氧化的活泼元素铝、铬、硅等，又有难熔金属铌、钨、钼、钽等，还有微量元素碳、硼、稀土等。同时组织也较复杂，有 γ、γ'、碳化物等不同相存在。其高温氧化机理变得十分复杂。

5.1.1 氧化动力学

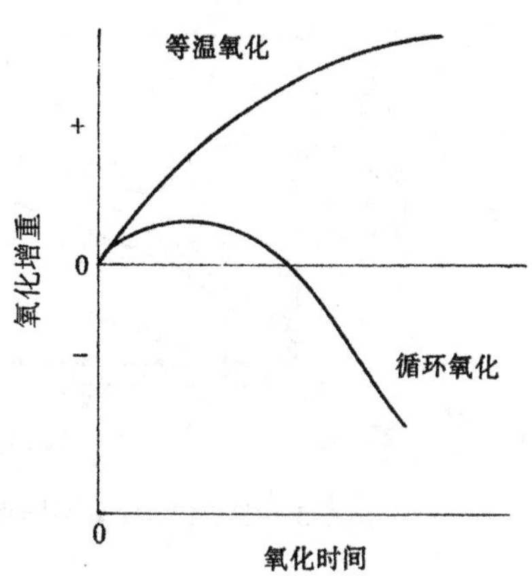

图 5-1 等温氧化和循环氧化动力学曲线示意图

高温合金的氧化动力学通常用氧化引起的重量变化与氧化时间关系曲线表示，图 5-1 示意地给出了等温氧化与循环氧化的动力学曲线。在线性速率过渡期（初期氧化阶段，≤2h），氧化产物的大部分已生成，其后是抛物线氧化阶段（稳定氧化阶段），常常有 2 个或 3 个抛物线速度常数。图 5-2[1] 为 GH2135 合金渗铝前后和 ЭИ437Б 合金的氧化动力学曲线。图 5-3[1] 为 GH2135 合金 750、850、950 和 1000℃ 的抛物线氧化动力学曲线，每个温度均由两种不同斜率即不同抛物

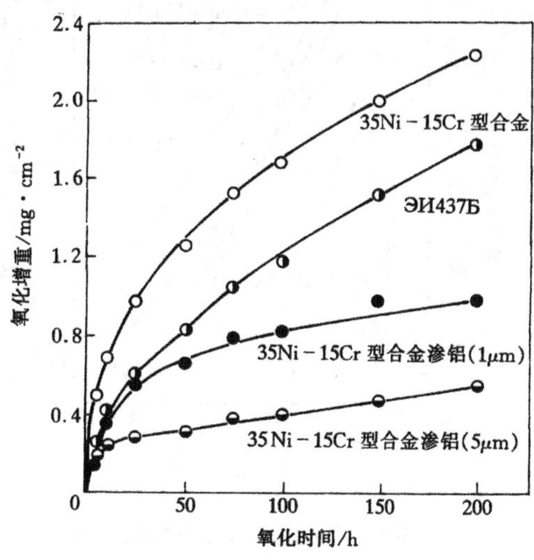

图 5-2 GH2135 合金 950℃ 的氧化动力学曲线

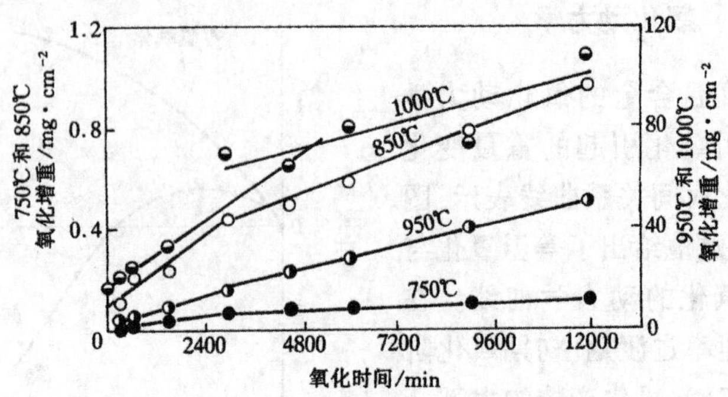

图 5-3　GH2135 合金不同温度下的抛物线氧化动力学

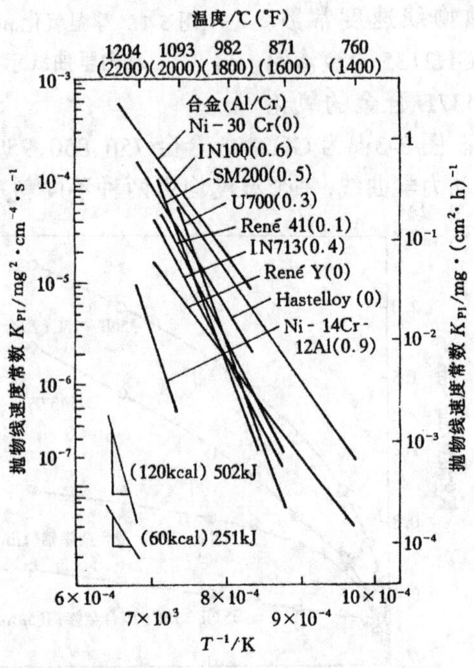

图 5-4　高温合金 K_{P1} 的温度关系

线速度常数的直线组成。对于大多数高温合金，第一抛物线速度常数 K_{P1} 的温度关系都落入在 Cr_2O_3 生长的 Ni-30Cr 和 Al_2O_3 生长的 Ni-14Cr-12Al 的温度关系之间（见图 5-4）[2]，可以看出，大多数高温合金在 650℃ 的氧化速率彼此相差在 2 个数量级之内，氧化激活能（直线斜率）都接近 Cr_2O_3 的生长激活能（约 251.2kJ/mol），离 Al_2O_3 的生长激活能（约 502.4kJ/mol）较远。铁基高温合金 GH2135 的 Q_{P1} 为 171.7kJ/mol，Q_{P2} 为 192.6kJ/mol，见图 5-5[1]，显然也接近于 Cr_2O_3 的生长激活能。

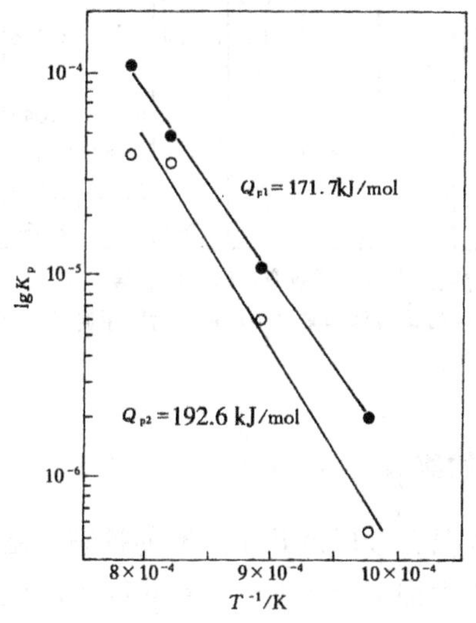

图 5-5　GH2135 合金抛物线速度常数的 Arrhenius 图

我国高温合金通常都用空气中不同温度下 100h 氧化后的氧化速率表示抗氧化性的好坏，一些高温合金的氧化速率见表 5-1[3]。根据我国 HB5258—83《钢及合金抗氧化性的测定方法》规定，按氧化速率的大小分为 5 个抗氧化性级别，即氧化速率（g/m^2·h）＜0.1 属完全抗氧化级，0.1～1.0 为抗氧化级，1.0～3.0 为次抗氧化级，3.0～10.0 为弱抗氧化级，＞10.0 为不抗氧化级。

表 5-1　一些高温合金在不同温度下的氧化速率[$g \cdot (m^2 \cdot h)^{-1}$]

	合　金	700	750	800	850	900	950	1000	1050	1100	1150
变形合金	GH2135	0.019	0.029	0.042	0.071	0.095	0.168	0.283			
	GH984	0.006	0.020			0.0739					
	GH1140					0.162		0.236			
	GH2130			0.094		0.116		0.319		1.125	
	GH2302			0.054		0.117		0.443		1.207	
	GH4169	0.028		0.035		0.096		0.162			
	GH4033A			0.021		0.110					
铸造合金	K403			0.003		0.038		0.089	0.064		
	K417				0.052	0.195					
	K417G				0.125	0.124		0.326			
	K418								0.040		
	DZ404						0.035	0.049	0.061	0.111	
	DZ4022						0.068	0.091	0.130	0.230	
	DZ417G				0.005		0.023	0.045	0.112		0.122
	DD3			0.006		0.014		0.030		0.251	

注：1. DZ417G 的数据来自金属研究所未发表数据。

2. 其余合金的氧化数据均来自中国航空材料手册，第二分册，变形高温合金铸造高温合金。

5.1.2　氧化膜的组成

一些镍基高温合金以及几乎所有的铁基高温合金和钴基高温合金的抗氧化能力都依赖于 Cr_2O_3 氧化膜的形成。

Cr_2O_3 是在高温下惟一的热力学稳定的固相铬的氧化物。它有两种晶体结构，即在 300℃ 至 900℃ 稳定的斜方六面体 α-Cr_2O_3 和在氧化初期形成于金属 Cr 表面的过渡结构立方晶体的 γ-Cr_2O_3。前者为 P 型半导体氧化物，熔点高达 2400℃，是致密性很高的氧化膜，具有优良的抗氧化性，但是合金表面 α-Cr_2O_3 膜与基体之间热膨胀系数相差较大，在热应力作用时容易剥落；而且 α-Cr_2O_3 塑性差，在表面变形时容易造成裂纹；同时在温度高于 900℃ 的条件下易氧化成挥发性的 CrO_3，CrO_3 的挥发引起 Cr_2O_3 膜不断变薄，从而使通过这层膜的扩散加快，这是形成 Cr_2O_3 膜的合金和涂层只能在1000℃以下使用的主要原因之一。相反，由于Al_2O_3是不挥发的，所以，形成Al_2O_3膜的合金抗氧化性更好。

$$Cr_2O_3(S) + 3/2O_2(g) = 2CrO_3 \tag{5-1}$$

Al_2O_3膜一般比Cr_2O_3具有更好的抗氧化能力和较低的氧化速率，可以应用于更高的温度，较好的Ni基高温合金、NiAl扩散涂层和MCrAlY包覆涂层表面都能形成Al_2O_3氧化膜。在900～950℃以下生成的氧化铝为γ-Al_2O_3，在更高温度生成α-Al_2O_3，它与Cr_2O_3具有相同的晶体结构，但是，Al_2O_3的禁带高达9.9eV，它不是电子导体，是离子－电子混合型导体[4]。

Al_2O_3在Ni-Al合金表面形成，当铝含量为0%～6%时，表面外层形成NiO膜，而内层生成Al_2O_3(＋$NiAl_2O_4$)氧化物；铝含量增加到6%～17%，表面在氧化开始时形成Al_2O_3，之后由于铝供应不足，形成NiO＋$NiAl_2O_4$＋Al_2O_3混合氧化物膜；铝含量大于17%时，表面形成稳定的Al_2O_3膜，而且随着温度提高，所需的铝含量降低，见图5-6[5]。

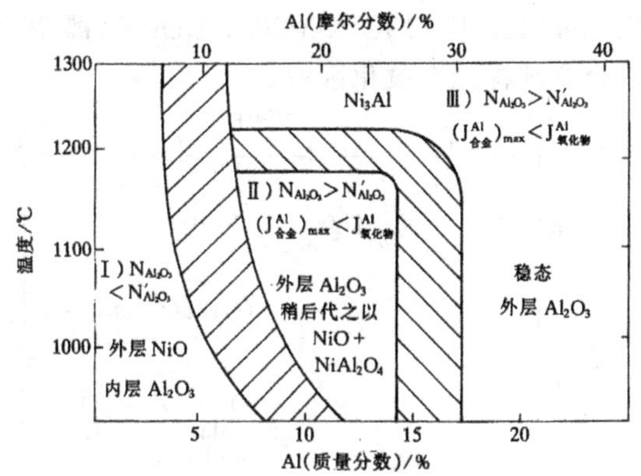

图5-6　Ni-Al二元合金的温度－成分－氧化物图

高温合金通常同时含有铬和铝，由于两者的协同作用，抗氧化的改善非常明显。例如当高温合金中含有约10%的Cr，Al含量低达 5%就可以形成稳定的表面 Al_2O_3 膜，大大低于二元 Ni-Al 合金中铝含量必须大于 17%的要求。实际高温合金零件表面形成的氧化物通常都是多层的和复杂的。GH2135 合金经 750℃ 至 1000℃氧化后，渗铝前后的氧化物分别由 Cr_2O_3，$(Cr, Fe)_2O_3$、TiO_2、$NiCr_2O_4$ 和 α-Al_2O_3、TiO_2、$Fe(Cr, Al)_2O_4$ 组成，见表 5-2[1]。Udimet700 合金的时间－温度－氧化物图[6]（图 5-7）说明，在线性氧化区①形成很薄的 Al_2O_3 和 Cr_2O_3 膜，Cr_2O_3 由合金晶界形核并覆盖在 Al_2O_3 膜上。这个过程结束，进入抛物线氧化区②，由于活泼元素（通常是 Al，Ti 和 Si）的选择性氧化，在氧化前缘形成贫乏区，氧化物为外层$(Cr, Al)_2O_3$，内层 $Al_2O_3 + TiN$。对某些合金往往有第二抛物线速度常数 K_{P2}。Udimet700 合金的进一步氧化，以 $NiCr_2O_4$，NiO 和 TiO_2 在气体和$(Cr, Al)_2O_3$ 界面形成为特征，因此氧化区③形成外层氧化物为 $Cr_2O_3 + NiCr_2O_4 + TiO_2$，而内层为 $Al_2O_3 + TiN$；Udimet700 在 1030℃ 开始形成防护作用良好的 $Ni(Al, Cr)_2O_4$ 尖晶石和 Cr_2O_3 氧化物。许多高温合金，如 IN100，HastalloyX、René41、IN713C、SM200、RenéY 都存在类似于 Udimet700 合金那样三个氧化区[6]。

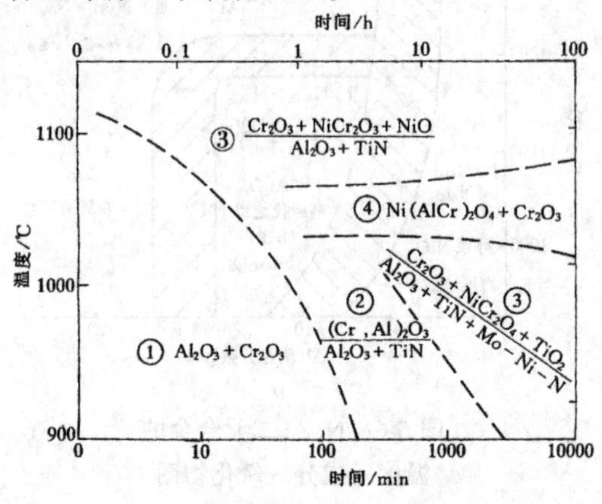

图 5-7　Udimet700 合金等温氧化的氧化膜组成图

（分子为外层氧化膜，分母为内层氧化膜）

表 5-2　GH2135 合金渗铝前后氧化膜的 X 射线结构分析结果

氧化温度/℃		35Ni-15Cr 型铁基合金	35Ni-15Cr 型铁基合金 + 渗铝
750		Cr_2O_3（多），$(Cr, Fe)_2O_3$，TiO_2，$NiCr_2O_4$(少)	α-Al_2O_3（多），TiO_2（少），$Fe(Cr, Al)_2O_4$(少)
850		Cr_2O_3（多），$(Cr, Fe)_2O_3$，TiO_2，$NiCr_2O_4$(少)	α-Al_2O_3（多），TiO_2（少），$Fe(Cr, Al)_2O_4$(少)
950	外层	Cr_2O_3(多)，TiO_2，$(Cr, Fe)_2O_3$(少)，$NiCr_2O_4$(少)	α-Al_2O_3（多），TiO_2（少），$Fe(Cr, Al)_2O_4$(少)
	内层	Cr_2O_3（多），$NiCr_2O_4$，$(Cr, Fe)_2O_3$(少)，TiO_2(少)	α-Al_2O_3（多），TiO_2（少），$Fe(Cr, Al)_2O_4$(少)
1000		Cr_2O_3(多)，$NiCr_2O_4$，$(Cr, Fe)_2O_3$(极少)	α-Al_2O_3（多），TiO_2（少），$Fe(Cr, Al)_2O_4$(少)

5.1.3　合金元素对抗氧化性的影响

合金元素对铁基、镍基和钴基高温合金的影响取决于它们的氧化产物对界面氧化反应的抑制程度。高温合金除铬和铝外，个别也有加硅的，B1900 合金中加入 0.5%～1.3% Si，在内层形成 SiO_2，改善循环氧化抗力，使之达到铝化物涂层的水平。

钛稍稍增加 β-NiAl 上 Al_2O_3 膜的长大速率，但不促进 γ'-Ni_3Al 或 γ 基体上 Al_2O_3 的形成，对镍基高温合金上氧化膜的结合力是有害的[7]，但改善 Fe-18Cr-6Al 的结合力。

难熔金属在镍基和钴基合金中可能有三种作用。第一种作用是有益的，它们可以看作是一种氧的获得者，从而有利于 Al_2O_3 和 Cr_2O_3 愈合层的形成；第二，它们降低铝、铬和硅的扩散速率，因而不利于愈合层的形成；第三，难熔金属的氧化物通常是不能防护的，它们往往具有低熔点、高蒸汽压、高扩散系数等特点，因此作为外层氧化物的组成是不希望的。当然第二和第三个作用是有害的，故难熔金属元素的有害影响超过有益的影响。钨、钼和钒的影响是类似的，但钨的有害影响更大，铌的氧化物也是不防护的。某些高温合金也含有铼，在某种程度上也有类似的不良影响。铪和锆在浓度低时可明显改善氧化膜的结合力。

在高温合金中加入少量的氧活性元素可以显著改善抗氧化性，这一现象称之为活性元素效应。活性元素通常指的是其氧化物比基体氧化膜更稳定的那些元素，例如稀土元素钇、镧、铈等。

研究了混合稀土元素(主要含 La 和 Ce)对 Incoloy801 合金抗氧化性的影响[8]。结果表明加入 0.2%的混合稀土元素，明显降低 801 合金的氧化增重、氧化速率和氧化激活能 Q_{P2}。含稀土的 801 合金氧化膜比较薄，在氧化物膜与基体的界面存在有含镧 47.6%的灰色条状稀土氧化物，把氧化物与基体紧密地结合在一起，提高了氧化膜的附着力。同时，由于镧、铈等稀土元素的原子半径大于镍、铬等元素，从而使 γ 基体造成晶格畸变，降低了 Cr^{3+} 的扩散激活能，增大了 Cr^{3+} 的扩散系数，促进 Cr_2O_3 快速而大量地形成，起到良好的保护作用。稀土元素除固溶在合金基体中外，还微量地溶解于氧化膜中，提高氧化膜中 Cr^{3+} 的结合能，从而提高氧化膜的热稳定性。

活性元素改善抗氧化性的机理还不是很清楚，但可以肯定，改善氧化膜的附着能力是其主要作用。不论是 Cr_2O_3 氧化膜，还是 Al_2O_3 氧化膜，活性元素通过在氧化膜中的晶界偏聚，改变扩散过程，即促进氧沿晶界向内扩散，同时降低铬或铝的向外扩散，使 Cr_2O_3 或 Al_2O_3 在合金基体与氧化膜界面生长，减少在此界面孔洞的生成，减轻氧化膜的剥落。或者通过上述 Incoloy801 合金那样形成条状化合物起钉扎作用等不同的机理，改善氧化膜的结合力。

5.1.4 氧化对力学性能的影响

尽管几乎所有的高温合金设计时都考虑到了抗氧化性，然而，随着使用时间的延长或者使用温度的提高，高温合金零件表面氧化层深度会不断增加，更为严重的是沿晶界的内氧化造成晶界强度的显著降低，从而使力学性能恶化。

对 K417 镍基铸造高温合金环境损伤的研究结果表明(图 5-8)[9]，试样经 900℃ 空气中氧化 400h，其在 650℃ 至 950℃，853

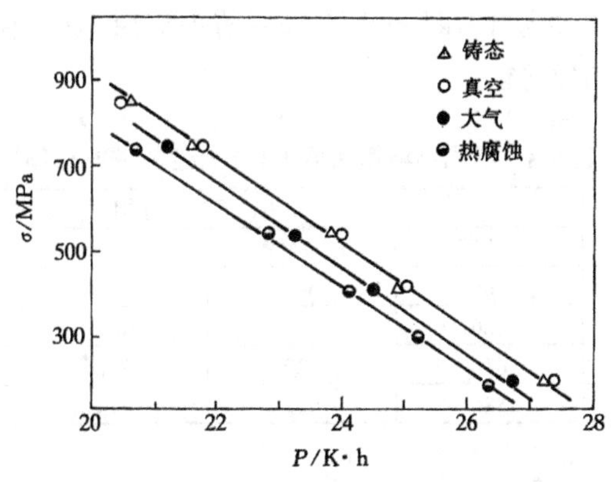

图 5-8 暴露环境对合金持久寿命的影响

MPa 至 206MPa 应力条件下的持久寿命与铸态不氧化试样和真空暴露 400h 试样比较降低了 1/3，而在热腐蚀环境暴露 400h 后持久寿命又仅为空气环境的 1/2，而且持久塑性也相应降低。900℃空气中氧化 400h 使高温瞬时抗拉强度（σ_b 和 $\sigma_{0.2}$）和塑性（δ, ψ）都明显降低，见表 5-3[9]。K417 合金在 900℃空气中氧化 400h，表面生成氧化膜，在其下面有一层贫 γ' 相的过渡区，而氧化还沿晶界深入金属内部。电子探针分析表明，氧化膜富铬，而过渡区贫铬，沿晶氧化造成贫铬贫镍；X 射线结构分析表明，表面氧化膜由 Cr_2O_3、$NiCr_2O_4$、NiO 和 TiO_2 等氧化物构成，其厚度约 30μm。根据 900℃空气环境氧化 400h 试样，在 850℃、421MPa 条件下持久寿命仅为 59.07h 计算，氧化层厚度应为 80μm，显然由于氧化而引起的截面积减小，不足以引起持久断裂时间如此强烈降低。主要原因应是沿晶界的内氧化，使实际截面积大为减小，承受应力显著增加，同时，晶界两侧由于氧侵入而造成贫 γ'、贫铬和镍，导致晶界抗剪切强度显著降低。当带有这种氧化层的试样在高温进行持久试验或高温拉伸试验时，裂纹便很容易沿晶界形核与扩展，造成持久试样早期断裂，持久塑性降低，同时使 900℃高温拉伸时的强度和塑性都降低。因此，现在几乎所有的高温合金涡轮叶片和导向叶片都不得不采用防护涂层，以减轻和消除高温氧化带来的危害。

表 5-3　不同环境暴露后 K417 合金的瞬时拉伸性能

试验条件	900℃下拉伸性能			
	σ_b/MPa	$\sigma_{0.2}$/MPa	δ/%	ψ/%
铸态	705	643	7.6	13.1
真空	666	569	19.3	19.5
空气	610	529	7.2	8.9
热腐蚀	586	512	4.4	5.6

5.2　高温合金的热腐蚀

高温合金的热腐蚀是在高温燃气中含硫燃料和含盐环境中由于燃烧而沉积在表面的硫酸盐引起的加速氧化现象。它对高温合金零件的破坏作用比单纯高温氧化要严重得多。

高温合金通常制作航空发动机或工业燃气轮机的热端零件，像涡轮叶片和导向叶片等，在高温环境中工作。由于燃油中含有硫、钠等杂质，在燃烧时生成 SO_2、SO_3 等气体，与空气中的氧和 NaCl(特别是沿海或海洋上空高含量的 NaCl)等反应：

$$2NaCl + SO_2 + 1/2O_2 + H_2O \rightarrow Na_2SO_4 + 2HCl \tag{5-2}$$

$$2NaCl + SO_3 + H_2O \rightarrow Na_2SO_4 + 2HCl \tag{5-3}$$

在零件表面沉积一层 Na_2SO_4 熔盐膜。由于高温合金零件表面往往都有 Cr_2O_3 或 Al_2O_3 氧化物保护膜，在开始的短时期内，腐蚀速率较慢，硫刚开始扩散。此后由于硫酸钠中的硫穿透氧化膜扩散到合金中形成硫化物，而氧化物溶解到盐中并在氧化膜中产生很大的生长应力而破坏氧化膜，使之变成疏松多孔，同时也使盐的成分变得更富于腐蚀性，因而引起高温合金零件加速腐蚀，甚至造成严重事故。

5.2.1　热腐蚀机理

由于热腐蚀反应很复杂，热腐蚀机理尚未十分清楚，目前比较成熟的有硫化－氧化模型，酸碱熔融模型等，文献〔10〕中作了简明的介绍。硫化－氧化机理模型 1955 年由 Simons 等人[11]建议，把硫酸钠引起的热腐蚀分成两步：

第一步，从硫酸钠中还原出的硫与合金中某元素反应产生硫化物，然后与金属接触形成金属－金属硫化物液态共晶：

$$Na_2SO_4 + 3R = Na_2O + 3RO + S \tag{5-4}$$

$$M + S = MS \tag{5-5}$$

$$M + MS = M \cdot MS(\text{共晶}) \tag{5-6}$$

反应式中 M 代表合金中金属组元，R 表示某还原性的组元。

第二步，硫化物共晶被穿过盐膜的氧分子所氧化释放出硫化物，并可重新与金属基体的组元形成共晶：

$$M \cdot MS + \frac{1}{2}O_2 = MO + MS \tag{5-7}$$

$$M + MS = M \cdot MS(\text{共晶}) \tag{5-8}$$

这样反应可以继续进行。这一模型的基础是在合金基体中必须能形成硫化物共晶，以及硫化物共晶必须能优先于合金基体而被氧化。有人用试验证明，硫化物并不比合金本身氧化得更快，因此对此模型作了一些修正。我国学者[12,13]用放射性同位素^{35}S自射线照相技术研究了热腐蚀过程中硫的传输和分布，提出了热腐蚀过程中的内硫化－内氧化机制。他们认为，在热腐蚀过程中，从熔融硫酸钠中还原出来的硫首先沿晶界扩散并在晶界上形成硫化物，而后硫也向晶内扩散，经过一段时间热腐蚀后，氧也穿过熔盐沿合金的晶界扩散，并在此硫被氧还原，被还原的硫继续向合金内深度的晶界和晶内扩散，而在原来的晶界上形成氧化物，如此不断地进行内硫化－内氧化的循环，从而使热腐蚀过程不断地进行。

热腐蚀的酸－碱熔融机理目前为许多人所接受，最初由 Bornstein 等[14,15]提出。该模型认为，在热腐蚀时，由于金属或合金的表面上形成的具有保护性的膜层在沉积的液态熔盐中不断地被熔解而造成加速腐蚀。其要点是氧化膜在熔盐中的熔解度。

高温合金中如果表面上形成 Al_2O_3 膜，则可能存在下列反应：

$$Al_2O_3 + O^{2-} = 2AlO_2^{2-} \tag{5-9}$$

当熔盐中存在氧离子活度梯度时，Al_2O_3 膜在氧离子活度高的氧化物/熔盐一侧被溶解，而在熔盐/气体界面上再沉淀出来，此时已是无保护性的 Al_2O_3。此外，如果生成 Al_2S_3，由于 Al_2O_3 氧化迅速，可能促进整个热腐蚀反应加速进行。高温合金的表面形成 Cr_2O_3 时，则发生：

$$Cr_2O_3 + 2O^{2-} + 3/2O_2 = 2CrO_4^{2-} \tag{5-10}$$

该反应降低了熔盐中的氧离子活度，使 NiO 的溶解被抑制。同时，硫酸钠中的氧离子活度即使在熔盐/气体界面上也不会低到使上述反应向左进行。当熔盐中的 CrO_4^{2-} 浓度达到饱和时，热腐蚀也就停止了，合金表面上保持着连续性的 Cr_2O_3 保护膜。氧离子浓度越高，溶液的碱性越大，因此，这种形式溶解的过程称为碱性熔融。

如果液态硫酸钠中的氧离子活度很低，氧化膜可以以另外一种方式分解：

$$NiO = Ni^{2+} + O^{2-} \tag{5-11}$$

$$Al_2O_3 = 2Al^{3+} + 3O^{2-} \tag{5-12}$$

当合金中含有相当数量的钼、钨、钒等合金元素时，在热腐蚀初期形成 NiO、Al_2O_3 的同时，也形成 MoO_3、WO_3、V_2O_5 等氧化物，它们与液态硫酸钠中的氧离子的反应能力很强：

$$MoO_3 + O^{2-} = MoO_4^{2-} \tag{5-13}$$

$$WO_3 + O^{2-} = WO_4^{2-} \tag{5-14}$$

$$V_2O_5 + O^{2-} = 2VO_3^{-} \tag{5-15}$$

上述反应的结果，使氧化膜/熔盐界面上的氧离子活度降得很低，因而使 NiO 和 Al_2O_3 发生上述分解反应，熔盐中 Ni^{2+}、Al^{3+}、MoO_4^{2-}、WO_4^{2-} 等离子都向熔盐外部扩散，在熔盐/气体界面上，由于 MoO_3 等氧化物和 SO_3 不断挥发，使反应式 5-13 至 5-14 以及反应 $SO_4^{2-} = SO_3 + O^{2-}$ 都向产生氧离子的方向进行，使氧离子活度显著升高，从而促使反应式 5-11 至 5-12 向反方向进行，重新在熔盐/气体界面上沉淀出多孔的非保护性的 NiO 和 $Al_2O_3 \cdot MoO_3$ 等易挥发的氧化物在氧化物/熔盐界面上的溶解和在熔盐/气体界面上的挥发维持了熔盐内的氧离子活度梯度,从而维持了氧化物在熔盐中溶解度的负梯度,使反应不断进行。这种热腐蚀反应是在氧化膜表面沉积的盐膜中氧离子活度很低的情况下进行的,因此称为酸性熔融。

合金表面沉积有薄盐膜是产生热腐蚀酸 - 碱熔融机理的先决条件。酸性熔融可以不断地自持进行,热腐蚀的速度很快,而碱性熔融则必须存在能维持熔盐膜两端氧离子活度梯度的反应,一般情况下,碱性熔融进行到一定程度就不再进行了,热腐蚀速度相对较慢,腐蚀产物层较薄。但两种熔融是互相联系的,对成分复杂的合金和涂层来讲,碱性熔融往往是酸性熔融的前奏,发展到后期,产生灾难性的酸性熔融反应。

5.2.2 热腐蚀的影响因素

由于热腐蚀过程是一种在熔融盐膜下的高温加速氧化,因此,温度、盐膜成分、环境条件以及高温合金的成分等因素均将对其产生影响。

温度将以不同方式影响热腐蚀过程。随着温度增加,热腐蚀速率加快。例如,对 GH2135 合金采用坩埚法在 25% NaCl + 75% Na_2SO_4 混合盐中于不同温度下热腐蚀 3h 的结果表明,随着温度提高,失重不断增加,700℃ 为 $2.41mg/cm^2$,750℃ 为 $4.31mg/cm^2$,而 800℃ 为 $7.57mg/cm^2$[1]。对某些合金热腐蚀速率在某一高温有一个最大值,例如 K438 合金在同一介质中热腐蚀,最大腐蚀速率在 800℃ 时发生[3]。在燃烧台架上进行热腐蚀试验时,如果喷盐的速率为恒定,随着温度的升高,在试样表面沉积的盐愈少,因而热腐蚀可能更轻。温度还可能影响热腐蚀的机理。

零件表面上高温沉淀的盐膜的成分也明显影响热腐蚀。尽管 Na_2SO_4 是盐膜的主要成分,但纯 Na_2SO_4 腐蚀性并不很强,往往因为其中混有少量 NaCl,腐蚀性才大大增强。所以试验室热腐蚀试验往往都要加入一定数量的 NaCl，以模拟零件在高温的热腐蚀，当然其他杂质也有影响。

正如热腐蚀机理一节所述，环境中的氧化性介质也直接参与热腐蚀。O_2 是参与氧化的主要元素，SO_3、SO_2 等杂质也参与反应过程，它们存在数量的多少或分压的大小对热腐蚀过程有很大影响。

合金元素对高温合金的抗热腐蚀性有重要影响，铬是一个非常重要的抗热腐蚀元素，其含量对抗热腐蚀性起关键作用。一般认为，合金中的铬含量至少要有 15%，含量更高，抗热腐蚀性更好，见图 5-9[2]。因为铬含量大于 15%，铝含量小于 5% 就可以在合金表面形成致密而粘附性好的 Cr_2O_3 保护膜。

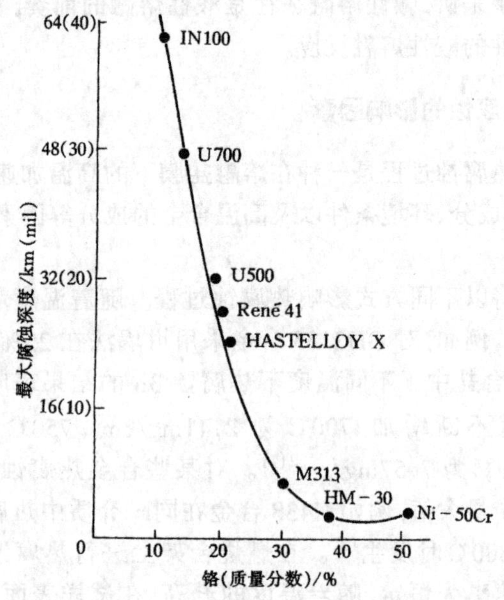

图 5-9　铬含量对镍基合金抗热腐蚀性能的影响

钛对抗热腐蚀性有益。合金中铬含量愈低，钛的加入量就应愈多。

钽对有些高温合金的抗热腐蚀性能有良好影响，通常没有有害影响。

钴对抗热腐蚀性能基本无影响，但钴基高温合金较镍基高温合金抗热腐蚀能力强。

微量稀土元素与氧的亲和力高，易在氧化膜与合金界面形成垂直于表面的条状稀土氧化物起钉扎作用[8]，从而改善合金的抗热腐蚀性能。

铝是一个重要的抗高温氧化的元素，当合金中的铝含量超过5%，在合金表面能形成一层性能良好的 Al_2O_3 保护膜，但 Al_2O_3 对液态 Na_2SO_4 不能起良好的防护作用。

其他元素对抗热腐蚀性具有有害影响，或影响不大。

除了上述因素之外，其他因素对热腐蚀也有重要影响，如热循环和磨蚀要损害防护性氧化膜；气流速度对有挥发性的氧化物有明显影响等等。

5.2.3 热腐蚀试验方法

目前评价高温合金抗热腐蚀性能常用的方法有坩埚试验、涂盐试验、淋盐试验、电化学试验和燃烧装置试验。

坩埚试验：按比例配制混合盐，我国通常采用 75% Na_2SO_4 + 25% NaCl 或 90% Na_2SO_3 + 10% NaCl 混合盐，然后放入坩埚中，将试样全浸或半浸于坩埚中，于不同温度加热一定时间，试样在高温气体和混合盐熔体作用下快速热腐蚀。试验结果用去除腐蚀层后的失重或横截面上的尺寸损失表示 K40、K438G、K36、K417 和 K403 合金于 900℃ 在 90% Na_2SO_4 + 10% NaCl 混合盐中的热腐蚀结果见表 5-4[3]。可见 K40、K38G 和 K36 合金的抗热腐蚀性都比 K417 和 K403 好得多，而且耐蚀性依次增加。此法的优点是简单、方便，作为筛选合金和成分很有用处，但这种方法不能真实反映航空发动机或燃气轮机热端部件特别是涡轮叶片和导向叶片的热腐蚀情况。因为这种条件下，盐的供应十分充足，氧的供应受到限制。

表 5-4　坩埚法热腐蚀试验结果($mg\cdot cm^{-2}$)

合　金	24h	32h	39h	67h	100h
K40	20.0	13.1	11.9	18.8	20.3
K438G	3.97	6.18	7.98	10.0	13.5
K36		0.01	0.24	1.05	
K417	全　部　被　腐　蚀　掉				
K403	全　部　被　腐　蚀　掉				

涂盐试验：将试样加热到 150℃左右，用喷枪将一定比例的混合盐饱和水溶液喷到旋转的试样表面，烘干后，使试样表面单位面积上沉积一定量的盐层，然后在空气、氧气或含有 SO_2 的气氛中进行热腐蚀试验。

DZ404、K417G、DZ417G + Zr、DZ417G 四种合金表面喷涂 $3mg/cm^2$ 的 Na_2SO_4，在 900℃的热腐蚀动力学曲线见图 5-10[17]，可见 DZ417G 合金的抗热腐蚀性能最好。

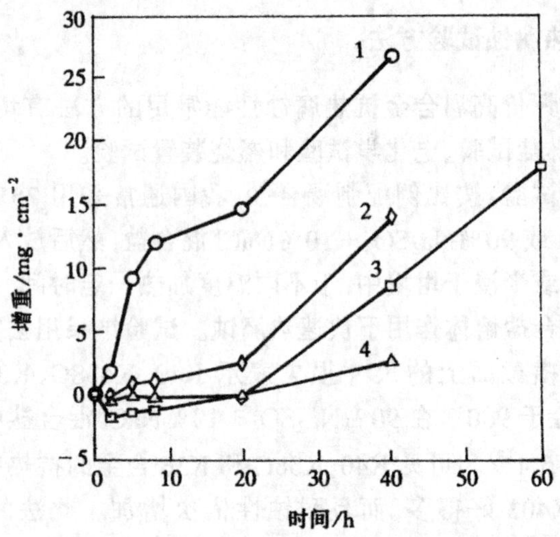

图 5-10　四种合金热腐蚀动力学曲线

1－DZ4；2－K17G；3－DZ17G＋Zr；4－DZ17G

这种方法也比较简便，较坩埚法前进了一步，对研究热腐蚀机理比较方便，但也不能真实反映零件热腐蚀的情况。

淋盐试验：在被加热的垂直炉管中，将试样放置在转动的托架上，每隔一定时间从炉管顶部定时并定量地淋下预先制备好的混合盐，经过一定时间热腐蚀后，测定材料的抗蚀性能。但是，我国高温合金很少采用这种试验方法。

电化学试验：将试样放在与坩埚试验类似的环境中，试样作为工作电极，与参考电极和辅助电极组成电化槽。测定直接反映腐蚀速率的腐蚀电流。如果在合金表面上生成保护性氧化膜，腐蚀电流就降低。文献〔18〕利用电化学测试技术系统研究了四种铁铬合金的熔盐热腐蚀，结果表明，提高合金的铬含量可提高耐蚀性能，同时也影响合金腐蚀破坏方式。硫化－氧化是 Fe5Cr 和 Fe10Cr 合金腐蚀破坏的主要原因；而氧化膜的熔融反应是 Fe20Cr 和 Fe25Cr 合金加速腐蚀的原因。这种方法受到人们的广泛重视，并且也取得了许多积极成果，但在我国实际高温合金中应用很少。

燃烧装置试验：可以模拟燃汽轮机和航空发动机的使用环境，克服前述各种方法的弱点。同时，也可以实现加速试验，使实验成本比发动机台架试车要便宜得多，而且试验时间也要短得多。因此，这种方法已被高温材料工作者广为应用。我国使用两种燃烧试验装置，即常压喷烧试验装置和燃烧台架试验装置。用以测定涡轮叶片和导向叶片的抗热腐蚀性能。

K424、DZ3、DZ4、DZ22、DZ002 和 DD3 等铸造镍基合金的常压喷烧试验结果，见表 5-5〔3〕。

燃烧台架试验装置由空气系统提供风源，燃油系统供给的燃油经喷嘴雾化后由点火装置在喷燃器内点燃，燃气流经导管引入试验炉内，在导管上装有盐雾装置，能将喷入一定数量 NaCl 的人造海水带进燃气流。喷燃器用轻柴油，空气与燃料比为 40 比 1，燃气呈氧化性气氛，燃气流中以 NaCl 的质量分数加入雾化的人造海水中，因而在试验炉内具有液态硫酸钠沉积条件。用这种方法更接近于热端部件的实际使用条件，我国许多涡轮叶片和导向叶片用铸造镍基高温合金，都采用过这种方法测得热腐蚀数据，见表 5-6[3]。

表 5-5　几种铸造镍基合金的热腐蚀试验结果(100h 失重，mg/cm^2)

合　　金		800℃	900℃	1000℃
K424	铸态		170.15	
	渗 Al35μm		96.95	
DZ4	铸态		244.00	15.40
	Al－Si 涂层		5.14	2.26
DZ4	铸态		84.36	
	ASL－5 涂层		1.08	
DZ22	铸态	0.55	30.99	4.01
DZ002	铸态		63.7	29.9
DD3	铸态		5.95	
	Pt－Al 涂层		1.33	

注：均为按北京航空材料研究所 1983 年内部标准 Q/6S365—83《高温燃气腐蚀试验方法》测试结果。

表 5-6　7 种高温合金的热腐蚀试验数据

试验条件	试验合金	腐蚀失重值/$mg \cdot cm^{-2}$		
		5h	10h	25h
燃油为 0 号轻柴油，燃气温度为 900℃，盐雾浓度为 1×10^{-6}	K438	0.0006	0.0013	0.0021
	K417	0.0018	0.0564	0.1840
	K417G	0.0057	0.0730	0.2816
	Rene80	0.0041	0.0153	0.0550
	K409	0.0124	0.0373	0.1519
	K403	0.0125	0.0594	0.0898
	K418	0.0018	0.0214	0.1862

注：试样尺寸 d 10×2mm。

5.2.4　热腐蚀对高温合金力学性能的影响

高温合金在热腐蚀环境中要经受严重腐蚀，不仅造成零件或试样承载截面减少，而且要引起沿晶界热腐蚀，造成力学性能严重恶化。K417 合金加工后的标准试样，经静态热腐蚀后，持久寿命降低一半(见图 5-8)，持久塑性也显著降低(见表 5-3)[9]。这是由于 K417 合金试样表面沉积有 25%NaCl+75%Na_2SO_4 混合盐，在 900℃高温暴露 400h，发生了严重热腐蚀。使试样表面形成一种疏松的不起保护作用的腐蚀层，而 Na_2SO_4 通过下述反应严重腐蚀金属：

$$9/2Ni + Na_2SO_4 = 3NiO + 1/2Ni_3S_2 + Na_2O \quad (5\text{-}16)$$

并使这种反应沿晶界深入内部。电子探针分析结果证明，沿晶裂纹两侧腐蚀层富氧、铬、镍和钛，而腐蚀层下面的金属富硫、镍、贫铬，这是硫化反应已发生的充分依据。热腐蚀试样表面腐蚀层的最大深度为 40μm，这样的腐蚀深度不足以使持久寿命如此严重降低。例如在 850℃、421MPa 条件下，热腐蚀环境暴露后持久寿命为 36.5h，根据计算，腐蚀层深度应达 200μm。所以，沿晶界的热腐蚀使晶界变弱，从而有利于持久和拉伸时裂纹形核与扩展，是持久寿命严重降低、持久塑性及抗拉强度与塑性显著降低的主要原因。

动态热腐蚀对力学性能的影响更严重。IN738LC 在 850℃，307MPa 试验条件，Na_2SO_4、NaCl 或 NaCl/Na_2SO_4 混合盐沉积层严重降低它的蠕变断裂寿命和塑性，明显增加蠕变速率，见表 5-7[19,20]。

表 5-7　环境对 IN738LC 蠕变性能的影响(850℃，307MPa)

环　　境	稳态蠕变速率 ε_s/h^{-1}	蠕变断裂时间/h	蠕变伸长率 δ/%
空　　气	0.000136	208	4.60
Na_2SO_4	0.000178	120	3.12
25%NaCl+75%Na_2SO_4	0.000328	45	2.01
NaCl	0.000412	40	1.97
50%NaCl+50%Na_2SO_4	0.000494	37	2.46
75%NaCl+25%Na_2SO_4	0.001100	5	0.75

IN738LC 在空气中表面形成致密而牢固的 Cr_2O_3 膜，具有较好的抗氧化和抗腐蚀性能，因而蠕变性能良好。

在熔融的 Na_2SO_4 中，由于在金属与氧化膜之间的界面形成硫化物而加速了腐蚀，特别是硫化沿晶深入到内部，使蠕变性能降低。

NaCl 在高温与氧交互作用，其腐蚀性比 Na_2SO_4 更为严重，而且沿晶腐蚀使晶界贫铬，有利于裂纹的形核与扩展，从而导致蠕变和断裂性能降低。

NaCl 与 Na_2SO_4 混合盐的腐蚀性更严重。因为 NaCl 连续破坏防护性氧化层的形成，允许 Na_2SO_4 直接接触金属，Na_2SO_4 促进晶界腐蚀，特别是晶界硫化，这已为电子探针的结果所证实[20]。然而，由 25% NaCl + 75% Na_2SO_4 沉积层所构成的热腐蚀环境，与空气环境比较，尽管稳态蠕变速率增加约 100%，但不改变蠕变速率与应力和温度的关系，应力因子 n 和表观蠕变激活能在高应力区和低应力区差别很小(表 5-8)，说明热腐蚀不改变合金的蠕变机构[19]。但由于晶界被热腐蚀所弱化，局限于晶界的蠕变变形会稍有增加，同时由于截面尺寸因腐蚀而减小要引起应力增加。这些因素使热腐蚀环境中蠕变速率增加约 1 倍。

表 5-8　IN738LC 的应力因子和表观蠕变激活能

应力区	环　境	应力因子(n)	表观蠕变激活能 Q_C/kJ·mol^{-1}
高应力区	空　气	9.8	730
	热腐蚀	10	750
低应力区	空　气	4.1	420
	热腐蚀	4.1	440

IN738LC 在真空(1.33×10^{-2}Pa)、空气和热腐蚀(25% NaCl + 75% Na_2SO_4 沉积层)环境中高温低周疲劳行为的研究[16,21,22]表明，真空中不仅疲劳寿命最高，而且与室温疲劳[23]一样，对应变速率不敏感。空气和热腐蚀都明显降低疲劳寿命，尤以热腐蚀为最严重，而且都有明显的应变速率影响。应变速率低，蠕变分量影响增大，疲劳寿命增加(图 5-11)，反映了蠕变 - 疲劳 - 环境三者交互作用。

真空中由于没有氧化和腐蚀作用，疲劳裂纹只能在一些最有

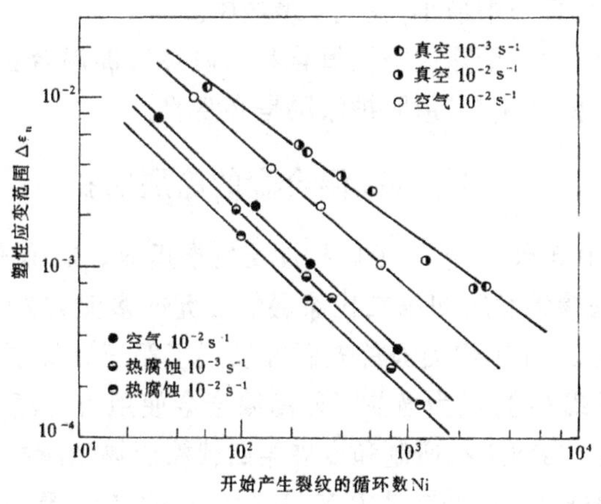

图 5-11　环境对 IN738LC
在 900℃ 的低循环疲劳行为的影响

利取向的晶粒内部形核，然而在空气中，疲劳裂纹主要沿着氧化了的晶界萌生，有时也可沿着有利取向的树枝状结构形核；在热腐蚀环境中，疲劳裂纹总是沿着试样表面隆起处形核[22]。这些隆起是由于沿晶界热腐蚀造成的，它们是一些垂直于应力轴的楔形氧化物和硫化物，所以真空中裂纹的形核比空气中难，而空气中裂纹的形核又比热腐蚀环境中难。

上述三种环境中疲劳裂纹均穿晶扩展。由于 NaCl 的化学破坏作用和交变应力的机械破坏作用，防护性的氧化膜在热腐蚀环境中不可能形成，疲劳裂纹不停地穿晶扩展。在空气环境中，尽管脆性的 Cr_2O_3 为主的防护性氧化膜在交变应力下可以破坏，但防护性氧化膜可以再次形成。随着疲劳过程的进行，应变、氧化膜破坏、再次形成氧化膜的过程反复进行。很明显，空气环境中氧化对疲劳裂纹扩展的影响就没有热腐蚀环境中严重。由于真空消除了环境的影响，在裂纹尖端没有脆性区，所以每一次循环裂纹的增量都要低于脆化了的氧化或热腐蚀环境中裂纹的增量。因此，从疲劳裂纹的形核与扩展可以清楚地说明，热腐蚀环境对疲劳性能的影响最大，真空中最小，空气环境居中。

因此，为了消除或降低氧化和热腐蚀对高温合金热端零件的环境损伤的影响，采用防护涂层是必要的。

5.3 高温合金的涂层防护

自50年代开始，高温防护涂层发展迅速。从第一代涂层的固体包埋法渗铝发展到第二代涂层的二元或多元共渗，其中铂铝涂层最有名。70年代美国首先研究发展了第三代涂层MCrAlY(M＝Ni、Fe或Co)，成为当前国外高温合金使用最广泛、性能最佳的防护涂层，当前正在研制和发展第四代涂层热障涂层，其粘结底层是MCrAlY合金，外层是由 Y_2O_3 稳定化的 ZrO_2 陶瓷层。

5.3.1 第一代涂层－简单铝化物涂层

这类涂层从50年代开始使用，我国目前仍有广泛应用。镍基铸造高温合金K417、K419、K214、K403、K4002、DZ5、DZ22和铁基高温合金GH2135、GH2302和GH2130等合金制作的涡轮叶片都采用固体渗铝。零件渗铝后表层主要成分为NiAl、CoAl或(Fe,Ni)Al，分别对应于镍基、钴基和铁基高温合金。这些铝化物在高温氧化时生成致密而牢固的 Al_2O_3 膜，可有力地阻碍高温氧化继续进行。例如GH2135合金表面渗铝层深度为5μm，在750至1000℃的高温氧化速率明显降低，见图5-12[1]。在75％Na_2SO_4＋25％NaCl混合盐中的热腐蚀试验结果表明腐蚀失重减少很多，见表5-9[1]。

表5-9 GH2135合金热腐蚀试验结果(3h失重，mg/cm^2)

温度/℃	GH2135	GH2135渗Al(5μm)
700	2.41	0.55
750	4.31	0.50
800	7.57	1.52

但是，NiAl相涂层脆性大，易开裂。在高温Al原子向基体扩

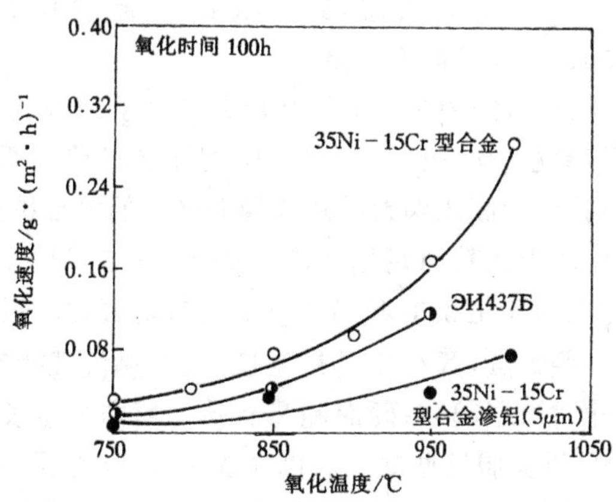

图 5-12　渗铝防护涂层对 GH2135
合金高温抗氧化性的影响

散快，寿命较短，而且抗热腐蚀性能不够，因而发展了多元共渗铝化物涂层。

5.3.2　第二代涂层-多元铝化物涂层

Cr-Al 涂层主要用于改善简单铝化物涂层的抗热腐蚀性能，因为在 Na_2SO_4 中通过形成 Na_2CrO_4 溶去铬比形成 $NaAlO_2$ 溶去铝困难得多。René80 和 IN713C 等合金表面实现了 Cr-Al，Cr/RE-Al 共渗涂层[24]。IN738 合金涡轮叶片先电镀 7μm 铂层后，再渗 Cr-Al 涂层，可使合金的抗热腐蚀性能提高一倍以上[25]。

Si-Al 涂层中硅以富硅的 M_6C 和 G 相颗粒存在于涂层外层中。硅抑制 β 相，促使 γ′相生长，富 Si 的 γ′相抗热腐蚀能力随硅含量增加而大幅度提高。我国使用 Si-Al 涂层(ASL-5)成批生产定向凝固镍基高温合金 DZ4 涡轮叶片，其抗氧化和抗热腐蚀性能均获明显改善。例如 1000℃、300h 氧化后的氧化速率，无涂层为 $0.023g/m^2·h$，而渗 Si-Al 后降低为 $0.017g/m^2·h$。900℃、100h 热腐蚀的失重，无涂层为 $84.36mg/cm^2$，渗 Si-Al 后显著降低至

1.08mg/cm^2。利用料浆法渗 Si-Al 的合金还有 DZ38G、DZ3、DZ22、K409、K405 等高温合金。

Pt-Al 涂层有向内生长的两相涂层 $PtAl_2$ + (Ni, Pt)Al 和向外生长的单相涂层(Ni, Pt)Al 两种。两相涂层目前在西方航空工业上大量使用,作为高压涡轮叶片和导向叶片的标准扩散涂层,它的高温抗氧化能力比其他铝化物涂层提高 2～5 倍[26],主要原因是 $PtAl_2$ 相伸入到氧化膜中增加 Al_2O_3 膜的附着力。近来发现两相涂层也有一些缺点:两相涂层是亚稳的;对热机械疲劳裂纹敏感;在循环氧化时涂层起皱;硬而脆易剥落。用向外生长的单相涂层(CVD 法)可以克服这些缺点。例如 MarM247 合金采用这种新涂层后,与两相涂层比较,在 1100℃ 循环氧化寿命提高 1.4 倍,而且抗热腐蚀性能得到显著提高[26]。我国发展的 DD3 合金单晶涡轮叶片表面渗 Pt-Al 涂层,其在 900℃ 经 100h 热腐蚀试验后的腐蚀失重由不涂层的 5.95mg/cm^2 降低至涂层的 1.33mg/cm^2[3]。

RE－Al 涂层通过稀土元素 RE 改善氧化膜的粘附性,增强抗高温腐蚀能力。美国 AVCO 公司采用 RE + Al 渗剂在 IN713 合金表面获得了 Y-Al 涂层[27]。

此外,还有一些其他的改进型铝化物涂层,如 Pd-Al、Ti-Al、Ti-Si、Si-Cr 等。

5.3.3 第三代涂层－MCrAlY 包覆涂层

这类涂层主要由 β 相和 γ 相组成,与基体间的扩散要弱得多。这类涂层可以根据需要进行设计、调整涂层成分与结构,或加入更多的合金元素,如 MCrAlYSi、MCrAlHfPt、MCrAlYTa、MCrAlHf 等。可以通过电子束物理气相沉积(EB－PVD)、溅射等方法制备,为了防止包覆涂层与基体间的互扩散而引起退化,在涂层与基体之间增设扩散障,如 Pt－MCrAlY、TiN－MCrAlY 等。这些涂层的塑性－脆性转变温度比 NiAl 涂层低得多,使涡轮叶片的抗高温腐蚀能力进一步提高,从而延长使用寿命。目前国外 JT9D、TW2000、TW4000、GT29、GT43 和 LM2500 等航空和发电用发动机均采用了这类涂层[28]。

5.3.4 第四代涂层－热障涂层

热障涂层不仅有防氧化抗腐蚀能力还可以保证在高的环境温度下而保持低的基体零件温度。这种涂层一般由金属连接层和陶瓷层组成。其代表为MCrAlY连接层加氧化锆(包括Y_2O_3、MgO、CaO全稳定或部分稳定)表面层,其中以含6%～8%Y_2O_3的YPZ效果最佳,应用最多。可通过LPPS法制备这种涂层。近年来有人用PVD及溅射法制备,也有人试图用料浆烧结法制备。

热障涂层的隔热作用,可使金属基体表面温度降低200℃左右,这样用同样的涡轮叶片材料可相应提高使用温度,从而大大提高发动机的推力。同时,在氧化物涂层与合金基体之间的MCrAlY结合层,可以提供足够的抗高温环境腐蚀能力,并使氧化层与合金基体的力学性能相匹配。1986年美国已将热障涂层用于PW4000燃气涡轮的导向叶片[29]。这种技术还具有设备简单、成分易控制、成本低等优点。预计今后将在涡轮叶片上广泛应用。

5.4 表面残余应力与喷丸处理

机械加工使高温合金表面造成残余应力等缺陷,导致疲劳性能严重降低。对零件表面进行喷丸处理,可明显提高疲劳强度。

5.4.1 机加工引起表面不完整

用高温合金制成航空发动机或燃气轮机的热端零件,都必须经机械加工才能应用,例如涡轮盘必须经过车削、磨削、拉削等工序。然而这些工序都要破坏高温合金的表面完整性,造成表面粗糙,引起加工硬化和产生表面残余拉应力。GH4761和GH4169两种涡轮盘合金拉削试验结果[30]表明(图5-13),拉刀齿升f_z对合金表面粗糙度R_z有明显影响。

在齿升$f_z=0.03\sim0.06$mm/z时,粗糙度R_z存在一个较小值。而且GH4761的R_z值略大于GH4169。适当提高拉削速度

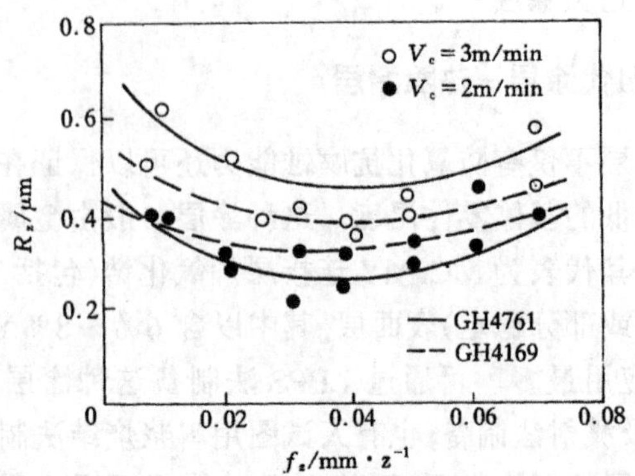

图 5-13 齿升对加工表面粗糙度的影响

V_c 和选择合适的 f_z 值，可获得较好的表面粗糙度。从表 5-10 可以看出，随着拉削速度 V_c 的提高，表面硬度 HV、表面层加工硬化程度 N 和硬化层深度 h 都降低。因为在这种情况下热效应和软化作用随之增加。同时从表 5-10 还可以看出，GH4169 合金的加工硬化大于 GH4761。残余应力随拉削速度的变化见图 5-14，可见提高拉削速度，两种材料在拉削速度方向均有残余拉应力（$+\sigma_y$），而且随拉削速度的提高而减小。同时可以看出，GH4169 表面残余拉应力在同样情况要明显高于 GH4761，前者在 330～540MPa范围，后者在150～320MPa范围。GH2135合金经磨削

表 5-10 拉削速度对加工硬化的影响

V_c/ $m\cdot min^{-1}$	GH4761			GH4169		
	HV	N(质量分数)/%	h/μm	HV	N(质量分数)/%	h/μm
2	416.6	30.2	140	440	37.5	150
3	416.6	30.2	140	424.4	31.4	130
4	424.6	32.7		386.0	20.6	
5	390.0	21.9	118	404.8	26.5	120
6	367.0	14.7	90	350.6	9.5	100
7	383.2	19.8	70	363.0	13.4	80
8	350.0	9.4	50	347.6	8.6	60

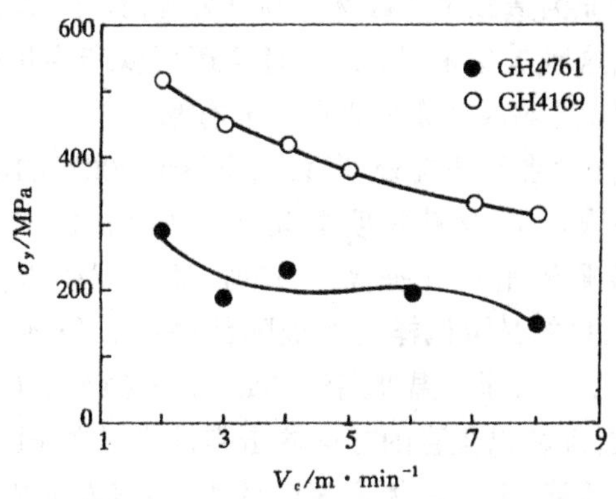

图 5-14 拉削速度对加工表面残余应力的影响

后表面也留下残余拉应力，磨削进刀量愈大，拉应力愈大，当进刀量为 50μm 时，表面残余拉应力达 526MPa。最大残余拉应力可达 700～900MPa。

机加工所引起的表面加工硬化、粗糙和残余拉应力等表面不完整对高温合金的耐蚀性和疲劳强度必然要产生不利影响，特别是残余拉应力严重降低疲劳强度。喷丸处理是解决这一问题的有效方法。

5.4.2 喷丸处理提高疲劳强度

疲劳裂纹往往容易在零件或试样表面形核，机加工后表面存在的残余拉应力要严重损害高温合金材料的疲劳性能。室温疲劳强度与平均应力的关系可以表示[31]：

$$\sigma_a = \frac{-\sigma_{-1}}{\sigma_b}\sigma_m + \sigma_{-1} \tag{5-17}$$

式中 σ_a 为疲劳强度，σ_b 为拉伸强度，σ_m 为平均应力，σ_{-1} 为对称循环疲劳强度。显然，如果残余拉应力（这里相当于平均应力 σ_m）为 $\frac{1}{2}\sigma_b$ 时，则疲劳强度就会降低一半。发动机的许多零件就是由于这种原因造成过早破坏。喷丸处理,只要工艺参数合适,不仅可以消除这种有害的拉应力,而且还可以产生压应力,从式 5-17 不难看出,这对改善疲劳强度十分有利。

GH2135 合金经喷丸处理后,从室温至 700℃ 的高温高速旋转弯曲疲劳极限(10^7)均获得明显改善。从表 5-11[32] 可以看出,对室温疲劳极限光滑试样提高了 70%,缺口试样提高了 77%;在 300℃ 和 500℃ 的光滑试样疲劳极限都提高了 38%;550℃ 缺口疲劳极限提高 25%;即使温度高达 700℃,疲劳极限还可提高 12%,喷丸处理时,丸粒以垂直的方向冲击零件或试样表面,表层金属沿着切向发生流变,由于基体金属的约束,在表面形成残余压应力,对于 GH2135,其大小接近屈服强度,深度约 0.1~0.2mm,因而有利于室温和中温疲劳强度的改善。

表 5-11 喷丸处理对 GH2135 合金不同温度疲劳强度的影响

试验温度/℃	光滑试样 σ_{-1}/MPa			缺口试样 σ_{-1}/MPa		
	未喷	喷丸	提高/%	未喷	喷丸	提高/%
20~25	260	440	70	180	320	77
300	240	330	38			
500	240	330	38			
550				240	300	25
700	340	380	12			

5.4.3 喷丸处理的实际应用

经喷丸处理的高温合金零件,通常适宜于中温即再结晶温度以下应用。如涡轮盘和涡轮叶片的榫齿和火焰筒的一些中温部位,常常采用这种表面强化工艺,镍基高温合金 K438 和 GH4710 涡轮叶片工艺规定对榫齿进行喷丸处理以提高疲劳性能[3]。GH2135 合金涡轮盘和涡轮叶片榫齿部分,采用 0.1mm 玻璃丸,0.3~0.56MPa 气压,喷丸 70~120s,以改善中温疲劳强度。GH4738 制作盘和叶片,采用喷丸处理有类似效果[3]。Incone1718 合金在 535℃ 时仍然可以保持喷丸强化的有益作用[33]。

Udimet700 合金喷玻璃丸后，室温疲劳裂纹的传播速度比电抛光状态慢了 10000 倍[34]。国内外许多航空发动机和燃气轮机高温合金零件目前仍应用这种表面强化工艺。

机械加工后零件表面留下的不完整性也可通过电抛光或者氩气保护下的消除表面残余应力退火工艺获得改善，但提高疲劳性能的效果远不如喷丸处理。

5.5 粗晶与表面晶粒细化

高温合金涡轮叶片一般希望晶粒比较粗大，以保证叶片材料在高温具有良好的抗蠕变性能，但晶粒粗大后疲劳等性能不好。在具有粗大晶粒的零件表面产生一薄层细小晶粒组织，将有助于提高综合性能和延长使用寿命。

5.5.1 用孕育剂控制表面晶粒

铸造高温合金，铸成涡轮叶片后，一般晶粒比较粗大，而且各部位晶粒尺寸和形状还不一样。例如 K417 合金铸造空心涡轮叶片，晶粒平均直径为 4～5mm，有的区域还有柱晶存在。生产中在叶片型壳内壁涂氧化钴作孕育剂，增加凝固结晶时的形核率，可使表面晶粒细化。K417 合金经表面细化后晶粒平均直径可达 0.4～3.2mm，细晶粒层的厚度约 2mm，经机械加工后细晶粒仍然存在，而且整个叶片横断面没有穿晶晶粒存在。粗大晶粒特别是柱晶在进、排气边缘的存在，容易引起材料在使用过程中裂纹提前产生和发展。晶粒细化后一般可改善强度和塑性，同时还可明显提高疲劳强度。例如 K417 合金表面晶粒细化后，高温高周疲劳强度(700℃，10^7 周)由 274MPa 提高至 294MPa[35]。国内外许多铸造高温合金涡轮叶片都仍然采用这种传统工艺，以改善合金的使用性能。

5.5.2 通过再结晶细化表面晶粒

对于变形高温合金涡轮叶片，由于表面存在加工硬化层和残余应力,可以选择合适的温度和时间,进行再结晶处理,使表面层形成一层细小晶粒。我国在生产 GH4033 涡轮叶片时,因锻造工艺等原因造成表面粗晶,大批不合格。采用喷丸和再结晶退火处理,表面形成了一层 3~5 级的细晶层,解决了质量不合格问题。

但是这种工艺对有些薄壁零件不一定有效,有时反而会带来有害影响。镍基定向凝固合金 DZ22 板状试样经机加工或喷丸后再结晶处理,均形成细小等轴晶粒层,最大深度前者为 25μm,后者达 80μm,这种表面细晶层严重降低持久性能,中温持久时间降低 90%,高温持久时间降低 30%。而 DZ22 合金主要用于制作空心涡轮叶片,最薄的部分在 0.5mm 以下。在叶片生产过程中常用吹砂和机械抛光工序,在随后的固溶处理或超温使用时,表面层可能形成细小晶粒,严重降低叶片使用寿命。因此,应调整生产工艺,避免表面严重变形,降低残余应力[36]。

5.6 表面损伤与改性

高温合金零件的表面层往往存在氧化、腐蚀、加工硬化、残余应力、粗糙、粗大第二相等许多表面损伤,利用激光束、离子束等高能束进行表面改性,可以改变高温合金零件表面的化学成分、组织结构和状态,从而改善其表面化学性能和力学性能。

激光束具有很高的功率密度($\sim 10^7 W/cm^2$),照射在金属表面很快($10^{-3} \sim 10^{-12}s$),使金属表面局部区域立即熔化。由于基体金属的有效冷却,熔化区迅速凝固,冷却速度可达 $10^6 \sim 10^9 K/s$。因而使被照射的表面发生许多有益和有趣的变化。

5.6.1 消除表面粗大有害相使成分均匀化

铸造镍基高温合金合金化程度很高,有些合金表面层就存在一些粗大的析出相和组织,如 $\gamma + \gamma'$ 共晶、MC、σ 相等,严重损伤疲劳、冷热疲劳等力学性能。利用激光熔凝处理,可以很方便地消除有害相,使表面层化学成分均匀。例如,对一种含有 Al + Ti = 13.5% 的新型高温合金激光处理,表层铸态组织中粗大的 $\gamma + \gamma'$

共晶、MC 型碳化物、σ 相以及 $\gamma' + \beta$ 包晶组织都消除了，而且激光熔区的组织稳定性很好，经 950℃ 时效 246h 仍无 σ 相析出。探针分析表明，熔区内元素分布均匀[37]。

5.6.2 消除表面粗大晶粒使组织微晶化

晶粒比较粗大的铸造高温合金和变形高温合金零件表面经激光熔凝处理可使表层晶粒组织明显细化，达到微晶级（0.1～10μm）。例如，涡轮叶片材料 GH4220 和 GH4049 镍基合金经激光处理后晶粒尺寸为 2～3μm。如此细小的晶粒组织，增加了铬到表面的扩散通道，进而改变 Cr_2O_3 氧化膜的形成动力学和氧化膜的形貌，并增加粘附性[38]。国外已有整个叶片表面作激光处理和用激光熔凝制造航空发动机涡轮盘的报道。

5.6.3 改变化学成分使表面合金化

很多航空发动机零件在实际应用中对材料的内部和表面或零件的不同部位有不同要求，如整个零件要求良好的高温强度而表面要求良好的抗氧化和抗腐蚀性能。可以在利用激光熔化的同时，加入不同的合金元素，或者利用离子注入方法加入合金元素，实现表面合金化。

K417 合金表面用 Cr-Al-Y 进行激光合金化，表面形成 Ni-Cr-Al-Y 合金层，经高温氧化形成致密而且粘附性好的 Al_2O_3 氧化膜，高温抗氧化性得到明显改善[39]。Incone1718 合金基体表面激光熔复 Ni-Cr-Al-Hf 合金，抗氧化性能大大提高[40]。

用离子注入稀土元素可使铝化物涂层得到改性。在共渗涂层中稀土元素的渗入量很难控制，而离子注入的剂量可以方便地加以调整，而且注入过程不受元素种类、基体成分等因素限制。ЭИ867 合金渗铝层中注入铈和钇，增强了 Al_2O_3 膜的粘附性[41]。Co-45Cr 合金分别注入低剂量（2×10^{14}个/cm^2）和高剂量（2×10^{16}个/cm^2）的钇离子，经 1000℃ 高温氧化对比试验[42]表明，注入高剂量钇离子的合金氧化速率低，抗氧化性好。主要原因是钇几乎全部分布在氧化物的晶界,而没有发现含 Y 的第二相存在。而注入高剂量的 Co-45Cr 合金表面氧化物晶界上钇离子的浓度很高,足以阻止 Cr^{3+} 沿晶界向外短路扩散,控制氧化速率的机制变成了 O^{2-} 向内扩散,O^{2-} 扩散比 Cr^{3+} 扩散要慢得多,所以注入高剂量合金抗氧化性要好得多。

参考文献

1 郭建亭 . 金属学报 .1979;15:201

2 Sims T, *et al*. Superalloys Ⅱ. New York. A Wiley-Intersciene Publication John Wiley & Sons. 1987: 314

3 黄福祥,王家正,王炳林,郭建亭,傅宏镇等 . 中国航空材料手册,第二分册,变形高温合金铸造高温合金 . 北京:中国标准出版社 .1989:82~868

4 Wood G C, Stott F H. High Temperature Corrosion. NACE, Houston, TX. 1983; 274

5 同 2,303

6 Wlodek S T. Trans. TMS-AIME, 1964; 230:1078

7 Yang S W. Oxid. Met. 1981; 15:375

8 郭建亭,张匀,赵洪恩,黄荣芳,陈桂云 . 中国稀土学报 .1987;5:51

9 郭建亭,黄荣芳,杨洪才,马军 . 金属学报 .1988;24:A270

10 朱日彰,何业东,齐慧滨 . 高温腐蚀及耐高温腐蚀材料 . 上海:上海科学技术出版社 .1993:238

11 Simons E L, *et al*. Corrosion. 1955; 11:505

12 朱日彰,左禹,郭曼玖 . 金属学报 .1985;21:A451

13 Zou Y *et al*. Corrosion. 1987; 43:51

14 Bornstein N S, Decrescente M A. Corrosion. 1970; 20:209

15 Bornstein N S, Decrescente M A. Met. Trans. 1971; 2:2875

16 Guo Jianting(郭建亭), *et al*. Proc. Conf. X Convegno Nazionale AIAS. Cosenza Arcavacata Di Rende, 1982:259

17 李辉,郭建亭,谭明晖,王淑荷,赖万慧,殷为民 . 材料的腐蚀与防护论文集 . 沈阳:中国科学院腐蚀与防护研究所 .1995,92

18 曾潮流 . 高温热腐蚀的电化学评定 . 博士论文,1991

19 Guo Jianting(郭建亭), *et al*. Metall. Trans. A, 1983; 14A:2329

20 Guo Jianting(郭建亭), Ranucci D., Picco E., Strocchi P. M., High Temperature Alloys for Gas Turbines, Dordrecht, Publishing Company, 1982:805

21 Guo Jianting(郭建亭), *et al*. Mater. Sci. Eng. 1983; 58:127

22 Guo Jianting(郭建亭), *et al*. Int. J. Fatigue, 1984; 61:95

23 Guo Jianting(郭建亭), Ranucci D. Int. J. Fatigue. 1983; 5:95

24 Mueller A, *et al*. J. Electrochem. Soc., 1992; 139:1266

25 Wing R. G., McGill I. R., Aircraft Eng. 1981; 53:40

26 Warnes B M, Punola. D C. Power Generation Technology. 1995; 2:207

27 U. S. Patent No. 3794511, 1974

28 李金桂. 材料工程.1996;1:3

29 Streiff R, Boone D H. Proc. 9th Int. Congr. on Metallic Corrosion. Toronto. 1984: 489

30 史重英,庞丽君. 金属学报.1995;31(增刊):S733

31 Kennedy A J. Processes of Creep and Fatigue in Metals. 1962:283

32 师昌绪,肖耀天,郭建亭等.GH135(808)铁基高温合金. 沈阳:金属研究所.1994: 223

33 Niemi R M, Johnson R E. ASTM STP. 1971:495

34 Burck L H, *et al*. Met. Trans. 1970; 1:1595

35 师昌绪,胡壮麒等.M17镍基高温合金及铸造空心涡轮叶片. 沈阳:金属研究所. 1972

36 郑运荣,阮中慈,王顺才. 金属学报.1995,31(增刊):S325

37 胡壮麒,葛云龙,师昌绪. 材料科学进展. 北京:科学出版社,390

38 Wood G C, Hodgkiess T. J. Electrochem. Soc. 1966; 113:319

39 付广艳,激光表面重熔与合金化及其对高温氧化行为的影响,硕士论文,1990.

40 Singh J, Nagarathnam K. Mazamder. High Temperature Technology. 1987; 5:31

41 Jedlinski J, *et al*. Mater. Sci. Eng., 1989, A121:539

42 Pszybylski K. Proceeding of the 10th International Symposium on Reactivity of Solids. Mater. Sci Monographs 28. The Netherlands. Elsevier, 1985:241

6　高温合金热处理

高温合金的性能主要决定于它的化学组成和组织结构。当合金成分一定时，影响合金组织的因素有冶炼铸造、塑性变形和热处理等工艺，其中热处理工艺对合金组织的影响更为敏感。不同的热处理即不同加热温度、保温时间和冷却速度以及各种特殊热处理，可使合金的晶粒度、强化相的沉淀或溶解、析出相的数量和颗粒尺寸、甚至晶界状态等不同。所以同一种合金经不同热处理后具有不同的组织，因而具有不同的性能和用途。例如 GH4169 合金、GH2132 合金等可以制作燃烧室材料和涡轮盘材料，还可用作叶片或轴等用途不同的零件。高温合金热处理通常分为固溶处理、中间处理（也称低温固溶或高温时效）和时效处理三个阶段。有些合金采用多次固溶和多次时效以获得更好的综合性能。

6.1　铁基和镍基合金热处理

6.1.1　固溶处理

高温合金成分复杂，在钢液凝固和随后冷却过程中析出碳化物相 MC、M_6C 和 $M_{23}C_6$ 等，在塑性变形过程中进一步析出 M_6C 或 $M_{23}C_6$，或粗大 γ′强化相。固溶处理目的就是将这些相尽量溶入基体中，以得到单相组织，给以后的时效沉淀析出均匀细小的强化相做准备。另一个目的是要获得均匀的合适晶粒尺寸。一般来说，升高固溶温度和延长保温时间有利于相的固溶，但固溶温度升高，合金晶粒长大，甚至低熔点共晶相熔化，因此固溶温度又不能过高。选择固溶温度和保温时间应考虑合金的成分，及其使用条件，通常，高温合金的固溶温度为 1000～1200℃。用作燃烧室材料的 W、Mo、Nb 等固溶强化的高温合金，经冷冲压成型，要求塑性和冷热疲劳性能高，因此固溶温度较低，保温时间只有几分到十几分钟。以获得细晶粒。对于时效沉淀强化的高温合金，如果要求高的屈服强度和机械疲劳性能，也要求晶粒细小，固溶温度也较低，但保温时间较长。如果要求合金具有高的持久和蠕变性能，那么晶粒尺寸较大为宜，选择固溶温度应较高。

合金晶粒大小，还与该温度下的保温时间长短有关，但其影响不如温度来得明显。

固溶处理后的冷却速度对以后的时效析出相的颗粒大小也有影响，尤其是对低合金化的高温合金更为明显。大部分合金固溶处理后采用空冷冷却，少数合金采用水冷或者油冷。与凝固结晶形成晶粒的规律相同，固溶时效析出相颗粒的生核和长大可如下表达：

$$\text{生核率}\ n = K_0\exp - \frac{K_1\alpha_1^2}{T\Delta T}\exp - \frac{K_2\alpha^3}{T(\Delta T)^2}$$

$$\text{长大线速度}\ u = \frac{K'_0}{(\Delta T)^2}\exp - \frac{K'_1}{T\Delta T}\exp - \frac{K'_2}{T}$$

式中 α 为表面张力，α_1 为线张力，$K_0, K'_0, K_1, K'_1, K_2, K'_2$ 为常数，T 为温度，ΔT 为过冷度。由式可见，生核率 n 与过冷度 ΔT 成正比，而长大线速度 u 与 ΔT 成反比。就是说，冷却速度快有利于生核而不利于长大；反之，有利于长大而不利于生核。例如，GH4033 合金经 1080℃ 固溶处理后水冷，γ' 尺寸为 10nm，经 700℃ 时效，γ' 尺寸为 20～25nm。如果固溶后以油冷，空冷和炉冷，分别为 160℃/h，80℃/h，20℃/h 冷却，然后在 700℃ 时效相同时间，此时 γ' 尺寸分别为 70～80nm，130nm，200nm。GH4037 合金在 1050℃ 固溶后，以 120℃/min，20℃/min 和 5℃/min 冷却，然后在 800℃ 时效，析出的 γ' 尺寸分别为 40～50nm，100nm，200nm。显然，由于冷却速度的不同，影响析出相的大小，从而影响着合金的屈服强度和断裂强度以及合金的塑性。

高温合金过饱和度大，快速水冷也抑止不住相的析出，因此通过常温下观察组织，来判断合金是否达到固溶是很困难的。最好的方法是采用高温金相显微镜，直接观察高温下相的溶解和晶粒大小，确定合适的固溶温度。但通常采用如下简便方法，即测定合金在不同的温度,保持一定的时间下固溶后的室温硬度值,室温硬度值不变时的最低温度,就可确定为合金的固溶温度,如图 6-1 所示。合金中相的溶解和扩散需要一定的时间,因此也可以测定合金在某温度下室温硬度不变的最短保温时间来作为合金的固溶保温时间,如图 6-2 所示。一般来说,固溶温度越高,合金中相的溶解(或分解)和扩散越快,所需时间越短,反之时间越长。这种固溶温度和保温时间的曲线函数关系,如图 6-3 所示。

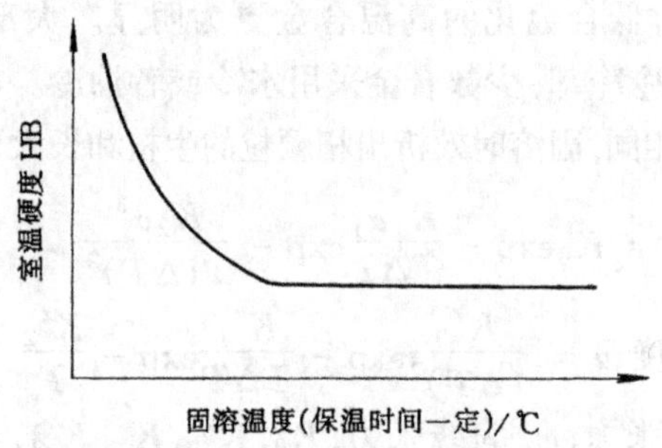

图 6-1　固溶温度与室温硬度值的关系

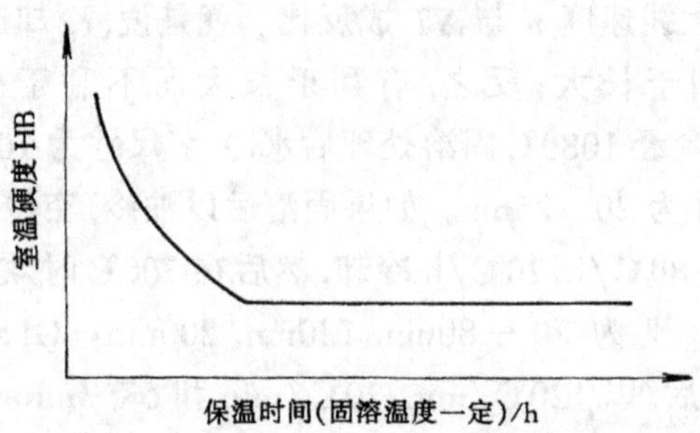

图 6-2　保温时间与室温硬度值的关系

图中 T_1 为相的开始溶解温度,T_2 为相的溶解终了温度,T_3 为相中元素扩散均匀化温度,v_1 和 v_2 为相的溶解和扩散速度。过饱和度大的合金,高温溶解的相多,应选择固溶温度较高,且保温时间较长。

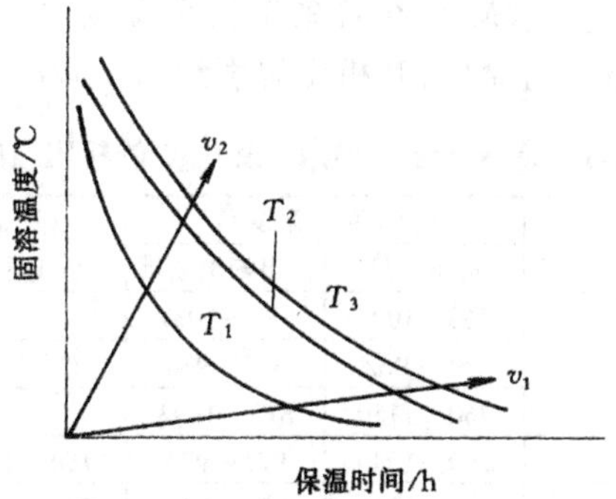

图 6-3　高温合金中相的溶解曲线示意图

6.1.2　中间处理

中间处理是界于固溶处理与时效处理之间的热处理。英、美文献中称之为稳定化处理，前苏联文献中称为低温固溶或高温时效。因此一般中间处理温度低于固溶温度而高于时效温度。中间处理的目的是使高温合金晶界析出一定量的各种碳化物相和硼化物相。例如二次 MC、$M_{23}C_6$、M_6C 以及 M_3B_2 等，同时使晶界以及晶内析出较大颗粒的 γ′相。晶界析出的颗粒碳化物，提高晶界强度，晶内大的 γ′相析出，使晶界、晶内强度得到协调配合，提高合金持久和蠕变寿命及持久伸长率，改善合金长期组织稳定性。大多数高温合金都需要进行中间处理，合金化程度高的时效强化合金尤为如此。例如 GH4037、GH4049 合金经 1050℃ 中间处理后，晶界上析出颗粒状的 $M_{23}C_6$、M_6C 碳化物，提高了合金持久强度和持久伸长率。经中间处理的 GH4049 合金，晶内析出方形的大 γ′相。在以后时效处理时又析出较小的圆形 γ′相。γ′相析出总量与未经中间处理的合金相同，但其 900℃、220MPa 条件下持久寿命提高了 50 多小时。GH2901，GH2132 合金经 760～800℃ 中间处理后，由于晶界上析出 $M_{23}C_6$、MC 等相，则提高了持久伸长率，改善了缺口持久性能。

高温合金中的碳化物主要有 MC、$M_{23}C_6$、M_6C 和 M_7C_3，它们的析出温度范围不同。因而中间处理温度不同。表 6-1 列出一些

高温合金中 $M_{23}C_6$、M_6C 在合金中析出温度范围。M_7C_3 存在于 GH4033、GH80A 合金中，其析出温度约为 1040～1090℃。

表 6-1　高温合金中 $M_{23}C_6$ 及 M_6C 的析出温度范围

合　金	$M_{23}C_6$ 存在温度/℃		M_6C 存在温度/℃	
	析出温度	析出峰值温度	析出温度	析出峰值温度
In－100	760～1093	781～1037		
B－1900	760～982	815～930	760～1149	926～1093
InC0713C	760～1150	815～1093		
MAR－M200	760～1040	871～926	760～1149	925～1150
MAR－M246	760～1040	871～930	760～1093	926～1093
TRW－NASAVIA	760～980	871～930	760～1149	980～1093
udimet700	760～1093	926～1040		
René41	760～982	760～926	760～1149	980－1093
Waspaloy	760～982	815		
unitempAF_2－1D	760～982	871	760～1149	926～1093
GH3128	700～850		950～1100	1050
GH4049	750～950	850～900	850～1080	950～1000
GH2036	600～1100	950		

6.1.3　时效处理

高温合金时效处理，有时也称沉淀处理，其目的是在合金基体中析出一定数量和大小的强化相，如 γ′相、γ″相等，以达到合金最大的强化效果。一般来说，合金的时效温度随着合金中合金元素含量的增多，尤其是铝、钛、铌、钨和钼的增加而升高，其温度约在 650～980℃之间。有些合金，为了抑制 σ、μ 等一些有害相的析出，时效温度要有所改变。通常时效温度就是合金的主要使用温度。表 6-2 列出一些镍基合金中主要合金元素含量与该合金时效温度及其使用温度情况。

有些高温合金如 GH2036、GH4710，其时效处理分二级进行，其目的是调整强化相的大小以获得强度和塑性的最佳配合。

时效处理对合金强度起决定性作用。绝大部分高温合金以 γ′相强化，强化程度取决于 γ′相数量和大小。表 6-3 列出一些合金时效后的 γ′析出量，析出峰值温度范围。

表 6-2　一些镍基合金主要元素含量与时效温度、使用温度关系

合金	主要元素含量(质量分数)/%					时效温度/℃	使用温度/℃
	Al	Ti	Nb	W	Mo		
GH4033	0.55～0.95	2.2～2.7				700～750	700～750 的盘件和叶片
GH4043	1.0～1.7	1.9～2.8	0.5～1.3	2.0～3.5	4.0～6.0	800	800～850 的卡圈和叶片
GH4037	1.7～2.3	1.8～2.3		5.0～7.0	2.0～4.0	800	800～850 的叶片
GH4143	4.5～5.5	0.75～1.75			4.5～6.0	700	900 空心叶片
GH4049	3.7～4.4	1.4～1.9		5.0～6.0	4.5～5.5	850	900 叶片
GH4118	4.5～5.5	3.5～4.5			3.0～5.0	1100	950 叶片
GH4151	5.2～6.2		1.95～2.35	6.0～7.5	2.5～3.1	950	950 叶片
GH4220	3.9～4.8	2.2～2.9		5.0～6.5	5.0～7.0	950	950 叶片

表 6-3　高温合金时效 γ′相量与析出峰值温度

合　金	γ′析出量(质量分数)/%	γ′析出峰值温度/℃
GH4033	8～9	650～700
GH4037	20～22	800～850
GH2130	10	850 左右
GH4143	42～44	700 左右
GH4049	42～44	850～900
GH4151	55	850～900
GH2135	17～19	
GH95	21	
GH167	12	
K4	55	
K16	53	
K17	66	
K18	56～59	
In-100	64	
Udimet700	38	
TRW-1900	63	
B-1900	61	
Nimanic115	47	
Udimet500	33	

一些铁基和镍基变形高温合金的热处理规范列于表 6-4。

表 6-4　一些铁基、镍基变形高温合金热处理规范

合金牌号	基体	强化类型	热处理规范
GH4035	铁基	固溶强化	1100～1140℃空冷
GH1140	铁基		1080～1100℃空冷
GH3015	镍基		1130～1170℃空冷
GH3030	镍基		980～1020℃空冷
GH3039	镍基		1050～1080℃空冷
GH3044	镍基		1120～1160℃空冷
GH3170	镍基		1230±10℃空冷
GH2130	铁基	时效(沉淀)强化	1180℃1.5h 空冷,1050℃4h 空冷,800℃16h 空冷
GH2302	镍基		1180℃2h 空冷,1050℃4h 空冷,800℃16h 空冷
GH4033	镍基		1080℃8h 空冷,700℃16h 空冷
GH4037	镍基		1180℃2h 空冷,1050℃4h 空冷,800℃16h 空冷
GH4143	镍基		1150℃4h 空冷,1065℃16h 空冷,700℃16h 空冷
GH4049	镍基		1200℃2h 空冷,1050℃4h 空冷,850℃16h 空冷
GH4151	镍基		1250℃5h 空冷,1000℃5h 空冷,950℃16h 空冷
GH4118	镍基		1190℃1.5h 空冷,1100℃6h 空冷
GH4220	镍基		1220℃4h 空冷,1050℃4h 空冷,950℃2h 空冷
GH2036	镍基		1140℃80min 水冷,650～670℃14～16h 升温到 770～800℃ 14～20h 空冷
GH2132	铁基		980℃1～2h 油或水冷,700～720℃12～16h 空冷
GH2135	铁基		1140℃4h 空冷,830℃8h 空冷,650℃16h 空冷
GH2761	铁基		1120℃2h 空冷,850℃4h 空冷,750℃24h 空冷
GH4901	铁基		1090℃2～3h 水冷或空冷,775℃ 4h 空冷,705～720℃ 24h 空冷
GH4169	镍基		950℃1h 空冷,720℃8h,以 50℃/h 炉冷到 620℃8h 空冷
GH4698	镍基		1120℃8h 空冷,1000℃4h 空冷,775℃16h 空冷
GH4710	镍基		1170℃4h 空冷,1080℃ 4h 空冷,845℃ 24h 空冷,760℃ 16h 空冷
GH4738	镍基		1080℃4h 空冷,840℃24h 空冷,760℃16h 空冷

6.2　铸造高温合金热处理

60 年代中期以前,铸造高温合金一般铸态直接使用,以后随着铸造合金使用温度的提高,为了使组织均匀化,提高合金的高温蠕变和持久性能，一些铸造合金的合金化程度愈来愈高，特别是定向凝固高温合金及单晶合金的出现，使热处理成为铸造合金零部件生产的不可缺少的工序之一。

合金的热处理与合金成分和显微组织特点密切相关，在成分和显微组织方面，与变形高温合金不同，铸造合金具有如下特点：

1)普通多晶铸造合金和定向凝固合金的含碳量一般为大于或等于0.10%，高于变形合金，而单晶合金不含碳，碳含量一般控制在不大于0.01%，因此普通多晶铸造合金和定向凝固合金中的一次碳化物MC远高于变形合金，单晶合金中则只有细小分散的晶内一次碳化物MC。

2)为了尽可能获得较高的高温持久强度和蠕变性能，一些高强度Ni基铸造高温合金都含有很高的W、Mo、Ta等Ⅵ族难熔金属元素，其中Ta等元素易形成较稳定的碳化物，影响碳化物在热处理过程中的分解反应程度。定向凝固和某些铸造合金还往往含有1.0%～2.0%Hf，这些合金加Hf的目的是提高持久性能和瞬时强度，并可显著提高定向凝固合金的横向性能，防止型芯铸件在凝固冷却过程中发生开裂。但合金含Hf后，其初熔温度降低到1210℃以下，这是由于含Hf合金内形成低熔点相Ni_5Hf，Ni_5Hf出现于γ-γ'共晶和M_3B_2硼化物周围，对γ-γ'共晶和M_3B_2硼化物的提早熔化有明显的诱发作用，使其在更低温度下熔化。合金中Ni_5Hf量愈多，合金初熔愈严重，定向凝固合金DZ22的Ni_5Hf量与其初熔量的关系如表6-5所示。低碳含Hf合金的初熔倾向更严重，因为低碳合金的基体对Ni_5Hf相的固溶能力下降而使合金中Ni_5Hf量增加。

表6-5　DZ22合金的Ni_5Hf量与其初熔量的关系

Ni_5Hf量(体积分数)/%	0.11	0.49	0.79	1.29
1205℃/2h的初熔量(体积分数)/%	0	0	0.5	3.5

3)铸造高温合金的铸态组织是一种偏离平衡态的组织，即树枝状凝固结晶的组织特点，在树枝干和树枝晶间隙间存在着严重的成分和组织的不均匀性，这种不均匀性使合金材料在一种热处理制度下产生完全不尽相同的效果。

基于上述成分和显微组织特点，铸造高温合金热处理规范与上述变形高温合金有所不同，如下分别叙述普通多晶铸造合金、定向凝固合金和单晶合金的热处理特点。

6.2.1 普通多晶铸造高温合金热处理

铸造高温合金主要用于燃气涡轮的涡轮叶片和导向器叶片，因此其热处理的主要目的是提高高温强度和持久蠕变性能，目前铸造高温合金热处理常用的有三类：固溶处理、时效处理和固溶+时效处理。

(1)固溶热处理　固溶热处理的作用是将铸态粗大 γ' 相颗粒全部或部分固溶后在空冷过程中析出更细小 γ' 颗粒，以提高合金的高温强度通常铸造合金固溶温度范围为 1180～1210℃。合金的固溶温度愈高，铸态粗大 γ' 相固溶得愈多，固溶处理后析出细 γ' 量愈多，合金强度愈高。当固溶处理温度使合金中全部粗 γ' 相固溶时，这种固溶处理称为完全固溶热处理，否则就称为不完全固溶热处理。选用哪一种固溶热处理，由合金的用途来决定，一般为了获得较高的高温强度则采用完全固溶处理，而为了获得一定的高温强度并兼有良好的塑性，则合金采用不完全固溶处理。除此之外，通常铸造合金采用不完全固溶处理，其原因还在于铸造高温合金中含有 $\gamma+\gamma'$ 共晶相和 M_3B_2 低熔点硼化物相，$\gamma+\gamma'$ 共晶相的熔化温度约为 1250℃左右，M_3B_2 相的熔化温度为 1220℃，从而使铸造高温合金的初熔温度大大降低。而为着进行完全固溶热处理，使铸态粗 γ' 相全部固溶，一般固溶温度必须高于 1250℃，此时铸造合金已发生初熔，这是合金热处理所不允许的。

在完全固溶热处理过程中，铸态组织的显微偏析(即成分和组织的不均匀性)减少枝晶间偏聚元素 Nb、Ti、Al、Hf 等向枝晶干扩散，而 Cr、W、Mo 等偏聚于枝晶干的元素则向枝晶间隙扩散，且随着固溶温度升高，时间延长，偏析消除得愈好，但在不完全固溶处理下，这种铸态显微偏析难以消除。

在固溶处理过程中，除 γ' 相固溶外，还有碳化物的分解和析出，MC 一次碳化物缓慢分解，并析出 $M_{23}C_6$ 和 M_6C 二次碳化物，后者以颗粒状或针状分布于晶界和晶内的残余 MC 周围。

(2)时效热处理　铸造高温合金直接时效热处理的作用是提高合金的中温持久性能并减小性能的波动。时效处理温度一般为 860～950℃，时间为 16～32h，时效处理温度低则时间长，时效温度高则处理时间短。时效处理过程中，铸态粗 γ′相不发生变化，只是细 γ′相析出于粗大 γ′相之间的 γ 基体内，另外晶界析出 $M_{23}C_6$和 M_6C 二次碳化物颗粒。正是这些变化，对合金的中温强化起着一定作用。

(3)固溶＋时效热处理　铸造合金通过完全固溶处理后，合金强度提高了，但是塑性明显下降，因此目前一些高强度铸造高温合金，为了获得优良的综合性能，即既有很高的强度，又有一定的塑性，合金固溶后应跟着进行时效处理。时效处理分一级、二级和三级，一级时效处理温度仍为 860～950℃，二级时效处理分为高温时效 1050～1080℃和低温时效 760℃，三级时效处理一般为 1050～1080℃＋860～950℃＋760℃，由于二级和三级时效处理后，合金中既有粗大 γ′相又有细小 γ′相弥散析出，使合金具有最佳的综合性能。

铸造高温合金用作涡轮叶片和导向器叶片时，一般需进行防腐抗氧化涂层，涂覆合金涂层后的涂层扩散处理温度也正是一般高温时效温度 1050～1080℃，因此合金经涂层扩散处理后无需再进行高温时效处理。

6.2.2　定向凝固高温合金热处理

普通铸造高温合金固溶处理后往往强度提高而塑性和持久寿命下降，这是合金内各个取向不同的晶粒，由于其内 γ′析出强化，使晶界附近难以塑性变形，因为多晶体塑性变形时需要各个晶粒协调变形，即晶界易于变形流动，否则容易开裂。定向高温合金的应变通过晶界传递而不开裂的能力大增，所有晶界沿应力轴方向生长，因此定向合金通常采用固溶热处理来获得最佳性能。

为了使定向凝固合金内所有铸态粗大 γ′相(包括共晶 γ+γ′相在内),全部溶解,以便冷却时细小 γ′相能在整个合金基体内均匀析出,要求进行完全固溶处理,即将合金加热到 γ′相固溶温度以上。但是固溶温度不能超过合金的初熔温度,否则引起合金局部区域熔化,使合金性能显著降低。而大多数定向合金,特别是含 Hf 的定向合金,合金的初熔温度往往低于铸态 γ′相的固溶温度,因此不能进行完全固溶处理。为了尽可能使铸态 γ′相更多地固溶,通常将固溶处理温度选择在合金初熔温度之下 10～20℃,此外对于含 Hf 的定向合金,应在 1100～1200℃下进行合金的预处理,以最大限度地消除合金中低熔点相 Ni_5Hf,使最终固溶处理的定向合金初熔倾向明显减少,然后再进行正常的固溶处理。

γ′相颗粒尺寸影响合金的力学性能,为此必须控制固溶结束以后的冷却速度,以控制 γ′相颗粒尺寸。通常定向凝固合金在真空炉内氩气保护下进行热处理,防止合金零件高温氧化,保温结束后,继续向炉内送入氩气,并让氩气吹过被冷却的部件表面,以达到快速冷却目的,一般冷速约为 55℃/min 左右。

通常为提高定向凝固合金的屈服强度等性能,合金还需进行中温时效处理,处理温度 700～900℃,时间 16～32h。

6.2.3 单晶高温合金热处理

单晶高温合金材料内没有晶界,合金内无 C、B、Zr 等晶界强化元素,由于这些元素的低熔点化合物的消除,使合金的初熔温度增加了 60～90℃,而合金初熔温度的提高,使单晶合金的固溶热处理温度大大提高,原来铸造高温合金固溶处理时根本不溶解的 γ-γ′共晶相在高温固溶处理下得以全部固溶,并在其后的冷却过程中析出细小 γ′相的体积百分数达到 60%以上,因此单晶合金全部采用完全固溶热处理。

在完全固溶热处理条件下,固溶温度达到 1260℃以上,除铸态 γ′相和 γ-γ′共晶相基本上全部固溶外(>90%),单晶合金成分和显微组织的树枝状凝固偏析分布基本消除,即固溶热处理在单晶合金中起着均匀化处理的作用。

70年代末出现的第一代单晶高温合金 PWA1480, CMSX-2 等存在着固溶热处理温度范围窄的缺点，一般只有 10～15℃ 左右，因此要求温度控制非常准确，否则将引起合金的初熔并使合金

表 6-6 国内外一些普通铸造、定向凝固和单晶高温合金热处理规范

合金牌号		热处理规范					
		固溶处理			时效处理		
		T /℃	时间/h	冷却方式	T /℃	时间/h	冷却方式
普通铸造多晶合金	K401	1120	10	空冷			
	K403	1260	2	空冷			
	K405	铸态					
	K406				980	5	空冷
	K417	铸态					
	K418	铸态					
	K438	1120	4	空冷	850	24	空冷
	K002				870	16	空冷
	A286	1095	2	快冷	720	16	空冷
	B1900	铸态					
	IN792	1120	2	空冷	845	24	空冷
	IN939	1160	4	空冷	850	16	空冷
	Inconel718	1095	1	空冷	620	10	空冷
	Mar－M200				870	50	空冷
	Mar－M246				845	50	空冷
	Mar－M247				870	16	空冷
	René41	1095	0.5	快冷	900	4	空冷
	René80	1220	2	空冷	1095＋1055＋845	4＋4＋16	空冷
	Udimet700	1150	2	空冷	760	16	空冷
定向凝固合金	DZ4	1220	4	空冷	870	32	空冷
	DZ22	1205	2	空冷	870	32	空冷
	DZ22B	1205	2	空冷	1080＋870	4＋32	空冷
	DZ38G	1190	2	空冷	1090＋850	2＋24	空冷
	Mar－M200DS	1230	4	空冷	870	32	空冷
单晶合金	DD3	1250	4	空冷	870	32	空冷
	DD8	1100＋1240	8＋4	空冷	1090＋850	2＋24	空冷
	PWA1480	1288	4	空冷	1080＋870	4＋32	空冷
	CMSX2	1315	4	空冷	1080＋870	6＋20	空冷

性能有较大波动。目前开发使用的第二代单晶高温合金PWA1484、CMSX-4等含有较高的铼,铼是高熔点元素,不仅提高单晶高温合金的高温蠕变强度,而且铼阻碍 γ'相长大,扩大固溶处理温度为32℃左右,使单晶高温合金固溶热处理变得易于控制。据介绍,目前国外正在开发的第三代单晶合金,如CMSX-10等固溶热处理温度提高到1366℃,所有铸态 γ'相和 γ-γ'共晶相100%的全溶,固溶处理后的合金成分和显微组织更加均匀化。表6-6列出了一些国内外普通多晶铸造、定向凝固和单晶高温合金的热处理规范。

6.3 钴基高温合金热处理

钴基高温合金的热处理同样有固溶、固溶+时效和时效三种热处理,但是没有像镍基高温合金那样二级或三级的固溶或时效处理,一般只有一级固溶或时效处理。另外,钴基高温合金主要是碳化物强化型合金,因此其热处理的目的是改善碳化物的分布,固溶并重新析出更细小的 $M_{23}C_6$ 颗粒。1150℃以上固溶1~4h,可使合金内第二相即粗大的碳化物大部分固溶,并在一定程度上使铸态组织均匀化。但是在固溶处理温度下碳化物不可能完全固溶,因此严格地说,大多数钴基合金不可能完全固溶处理。760~980℃时效处理,则可使 $M_{23}C_6$ 颗粒析出更细小均匀,时效温度愈低,析出相愈细小,抗拉强度愈高,塑性愈低,而要获得较高的高温持久强度和塑性,一般要求析出相略粗大些,因此应根据材料的使用性能要求,选择时效处理制度。

变形钴基高温合金一般显微组织简单,合金内的碳化物含量较低,因而合金的热处理也简单,如HS25、HS188和Stellite6B等在固溶处理条件下使用。即使有一定碳化物,由于碳化物较稳定,固溶时不能完全溶入基体,而时效析出的强化相容易在使用过程中进一步过时效,所以也不宜进行时效处理。

铸造钴基合金一般铸态使用,除FSX-414外都不进行热处理,碳化物的分布及其形态主要通过浇铸温度和冷却速度来控制,并在合金长期使用过程中,碳化物还会进一步析出。

钴基合金一般不含 Al、Ti 等活性元素,除非是高温处理或 Mar－M509 等含有 Zr 等活性元素,需要真空或惰性气体保护下热处理,通常钴基合金在非真空气氛下热处理。

钴基高温合金热处理规范如表 6-7 所示。

表 6-7　钴基高温合金热处理规范

<table>
<tr><th colspan="2" rowspan="3">合金牌号</th><th colspan="6">热处理规范</th></tr>
<tr><th colspan="3">固溶处理</th><th colspan="3">时效处理</th></tr>
<tr><th>T /℃</th><th>时间/h</th><th>冷却方式</th><th>T /℃</th><th>时间/h</th><th>冷却方式</th></tr>
<tr><td rowspan="4">变形合金</td><td>Haynes25(L605)</td><td>1230</td><td>1</td><td>快速空冷</td><td></td><td></td><td></td></tr>
<tr><td>Haynes188</td><td>1175</td><td>0.5</td><td>快速空冷</td><td></td><td></td><td></td></tr>
<tr><td>S－816</td><td>1175</td><td>1</td><td>快冷</td><td>760</td><td>12</td><td>空冷</td></tr>
<tr><td>Stellite6B</td><td>1230</td><td>1</td><td>空冷</td><td></td><td></td><td></td></tr>
<tr><td rowspan="5">铸造合金</td><td>FSX－414</td><td>1150</td><td>4</td><td>快冷</td><td>980</td><td>4</td><td>空冷</td></tr>
<tr><td>HS－31(X40)</td><td colspan="6">铸态</td></tr>
<tr><td>Mar－M302</td><td colspan="6">铸态</td></tr>
<tr><td>Mar－M509</td><td colspan="6">铸态</td></tr>
<tr><td>WI－52</td><td colspan="6">铸态</td></tr>
</table>

6.4　高温合金的退火热处理

前面所说的高温合金固溶和时效热处理,是由于材料使用性能要求而进行的,其主要目的是提高材料的高温强度和持久性能,因此这种热处理通常称为强化热处理。另有一种热处理是为材料加工成形工艺过程需要而进行的,这就是本节所述的退火热处理,其主要目的是降低材料硬度,提高塑韧性,因此这种热处理也称为软化热处理,它分为应力消除处理和再结晶退火处理两类,现分述如下。

6.4.1　应力消除处理

应力消除处理是消除高温合金材料在冷热加工和铸造焊接成形过程中所产生的残余应力,消除应力处理通常在低于合金再结晶温度以下进行。具体合金处理规范应根据合金的成分和组织特性以及各种加工成形过程中残余应力的类型和大小来选择，其次在确定热处理规范时，在考虑到最大残余应力消除同时，还要尽可能防止对合金力学性能和抗氧化性能的不利影响。国外一些高温合金应力消除处理规范列于表 6-8。

表 6-8　国外一些高温合金的退火热处理规范

<table>
<tr><th colspan="2" rowspan="3">合金牌号</th><th colspan="4">退火热处理规范</th></tr>
<tr><th colspan="2">应力消除处理</th><th colspan="2">再结晶退火处理</th></tr>
<tr><th>T /℃</th><th>时间/h·cm⁻¹
（断面厚度）</th><th>T /℃</th><th>时间/h·cm⁻¹
（断面厚度）</th></tr>
<tr><td rowspan="4">铁基合金</td><td>RA－330</td><td>900</td><td>2.5</td><td>1110</td><td>0.6</td></tr>
<tr><td>19－9DL</td><td>675</td><td>10</td><td>980</td><td>2.5</td></tr>
<tr><td>A－286</td><td></td><td></td><td>980</td><td>2.5</td></tr>
<tr><td>Discaloy</td><td></td><td></td><td>1035</td><td>2.5</td></tr>
<tr><td rowspan="17">镍基合金</td><td>Astroloy</td><td></td><td></td><td>1135</td><td>10</td></tr>
<tr><td>HastelloyB</td><td></td><td></td><td>1175</td><td>2.5</td></tr>
<tr><td>HastelloyC</td><td></td><td></td><td>1215</td><td>2.5</td></tr>
<tr><td>HastelloyX</td><td></td><td></td><td>1175</td><td>2.5</td></tr>
<tr><td>Incoloy 800</td><td>870</td><td>3.75</td><td>980</td><td>0.6</td></tr>
<tr><td>Incoloy 825</td><td></td><td></td><td>980</td><td></td></tr>
<tr><td>Incoloy 901</td><td></td><td></td><td>1095</td><td>5</td></tr>
<tr><td>Inconel 600</td><td>900</td><td>2.5</td><td>1010</td><td>0.6</td></tr>
<tr><td>Inconel 625</td><td>870</td><td>2.5</td><td>980</td><td>2.5</td></tr>
<tr><td>Inconel 718</td><td></td><td></td><td>955</td><td>2.5</td></tr>
<tr><td>InconelX－750</td><td>880</td><td></td><td>1035</td><td>1.3</td></tr>
<tr><td>Nimonic 80A</td><td></td><td></td><td>1080</td><td>5</td></tr>
<tr><td>Nimonic 90</td><td></td><td></td><td>1080</td><td>5</td></tr>
<tr><td>René41</td><td></td><td></td><td>1080</td><td>5</td></tr>
<tr><td>U500</td><td></td><td></td><td>1080</td><td>10</td></tr>
<tr><td>U700</td><td></td><td></td><td>1135</td><td>10</td></tr>
<tr><td>Waspalloy</td><td></td><td></td><td>1010</td><td>10</td></tr>
<tr><td rowspan="3">钴基合金</td><td>HS－25(L－605)</td><td></td><td></td><td>1230</td><td>2.5</td></tr>
<tr><td>HS－95</td><td></td><td></td><td>1175</td><td></td></tr>
<tr><td>S816</td><td></td><td></td><td>1205</td><td>2.5</td></tr>
</table>

如表 6-8 所示，实际进行应力消除处理的合金只是那些固溶强化型合金，因为 γ' 相析出强化型合金在消除应力热处理温度下

要发生时效析出强化，而使合金难以加工成形。铁基合金 RA-330 和 19-9DL 虽是固溶强化型合金，但经应力消除处理后，其晶间裂纹敏感性强，因此，在用于酸或蒸汽的腐蚀环境下，要求较好的抗腐蚀性能时，这些合金也不能进行应力消除处理，而应以再结晶退火处理代替。

时效析出强化型的铁基和镍基高温合金为消除加工和焊接成形过程中的残余应力应采用再结晶退火热处理，而且应快速升温，以避免不必要的 γ′相时效析出。当然这种热处理后，合金内残余应力消除了，但同时有 γ′相局部固溶并在随后冷却时重新析出。

大多数变形钴基合金，即使加工中的残余应力很大，一般也不采用应力消除处理，而是进行再结晶退火处理来消除应力。

高温合金铸件在下述情况下需进行应力消除处理：1)铸件形状复杂，壁厚不均，其残余应力易在使用过程中导致铸件开裂。2)对铸件的尺寸公差要求严格，而残余应力将使铸件在使用中发生变形和尺寸变化。3)焊接的铸件。由于铸件形状多种多样，铸造和焊接成形的工艺因素复杂，因此同一种铸造合金也应根据不同情况确定热处理规范，实际上，一些铸造合金铸件在消除应力处理前，应先作残余应力与处理温度和时间的关系试验，根据试验确定处理规范。

6.4.2 再结晶退火热处理

再结晶退火处理是将合金加热到再结晶温度以上使其完全再结晶，以达到控制晶粒度和最大程度软化的目的。再结晶退火处理通常用于固溶强化型的变形高温合金的冷热加工和焊接成形，对于 γ′相析出强化型变形高温合金，通常其再结晶退火处理可按该合金的固溶热处理规范进行，所不同的只是这两种处理的目的，作为再结晶退火处理，目的是提高塑性、降低硬度，以便于加工和焊接成形。

国外一些变形高温合金再结晶退火处理规范见表 6-8。大多数变形高温合金都经冷加工成形，冷加工条件苛刻，高温合金难以一次成形,因此往往需要多次的中间退火操作。

变形高温合金再结晶退火后的晶粒度对合金的力学性能有很大影响,晶粒度的控制不仅与退火温度和时间有关,还与退火前的冷热加工变形量的大小有关。冷加工和退火温度对 Nimonic90 合金晶粒度的影响如图 6-4 所示。

铸造高温合金一般不进行再结晶退火。

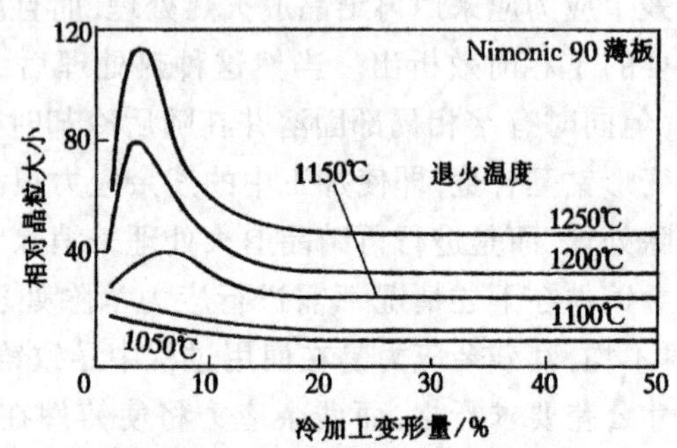

图 6-4　退火温度、冷加工变形量对 Nimonic90 合金晶粒度的影响

6.5　弯曲晶界热处理

上述普通热处理的合金晶界都是平直的,要想获得锯齿形状的弯曲晶界需要进行特殊的热处理。如 GH4220, GH4037, Nimonic115、118 和 ЭП220 - ВД 等国内外合金进行特殊热处理后得到锯齿形状的弯曲晶界。弯曲晶界可以增加合金的抗蠕变和持久性能,而且同时提高合金持久塑性(δ%)。获得弯曲晶界的热处理主要有三种即:控制固溶后的冷却速度的控冷处理,固溶后析出相再次固溶的固溶处理和固溶处理后空冷到某一温度下保温,然后再空冷的保温处理。图 6-5 是弯晶处理的示意图,图中未列出时效处理。

(1)控制冷却速度处理是将合金加热到固溶温度,保持一定时间,使第二相充分固溶并让晶粒长大到合适程度,然后以一定的冷却速度(往往是比空冷速度缓慢)冷却到某一温度或室温之后再

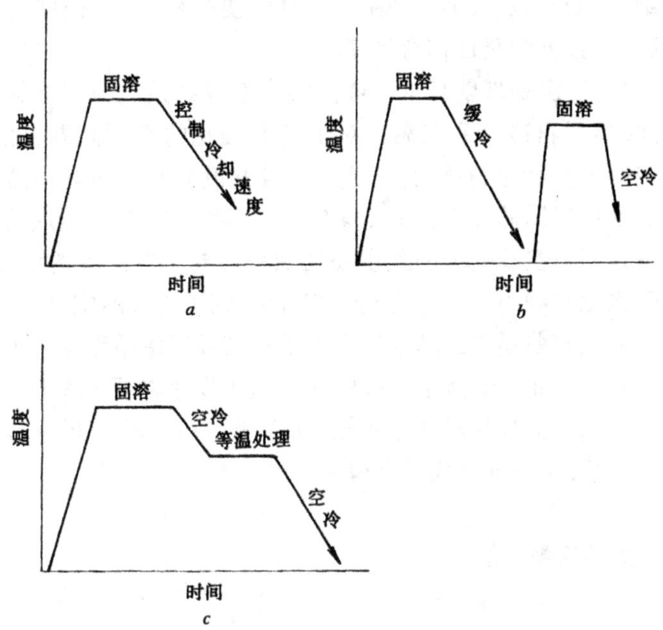

图 6-5　弯曲晶界三种处理示意图

a— 控制冷却速度；*b*— 回溶处理；*c*— 等温处理

进行时效处理。由于缓冷过程中在晶界上沉淀粗大的第二相（γ'或各种碳化物），加上位向与界面能等作用，使晶界产生了锯齿形弯曲。缓冷处理中析出的第二相总是粗大的，类似过时效的情况。这种情况下获得的弯曲晶界虽然提高了晶界强度，使合金塑性有显著改善，但晶内“过时效”降低了合金的蠕变，持久和疲劳性能。这样，晶内与晶界强化没有得到配合，合金塑性的增加是在牺牲强度情况下实现的。很明显，用这种处理方法难以得到良好的综合性能。

(2)固溶处理克服了缓冷工艺的缺点，提高了合金热强性能。它是在控冷处理之后接着进行一次固溶处理，将基体内粗大的第二相（一般为 γ'）大部分溶解，然后在空冷或时效时重新析出较弥散的第二相。这样既保留了弯曲晶界，提高晶界的强度，又由于晶

内细 γ'相重新析出而提高晶内强度,使晶界、晶内强度有了较好的配合,强度和塑性都有提高。

(3)等温处理就是将合金固溶后空冷到某一温度并保持一定时间,然后再冷却到室温。对于以 γ'强化的镍基高温合金,固溶后空冷中 γ'相迅速析出,尺寸较小且弥散分布。而弯曲晶界是在等温处理时因晶界上沉淀出第二相(多数为碳化物)造成的。这种等温处理与控冷处理的最主要区别是形成弯曲晶界的温度较低,因而强化相细小。这样,强度和塑性得到了更好的配合。

形成弯曲晶界的基本原因就是在高温下使晶界首先析出第二相,如 γ'相和碳化物相。这样在高温下发生晶界迁移时,第二相颗粒钉扎住部分晶界使之不动,而在第二相颗粒之间的晶界发生晶界迁移,从而就造成了锯齿形弯曲晶界。

参考文献(略)

7　高温合金熔炼工艺

为了使高温合金具有所需要的耐高温、抗腐蚀性能，必须保证其具有一定的化学成分、纯净度及合适的组织结构，而合金的成分及纯洁度取决于熔炼技术。因此，熔炼工艺是高温合金生产过程中的关键环节。

高温合金在化学成分上具有如下特点，即合金比高，含有大量的钨、钼、铌、铬等密度大的元素和易氧化元素铝、钛、硼、铈等。这些特点决定了高温合金不同于普钢的熔炼技术，通常合金化程度低的高温合金多采用大气下电弧炉及感应炉熔炼，或经大气下一次熔炼后再经电渣炉或真空电弧炉重熔。合金化程度高的高温合金，则采用真空感应炉熔炼，或真空感应炉熔炼后再经真空电弧炉或电渣炉重熔。

在真空下，熔化的合金料避免了大气的氧化和污染，合金料中 Pb、Bi、Sn、Sb 等有害元素因真空蒸发而减少，并且合金成分能准确控制，因而真空冶炼方法特别适合于高温合金材料的生产，无疑真空冶炼已经成为现在高温合金材料生产的主要手段。

国内外冶炼高温合金的设备有电弧炉、感应炉、真空感应炉、真空电弧炉和电渣炉，此外还有电子束炉和等离子电弧炉等。

我国在四十多年的生产实践中，熔炼技术不断开拓和革新，从最初的大气下电弧炉熔炼发展到多次组合的熔炼工艺，见表 7-1，并对这些熔炼技术进行了大量研究工作，为我国科技进步和国防建设做出了贡献。

表 7-1　一些典型 Ni 基、Fe 基高温合金的熔炼工艺路线

熔炼工艺路线	合金牌号
电弧炉	GH3030、GH1035、GH2036、GH4033、GH3039、GH1140
非真空感应炉	GH3030、GH3044
电弧炉 + 电渣炉重熔	GH3030、GH1035、GH35A、GH2036、GH3039、GH4033、GH1140、GH1015、GH2132、GH2135、GH3128、GH3333
电弧炉 + 真空电弧炉重熔	GH3039、GH3044、GH4033、GH2132、GH2135
非真空感应炉 + 电渣炉重熔	GH4033、GH3044、GH3128、GH4037、GH2135、GH2132、GH3333、GH1131、GH1138、GH4043、GH2136
真空感应炉 + 真空电弧炉重熔	GH4169、GH33A、GH4037、GH105、GH80A、GH4118、GH4738、GH4141、GH4698、GH4220、GH4302、GH2901、GH4761、GH2130、GH4049
真空感应炉 + 电渣炉重熔	GH4169、GH3170、GH80A、GH4037、GH4049、GH4146、GH4118、GH4698、GH4302、GH2135、GH4761、GH2130、GH4141、GH500、GH4099

7.1　电弧炉熔炼

高温合金在电弧炉冶炼条件下，与其他特殊钢冶炼一样，整个过程是由氧化还原反应所规定的。但由于高温合金的合金元素多和合金化程度高，而许多合金元素又是易氧化元素，此外对杂质元素(如 P、S、Pb、Sb、Sn、As、Bi 等)和气体(如 H_2、O_2、N_2)的含量要求更严格，因而形成了高温合金冶炼工艺的特点：

(1)为了减少贵重元素的氧化烧损，提高收得率，在冶炼方法上基本采用不氧化法，铝、钛元素多以中间合金形式加入；

(2)原材料要求精，即原材料中 P、S、Pb、Sb、Sn、As、Bi 等低熔点有害杂质元素和气体含量要求低，所使用的原料和辅助材料都要经过烘烤，保证干燥，水分要低；

(3)一般均采用扩散脱氧与沉淀脱氧的综合脱氧方法，而且脱氧剂多是脱氧能力强的材料。

下面就电弧炉熔炼的几个关键问题加以介绍。

7.1.1 易烧损元素铝、钛的控制

高温合金中大多含有一定量的铝和钛，它们易氧化，密度轻，如果在熔炼时直接加入金属 Al 和金属 Ti，不仅收得率低，而且不稳定，使成分难以控制，目前在国内外多是以中间合金的形式加入。

众所周知，钛的氧化物在高温下可被铝还原生成金属钛，即

$$3TiO_2 + 4Al \xrightarrow[\triangle]{} 3Ti + 2Al_2O_3$$

此时生成的钛可进入钢液中，而 Al_2O_3 可进入渣中。根据此原理，在电弧炉中将不同配比的 TiO_2 粉及铝粉混合物加在钢液面上，在高温下通过反应即可获得不同钛、铝含量的中间合金。

与镍、铁相比钛、铝的密度小，加入在钢液中不易均匀，为了得到铝、钛均匀的中间合金，可采用一种特殊工艺，即加入半烧透石灰（石灰石经焙烧但还未完全分解的石灰）使钢液沸腾搅拌，从而达到均匀化目的。

7.1.2 微量碳的控制

实践证明，合金中碳含量的控制极为重要，以 GH4033 合金为例，该合金含碳量要求不大于 0.06%。但当碳含量超过 0.045% 时，碳化物带状或细晶带组织将会出现，致使检验合格率下降，见图 7-1。

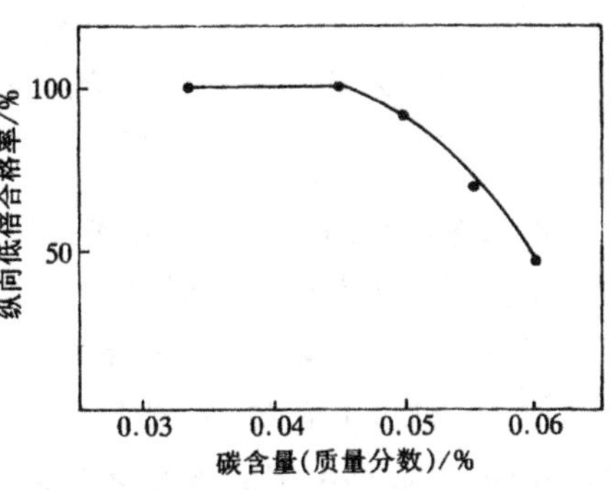

图 7-1 GH4033 含碳量与纵向低倍合格率的关系

为了严格控制碳含量，经反复实践，一般应采取如下措施：

(1) 所用原材料碳含量要低；

(2) 以卤水为粘结剂，筑打镁砂炉体，防止炉衬进碳；

(3) 采用高强度优质

石墨电极；

(4)合理布料，防止增碳；

(5)渣量要适当，钢渣应保持良好流动性；

(6)精细操作。

采用以上措施，可使电弧炉冶炼的合金碳含量小于0.05%，控制碳含量达到±0.005%水平。

7.1.3 脱氧方法和脱氧剂的选择

脱氧的好坏会使合金的热加工性能及力学性能变坏。图7-2列出了氧对高温合金持久强度的影响。

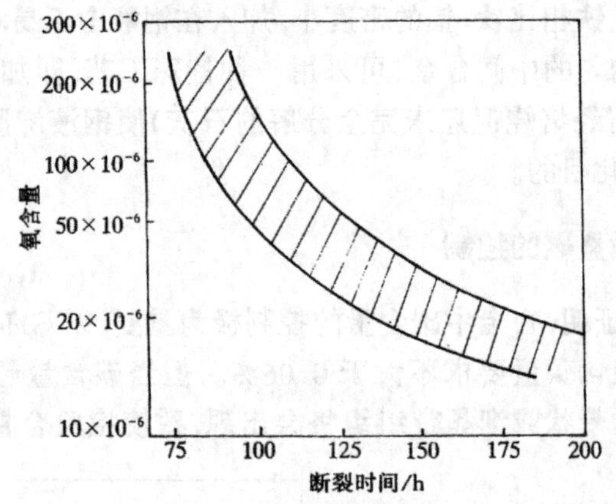

图7-2 氧含量与U500合金的高温持久强度的关系

(850℃，172MPa)

电弧炉冶炼高温合金一般多采用扩散脱氧和沉淀脱氧相结合的方法。用于扩散脱氧的脱氧剂主要是铝粉、矽钙粉；用于沉淀脱氧的脱氧剂有矽钙块、金属钙、铝钡合金、铝块等。

例如GH3030合金，如图7-3所示，随着精炼过程矽钙粉和矽钙块不断加入，钢液中的氧含量不断下降，[O]可降到30×10^{-6}以下；但矽钙的加入，钢液中残余钙量会不断增加，应予控制，因为过低或过高的残余[Ca]量都会使合金热加工塑性变坏。

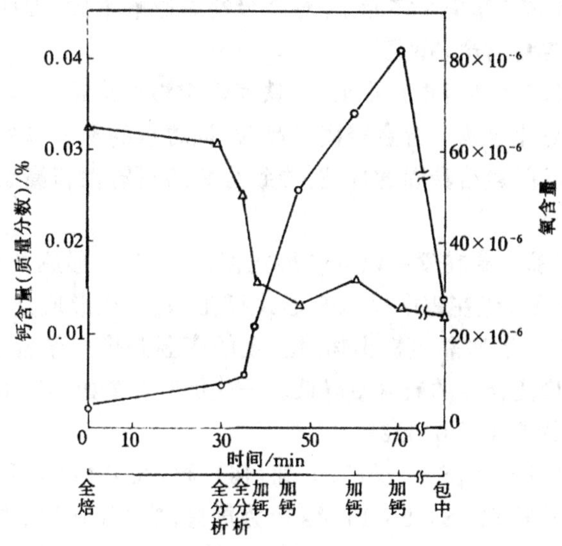

图 7-3 电弧炉熔炼过程中[Ca]和[O]含量的变化

对于含有 Al、Ti 的合金，则采用铝粉进行扩散脱氧，并可适当配以沉淀脱氧。例如 GH2140 合金，在精炼过程中随着铝粉的加入，钢液中[O]含量逐渐降低，出钢时[O]含量可降至 20×10^{-6} 以下，如图 7-4 所示。

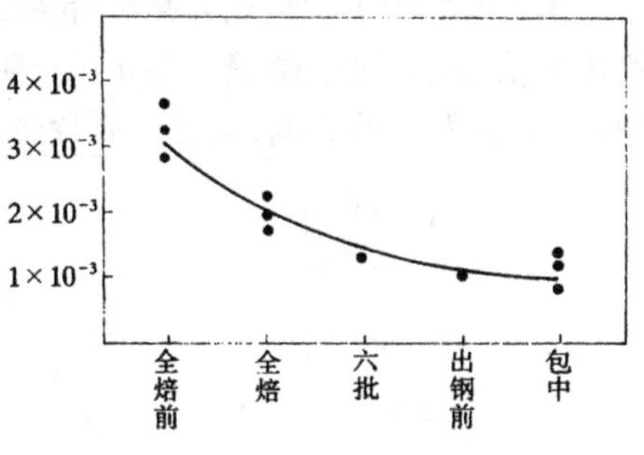

图 7-4 GH2140 合金在电炉熔炼过程中[O]含量的变化

实践证明，合理采用脱氧方法和脱氧剂，可有效地降低钢中氧含量，改善合金的热加工塑性和力学性能。

7.1.4 低熔点有害杂质的影响与控制

对于高温合金，磷(P)、硫(S)、铅(Pb)、砷(As)、锡(Sn)、铋

(Bi)、锑(Sb)都是有害元素，对合金性能影响很大，因此对这些有害元素含量有严格的要求。

磷(P)　本身熔点很低，在铁和镍中溶解度很小，容易形成一些低熔点化合物。合金凝固结晶时，低熔点的磷和磷的化合物被推到枝晶间最后凝固的部位，导致合金的可塑性和高温强度大大降低。

硫(S)　硫在钢中以 FeS 形式存在，并与铁形成共晶体，其熔点为 985℃；硫在镍中以 NiS 形式存在，能与镍形成共晶体，熔点为 645℃。这些晶界析出物对合金的高温强度与塑性影响很坏，故应尽量使合金的硫含量降低。一些优质合金如 GH4169 合金要求硫含量不大于 0.002%。

铅(Pb)、锡(Sn)、锑(Sb)、铋(Bi)、砷(As)　高温合金对低熔点五害元素 Pb、Sn、Sb、Bi、As 极为敏感，它们的熔点很低(Pb 为 327℃；Sn 为 231℃；Sb 为 630℃；Bi 为 271℃；As 为 817℃)。当合金凝固时，它们分布在晶界上，使合金的热加工塑性和热强性降低。

图 7-5 表明了含铅量对高温合金塑性的影响，铅越高，则合金的冲击值越小，塑性越差。图 7-6 表明了低熔点五害元素总量对 GH37 合金性能的影响，随着杂质含量的增多，合金的高温持久寿

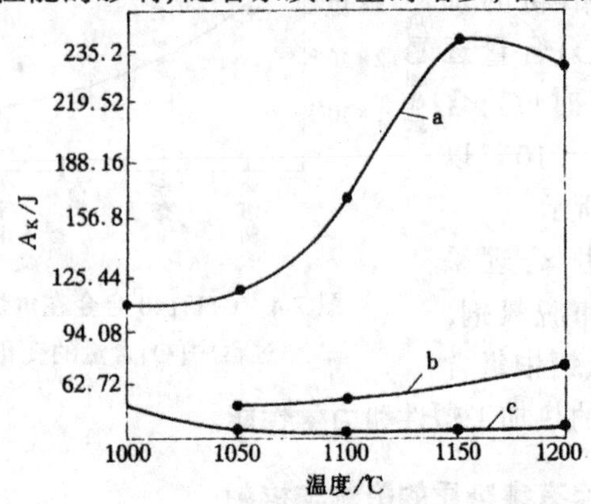

图 7-5　Pb 含量对合金高温塑性的影响

a—0.0004%Pb　b—0.003%Pb　c—0.005%Pb

命下降。对不同使用条件的高温合金其含量控制要求不同，一般合金控制含量为：[Pb]≤0.001%；[Sn]≤0.0012%；[Sb]≤0.0025%；[As]≤0.0025%；[Bi]≤0.001%。对于航空发动机用某些转动件，要求[Pb]≤0.0005%，[Bi]≤0.00003%，还要监控Ag、Tl、Te等微量元素。

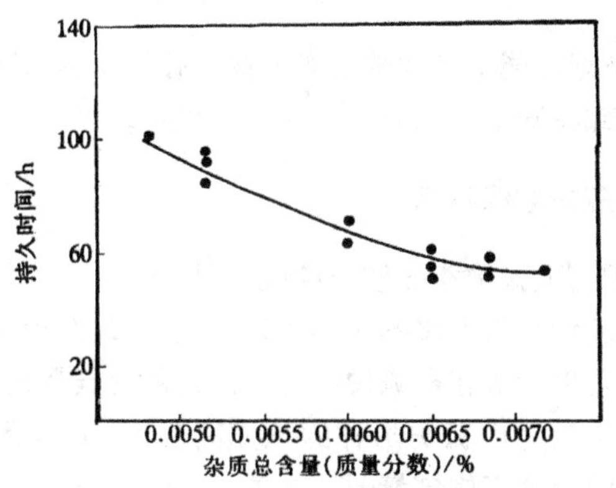

图 7-6 GH37 合金成品杂质含量对
850℃ 245MPa 持久寿命的影响

高温合金电弧炉冶炼，要保证低的有害元素含量，原材料必须要严格控制 P、S 以及五害元素含量。

7.1.5 高温合金的浇注

由于高温合金对气体和夹杂物比较敏感，浇注的质量对高温合金的冶金质量影响较大，因此对高温合金的浇注工艺提出了严格的要求：

(1)由于高温合金含有大量的铬和钛等元素，使钢液的粘度增加，同时为了减少耐火材料对钢液的污染，一般多采用上注法。

(2)为了减少气体和夹杂物含量，新钢包须经铁洗或镍洗，并且要烤红才能使用。

(3)钢锭模使用前必须刷擦干净，不能涂油。

(4)由于高温合金的合金化较复杂，合金熔点较低，同时为了减少偏析,浇注温度相应要低。由于合金液体粘度大,浇注速度一般控制的较快。

(5)为避免浇注过程中发生二次氧化,在浇注时要采取保护措施,大多钢种采用氩气保护。

7.2 感应炉熔炼

感应炉熔炼能更有效地冶炼一些电弧炉所难以冶炼的合金钢及合金,因此特殊钢厂都有感应炉冶炼设备。

7.2.1 感应炉熔炼特点

感应炉与电弧炉相比较,具有以下特点:

(1)感应炉采用电磁感应加热来熔化金属,在冶炼过程中不会增碳,因而可以冶炼在电弧炉中难以冶炼的含碳量很低的合金;

(2)由于没有电弧炉那样的弧光高温区,金属吸气的可能性小,熔炼出的合金气体含量低;

(3)感应炉电磁搅拌作用,使冶炼过程中化学成分和温度均匀,并且能精确地调整和控制温度,保证操作的稳定性;

(4)由于感应炉单位质量金属的液面面积较电弧炉小,而且没有电弧的局部高温区,为减少 Al, Ti 等易氧化元素的烧损创造了有利的条件。

由于感应炉炉渣不能被感应加热,其加热和熔化完全依靠钢液对它的热传导,因此炉渣温度低,不利于脱硫、脱氧等冶金反应的进行。

7.2.2 原材料的要求

感应炉熔炼由于炉渣温度低,脱 S、P 等有害杂质的能力差,熔炼过程没有碳沸腾去气操作,精炼时间短以及很少依靠炉中分析来控制成分,因此对原材料要求如下:(1)各种原材料应准确掌握它的化学成分;(2)原材料的 S、P 及低熔点有害杂质要低;(3)气体含量要少;(4)原材料要清洁、无锈、无油污;(5)根据炉子容量大小和电源频率,决定所用原料的块度大小,过大或粉状材料不宜使用;(6)造渣材料及脱氧剂应特别选择,并控制有害元素含量。

7.2.3 熔炼工艺

感应炉熔炼过程包括装料、熔化、精炼及出钢浇注等环节。

7.2.3.1 装料

根据金属材料的物理化学性质决定装料顺序,不易氧化的炉料可直接装入坩埚,易氧化的炉料在冶炼过程中陆续加入。

根据金属料的熔点及坩埚内温度分布合理布料。炉底部位装一些熔点低的小块炉料,使其尽快形成熔池,以利于整个炉料的熔化;难熔的炉料应装在高温区,为了防止"架桥",装料应下紧上松;为了早期成渣,覆盖钢液,在装料前可在坩埚底部加入少许造渣材料。

7.2.3.2 熔化

熔化期要大功率快速熔化,以减少钢液的氧化、吸气和提高效率。熔化期应及时往炉内加入造渣材料,时刻注意不要露出钢液。

7.2.3.3 精炼

精炼期的主要任务是脱氧、合金化和调整钢液温度。

(1)脱氧　感应炉冶炼高温合金采用扩散脱氧和沉淀脱氧相结合的综合脱氧法。

不含 Al、Ti 的高温合金多采用 Si-Ca 粉作为扩散脱氧剂;而含 Al、Ti 的高温合金多采用铝石灰剂。

沉淀脱氧剂有 Al 块、Al-Mg、Ni-Mg、Al-Ba、Si-Ca、金属 Ca、金属 Ce 等。用 Si-Ca 或金属 Ca 沉淀脱氧,一般均采用过钙法,以达到较好的脱氧效果。

(2)合金化　高温合金中 Al、Ti 多以 Ni-Al-Ti 或 Fe-Al-Ti 中间合金的形式在装料时装入炉中。Fe-W, Fe-Mo 可直接装入坩埚。使用金属钨条、钼条时,会生成挥发性氧化物,应在熔池形成后插入。

(3)温度控制　为正常进行脱氧反应,保证夹杂物的排除和化学成分均匀,应控制钢液温度。温度过高,金属会大量吸气,氧化加剧,在浇注时,耐火材料被严重冲刷,并使金属二次氧化,降低合金质量;而温度过低,不利于成分均匀,浇注时会造成疏松、结疤等缺陷。精炼温度应根据钢种和冶炼条件而定,一般控制在1500℃左右,出钢浇注温度一般控制在高出合金凝固点50~100℃。

7.3 电渣重熔

电渣重熔作为一种新的冶炼方法,在20世纪60年代获得了迅速的发展。与电弧炉、感应炉及真空感应炉冶炼相比较,电渣重熔具有以下优点:(1)金属材料能够被熔渣有效的精炼,气体、杂质、非金属夹杂物被大量去除,可得到较高纯度的钢锭;(2)在电渣重熔过程中,始终有渣液保护,使金属不与空气直接接触,合金元素的烧损低,成分容易控制;(3)避免了冶炼及浇注过程耐火材料的污染;(4)熔化金属快速轴向结晶,使锭子组织致密,缩孔较小,没有疏松及皮下气泡等缺陷,提高了热加工塑性;(5)钢锭表面有渣皮保护,热加工时不需要扒皮,提高了金属收得率;(6)设备简单,易于操作。

目前,电渣重熔工艺已被国内外冶金厂广泛采用。我国于1958年开始对电渣重熔进行试验研究,1962年即开始把电渣重熔工艺应用于GH37高温合金的冶炼。到目前为止,电渣重熔工艺已成为我国生产高温合金的一种主要工艺路线,有近一半钢种采用了这种工艺。此外在设备、生产规模、重熔工艺及理论研究等方面都取得了可喜的发展,有些方面还有所创新,接近或赶上了世界先进水平。

7.3.1 电渣重熔设备

在冶金工业上所用的电渣炉主要是单相水冷结晶器电渣炉(抽锭的和不抽锭的)及三相水冷结晶器电渣炉。高温合金的电渣重熔多采用单相单极水冷结晶器电渣炉,结晶器最大直径可达ϕ610mm,重熔锭最大可达3t。

7.3.2 工艺参数的选择

电渣重熔的工艺参数主要包括渣系、渣池深度、工作电压、工作电流以及结晶器直径和金属自耗电极的直径。

7.3.2.1 结晶器直径与金属电极直径

结晶器的形状及尺寸是依据锭型来确定,锭型确定要考虑合金的特性、加工塑性、产量及设备能力等条件。高温合金重熔多采用圆型结晶器,而使用的电极直径的尺寸决定于结晶器的直径大小,一般情况下

电极直径=(0.4~0.6)×结晶器直径

如表 7-2 所示。

表 7-2 结晶器电极直径与钢锭质量的关系

钢锭质量/kg	结晶器直径/mm	电极直径/mm	电极直径/结晶器直径
150	ϕ180	ϕ75	0.42
200	ϕ255	ϕ95	0.42
300	ϕ255	ϕ105	0.45
500	ϕ285	ϕ130	0.47
900	ϕ360	ϕ180	0.50
1200	ϕ420	ϕ180	0.52
2000	ϕ480	ϕ250	0.52
3000	ϕ550	ϕ250	0.45
3000	ϕ610	ϕ 330	0.54

7.3.2.2 渣系及渣量的确定

渣系直接影响到电渣过程的稳定和电渣重熔产品的质量,它应满足以下条件:(1)有适当的导电性,保证电渣过程的稳定和提供重熔所需热量;(2)比较低的熔点和粘度,保证钢锭表面质量;(3)熔渣中不稳定氧化物要少,能够对钢锭成分特别是铝、钛进行严格控制(不论是主元素,还是微量元素);(4)透气性小,防止大气进入金属熔池。

高温合金常用的渣系组元有 CaF_2、Al_2O_3、CaO、MgO、TiO_2 等,见表 7-3。

表 7-3 高温合金电渣重熔常用渣系

渣系	成分(质量分数)/%				熔点/℃
	CaF_2	CaO	MgO	Al_2O_3	
1	70	0	0	30	1320～1340
2	80	0	0	20	1320～1340
3	60	20	0	20	1240～1260
4	70	15	0	15	1240～1260
5	84	0	7	19	1280
6	77	0	1	26	1250

渣量的多少决定了渣池的深度。渣量越多,维持渣池所消耗的热量就多,而维持金属熔池的热量就相应少了,使金属熔池的深度变浅和温度降低,恶化去气和去除非金属夹杂的条件,造成锭表面成型不良。实践表明,比较合适的渣池深度(h)

$$h = \left(\frac{1}{2} \sim \frac{1}{3}\right)D$$

而渣量 $(A) = \frac{\pi}{4}D^2 h\gamma_{渣}$

式中 D —— 结晶器平均直径;

$\gamma_{渣}$—— 渣密度(一般 $\gamma_{渣} = 2400 \sim 2500 \text{kg/m}^3$)。

7.3.2.3 工作电流(I)和工作电压(U)的确定

(1)工作电流(I)

$$I = \frac{\pi}{4}d^2 i$$

式中 d ——电极直径,mm;

i ——电流密度,A/mm²。

根据经验,一般电流密度 $i = \frac{56}{d} - 0.05$

(2)工作电压(U)

$$U = (a\sqrt{D} + b)$$

式中 D—— 结晶器直径;

a—— 与渣系有关的常数。高温合金常用渣系的 $a \approx 3$;

b—— 与 d/D 有关的常数。当 d/D 为 0.4、0.5、0.6 时, b

相应为 4、2、0。

7.3.3 铝、钛的控制

7.3.3.1 SiO_2 的影响及萤石提纯

在电渣重熔温度下，Al、Ti 等元素很容易同渣中易被还原的氧化物(主要是 SiO_2)或熔渣从大气中所吸收的氧起反应，造成这些元素的烧损和不稳定。

我国采用电渣重熔工艺熔炼第一个高温合金 GH4037 时，曾使用未经提纯的渣料(渣料配比为 $CaF_2:Al_2O_3=70:30$)，结果出现合金锭中 Si、Al、Ti 成分分布不均，造成了合金组织与性能的波动，如图 7-7 所示。

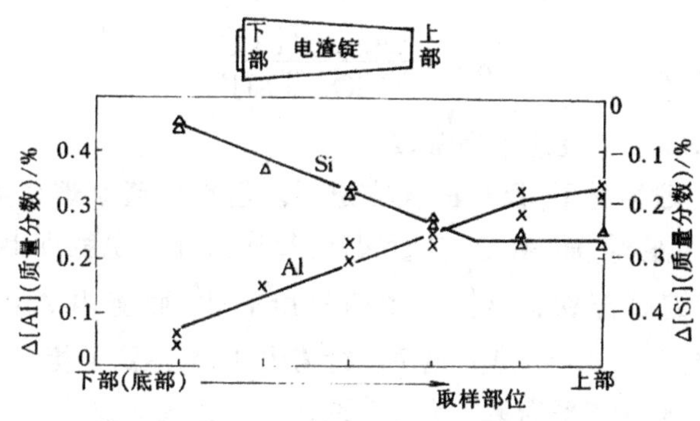

图 7-7 GH4037 合金锭 Al、Si 含量的变化

通过渣料的成分分析，发现铝的氧化烧损与渣中的 SiO_2 含量有关。SiO_2 主要来自萤石，为了降低渣料中的不稳定氧化物，目前比较普遍采用对萤石提纯的方法，即在结晶器中用含 5% 铝的 Fe－Al 自耗电极对渣料进行精炼、提纯。用此方法可使萤石 CaF_2 中的 SiO_2 含量降至 0.15% 以下。

7.3.3.2 铝、钛与渣料中氧化物的相互作用

在重熔含铝、钛的高温合金时，常出现沿锭身高度方向铝、钛成分不均匀。钛含量在钢锭底部低，中上部高；而铝含量则底部高，中上部低。钛、铝含量头尾差达 0.1%～0.3%，如图 7-8 所示。

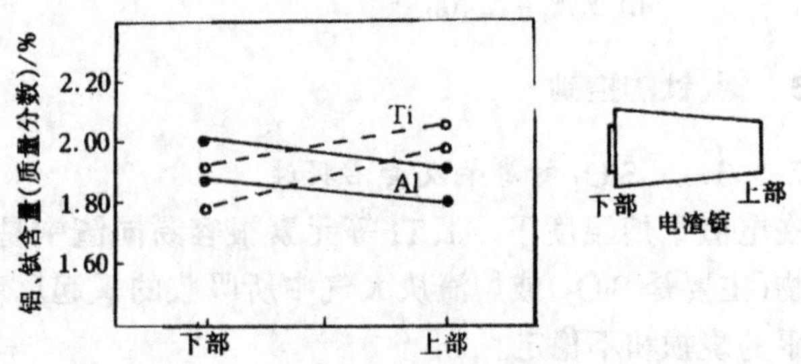

图 7-8　GH4037 合金电渣重熔锭不同部位的铝、钛含量

这种不均匀性的产生是由于合金中铝、钛与渣中氧化物相互作用的结果。反应式为

$$4[Al]+3(TiO_2)\rightleftharpoons 2(Al_2O_3)+3[Ti]$$

$$K_T=\frac{(Al_2O_3)^2[Ti]^3}{(TiO_2)^3[Al]^4}$$

式中　K_T——反应平衡常数。

在一般情况下,反应式向右进行。但在电渣重熔初期,渣中 TiO_2 含量极低,而 Al_2O_3 含量很高,反应式在一定程度上向左进行,即钢锭底部钛被 Al_2O_3 中的氧所氧化,而渣内 Al_2O_3 中的 (Al^{3+})被还原成[Al]进入钢中。待渣中 TiO_2 达到平衡浓度后,该反应就处于动态平衡了。为此采取向渣中加入一定量的 TiO_2,就解决了钢锭铝、钛不均的问题。至于某些高铝低钛的高温合金在电渣重熔过程铝的烧损问题,则通过在重熔过程中加入铝粉的补偿办法得到解决。

7.3.3.3　高钛低铝型高温合金钛的控制

电渣重熔含铝、钛的高温合金时,随着合金中铝含量的下降,钛的烧损量也就跟着增加,如 GH2132、GH2136 等合金的钛烧损率可达 17%,钢锭头尾钛的波动差值可达 0.4%~0.9%。为了保证铝、钛含量达到要求范围之内,可采取下列办法:

(1)调整渣系组元　经大量试验研究表明,采用含 CaF_2、TiO_2、Al_2O_3、MgO 的四元渣系进行电渣重熔,可使高钛低铝型

GH132、GH136 合金钛的烧损量降到 0.2%左右，合金锭头尾偏差波动在 0.15%以下，使合金的成分和性能都趋于均匀。

(2)控制重熔过程的工作电压　如采用二元渣(CaF_2:Al_2O_3=80:20)重熔 GH132 合金时，初始冶炼时采用较高的工作电压，随着重熔的进行逐渐降低工作电压，对控制钛的均匀性亦取得了良好的效果。

(3)渣中加入铝粉　如采用三元渣(CaF_2:Al_2O_3:CaO=75:15:10)电渣重熔 GH132 合金时，适量加入铝粉，使钛的烧损量达到 0.3%以下，锭头尾偏差在 0.2%范围内。

7.3.4 电渣钢锭的偏析

重熔过程中如果熔速控制不当会产生宏观偏析，主要是点状偏析。

点状偏析是一种宏观低倍冶金缺陷。在钢材的横断面上为暗灰色的斑点，其大小因偏析程度和变形比不同而异。经金相、电子探针及 X 光结构分析确定，点状偏析主要是由 MC 型碳化物组成。而点状偏析的产生与钢锭凝固结晶的条件及结晶性质有关。就目前我国高温合金电渣重熔常用锭型(ϕ165～420)来看，高熔速则易出现点状偏析，因此应通过调整渣系、渣量、熔速等因素避免点状偏析的出现。例如 GH4037 合金 ϕ230 锭的重熔，其点状偏析出现率与熔化速率的关系统计如图 7-9 所示。

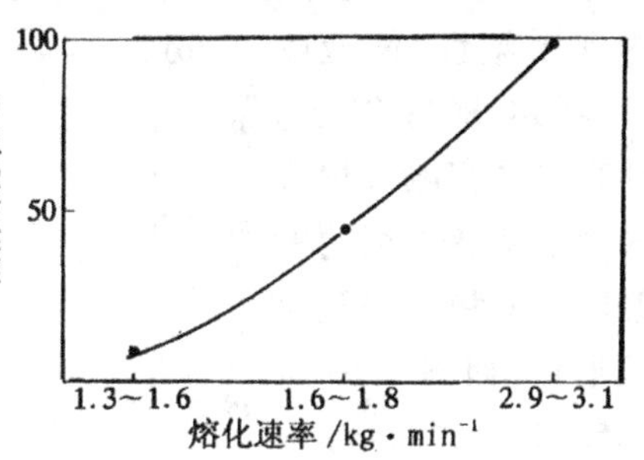

图 7-9　GH4037 合金重熔熔化速率与点状偏析出现率的关系

(锭型 ϕ230，渣系 CaF_2:Al_2O_3=70:30)

7.3.5 电渣重熔的效果

7.3.5.1 改善钢锭质量

经电渣重熔的合金，钢锭质量显著提高。电渣重熔锭基本没有缩孔、疏松、偏析、内裂等冶金缺陷。与常规浇注的钢锭相比，柱状晶与钢锭轴向呈20°～30°夹角，有利于去除夹杂，改善了夹杂物分布状态。锭表面光滑，不用扒皮，可直接进行热加工。以GH36合金为例，原用电弧炉工艺生产，采用下注法浇成ϕ700锭型，锥度为10.8，冒口质量占整个钢锭质量的20%，铸造成材率仅达40%～50%，该合金生产的涡轮盘材，往往因夹杂物裂纹使探伤废品率高达5%～10%，有时甚至整炉报废。采用电弧炉+电渣重熔工艺生产后，完全杜绝了夹杂物裂纹，改善了碳化物偏析，使成材率达到了70%～80%。

7.3.5.2 改善合金热加工塑性

采用电弧炉工艺试制GH4037合金时，浇出的ϕ500kg锭，热加工塑性极差，无法铸造成材。改用电渣重熔工艺后，显著地改善了热加工塑性，铸造收得率可达80%以上。此外它比真空电弧炉重熔的合金有着更宽的锻造温度范围和允许较大的变形量，如图7-10所示，难加工的Udimet 700合金，由真空自耗重熔改成电渣重熔后，热加工塑性明显提高。

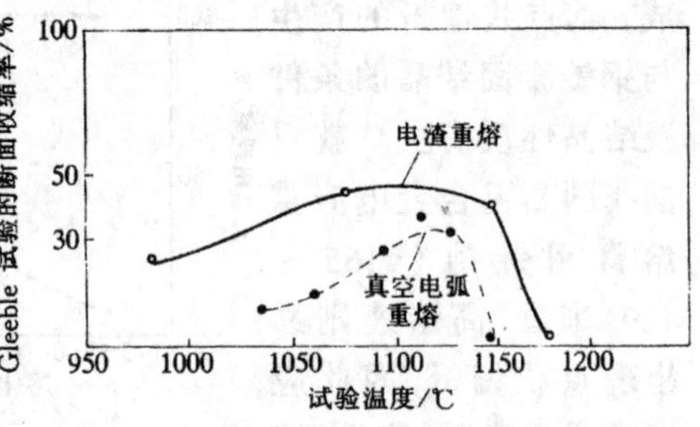

图7-10 高温下U700合金的变形能力(Gleeble试验)

对于难变形合金GH49(∂u929)，国外多采用热挤压或包套直接轧制进行热加工，我国采用真空感应炉+电渣重熔工艺生产，不用包套直接轧制成材。

7.3.5.3 提高合金的性能

经电渣重熔后，合金的性能都会得到不同程度的提高，尤其是合金的中温拉伸塑性和高温持久寿命改善的特别明显，表 7-4 列出了采用不同冶炼工艺生产的 GH4037 合金的性能对比数据。

表 7-4　各种冶炼工艺的 GH4037 合金力学性能

性能 冶炼工艺	800℃拉伸			850℃ σ = 196MPa 持久寿命/h
	σ_b /MPa	δ/%	φ/%	
电渣重熔	720～820	5～20	9～25	70～170
电弧炉	740～800	4～15	8～18	60～80
非真空感应炉	690～780	4～8	8～10	50～120
技术条件要求指标	≥680	≥3	≥8	≥40

综上所述，电渣重熔工艺在我国高温合金生产领域得到了迅速的发展。目前已纳入国标的变形高温合金牌号共有 24 个，其中只有三个牌号的部分生产仍采用电弧炉工艺、非真空感应炉工艺外，其余均采用电渣重熔工艺生产。

7.4　真空感应炉熔炼

真空感应炉是真空熔炼的主要设备。真空感应熔炼的温度、压力可以单独控制。通过电磁感应搅拌控制合金熔体内质量的传输，从而使真空熔炼的合金成分（包括主要成分和各种杂质含量）得到精确的控制，这是其他熔炼工艺难以做到的。以高温合金 IN-718 为例，其 100 炉真空感应冶炼的分析统计结果列于表 7-5。

表 7-5　100 炉 IN-718 合金（真空感应炉熔炼）化学成分的控制

化学成分	合格成分范围 （质量分数）/%	实际成分范围 （质量分数）/%	分析次数	分析精度/%
C	0.02～0.08	0.04～0.05	95	±0.003
Ti	0.80～1.15	0.90～1.10	97	±0.03
Nb	4.75～5.50	5.05～5.40	99	±0.08
Al	0.30～0.70	0.50～0.60	95	±0.02

注：IN-718 名义成分：0.04C，19.0Cr，18.0Cr，3.0Mo，5.2Nb，0.8Ti，0.6Al，余 Ni。

工业用真空感应炉最早出现于19世纪20年代，当时主要用于高铬钢和电工软磁合金的生产，由于抽气能力的限制，最大真空度在2~5乇以下。在二次大战期间，航空喷气发动机对高温合金材料的需要以及高能真空泵的出现，真空感应炉的生产得到飞速发展。1958年容量为1t的真空感应炉投产，1961年5t容量的真空感应炉投产，现在容量为60t的真空感应炉已投入生产。我国则是在1956年从国外引进小型真空感应炉，并进行高温合金的试验和生产，至今国内的几个特殊钢厂已装备有3~6t的大型真空感应炉。

与其他高温合金熔炼工艺相比较，真空感应炉熔炼具有如下特点：

(1)没有空气和炉渣的污染，冶炼的合金纯净；

(2)在真空下冶炼，创造了良好的去气条件，熔炼的合金气体含量低；

(3)真空条件下，金属不易氧化，可精确地控制合金的化学成分，特别是把含有和氧、氮亲和力强的活性元素如Al、Ti、B、Zr等控制在很窄范围内；

(4)原材料带入的低熔点有害杂质如Pb、Sn、Bi、Sb、As……等，在真空下可蒸发去除一部分，使材料得到提纯，提高材料的性能；

(5)在真空条件下，碳具有很强的脱氧能力，其脱氧产物CO不断被抽出炉外，没有采用金属脱氧剂所带来的脱氧产物；

(6)炉内的气氛及气压可选择控制。由于氧化损失少，合金元素利用效率高；

(7)感应搅拌使熔体成分均匀，加速熔体表面的反应，缩短熔炼周期；

(8)真空感应炉的不足之处主要有两方面：一是仍存在着熔体与坩埚耐火材料反应，玷污熔体。另一是合金锭的结晶组织与普通铸锭一样，晶粒粗大，不均匀，缩孔大，凝固偏析严重。

7.4.1 冶金反应

真空感应炉熔炼的主要冶金反应有脱氧、除气、杂质及组分的挥发、熔体－坩埚反应等，现叙述如下：

7.4.1.1 脱氧

在真空熔炼中，碳脱氧是最主要的脱氧反应，这是由于碳氧反应的生成物是气体，有利于脱氧反应的进行，而且在合金锭中不留下脱氧产物的非金属夹杂。

碳脱氧反应如下：

$$[C] + [O] = CO_{气}\uparrow \tag{7-1}$$

$$K = p_{CO}/a_C a_O = \frac{p_{CO}}{f_C \cdot C\% \cdot f_O \cdot O\%} \tag{7-2}$$

式中 K ——平衡常数；

p_{CO} ——反应体系内 CO 分压力；

a_C, a_O ——分别为碳和氧的活度；

f_C, f_O ——分别为碳和氧的活度系数；

C%，O%——分别为碳和氧的浓度。

在铁和镍的熔体中 K 与温度 T 的关系为：

$$\lg K_{Fe} = 548/T + 2.352 \tag{7-3}$$

$$\lg K_{Ni} = 3230/T + 2.26 \tag{7-4}$$

式中 K_{Fe}、K_{Ni} 分别为铁液和镍液的平衡常数。

为了简化计算，根据稀溶液的原则，式 7-2 内 f_C 和 $f_O = 1$，则式 7-2 可写成

$$K \approx p_{CO}/C\% \cdot O\% \text{ 或 } O\% \approx p_{CO}/K \cdot C\% \tag{7-5}$$

由式 7-3、式 7-4、式 7-5 可计算不同 CO 压力下碳的脱氧能力。例如 1600℃ 下铁液镍液内与 0.1%C 平衡的氧浓度在 CO 压力为 1.01×10^5Pa 下为 2.26×10^{-2}% 与 1.05×10^{-3}%，而在 CO 压力为 0.1Pa 下为 2.4×10^{-8}% 与 1.05×10^{-9}%。平衡氧浓度几乎与 p_{CO} 成正比，表明真空熔炼下碳是强有力的脱氧剂，上述计算还表明碳在镍基合金中脱氧能力强于铁基合金中。

但无论是铁液、镍液或高温合金熔体，实际真空感应熔炼后其氧含量为$(2\sim30)\times10^{-6}$，即$2\times10^{-4}\%\sim3\times10^{-3}\%$，与理论计算相差4~5个数量级。其原因是熔体与坩埚反应的影响，这方面将另有所述。

CO脱氧过程分两阶段：

(1)沸腾期　CO气泡在靠近熔池界面的坩埚壁上生核并形成气泡，穿过熔体造成沸腾。

(2)脱附期　熔体内碳和氧的浓度不断下降，当熔体内生成的CO压力不足以形成气泡核心，CO只在熔池表面生成，并脱附进入气相。

一旦气泡生核就开始长大，其长大速度与下述因素有关：真空度、熔体内CO气体的过饱和度、气泡在熔体内上升的液静压力及上升到达熔池表面所需的时间。在真空条件下，上述诸因素中起控制作用是液相内的扩散，即熔体内CO扩散到气泡——熔体界面及通过界面的扩散。当熔池中[C]比[O]高得多时，氧的扩散迁移是控制因素，按Fick第一定律：

$$-\mathrm{dO\%}/\mathrm{d}t=(D_0/\delta_0)(F/V)(\mathrm{O\%}-\mathrm{O_{平衡}\%})\tag{7-6}$$

由式7-6积分可求得脱氧时间t：

$$t=2.3\frac{V\delta_0}{FD_0}\lg\frac{\mathrm{O_0\%}-\mathrm{O_{平衡}\%}}{\mathrm{O\%}-\mathrm{O_{平衡}\%}}\tag{7-7}$$

式中　F —— 熔池表面积；

V —— 熔池体积；

δ_0 —— 边界扩散层的有效厚度；

D_0 —— 氧在熔体内的扩散系数；

$\mathrm{O_{平衡}\%}$ —— 与气相平衡的浓度，可以根据式7-5求出。

7.4.1.2　除气

氧、氮和氢是高温合金中主要气体杂质，真空熔炼主要目的之一就是去除这些气体。氧是活泼元素，在合金熔体中不是以氧气形态存在，是通过上述脱氧反应作为化合物而被排除的。这里除气指的是脱氮和脱氢。

1600℃，1 大气压下，氮和氢在铁、镍中的溶解度为：0.042%（氮在铁内），0.0027%（氢在铁内），0.001%（氮在镍内），0.0038%（氢在镍内）。

根据气体在溶液中的平方根定律：

$$[N]=\frac{1}{2}N_{2(气)},[H]=\frac{1}{2}H_{2(气)}$$

$$a_N = f_N \cdot \%N = K_N\sqrt{p_{N_2}} \tag{7-8}$$

$$a_H = f_H \cdot \%H = K_H\sqrt{p_{H_2}} \tag{7-9}$$

N 和 H 在溶液中浓度很小，$f_N = 1, f_H = 1$，

故 $\%N = 0.042\sqrt{p_{N_2}}$（在铁液内），$\%N = 0.001\sqrt{p_{N_2}}$（在镍液内），$\%H = 0.0027\sqrt{p_{H_2}}$（在铁液内），$\%H = 0.0038\sqrt{p_{H_2}}$（在镍液内）

如果 Ni 液熔池表面的氮压力是 1.33×10^{-2}Pa，则 1600℃ 下达到平衡时的氮和氢含量应为 3.6×10^{-7} 和 1.37×10^{-6}。

高温合金内有十余种以上的元素，某个元素 i 对氮或氢的活度系数的影响用相互作用系数 $e_N^{(i)}$ 或 $e_H^{(i)}$ 表示。

$$e_N^{(i)} = \partial\lg f_N/\partial(\%i) \tag{7-10}$$

$$e_H^{(i)} = \partial\lg f_H/\partial(\%i) \tag{7-11}$$

元素 j,k,l ……的影响根据加和性原则

$$\lg f_N = e_N^{(i)}\%i + e_N^{(j)}\%j + e_N^{(k)}\%k + \cdots\cdots \tag{7-12}$$

$$\lg f_H = e_H^{(i)}\%i + e_H^{(j)}\%j + e_H^{(k)}\%k + \cdots\cdots \tag{7-13}$$

如上所述，如果没有显著降低氮或氢的活度系数的元素存在，镍基或铁基高温合金在真空感应熔炼条件下除气是很容易达到较完善的程度。实际上，真空感应炉熔炼高温合金含氮量一般为$(10\sim30)\times10^{-6}$N 和$(1\sim3)\times10^{-6}$H，这主要是由于高温合金中 Cr、V、Al、Ti、Nb 等元素与 N 生成分解压力很低的稳定氮化物，显著降低氮在合金熔体中的活度，特别是 Al，Ti 元素对残余氮量影响更大。

除真空度外，熔体温度及保持时间对除气有影响，图 7-11 是

我们对 GH2901 铁基高温合金在 25kg 真空感应炉上系统研究的结果。如图所示温度愈高、精炼时间愈长，脱氮效果愈好，熔体中氮量愈低，且氮量的下降与精炼时间呈渐近线的关系，即开始下降快，而后氮量下降愈来愈缓慢。

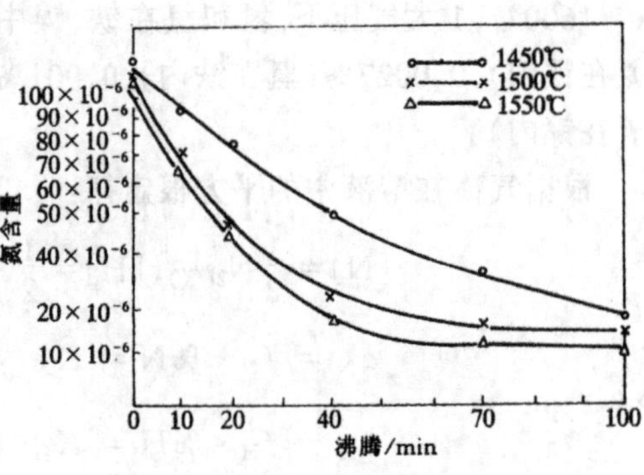

图 7-11 GH901 含氮量与精炼温度、时间的关系

真空感应炉精炼过程中，脱氮速度还受脱碳速度的影响。脱碳速度高，熔池沸腾，熔体中氮迅速向 CO 气泡扩散并被携带进入气相，因而脱氮速度也加快，这从图 7-11 和图 7-12 的脱氮、脱碳与精炼温度和时间的曲线对应关系可以得到证实。

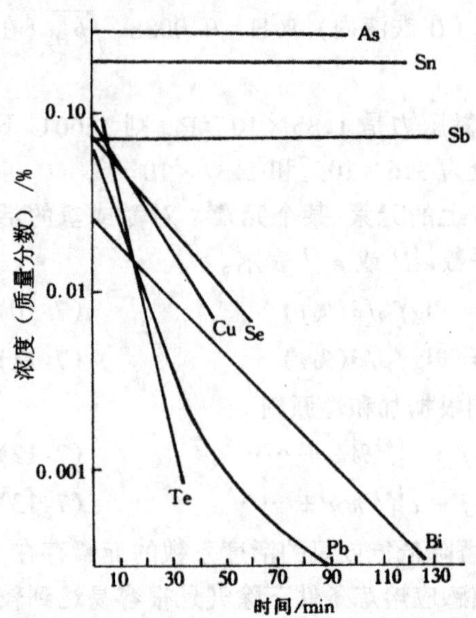

图 7-12 真空下 80Ni－20Cr 合金熔体中有害元素的挥发

7.4.1.3 挥发

有害元素 As、Sb、Sn……等在高温合金中尽管含量很低，但它们显著降低合金性能。由于它们一般蒸气压都很高，故采用真空熔炼可有效地被挥发去除。真空下有害元素在 80Ni－20Cr 合金熔体中的挥发如图 7-12 所示。

合金熔体中各组分的挥发，与它的蒸气压、浓度、温度和炉内气压有关。Olette根据溶质和溶剂的相对挥发速率推导出合金熔体在真空条件下组成的变化。

一种物质 i 在 $\mathrm{d}t$ 时间内从熔体中挥发损失的质量 $\mathrm{d}m_i$ 按 Hertz－Knudsen－Langmuir 公式为：

$$\frac{\mathrm{d}m_i}{\mathrm{d}t} = L\varepsilon\gamma_i N_i p_i^0 \sqrt{\frac{M_i}{T}} \cdot S \tag{7-14}$$

式中 L —— 常数；

ε —— 冷凝系数；

γ_i —— 物质 i 的活度系数；

N_i —— 物质 i 的物质的量；

p_i^0 —— 物质 i 的蒸气压；

M_i —— 物质 i 的原子量；

T —— 温度，K；

S ——熔池表面积。

假定无限稀合金熔体含 m_x 克基体金属 x 和 m_y 克合金元素 y，加热到 TK并抽真空，x 和 y 的相对挥发速率 $\frac{\mathrm{d}m_y}{\mathrm{d}m_x}$ 应与 $\frac{m_y}{m_x}$ 成比例。

$$\frac{\mathrm{d}m_y}{\mathrm{d}m_x} = \gamma_y \frac{P_y^0}{P_x^0} \sqrt{\frac{M_x}{M_y}} \cdot \frac{m_y}{m_x} \tag{7-15}$$

式中的前三项称为挥发系数 α，即：

$$\alpha = \gamma_y \frac{P_y^0}{P_x^0} \sqrt{\frac{M_x}{M_y}} \tag{7-16}$$

则

$$\frac{\mathrm{d}m_y}{\mathrm{d}m_x} = \alpha \frac{m_y}{m_x} \tag{7-17}$$

移项、积分可得合金元素 y 和基体金属 x 挥发的百分数：

$$Y = 100 - 100\left(1 - \frac{X}{100}\right)^{\alpha} \tag{7-18}$$

由上式可见，$\alpha = 1$ 时，$Y = X$，合金元素和基体金属的挥发百分数相等，因此在挥发过程中合金组成并不发生变化；$\alpha > 1$

时，$Y > X$，在挥发过程中 y 的浓度将降低；反之 $\alpha < 1$ 时，在挥发过程中 y 反而富集。

上式也可用如下代替表示：

$$\frac{\Delta m_y}{m_y} = 1 - \left(1 - \frac{\Delta m_{Ni}}{m_{Ni}}\right)^{\alpha_y} \tag{7-19}$$

式中　Δm_y 和 Δm_{Ni} 分别表示镍基合金熔体和合金元素 y 的挥发量(克)。

式 7-18 和式 7-19 中，只需要知道挥发系数 α 即可推断真空感应炉熔炼时合金元素或有害杂质能不能挥发去除，而且还可算出合金元素或有害杂质去除一定百分数后基体金属的挥发损失。至于计算 α 时所需要的 p^0 和 γ 以及基体金属的 p^0 和 γ 值可由文献查得。

Olette 对铁基合金熔体中的一些元素的挥发系数 α 进行了计算，所得结果列于表 7-6。从表中可以看到。由于活度系数和原子量差别等的影响，各元素挥发系数的顺序和蒸气压的顺序大有差别。元素按挥发系数增大的排列顺序应为：Si、V、Ti、P、Co、Ni、Al、Fe、As、S、Cr、Sn、Cu、Mn。

表 7-6　二元铁基合金熔体 Fe－y 中合金元素 y 的挥发系数 α_y 计算值

元素 y	Al	As	Co	Cr	Cu	Mn	Ni
α_y	0.77	3	0.18	3.5	100	960	0.3
元素 y	P	S	Si	Sn	Ti	V	
α_y	0.005	3.2	1.4×10^{-4}	33	3×10^{-3}	4×10^{-4}	

值得指出的是 As、S、P 的沸点或升华温度很低，它们在 1500℃以上的高温下蒸汽压极高，但是它们在 Fe 基或 Ni 基合金熔体中并不容易去除，这显然是由于它们和 Fe 或 Ni 间的结合力大大降低了它们的活度，而使它们的挥发系数都较低。P 在合金熔体中难以去除，与合金熔体中含氧量有关，其行为与碳相似。S 也难以从 Fe 液或 Ni 液中挥发去除，但合金熔体中有 C、Si 等元素存在，所以真空熔炼时有一定脱 S 效果，此时最可能的脱 S 反应是

CS, CS_2 和 SiS 的挥发。

顺便指出，通过挥发性化合物 CS、SiS 和 COS，脱 S 既麻烦又缓慢，比较实际的方法是在合金熔体中生成不溶解的稳定的硫化物，如 CaS、MgS、CeS 和 LaS_2 等。加入生石灰 CaO 与 S 形成 CaS 可将 S 由 0.01%脱除到 0.002%～0.004%，但这种方法不利于合金熔体的洁净度。目前高温合金生产中较多的是采用加入镁和稀土元素 La、Ce 或混合稀土的方法，但是镁和稀土元素在合金中的残余含量应予控制。镁和稀土元素的加入不只是脱 S，并对合金组织和性能应有有利作用。

表 7-6 中 α_{Si} 的计算值只有 1.4×10^{-4}，其挥发系数最低，因此真空熔炼时，硅不可能挥发去除。

7.4.1.4　合金熔体—坩埚反应

真空感应熔炼中，用作坩埚的耐火材料通常为氧化镁(MgO)。高温真空下，MgO 有一定的分解压，但与合金熔体，尤其是含有碳或其他活性元素的熔体相接触时，更有可能被还原，影响合金的组成，特别是含氧量的变化。

以 1600℃ MgO 坩埚熔化纯铁为例：

$$2MgO(固) = 2Mg(气) + O_2(气);\quad \Delta F^0_{1600℃} = 169500 \tag{7-20}$$

$$O_2(气) = 2O;\quad \Delta F^0_{1600℃} = -57940 \tag{7-21}$$

由式 7-20、式 7-21 得

$$MgO(固) = Mg(气) + O;\quad \Delta F^0_{1600℃} = 55780 \tag{7-22}$$

算得 $K = p_{Mg}\times O\% = 6.6\times10^{-7}$。真空感应熔炼时一般真空度设为 1.33Pa，相应平衡时铁液的含氧量为 0.066%。实际熔炼证明，铁液从坩埚吸氧的过程很缓慢，在不大于 0.133Pa 压力下铁液保持 7 个多小时，含氧量由 0.002%增加到 0.025%。

高温合金一般含碳，当合金熔体含碳时，其与坩埚反应将更严重，以含碳的铁液为例：

$$MgO_{(固)} = Mg_{(气)} + O;\quad \Delta F^0_{1600℃} = 55780 \tag{7-23}$$

$$C + O = CO_{(气)};\quad \Delta F^0_{1600℃} = -22660 \tag{7-24}$$

由式 7-23、式 7-24 得

$$MgO(固) + C = Mg(气) + CO(气); \qquad \Delta F^0_{1600℃} = 33120 \tag{7-25}$$

$$K_{1600℃} = p_{Mg} \cdot p_{CO}/C\% = 1.35 \times 10^{-4}$$

反应中产生的 Mg 和 CO 分子数相等，故 $p_{Mg} = p_{CO}$，

$$p_{CO} = \sqrt{1.35 \times 10^{-4} \times C\%} = 1.16 \times 10^{-2} \sqrt{C\%}$$

$$p_{Mg} + p_{CO} = 2.32 \times 10^{-2} \sqrt{C\%} \tag{7-26}$$

设铁液含 0.05%C，则 $p_{Mg} + p_{CO}$ 可达到 5.19×10^2Pa，高于真空感应炉实际压力 1～2 数量级，即此时的铁液中碳能使 MgO 坩埚还原，形成 Mg 和 CO 气体，并使合金熔体脱碳。坩埚与合金熔体反应所产生的供氧脱碳作用与熔池内的碳脱氧作用将同时进行。由于碳脱氧作用反应速度快，因此合金熔体内含碳量不断下降的同时，含氧量开始时下降，但降到某一极值后，在熔炼继续进行时，含氧量反而提高。图 7-13 示出了 25kg 真空感应炉冶炼铁基合金 GH901 的碳、氧含量与温度、精炼时间的关系。

由图可见，温度愈高，碳含量下降愈快。残余碳含量愈低，而氧含量开始上升的时间就愈早，氧含量上升得也愈多。1500℃ 温

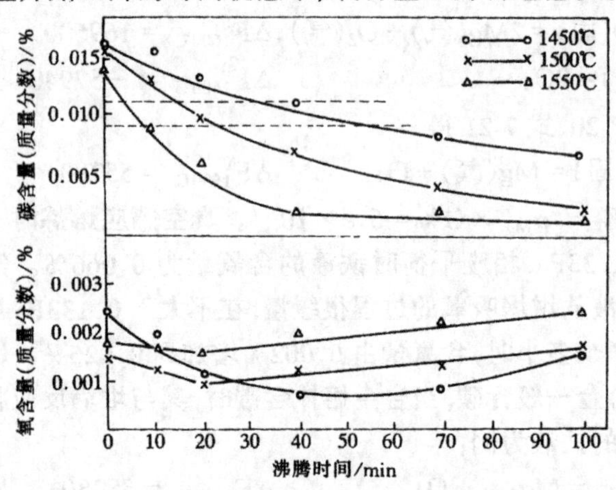

图 7-13　GH901 合金中 C、O 含量与精炼温度及时间的关系

度下，碳量降至0.01%时出现氧含量上升的拐点，显然控制碳含量也是控制氧含量的关键。

7.4.2 熔炼设备

真空感应炉不仅是特殊钢厂冶炼特殊钢和高温合金的主要设备，而且更是航空厂用于铸造航空发动机用高温合金的惟一设备。钢厂用于冶炼变形高温合金，其炉子容量较大，一般为0.5～6t甚至几十吨。航空厂等铸造高温合金的熔炼与铸造的真空感应炉，一般容量较小为10kg～0.5t，且0.2～0.5t炉冶炼高温合金母合金，10～50kg炉用于重熔和浇铸熔模精密铸件。

真空感应炉小至10kg炉容量，大至几十吨炉容量，其设备组成大致相同(见图7-14)。

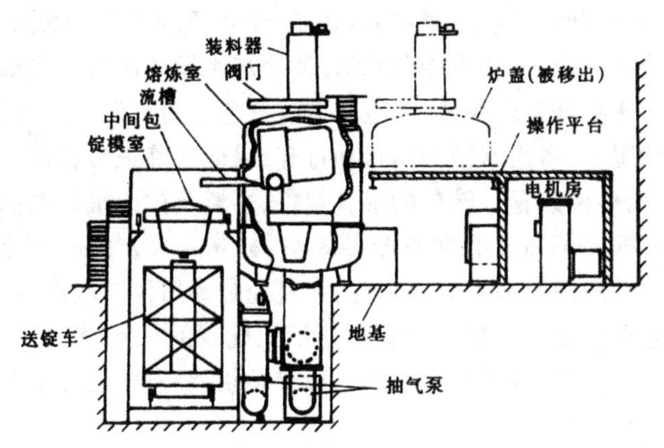

图7-14 大型真空感应炉设备简图

(1)带感应圈的坩埚　其设计与装置和非真空感应炉相同，但应特别注意绝缘技术，避免真空下感应圈的电弧放电和电晕现象。真空感应炉一般采用MgO坩埚，4t以下感应炉坩埚用电熔镁砂打结，4t以上大炉用镁砖炉衬。

(2)炉盖与炉体　炉盖与炉体是双层水冷结构，用作密封熔炼室、浇注室和锭模室的外壳。炉子的形状根据使用要求和设计而不同，为了提高效率，特别是大炉子多为双室炉，其一为坩埚熔炼室，另一为锭模室。熔炼室与锭模室之间有一封闭阀门，阀门的开闭由液压传动系统完成。当熔炼浇注结束，在不破坏熔炼室的真空下，锭模可移出锭模室。

炉盖上装有合金装料器和窥视孔。

(3)高频电源　电源的频率和功率与非真空感应炉电源相同，熔炼功率从10kg炉的40kW到30t炉的6600kW，随着炉子容量增大而增大。2t以上大炉，熔炼功率的增加为0.11～0.29kW/kg。

(4)真空系统　真空感应炉一般配备有机械泵、罗茨泵、增压泵和扩散泵，低真空下作为预真空泵采用机械泵和罗茨泵抽气，真空度达到0.13Pa后，扩散泵和增压泵开始运行。

(5)冷却水系统　感应圈、炉盖、炉体真空机和电源冷却用水一般为工业用水，备有冷却水塔，使冷却水循环使用。电源用水采用离子水处理循环系统；感应圈装有紧急备用水源，当水压降低或断水情况下，备用水源阀门自动打开，保证熔炼正常进行。

(6)锭模装置　锭模的形状规格、合模及拉引机构根据合金锭要求不同而不同。通常有两种规格：ϕ75mm×750mm的圆棒，主要用作感应炉铸造重熔母合金；大直径圆棒用作二次重熔电极棒，此外还可直接浇注成异型锭用作锻压轧制的坯料，锭模浇注前放入炉内锭模室，锭模室内底部一般有导轨，锭模在运锭车上通过导轨进入或拉出。

(7)装料机构　装料器一般装于炉盖上，大炉除合金小加料器外还有一个大加料器。大加料器可用于冶炼前及冶炼过程中分炉料的加入。合金小加料器分格放置所要加入的合金料，打开隔离阀门，每一格合金料可分别加入到坩埚内。

(8)辅助装置　除上述设备装置以外，根据熔炼的需要还应有以下结构：1)取样装置。为了控制熔炼过程中合金成分的变化，进行在线成分检测，应有取样装置，通过真空闭锁设置取出熔体试样；2)光学的和热电偶测温装置，监控合金熔炼温度；3)真空计测仪表用来显示和记录真空系统内特定部位及熔炼过程中炉内真空度的实际情况;4)惰性气体引入装置,目的是防止熔池过大的沸腾飞溅和加镁等化学反应的需要;5)自动控制设备系统。控制熔炼过程进行和监视各种参数用的控制元件、仪器、微机和程控系统。

7.4.3 熔炼工艺

7.4.3.1 冶炼前准备

(1)设备检查　开炉前应对设备作全面检查。炉体、电器、机械、水冷、测温、真空、锭模等各系统均应正常,特别是真空系统,应对泵的状态、真空计和炉体的密封状况作认真的检查。

(2)坩埚准备　坩埚质量直接影响生产产量和合金质量,坩埚耐火材料的质量和打结烧结对冶炼合金含氧量有直接影响。由于普通焙烧的镁砂含 SiO_2、Al_2O_3 和 Fe_2O_3 等杂质较多,真空感应炉通常使用电熔镁砂或铝镁尖晶石。打结烧结后的坩埚应待高真空洗炉后方能正式冶炼。

(3)原材料准备　采用真空冶炼的合金通常对夹杂、气体及有害元素含量要求严格,因此真空熔炼高温合金均应采用高纯度金属或合金为原材料,特别是对低熔点有色金属杂质含量要求更加严格。表 7-7 为美国 GE 公司对变形高温合金产品中有害元素的控制限量。

表 7-7　美国 GE 公司规定的高温合金中有害元素限量范围

元　素	质量百分数最高值	元　素	质量百分数最高值
铋 Bi	0.00003	硅 Si	0.35
铜 Cu	0.30	银 Ag	0.0005
铅 Pb	0.0005	硫 S	0.0020
氮 N	0.0100	碲 Te	0.00005
氧 O	0.0050	铊 Tl	0.0001
硒 Se	0.0003	锡 Sn	0.0050
磷 P	0.015	钙 Ca	0.005

7.4.3.2 装料

与非真空感应炉冶炼相类似，不同合金料按其熔点、易氧化程度、密度、加入数量及挥发情况等的不同放在炉内不同部位，并选择合适的加入时间。对于蒸气压很高的元素(如 Mn、Mg)，为保证其回收率，应浇注前在一定压力的氩气下加入；Al、Ti、Nb、Ce、Zr、B 等应在精炼期加入，而 Ni、Cr、Mo、Co、V、Fe 等均在熔炼前或熔炼过程中装入坩埚；脱氧用的碳块，可以是将碳全部加入坩埚中，但合金中的残余碳往往难于控制。也可以是装料时加入部分碳块，另一部分碳在全熔后加入，既有利于碳沸腾脱氧，又易控制最终碳量。但随炉料加入的碳，应不与坩埚壁接触，也不应与铬块装在一起，以免对脱氧不利。

7.4.3.3 熔化

熔化期的主要任务是使炉料熔化、去气、去除低熔点有害杂质和非金属夹杂物，并使合金液有适当的温度，使系统达到足够的真空度，为精炼期创造条件。

单室真空感应炉每次熔炼完毕，必须破坏真空，此时系统和坩埚会吸收大量气体，因此继续开炉送电前应将系统抽至较高真空度，以消除由于真空系统、坩埚表面和炉料所吸收残留的气体对冶炼过程的影响。在系统达到一定真空度后，开始送电熔化，一般采用逐步提升功率，较慢熔化的工艺制度，缓慢熔化对减缓熔化期的沸腾，消除喷溅，提高脱气效果有利。

真空感应炉冶炼，绝大部分气体是在炉料熔化过程中被排除掉的。这是因为熔化过程中，炉料是逐渐熔化的，钢液的相对表面积很大，熔池深度也比较浅，非常有利于去气，这从冶炼过程中真空度的变化可以观察到。图 7-15 为铁基高温合金在 200kg 真空感应炉冶炼过程中电力制度与真空度变化情况。高真空下送电，随着送电功率的不断增加和炉料的升温熔化，炉内真空度不断降低，说明熔化阶段有大量气体放出，直到炉料全熔后，炉内真空度才得以迅速升高。因此应结合真空泵能力，适当控制熔化期的送电功率。原则上讲，熔化期长一些好，以利于气体的充分排除，免得熔化速度过快，直到炉料熔清后，还继续大量放出气体，真空度一直很低，影响以后的高温精炼。

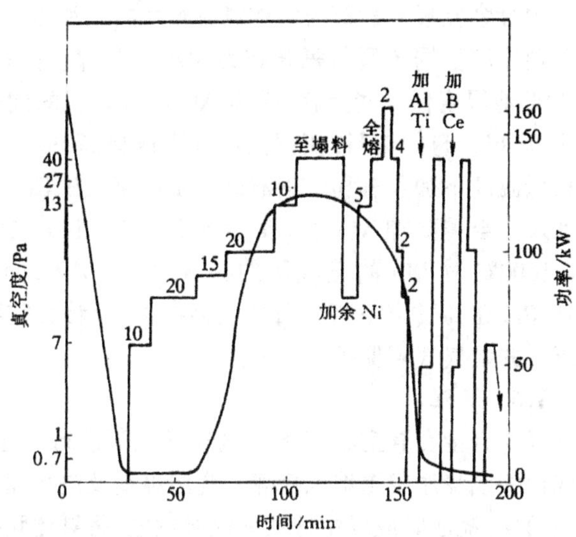

图 7-15　冶炼过程的电力制度与真空度的变化

7.4.3.4　精炼

精炼期的主要任务是继续完成脱氧、去气、去除挥发有害杂质，进一步纯净合金，调整合金成分，并使之均匀化。

实践证明，精炼期的精炼温度、保持时间和真空度，是真空感应熔炼中三个重要工艺参数。一般说，真空度高些好，此时对碳氧反应、对减少金属液的氧化、对气体和非金属夹杂的排除以及有害杂质的挥发去除等方面都是有利的。精炼温度高和保持时间长可加速碳氧反应并使反应完全，但温度过高或时间延长会加剧坩埚供氧反应，使合金熔体中氧含量反而上升。

与脱氧反应不同，熔体脱氮是单纯的真空挥发效应，因此熔炼温度愈高，保持时间愈长，合金熔体中氮含量愈低。

解决真空下脱氧和脱氮的矛盾，以获得氮、氧含量都低的合金，必须根据具体合金的要求，合理控制精炼期温度、时间和真空度三个重要参数。

7.4.3.5 合金化

在合金熔体脱氧脱氮良好的情况下,可以进行合金化操作,因为所加入的合金元素一般都与氧或氮有很大的亲和力。合金元素先后加入顺序应根据金属与氧亲和力大小和易挥发的程度。Al、Ti 加入时熔池温度低一些为宜,因为 Al、Ti 合金化的同时将产生脱氧反应,放出大量的热量,使钢液温度迅速提高;另一方面这些元素在较低温度下加入有利于钢液进一步脱氧。B、Ce、Zr 一般在出钢前加入。当需要加 Mn、Mg 等合金元素时,由于它的蒸气压高,如在 1600℃ 时 Mn 的蒸气压约为 3.32×10^3Pa, Mg 则大于 1.01×10^5Pa,在高真空下将大量挥发而损失。因此,需要出钢前在一定压力的氩气气氛保护下加入。

7.4.3.6 浇注

熔炼好的合金在真空状态下或氩气气氛下进行浇注,可以直接浇注成钢锭或浇注成重熔电极棒。浇注温度及浇注速度应随钢种和锭型而异,浇注时应以中等功率继续供电,将氧化膜推向坩埚后壁,使其不至于混入锭中。浇注时,一般均采用中间漏斗,中间漏斗内放有挡渣坝,以阻止氧化物进入锭模中。近年来为了进一步纯净钢液,国内外多采用陶瓷过滤器对钢液进行过滤。

7.4.4 纯净合金的生产

今天,合金锭的纯洁度已经成为最重要的质量问题之一,因为它直接关系到最终产品的非金属夹杂含量。高温合金的非金属夹杂主要是氧化物和氮化物,它们的数量、大小和形态分布对合金的低周疲劳性能有明显的影响。

高温合金锭纯洁度的定量鉴定目前比较通行的方法有金相法、电解法和电子束钮扣炉法。金相法基本上与钢铁内非金属夹杂物的定量鉴定方法相同,所不同的是等级分类。由于高温合金真空冶炼后夹杂量相对较少,因此需要观察较大的面积,才能作出有意义的金相等级鉴定。电解法是将试样在电火花切割机内切割并将基体腐蚀使夹杂浮雕突现的方法。试样截面积比金相法大得多，但即使每个试样截面积为 32.3cm^2，仍需 20 个切片试样，总计 645cm^2 观察面积。但是这种方法并不能对所有高温合金适用，电火花切割试样表面过度，使试样表面形貌无法鉴别夹杂物。电子束钮扣炉法最先由美国 PW 公司于 70 年代末应用成功，其后 GE 公司也进行了改进采用，试样重约 0.5～1.4kg，在水冷铜坩埚的电子束钮扣炉内熔化并凝固成半球体钮扣试样。试样熔化过程中，氧化物夹杂漂浮并聚集在钮扣顶部中心。控制熔炼参数，减少氧化物的挥发，并在凝固后集成一团聚体，采用扫描电镜-能谱仪－图像分析仪对该团聚体进行分析测定，即可鉴定该试样氧化物夹杂的数量、组成和大小。当然夹杂团聚体也可以采用化学电解萃取称重的方法测定夹杂的含量。

生产洁净合金锭，减少夹杂的含量应注意如下操作工序：

(1)采用纯净的合金料，并经喷砂、酸洗或碱洗来洁净表面。合金料应干燥，最好在装炉前经适当烘烤。废料及返回料在进入大炉真空感应炉之前最好经电炉及真空脱气处理；

(2)炉体各部分特别是坩埚及锭模，使用前必须清理干净，以免外来夹杂混入合金熔体内。另外在熔炼过程中，应尽量缩短熔炼时间，减少熔体与坩埚反应；

(3)采用陶瓷过滤器。国内外高温合金的生产采用陶瓷过滤器净化技术还是 80 年代的事，陶瓷过滤器净化作用机理一般认为有阻挡、沉淀和吸附作用。高温合金陶瓷过滤器的材质采用 $ZrO_2-Al_2O_3$、$3Al_2O_3-2SiO_2$、高纯莫来石和氧化铝等，这些材料具有高温高强度，并且稳定性好。过滤器的孔隙率为 10～20 平均孔隙数/英寸(1 英寸＝0.0254m)，不同高温合金牌号的陶瓷过滤器效率不同，GH169 合金最好约为 95%，K38 合金次之约为 83%，K18 合金最差，但仍可达 50%。

陶瓷过滤器的采用，不仅提高了高温合金锭或铸件的纯洁度，而且为高温合金返回料的使用提供了可靠保证，多种牌号的高温合金返回料熔化并经陶瓷过滤器净化后，达到或接近新料合金水平。

7.5 真空电弧炉重熔

真空电弧炉重熔是为生产钛、锆等活泼金属和钨、钽、钼等难熔金属而发展起来的一种熔炼方法。50 年代初国外开始用来重熔高温合金，我国采用真空电弧炉重熔也已走过了二十多年的历程，熔炼的高温合金牌号已有几十种。真空电弧炉的容量达 7～10t，用于重熔高温合金锭生产的结晶器直径最大的已达 508mm，锭重达 3～4t。

7.5.1 设备装置

真空电弧炉设备如图 7-16 所示，主要组成有：

(1)电源。根据炉子容量的大小，电源功率可由 100～1000kW。电弧重熔所用直流电由饱和电抗器或可控硅整流器提供，保证稳定的电弧特性下以最大的需求功率进行操作。熔炼经常是在短路或接近短路条件下进行，故系统应有清除暂时短路、重新起动电弧并返回到预定工作条件的装置。工作电流 5000～30000A，工作电压 20～45V。

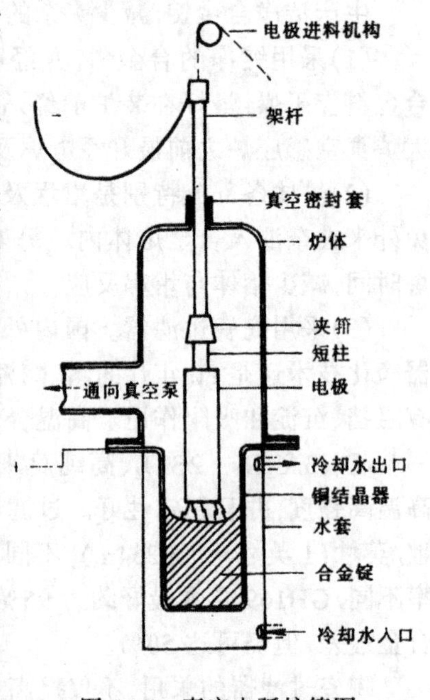

图 7-16 真空电弧炉简图

(2)铜结晶器。铜结晶器周围被水套包裹，冷却水流过水套，将铜结晶内铸锭的热量带走。结晶器用铜制作，目的是尽快将铸锭热量传给流动水。铜结晶的内径就是合金锭的尺寸。

(3)炉体。它是置于铜结晶器上部的圆筒，下端法兰带真空密封槽置于铜结晶器上端。炉体使熔化电极在真空密封下进行。炉体上端有密封套,允许夹料架杆上下移动,炉体上有窥视孔和真空通道。

(4)电极。电弧重熔炉用的电极棒是由电弧炉、感应炉和真空感应炉熔炼浇注的合金棒。熔炼时该合金棒为负极,合金棒上端焊接上同一合金的短柱,短柱通过夹箍被固定在架杆上,架杆顶端与电源负极相连,电流通过夹箍传送给电极棒,架杆有冷却水系统。

(5)真空系统。真空电弧炉根据熔炼用量选择合适的机械泵和扩散泵组。

此外还有真空、水和电的控制系统,进行全过程的控制和监视,保证真空电弧炉安全、顺利地生产。

7.5.2 重熔工艺过程

真空电弧重熔工艺是通过电极合金棒(阳极)与置于铜结晶器(阴极)底部的合金块料起弧使棒料熔化。电弧电流达到上万安培,电压一般为20～45伏,电弧放出的热量除加热熔化电极棒之外,还使流入铜结晶器内的熔滴形成一定深度的熔池。随着电极棒的熔化,功率逐渐加大,直至达到所需熔化速率的功率水平。结晶器内的金属液体形成熔池同时开始由下往上凝固结晶。合金牌号和合金锭尺寸不同,则熔化速率和合金锭凝固速率不同。熔化临近结束,功率逐渐减小,使合金锭热顶,消除或减少缩孔尺寸,熔炼结束,合金锭经适当冷却后移出水冷结晶器。

电极和结晶器或熔池之间电弧间隙的控制和保持是真空电弧重熔工艺的重要环节,电弧间隙对热量损失、熔池形状和铸锭表面有显著影响。一般电弧间隙在熔炼过程中控制在19mm以内。由于电弧间隙小,难免产生金属液滴在电极和熔池之间的搭桥而导致电压降落,即所谓“液滴短路”。

真空电弧重熔过程中还必须控制电极熔化速率与磁场效应,熔化速率通过熔池形状和深浅对合金锭结晶质量有很大影响。控制电极移动和电流强度来控制熔化速率还不太稳定,最好采用测力传感器直接测量电极重量的变化来控制。大直流电源产生的强磁场,与熔池中的电流发生作用,造成熔池内金属液体流动,影响电弧稳定性,并产生铸锭的凝固缺陷。减小这种磁场效应,只能通过炉子结构设计,使电流同轴分布,以减小磁场来实现。

为了使成分更加均匀,铸态组织细化,偏析减少,常常在结晶器上附加一个磁场,使熔池作周期性的换向旋转。磁场线圈匝数、磁场电流和换向间隔时间应根据熔化工艺确定。

7.5.3 熔炼特点

像其他真空熔炼一样,真空电弧炉熔炼具有脱气、脱氧和低熔点有害杂质挥发去除的特点。脱气是在被加热的电极、熔滴形成及熔池内进行的,特别是氢在真空和电弧高温下大部分被脱除,可降到$(1\sim2)\times10^{-6}$。脱氧主要是靠碳脱氧及氧化物夹杂的上浮。由于氮在高温合金中一般以氮化物形态存在,而真空电弧熔炼速率又较高,因此,其脱氮效果还不如真空感应炉。表7-8列出了GH132合金经电弧炉熔炼的电极棒与其真空电弧炉重熔后铸锭的气体含量和有害杂质的对比情况。

表7-8 电弧炉熔炼的电极棒经真空电弧炉重熔后气体及有害杂质含量的变化

项目	H_2	O_2	N_2	Pb	Ag	As	Sn	Sb
电极	7.8×10^{-6}	19×10^{-6}	40×10^{-6}	1.4×10^{-6}	0.38×10^{-6}	58×10^{-6}	47×10^{-6}	24×10^{-6}
一次真空自耗	1.1×10^{-6}	18×10^{-6}	$(40\sim45)\times10^{-6}$	0.3×10^{-6}	0.1×10^{-6}	56×10^{-6}	46×10^{-6}	6×10^{-6}
二次真空自耗	1.05×10^{-6}	17×10^{-6}	$(40\sim45)\times10^{-6}$	0.28×10^{-6}	0.12×10^{-6}	54×10^{-6}	46×10^{-6}	7×10^{-6}
三次真空自耗	1.0×10^{-6}	9×10^{-6}	$(40\sim45)\times10^{-6}$	0.22×10^{-6}	0.13×10^{-6}	42×10^{-6}	42×10^{-6}	7×10^{-6}

经真空电弧炉重熔后,高温合金的主要元素含量变化很小或没有影响,活性元素Al、Ti及少量元素Si、S、P等也无太大变化,

从而保证了成分控制的准确性和均匀性。锰的熔损较大,随钢种、凝固条件和真空度而变,一般锰的损失为5%~30%,幸好在多种高温合金中不含锰。

真空电弧炉重熔是在水冷铜结晶器内进行,没有耐火材料的污染,一些不稳定非金属夹杂物在高温电弧作用下可分解,一些较稳定的氧化物、氮化物等夹杂在电弧作用下破碎、细化或上浮,因此电弧炉重熔后的合金锭纯洁度得到显著改善。在真空电弧炉内液态金属在真空和高温下暴露时间较短,大部分氧化物及氮化物夹杂不是靠分解被去除,而是在熔池表面上被去除,漂浮的夹杂被电弧排斥到熔池边缘,在结晶器壁上结垢,影响合金锭的表面质量。尽管真空电弧重熔能提高合金纯净度,但是改善的程度与初始电极棒的纯度有关。

真空电弧炉重熔是在水冷铜结晶器内进行的,熔融金属在高度冷却条件下,由结晶器底部向上逐渐凝固结晶,从而减少了中心疏松,防止合金元素及夹杂物的偏析。合金锭头部可以充分加热,完全避免缩孔,得到组织均匀、无缩孔和组织致密的合金锭,显著改善了合金的热加工性能。许多难变形高温合金如A286、Waspalloy、M-252等经真空电弧重熔后,由于热加工性能得到显著改善,得以锻造成材。

7.5.4 缺点及存在问题

真空电弧重熔存在的主要问题是合金锭表面质量和偏析。由于熔池中的漂浮夹杂被驱除到结晶器壁上,而低熔点有害杂质也挥发冷凝在结晶器壁上,因此凝固后的合金锭表面富集这些杂质,为此在热加工之前,合金锭表面必须切削或打磨去除。

与真空感应熔铸相比,真空电弧合金锭的宏观及微观组织偏析有了很大改善,但偏析问题没有完全克服,仍有两类偏析存在即:斑点偏析和白点偏析。斑点偏析是合金熔体中高溶质元素偏聚形成的成分偏析区,它源于熔体液固粥状区域中流体流动产生的高偏析通道,如熔池中电弧不稳定引起金属液体的突然运动或者由单向熔池旋转等。固液相线温差愈大的合金，斑点偏析愈明显，如GH169合金。为此必须严格控制熔化速率并使之稳定，尽可能形成较大的热梯度和较小的外磁场。

白点偏析区富含碳化物、碳氮化物或氧化物，对合金的大应力低周疲劳性能影响特别显著，其形成原因可能是结晶器壁上的冷凝物和熔池边缘的氧化物夹杂被凝固金属包裹，在电弧的作用下它们进入熔池，在未被重熔或漂浮出熔池之前已处于凝固区域内。

7.6 其他重熔工艺

除上述真空电弧炉和电渣炉重熔高温合金之外，其他重熔工艺尚未得到工业应用，但下述一些工艺正在积极开发和规模性试验之中，这些工艺是电子束重熔(EBCHR)等离子重熔(PMR)和真空电弧双电极重熔(VADER)。

7.6.1 电子束重熔

电子束炉是50年代中期才用于生产的冶炼设备，其最初应用是在真空下熔铸难熔金属。电子束炉是在高真空下用单根或多根电子枪(阴极)发射出来的高能电子束，轰击被熔炼的物料(阳极)并使其发热熔化，熔滴落入水冷结晶器中形成熔池并逐渐凝固。另有一根电子枪发射的电子束用来加热并控制结晶器内的金属熔池的温度及其深度。凝固的金属锭不断地移动被带出结晶器，金属熔池表面的高度保持不变。电子束重熔的熔池温度过热度高，熔池又浅，对合金精炼非常有利，一些非金属夹杂物分解或被碳还原去除。电子束重熔法具有真空感应熔炼和真空电弧重熔两者的优点，既可使熔池维持较长时间，又排除了耐火材料的污染，在物料熔化、熔滴形成及滴落过程中进行冶金物理化学反应，去除大量气体和杂质。一些实验表明，经电子束重熔后，氮下降3/13、氧下降2/7、氢下降3/5、铅和铋减少1/3～3/8、锑减少3/13～2/7。电子束重熔可在较宽的温度范围内控制熔化和结晶过程，调整铸锭组织，使合金力学性能的波动更小。GH4698合金电子束重熔与真空电弧重熔后力学性能的对比如表7-9所示。

电子束重熔炉的关键部件是高压设备及电子束枪，此外还需要有较高的抽真空能力的机械泵和抽散泵的真空机组，水冷铜炉膛的真空室，喂料和锭模引拉机构等。

表7-9 真空电弧和电子束熔炼GH4698合金模锻件性能

重熔工艺	σ_b/MPa	$\sigma_{0.2}$/MPa	δ/%	φ/%	A_K/J
真空电弧炉	1216	746	21.5	22.5	50.56
电子束熔炼炉	1260	818	28.0	32.5	72.52

7.6.2 等离子弧重熔

等离子炉出现于60年代初，它是用等离子电弧作为热源对合金料进行熔炼和精炼的。等离子弧是在一对电极之间的气体被电离成为电流通道，导致电流通过气体放电形成的电弧，因而这是一种电离度更高能量更集中的电弧，等离子弧平均气体温度为3000～6000℃，电弧的流速快，最大可达10m/s，弧的电压和电流相当稳定。

等离子弧重熔是在惰性气氛或其他可控气氛中，利用超高温的等离子弧熔融金属，被熔化的金属集聚在水冷结晶器中，再引拉成锭。其主要优点是熔炼温度极高，高于其他任何熔炼炉所能达到的熔炼温度。等离子弧重熔的热效率高，生产速率快，熔炼气氛可自由选择，并可根据需要进行带渣或无渣熔炼。由于重熔是在氩气或其他可控气氛下进行，金属熔池比较洁净，合金中的气体、有害夹杂含量以及合金锭的性能水平接近于真空熔炼的效果。

等离子弧重熔炉的主要组成是等离子电弧发生器。

7.6.3 真空自耗双电极重熔炉

真空自耗双电极重熔炉出现于70年代后期，目的是获得细晶铸锭，改善合金锭的热加工性能，该设备示意图见图7-17。如图所示，真空自耗双电极重熔炉的设备大体上与真空电弧重熔炉相同，其差别在于前者采用两支金属电极，并使用无水冷的结晶器。另外其所需电能差不多都是用来熔化电极棒料，只有很少一部分用于加热熔滴，而真空电弧重熔炉用于熔化电极与用于维持熔池的电能大致相等，因此真空自耗双电极重熔炉的能量损耗比真空电弧炉少40%。

真空自耗双电极重熔炉的冶金反应与真空电弧炉一样，但两者的电极熔化及合金锭凝固特性有显著差别，真空自耗双电极重熔炉没有金属熔池，只是两个水平对置的电极引弧、熔化，熔滴落入没有水冷的旋转结晶器后立即凝固，因此合金锭为细等轴晶组织，无宏观偏析，无斑点或白点缺陷。

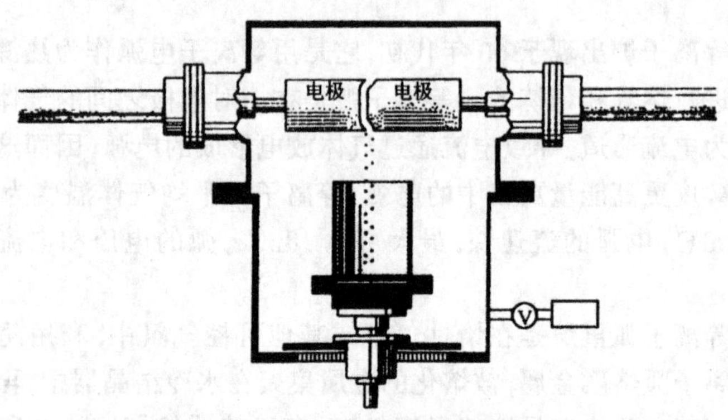

图7-17 真空自耗双电极重熔炉简图

上述几种重熔炉的工艺特点对比如表7-10所列。

表7-10 各种重熔工艺的特征比较

项 目	真空电弧重熔 VAR	大气电渣重熔 ESR	电子束重熔 EBR	等离子弧重熔 PAR
能源	自由电弧	电阻热	电子束	等离子弧
电流	直流	交流(直流)	直流	直流(交流)
电能消耗 $\times 10^6$/J·kg^{-1}	3.6	5.4	3.6～7.2	3.6～7.2
工作压力/Pa	<1.33	1.01×10^5	1.33×10^{-1}～1.33×10^{-3}	1.01×10^5 气氛可变

续表 7-10

项　目	真空电弧重熔 VAR	大气电渣重熔 ESR	电子束重熔 EBR	等离子弧重熔 PAR
温度情况	稍许过热，不能控制	稍许过热，不能控制	过热，可控制	过热，可控制
熔池温度/℃	＜1750	＜1700	1800	1800
气体去除	好	差	很好	好
杂质挥发	好	不能	优越	稍微
结晶控制	通过电能输入稍能控制	通过几个参数稍能控制	灵活性好与熔速无关	灵活性好与熔速无关
熔炼高 Mn、N 合金	难	易	难	可以
熔炼高 Al、Ti 合金	易	难	可	可
锭表面质量	必须扒皮	不须扒皮	不须扒皮	锭表面光滑不须扒皮

参 考 文 献

1 国外特殊钢生产技术.冶金部特殊钢情报网编

2 国外真空自耗熔炼设备及生产情况.上海钢研所

3 高温合金冶炼工艺.北京钢铁学院

4 钙对 GH30 合金热塑性的作用及在熔炼过程中的工艺控制.第六届全国高温合金年会论文集

5 GH140 铁镍铬基耐热合金冶炼过程中熔渣组成分、气体含量、非金属夹杂物形态的研究.第六届全国高温合金年会论文集

6 ЭЦ698 镍基高温合金评述 ЭЦ698 译文集

7 真空自耗电弧炉熔炼对 GH132 合金质量的影响.第六届全国高温合金年会论文集

8 高温合金真空感应炉熔炼工艺研究.合金钢.第 20 期

9 A.M. 萨马林编．真空冶金学．北京:中国工业出版社,1965

10 邵象华．金属学报.1964;7(1):85～102

11 Pridgeon J, W, *et al*. Superalloys Source Book. ASM, 1984.201～216

12 Olette M. Proceedings of the 4-th infernational Conference on Vacuum metallurgy, 1973;1974:29～34

13 Shamblen C E, Chang D P, Corrado J A. Superalloys. 1984:509～520

14 Apelian D, Sutton W H. Superalloys. 1984:423～434

15 肖永明．铸造高温合金论文集．北京:中国科学技术出版社,1993:222～230

8 高温合金铸造技术

8.1 熔模精密铸造

高温合金含有大量稀缺或纯金属元素，价格昂贵，且其主要用于制造燃气轮机叶片及喷嘴等形状复杂、精度及表面粗糙度低的小零件，因此高温合金适于采用熔模精密铸造成形工艺。

现代熔模精密铸造方法形成于19世纪40年代初期，其实质与我国古代的失蜡铸造相同。这种方法采用可熔化的一次性使用的模型，而所得铸件又有较高精度和较低表面粗糙度，故而得名为熔模精密铸造。

与其他铸造成形技术相比，熔模精密铸造的特点如下：

(1)精度高、表面粗糙度低。铸件公差可达到公称尺寸的±0.5%以内，表面粗糙度 R_a 为6.3～0.8，从而可减少甚至无需切削加工；

(2)可铸出壁薄质量小且形状复杂的零件。铸件壁厚可小至0.5mm以下，质量可小于0.1g；

(3)几乎不受合金种类的限制。特别适合于难以切削或锻压加工的合金；

(4)大量生产或小批生产均可适用；

(5)铸造工艺过程复杂，工序多，因而影响铸件质量的工艺因素多，必须严格控制各种原材料及各项工艺操作，才能稳定生产；

(6)生产周期较长，铸件也不宜过大过厚（一般几十公斤以下）。

熔模精密铸造的生产工艺过程为熔模制造、型壳、合金重熔、浇注和铸件清理及修补，其生产工序流程如图8-1所示。

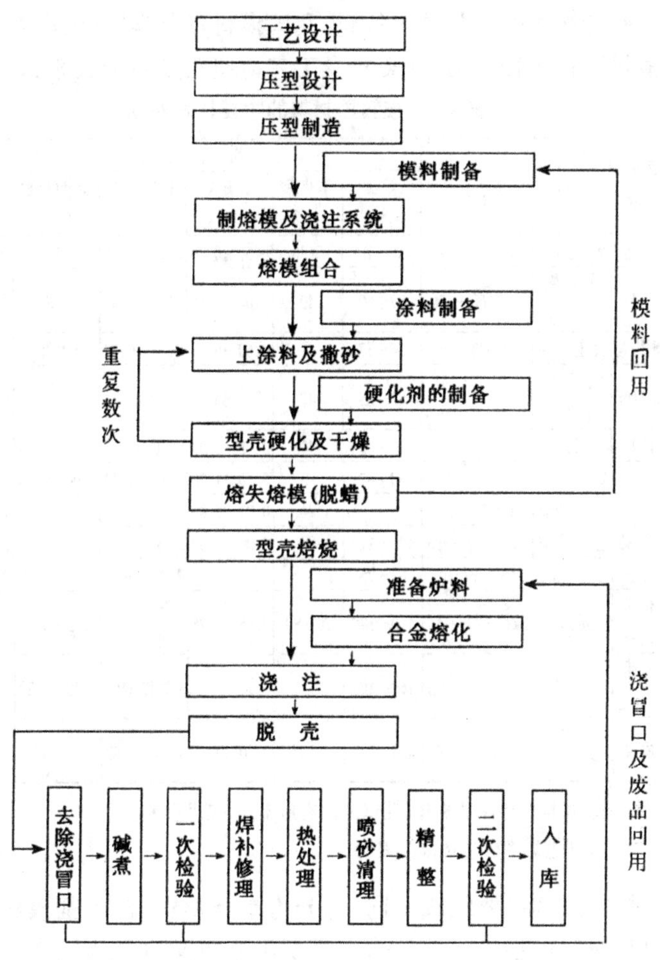

图 8-1　熔模精密铸造流程图

8.1.1　熔模制造

熔模制造包括模料制备、制作熔模及浇注系统、型芯制作和熔模组合等四个工序。

8.1.1.1　模料制备

制造熔模的材料称为模料，我国模料资源丰富，国内常用的几种模料原材料种类、技术要求及工艺物理性能列于表8-1。

表8-1　模料原材料的主要技术要求

序号	原材料名称	产地	技术条件	物理性能					
				熔点/℃	软化点/℃	自由收缩率/%	抗拉强度/MPa	灰分(质量分数)/%	密度/g·cm^{-3}
1	石蜡	大连、锦西	GB446—77	58~70	>30	0.50~0.70	0.20~0.30	<0.11	0.88~0.91
2	地蜡	上海、锦西、南充	SYB1605—76	67~80	40	0.60~1.10	1.5~2.0	<0.03	0.85~0.95
3	硬脂酸	大连、上海	QB523—66	54~57	35	0.60~0.69	0.15~0.20	<0.02	0.86~0.89
4	褐煤蜡	寻甸、曲靖、舒兰		82~85	48	1.63	4.5		0.88~0.93
5	蜂蜡	云南		63~67	40	0.78~1.00	0.30	<0.03	0.91~0.93
6	川蜡	四川、贵州		80~82		0.80~1.20	1.15~1.30	0.04~0.06	0.92~0.95
7	松香	广东、福建	LY204—74		74	0.07~0.09	4.90	<0.03	1.03~1.09
8	聚乙烯	兰州、上海	HG2—247—65	104~115	80	2.00~2.50	7.85~15.70	<0.06	0.92~0.93
9	EVA①	上海、北京	EVA28/250	62~75			2.95~5.90		0.94~0.95
10	聚苯乙烯	兰州、上海	HG2—299—65	160~170	70~80	0.65~0.75	29.50~49.00	0.02~0.04	1.05~1.07
11	乙基纤维素			160~180			>49.00	0.30~0.80	1.00~1.20
12	尿素		HGB2166—62	130~134		0.10	1.67~1.82	<0.03	1.335

注：该表数据由各单位提供，测试方法有所不同，仅供参考。

①EVA即乙烯醋酸乙烯酯共聚物。

模料按其主要组成不同，可分为蜡基模料、松香基模料、塑料模料和尿素模料等。按其熔点高低则模料又可分为三类：低温模料、熔点低于60℃，如石蜡-硬脂酸模料；中温模料，熔点在60~120℃之间，如松香-川蜡基模料；高温模料，熔点高于120℃，如组成为50%松香，30%聚苯乙烯和20%地蜡的模料。

以各种矿物蜡（石蜡、提纯地蜡、褐煤蜡）、动物蜡（川蜡、蜂蜡）或植物蜡（棕榈蜡）为主体的模料即为蜡基模料。迄今为止，该类模料是熔模精密铸造生产中最重要的一种制模材料。但大多数蜡基模料强度低、热稳定性较差、收缩较大，对于质量要求较高的易变形的叶片类铸件和大型零件则往往采用松香-蜡基模料(表 8-2)。松香－蜡基模料的主要不足之处是容易变质。除此之外,在熔模精密铸造中有时也采用塑料模料和尿素模料。塑料模料一般以聚苯乙烯为原料,采用压制或发泡成型的方法制模,脱模则采用 7.58×10^5Pa 的高压蒸气熔出或在 400℃ 以上高温下烧失,或用三氯乙烯蒸气溶解。尿素易溶于水和酒精,是一种水溶性模料,在制造内腔形状复杂的熔模时,往往作可溶性型芯使用。

表 8-2　松香-蜡基模料的成分、配比和性能

组成及性能 / 序号	成分和配比(质量)/%									工艺物理性能			
	松香	聚合松香	424树脂	川蜡	地蜡	石蜡	褐煤蜡	聚乙烯	EVA	熔点/℃	热稳定性/℃	抗弯强度/MPa	收缩率/%
1	60			30	5			5		90	>40	5.90	0.88
2	75			15	5			5		94	>40	9.80	0.95
3	30		27	35	5			3			>40	6.00	0.78
4		17	40			30	10		3	74～78	>40	5.30	
5	40				20	40				58	34		0.8

8.1.1.2　制作熔模和浇注系统

把配制好的模料注入压型,待冷凝成型后即为熔模。模料注入压型有自由浇注和压注两种,自由浇注使用液态模料,用来制造要求不高的浇注系统熔模。通常制作熔模皆采用压注法,该法使用糊状模料,即通过搅拌机将液态模料边搅拌边冷却,最后搅制成糊状蜡膏,其目的是加速凝固、减小收缩。

压制熔模,可采用手动压蜡轮、杠杆式或齿条式手动压蜡机、气动压蜡机。多功位自动压蜡机和制模联动线装置。

压型是熔模铸造的重要工艺装备,压型型腔的尺寸精度与表面粗糙度,决定了熔模所能达到的精度和粗糙度。压型型腔的结构设计要根据铸件的几何形状、设计特点和制造工艺等因素。生产中常用的压型如表 8-3 所示。

表 8-3　压型的分类

分类方法	压型种类	制造方法	可达精度	可达粗糙度	制造成本	生产率	使用范围	备注
按制型材料分	钢	机械加工	2级	$R_a0.8$	高	高	大量生产	
	铝	机械加工或铸造	2~4级	$R_a1.6\sim0.4$	高	高	大量生产或大件的生产	
	易熔合金	铸造	4级	$R_a3.2\sim1.6$	低	中等	单件、小批或试生产用、形状复杂、型腔不易加工的铸件、或精度、粗糙度要求不高的铸件	易熔合金可回收,成本低
	石膏压型	灌浆	4级	$R_a3.2\sim1.6$	低	低	单件、小批、试生产用、精度、粗糙度要求不高的铸件用	模料冷却慢生产率低
	塑料压型	贴层	6~7级	$R_a6.3\sim3.2$	低	低	同　上	
按机械化程度分	手工					低		手工压型可根据不同批量用不同材料,机械化、自动化压型一般用钢材
	机械化					较高		
	自动化					高		
按型腔数量分	单腔					低		
	多腔					高		

压型型腔尺寸一般根据下列公式确定:

$$L_M = L_0(1 + K) \pm \Delta A_M; K = K_1 + K_2 + K_3 \qquad (8\text{-}1)$$

式中 L_M ——型腔尺寸;

L_0 ——铸件平均尺寸;

K ——综合线收缩率;

ΔA_M ——制造公差;

K_1 ——合金收缩率;

K_2 ——模料收缩率;

K_3 ——型壳的膨胀和变形,通常取负值。

由于铸件结构的不同,即铸件壁厚和形状的不同,以及工艺操作过程的影响，要准确测算 K 值必须对不同条件下的具体零件进行测试。几种铸造高温合金的收缩率如表 8-4 所示。

表 8-4　铸造高温合金的收缩率

合金牌号	K213	K231	K2130	K4002	K417	K418	K419	K423
收缩率/%	1.4	1.6	1.8	2.0	2.0	2.0	2.0	2.2

压型型腔尺寸的制造公差一般为铸件公差的 1/4～1/6，因此型腔尺寸的精度等级通常在 4 级～6 级。压型型腔的表面粗糙度为 R_a 0.16～1.25 之间，配合表面粗糙度一般为 R_a 0.63～2.5，压型型体外壳的非配合表面一般用 $R_a=3.2$

要制得质量合格的熔模，必须制订相应的工艺规程，对模料温度、压型温度、压注压力、保压时间及分型剂的使用等因素给予明确的规定。通常石蜡硬脂酸的低温模料的压注温度为 45～48℃，压型工作温度为 20～25℃，压注压力为(0.5～3.03)×10^5Pa，保压时间约 0.5～3min；松香-川蜡基中温模料的压注温度为 70～85℃，压型工作温度为 20～30℃，压注压力为(3.03～5.05)×10^5Pa，保压时间为 0.5～3min。分型剂的作用是便于起模，并降低熔模表面粗糙度，变压器油或 1∶1 的酒精蓖麻油混合液用作石蜡硬脂酸的低温模料，松香基模料则采用硅油或乳化硅油。

熔模浇注系统的作用是：(1)平稳地把液体金属引入型腔；(2)良好的补缩作用，防止铸件产生缩孔和疏松；(3)在熔模组合和制造过程中起支撑作用；(4)熔模熔失时作为液体模料流出的通道。

熔模浇注系统通常由浇口杯、直浇口、横浇口及内浇口组成。直浇口是壳型的支柱，兼有冒口补缩作用，常用直浇口直径为 33～52mm，高为 250～320mm。熔模组焊在距浇口杯顶面 70～100mm 以下位置，最下的内浇口距直浇道底不应小于 20～40mm，以缓冲液态金属浇注流的冲击和飞溅。横浇口起分配液流、补缩和挡渣作用。内浇口位置、数量、形状和截面尺寸大小等的设计不仅需考虑壳型的充填、凝固补缩和铸造应力的产生，而且必须考虑铸件的清理、加工和表面质量等问题。

8.1.1.3 型芯制造

根据铸件的不同要求和内腔复杂程度，熔模精密铸造型芯采用可溶型芯、石英玻璃管芯和陶瓷型芯。可溶型芯制成后，置于压型，压制成蜡模后，放入水溶液中，使型芯溶解脱除，获得所需型腔。常用的可溶型芯有尿素芯和羰芯，羰芯以聚乙二醇为基体材料，并添加一定的碳氢酸钠、云母粉或滑石粉作为活性填料和惰性填料。

60 年代以来，为使涡轮进口温度不断提高，航空发动机广泛采用了气冷空心叶片。空心叶片内腔孔型细小而又简单，可采用石英玻璃管型芯，内腔孔型复杂的叶片采用陶瓷型芯。陶瓷型芯使用的基体材料主要有石英玻璃、电熔刚玉、锆英石和氧化镁等。制取陶瓷型芯一般采用热压注法，其工艺流程如图 8-2，常用陶瓷型芯材料配方列于表 8-5。

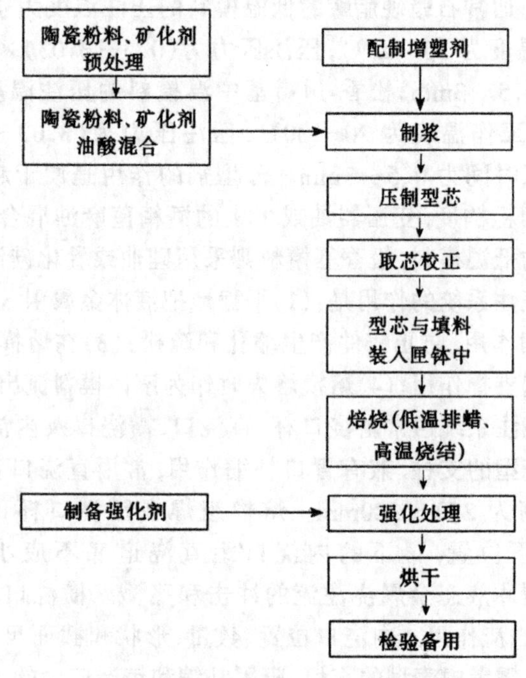

图 8-2 陶瓷型芯制造工艺流程图

表 8-5　常用陶瓷型芯配方

序号	配方								焙烧温度/℃	填料
	基体材料		矿化剂			增塑剂①		油酸①		
	石英玻璃	刚玉	工业氧化铝	A、C、S	铝－硅系	蜡基	松香基			
1	85		15			15～20		0.5～1	1200	工业氧化铝
2	95			5		15～20		0.5～1	1200	
3	90				10	15～20		0.5～1	1200	
4		95		5		15～20		0.5～1	1300	
5		94			6		25	0.5～1	1300	

①占粉料质量的百分数。

陶瓷型芯中添加有适量矿化剂和增塑剂。矿化剂用以促进型芯烧结，降低烧结温度或缩短烧结时间，其组成主要为 Al_2O_3 和 SiO_2。增塑剂的作用是使型芯粉料在加热状态下具有流动性，压注时能充满压型型腔，常用增塑剂有石蜡和松香等。

8.1.1.4　熔模组合

熔模在组合前必须经过清理和修整，去掉毛刺、飞边及表面脏物，并进行外观、几何形状及尺寸检验，对不符合要求的熔模进行修补和校正。

按照铸件工艺设计要求，选择浇注系统熔模，并将合格的熔模与浇注系统熔模组合成整体熔模。组合模组时，必须照顾到焊接、上涂料和撒砂方便，脱蜡流道畅通，有利于铸件补缩及切割方便等因素。

模组的组合通常有手工组合法和联模组合法两种，手工组合用电烙铁焊切刀或用不锈钢板制成加热刀片，并使用由松香、石蜡及其添加剂组成的粘结剂粘合模组。联模组合采用组合模具组合熔模，即将需要组合的熔模安放在组合模具内，注入液态模料，直接制成带浇注系统的熔模组。

8.1.2　型壳

将模组浸涂涂料，撒砂后晾干，如此浸涂、撒砂、晾干重复进行 6～10 遍后，即形成型壳，型壳用热水或高压蒸气脱除熔模，再经高温焙烧后制得具有足够强度和高温稳定性的型壳。

8.1.2.1 涂料配制

涂料是由耐火粉料和粘结剂按一定比例配制而成。高温合金熔模精密铸造所用的耐火粉料有刚玉粉、锆英石、高岭土熟料、莫来石等。刚玉粉为电熔氧化铝，耐火度约达2000℃，化学稳定性与机械强度高，热膨胀稳定、均匀，抗激冷激热。刚玉粉价格贵，因含有约0.6%的Na_2O杂质，与硅酸乙酯、硅溶胶等酸性粘结剂配合使用时，在1050℃左右的高温下形成以钠长石($Na_2O \cdot Al_2O_3 \cdot 6SiO_2$)为主的多元低熔点共熔物，降低型壳强度，是使型壳在1200℃以上时强度急剧下降的主要原因，此外刚玉型壳的线膨胀率也较大。提高刚玉粉的纯度，降低Na_2O含量，可在更高温度下使用，用作定向凝固型壳材料。锆英石分子式为$ZrO_2 \cdot SiO_2$，除具有刚玉粉的特性外，导热性好，蓄热能力大，所配制的涂料涂挂性更好。锆英石含有极小剂量放射性($\alpha = 7.4 \times 10^4$Bq/kg以下)，只要严格控制其杂质含量，注意劳动保护，对人体不会产生有害影响。高岭土和莫来石等铝-硅系耐火材料与刚玉型壳相比，具有更高的高温强度和软化点，热稳定性好，抗变形能力强和热膨胀小等一系列优点，可显著提高铸件的尺寸精度，几种铝-硅系耐火材料的化学成分及相组成见表8-6。

表8-6 几种铝-硅系耐火材料化学成分及相组成

材料名称	化学成分(质量分数)/%								主要相组成
	Al_2O_3	Si_2O_3	Fe_2O_3	TiO_2	Na_2O	K_2O	CaO	MgO	
上店土	40～46	49～55	<1.2	<1.5	<0.3		<0.7		莫来石相$>$50%+30%玻璃相+$\leqslant$7%方石英
莫来卡特	42～43	54～55	0.75	0.08	0.1	1.5～2.0	0.1	0.1～0.3	莫来石相平均57%+玻璃相
铝矾土混合料	66～70	24～28	$\leqslant$1.5	$\leqslant$4	$\leqslant$0.5		$\leqslant$0.5		莫来石相$>$59%+α-Al_2O_3
高岭土合成料	42	51.96	0.60	0.7	0.23	0.78	0.5	0.2	莫来石相+玻璃相

用作高温合金熔模精密铸造粘结剂的有硅酸乙酯和硅溶胶，它们不含有 Na_2O 等杂质，制成的型壳耐火度高，高温下型壳变形及开裂倾向小，铸件尺寸精度高。

作为粘结剂的硅酸乙酯必须经过水解成为水解液，才具有粘结能力。硅酸乙酯和水混合不能互溶，因此水解时需用乙醇、丙酮或异丙醇等作溶剂，为加速水解过程，水解液中还加入适量盐酸。

水的加入量和水解工艺对粘结剂的质量与型壳制造工艺和性能有重大影响。根据加入水量多少不同，硅酸乙酯水解反应有如下两种：

$$(C_2H_5O)_4Si + 8H_2O = Si(OH)_4 + 4C_2H_5OH \tag{8-2}$$

$$(C_2H_5O)_4Si + H_2O = (C_2H_5O)_3SiOH + C_2H_5OH \tag{8-3}$$

式 8-2 为硅酸乙酯中全部乙氧基被水中(OH)所取代，生成原硅酸和乙醇。式 8-3 为硅酸乙酯中一个乙氧基被水中一个羟基取代，生成硅醇和乙醇。原硅酸脱水生成硅酸(H_2SiO_3)，缩聚而成无机硅聚合物。硅醇在缩聚时析出缩聚水，在缩聚水的作用下继续水解，如此水解－缩聚反应连续进行下去，形成有机硅聚合物并不断长大。

由于水解时硅酸乙酯和水通过溶剂不可能混合得很均匀，故实际硅酸乙酯水解液是不完全的硅酸溶胶及部分不完全水解产物(有机硅聚合物)，为便于分析，统一以 SiO_2 含量表示，一般水解液含 SiO_2 为 18%～22%。在型壳干燥硬化过程中，所有粘结剂和硅酸溶胶缩聚成无机硅聚合物，而在高温焙烧时，这种无机硅聚合物再不断脱水，缩合成具有硅氧键(—Si—O—Si—)的网状聚合物而获得高温强度。

目前国内常用的硅酸乙酯水解工艺是一次水解法，即把水和酸倒入溶剂中。酸的倒入次序为盐酸、醋酸、硫酸，搅拌 1～2min，在搅拌过程中将硅酸乙酯慢慢注入混合液，水解是放热反应，通过硅酸乙酯注入速度，控制水解反应温度。水解液使用前须在室温下密封保存 1 天，使水解－缩聚反应继续进行，急需时至少封存 2h 后使用。水解液存放时间一般不超过一星期，否则水解液粘度过大,甚至冻凝而失去流动性。

水解液制成后应分析 SiO_2 和 HCl 含量,并经毛细管粘度计测定,合格的水解液粘度一般为 4~6 厘沲,且无色透明,无絮状沉淀物。

由耐火粉料和水解液即可配制成涂料,以刚玉粉为耐火材料的涂料配比和密度控制如表 8-7 所示。

表 8-7 刚玉粉为耐火材料的涂料配比和密度

表层涂料		加固层涂料	
水解液:刚玉粉	密　度	水解液:刚玉粉	密　度
1:(2.2~2.5)	2.0~2.1	1:(2.0~2.2)	1.9~2.0

表中刚玉粉粒度为 320 目,M10~28。涂料粘度一般为 25s 左右,当用密度作为控制粘度标准时,密度则如上表所示。

作为粘结剂的硅溶胶可直接用来配制涂料,无需水解过程,国内外几种硅溶胶涂料配比举例如表 8-8 所示。

为了改善硅溶胶涂料的涂挂性,可以在涂料中加入表面活性剂聚异丙二醇醚、十二醇环氧乙烷环氧丙烷缩合物、渗透剂 T 和浸润剂 JFC。也可以将模组在浓度为 0.5%~1% 的聚乙烯醇水溶液浸一下,晾干后再上面层涂料。

硅溶胶在不断搅拌下添加粉料,粉料加完后再继续搅拌 1~3h,使粘度合适并趋于稳定,搅拌完毕后,静置 2h 以上,使气泡逐渐逸出。或采用抽真空法,减压除气在真空度十至数十毫米汞柱下处理 5~10min。

8.1.2.2　型壳涂制

型壳涂制工艺如下:(1)用乙醇擦洗或用肥皂水、洗涤剂洗涤后再用清水冲净,使熔模除油脱脂,提高熔模和涂料间的湿润能力;(2)上涂料和撒砂,砂的粒度表面层为 46~60 目,加固层自 36~46 目逐渐过渡到 20~24 目;(3)型壳干燥和硬化,在模组上涂料和撒砂后,该涂料层必须进行充分干燥和硬化,才能涂挂下一层。硅酸乙酯粘结剂的每一层涂料的干燥和硬化有三个过程,即

1)溶剂的挥发;2)粘结剂继续水解－缩聚和凝聚,为缩短周期,涂料层在空气中干燥硬化一段时间后,再在氨气中干燥和硬化。氨气的作用是它和涂料层表面水分反应生成 NH_4OH 或 NH_4^+ 和 OH^- 离子($NH_3 + H_2O = NH_4OH = NH_4^+ + OH^-$),消耗了一部分水分,使涂料层干燥,同时 OH^- 离子又使硅有机聚合物继续水解,直至变为无机硅聚合物的凝胶;3)包覆在耐火粉料颗粒表面的粘结剂胶膜由于溶剂挥发而收缩,使型壳变得疏松多孔。

表 8-8　国内外几种硅溶胶涂料配比和性能

材料		序号				
		1	2	3	4	5
		加入量				
国内几种硅溶胶涂料配比和性能	硅溶胶/mL	1000	1000	1000	1000	1000
	乙醇/mL	200	220~250			
	电熔刚玉/kg	2.4~2.6	按密度控制			
	石英玻璃/kg					1.7~1.8
	锆英石/kg				4.5~4.7	
	铝矾土/kg			2.05~2.20		
	表面活性剂/%	<0.3	0.2~0.4	0.3	0.3	0.3
	消泡剂(质量分数)/%	0.1~0.3				
	涂料密度/$g\cdot cm^{-3}$	2.0~2.2	2.0~2.3	≥2.0~2.1	≥2.4	≥1.7~1.8
	粘度/s①			80~100	65~80	240~300
	涂料用途			表面层	表面层	表面层
国外几种硅溶胶涂料配比和性能	硅溶胶(30%SiO_2)/kg	9.48	11.35	9.48	4.8	
	水/kg	3.785		3.785		
	电熔刚玉/kg				11.5	
	锆英石/kg	45.36	45.36	40.7	5.8	
	石英/kg			4.54		
	氧化钴晶粒细化剂/kg				0.9	
	表面活性剂/mL	10	10	10	330	
	消泡剂/mL				53	
	密度/$g\cdot cm^{-3}$	2.7~2.75	2.9~2.95	2.65~2.7		
	涂料用途	通常使用	用于高强度型壳	用于带小孔的铸件	用于表面层(铸件晶粒细化)	

①漏斗式粘度计,容量100mL,出口孔径 ϕ 4mm。

为了得到满意的型壳质量，型壳干燥与硬化时应注意：1）干燥区的温度保持在20～25℃左右，不宜过高或过低；2）加强通风；3）提高干燥区的空气相对湿度（50%～80%范围内）；4）通风干燥1.5～2h后，氨气干燥20～30min，氨干后吹风消味15～30min。

型壳的层次即厚度决定了型壳的实际强度，但涂料层次过多，造成生产周期长，型壳透气性和退让性差，而涂料层次过少，型壳强度不够，造成铸件变形甚至型壳破裂。涂料层次主要取决于铸件大小、质量及合金种类和浇注方式等，浇注零件的质量和涂料层次之关系如图8-3所示，通常小铸件的型壳层次为6～9层。

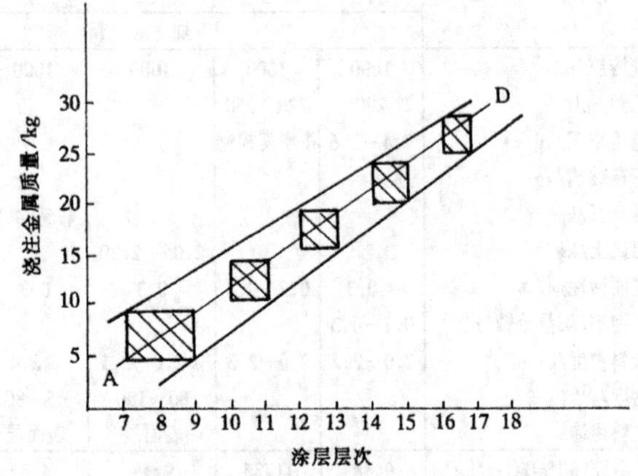

图8-3 浇注金属质量与型壳涂料层层次的关系

（注：1. ▨ 经验数据；2. 涂层包括面层和封严层，不包括强化层；3. AD线为真空与非真空浇注分界线，AD线上方为非真空浇注，下方为真空浇注；4. 面层为硅溶胶-刚玉粉涂料，加固层为硅酸乙酯-高岭土熟料涂料）

硅溶胶型壳的涂制工艺与硅酸乙酯不同之处是型壳干燥和硬化，硅溶胶无化学硬化过程，其干燥过程实质上是溶剂的挥发。硅溶胶浓度增加，胶体质点间形成硅氧键而将耐火材料颗粒联结，另一方面溶剂的去除，耐火材料颗粒在毛细管现象的作用力下，彼此接近，从而使型壳获得了强度。随着溶剂挥发，型壳强度的提高如图8-4所示。国内两种硅溶胶涂料的制壳工艺如表8-9和表8-

10所示。熔模精铸生产中常用的硅溶胶技术特性见表8-11。

表8-9 硅溶胶涂料制壳工艺一

层次	涂料密度 /g·cm^{-3}	撒砂粒度/目	干燥			
			温度/℃	风速/m·min^{-1}	相对湿度/%	时间/h
1	2.15～2.20	60(或80)	18～27	排风扇吹风	<50	3
2	2.10～2.15	60	18～27		<50	3
3	2.00～2.10	46	18～27		<50	3
4	2.00～2.10	24(或20)	25～30		<50	3
5	1.96～1.98	24(或20)	25～30		<50	3
6	1.96～1.98	24(或20)	25～30		<50	3
7	1.96～1.98	24(或20)	25～30		<50	3
8	1.96～1.98	24(或20)	25～30		<50	3

注:涂料及撒砂的耐火材料均采用电熔刚玉。

表8-10 硅溶胶涂料制壳工艺二

层次	涂料密度 /g·cm^{-3}	涂料粘度 /s	撒砂粒度 /目	干燥			
				温度/℃	风速 /m·min^{-1}	相对湿度 /%	时间/h
1	2.00～2.10	80～100	40/70	22～24	240～300	≤50～60	1～1.5
2	1.90～2.0	70～80	40/70	24～26	240～300	≤50～60	1.5～2
3	<2.0	<80	20/40	24～26	240～300	≤50～60	1.5～2
4	<2.0	<80	20/40	24～26	240～300	≤50～60	1.5～2
5	<2.0	<80	20/40	26～28	240～300	≤50～60	1.5～2
6	<2.0	<80	20/40	26～28	240～300	≤50～60	1.5～2
7	<2.0	<80	20/40	～30	240～300	≤50～60	1.5～2

注:涂料及撒砂的耐火材料均为铝矾土。粘度用容量100mL,出口直径4mm的漏斗式粘度计测定。

表8-11 常用硅溶胶技术要求

产地及代号	SiO_2(质量分数)/%	Na_2O(质量分数)/%	密度 /g·cm^{-3}	pH值	胶粒直径 /μm	比表面积 /m^3·g^{-1}	外观
英Mon Santo-syton×30	28.4～30.4	<0.05	1.20～1.21 (15.5℃)	9.5～10.0 (20℃)	(11～16) ×10^{-3}	250	浅乳白或乳白
上海试剂二厂	25～30	≤0.04	1.15～1.18	8.5～10.5	(10～20) ×10^{-3}		浅乳白或乳白
成都试剂厂	28～30	≤0.5	1.17	8～10	(10～20) ×10^{-3}		浅乳白或乳白
兴光机械厂	29～31	≤0.4	1.19～1.22	9～10	(7～20) ×10^{-3}		淡青或乳白

8.1.2.3 熔化熔模

型壳涂挂完毕后，在外面涂一层料浆作为封严层，自干12h以上后脱蜡熔化熔模。低温模料可用热水脱蜡，中温模料的熔点高于100℃，常用过热蒸气脱蜡，熔失温度大于140℃，高压蒸气罐中的压力为3.5～6.3 kg/cm²，熔失时间为10～30min。此外还可用热空气熔失法、三氯乙烯蒸气熔失法和微波炉熔失法等。

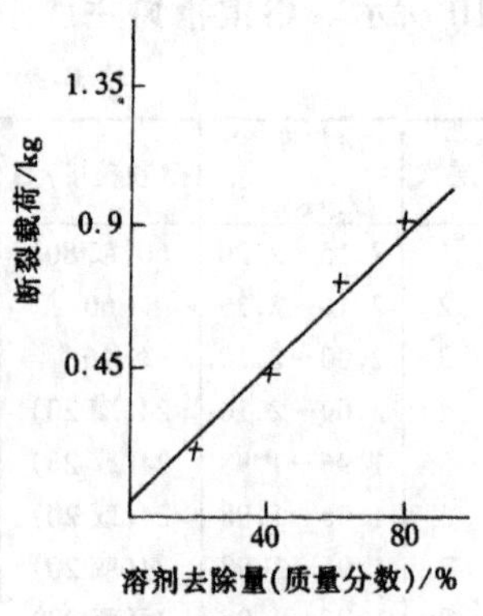

图8-4 溶剂的挥发与型壳强度的关系

8.1.2.4 型壳焙烧

焙烧的作用使硅酸凝胶和无机硅聚合物脱水，并最后形成硅氧键结合的无机硅聚合物，以获得高强度及高温稳定性好的型壳。硅酸凝胶中的水分在200℃以上即除去大部分，800℃以上基本除尽，故焙烧温度应大于800℃，一般900～950℃，保温1～2h后即可取出浇注。浇铸质量要求极严的航空零部件，为了保证型壳质量，焙烧后的型壳还要用洗涤剂清洗，清洗剂有醇类清洗剂和硅酸乙酯水解液清洗剂，清洗合格的型壳在浇口杯上用粘胶纸封住，防止灰尘掉入。

硅酸乙酯与硅溶胶粘结剂型壳相比，其不足之处在于：(1)水解处理比较麻烦，型壳强度受多种因素影响而波动；(2)型壳表面产生茸毛状或霜状的SiO_2，俗称“白膜”或“白霜”，降低了型壳强度和表面粗糙度。相应地，硅溶胶粘结剂型壳稳定性好，可长期有效；制壳工艺简便，无需预处理及氨干；材料来源丰富、成本低；不会产生“白膜”、“白霜”等疵病，型壳表面光洁；型壳表面细化效果好；型壳高温强度高，如图8-5所示，可用于定向凝固型壳。

8.1.3 合金重熔与浇注

为了获得高质量的熔模精密铸件，高温合金一般采用双联法，即先冶炼成母合金锭，经成分分析和质量检验合格后，在浇注零件

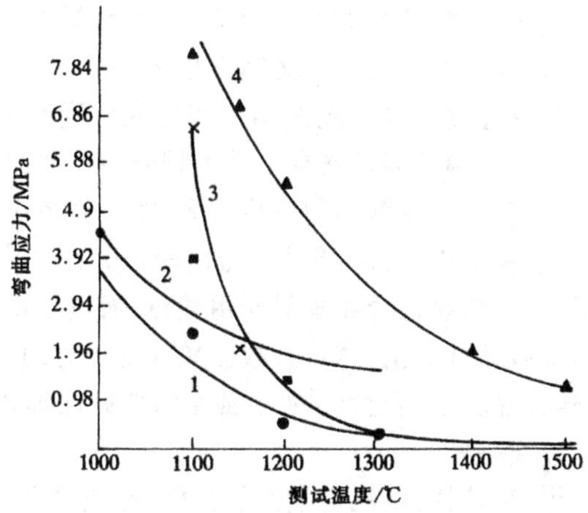

图 8-5 型壳的高温抗弯强度

1—硅酸乙酯刚玉型壳；2—硅酸乙酯铝矾土型壳；

3—硅溶胶刚玉型壳；4—硅溶胶铝矾土型壳

时用来进行重熔和浇注。通常高温合金采用真空感应炉熔炼和真空感应炉重熔浇注零件。合金化低的镍基和钴基合金亦可采用非真空感应炉或电弧炉熔炼后电弧翻转炉浇注。

真空炉坩埚的基体材料主要是用电熔镁砂，此外还有电熔刚玉砂、电熔氧化锆或其混合料。坩埚炉衬一般采用干打法捣制而成，而后经 1600～1700℃高温烧结。目前高温合金常常使用预制坩埚，预制坩埚通常采用等静压法压制成型，经 1650℃ × 3h 烧结而成。

母合金在真空感应炉内重熔时，由于熔炼时间短，故各元素含量变化很小。为保证铸件质量，航空铸件用母合金锭不允许有一次缩孔，二次缩孔不大于 ϕ 9mm，铸锭表面要打磨去除飞边、毛刺和氧化物。合金重熔锭直径为 ϕ 70～80mm，长度按浇注重量计算。高温合金型壳预热温度为 900～1050℃，浇注温度为合金液相线温度以上 100～160℃。为避免浇不足、冷隔和出现激冷晶粒等缺陷，真空浇注速度不少于 2s，薄壁铸件为 1s。

高温合金的液相线温度可按如下 Cook 经验公式确定：

$$t_{液} = 1508 - 258B - 51.5C - 32.2Zr - 17Ti - 11.9Al - 4.84Mo - 2.41Cr - 1.63V + 0.72Co \quad (8\text{-}4)$$

铸件的冷凝速度主要受浇注温度和型壳温度的影响,从而影响到合金铸态组织和性能。真空条件下型壳中铸件的冷凝速度与大气中不同,大气下对流散热的作用较大,故单壳浇注时铸件的冷速较快,而填砂铸型因保温性能好,冷速较慢。在真空下,对流散热效应减弱,主要依靠传导和辐射作用散热,而填砂铸型中的耐火材料颗粒能吸收铸件放出的热量,故比单壳浇注时的冷速要快些。冷速快,则铸件晶粒细,合金的拉伸强度和塑韧性都较好,但高温下的持久性能要差些。

一般来说,冷速快,高温力学性能较好;冷速慢,中温力学性能较好。采用型壳预冷处理,即型壳在高温下冷却 5~10min,造成型壳的内外壁温差较大,经浇注后,型壳内的合金铸件在开始的凝固高温阶段获得较慢的冷却速度,而后在较低温度时冷速加快,使高温合金兼有较好的高温和中温持久性能。

高温合金的流动性与其成分有关,合金元素按其对流动性强弱程度的影响,由强至弱的顺序如下:钛、铌、钼、铝、钴、钨,钴及钨的加入量高于5%时,对流动性无明显影响。由于钛及铝等元素在炉真空条件下迅速氧化产生大量氧化膜,因此成为恶化合金流动性最严重的元素,但在真空熔化和浇注条件下,这些含有钛、铝等生成氧化膜元素的合金流动性得到显著改善。

高温合金凝固时要收缩,这种收缩大部分发生在有效的补缩还在起作用的时候,此时有大量的液体补缩而不产生孔穴。由于高温合金成分复杂,凝固范围较宽(如 IN713C 为 27℃, IN100 为 72℃),合金以糊状方式凝固。当合金凝固中固相量超过 60%~70%左右时,大量的补缩即行停止,这时惟一的补缩方式是毛细管补缩,当凝固进行到后期毛细管补缩也变得无效时,便形成了显微疏松(图 8-6)。

从压力观点来分析,形成显微疏松的条件是 $p_l \leqslant p_e$;即局部液体金属压力 p_l 小于平衡压力 p_e。

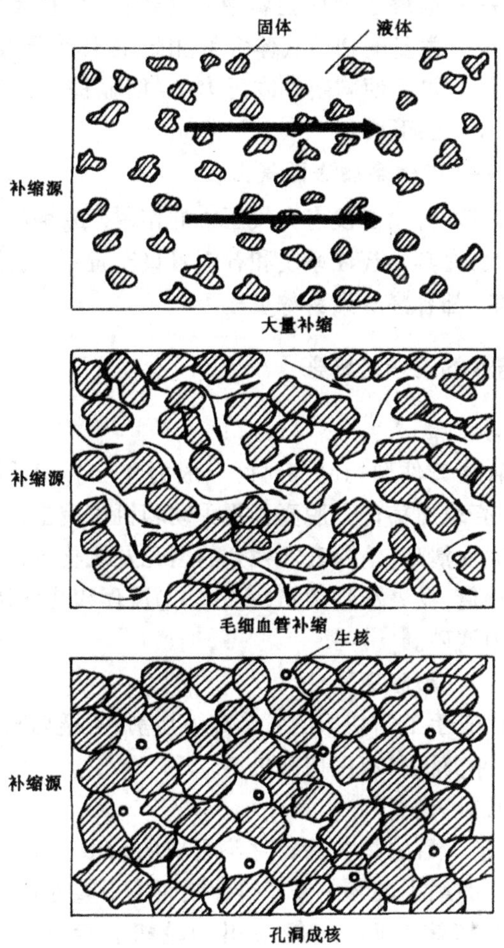

图 8-6　显微疏松形成示意图

$$p_l = p_0 + p_m - \Delta p \tag{8-5}$$

式中　p_0——液体金属外部压力,大气下冶炼为 1.01×10^5Pa;

p_m——凝固部位所处液体金属静压力;

Δp——液体金属流过糊状区所需的负压降。

$$p_e = p_g + p_s \tag{8-6}$$

式中　p_g——溶解于液体金属中的气体压力，在凝固末期，即使微量的初始气体含量，由于液体金属量显著减少而可能使剩余气体压力 p_g 明显提高，导致显微疏松的形成；

p_s——液体金属表面张力。

真空铸造时，由于没有大气压力的作用（$p_0 \approx 0$），铸件显微疏松倾向性大，尤其当浇注系统和补缩冒口安置不当，或是浇注温度过高或过低，都容易导致铸件疏松。

8.1.4　铸件的清理与修整

8.1.4.1　脱壳

高温合金铸件型壳冷却时间一般为 4～8h，采用自然冷却方法，然后脱壳取出铸件。脱壳采用手动和机械震击两种方法，其后再作铸件表面清理，清除表面残余的型壳及氧化皮，所用的方法是普通清理滚筒、抛丸清理滚筒、喷砂（丸）清理和化学清理及电液压和高压水力清砂。

8.1.4.2　切除浇冒口

其方法有手工锯切、气割、等离子切割、阴极切割、砂轮切割以及压力机、冲剪机和液压切割机等。

8.1.4.3　修整

(1)打磨　目的是去除铸件浇冒口的余根、毛刺及由于型壳开裂而引起的细小坡缝，修复铸件表面不平整处和个别尺寸超差的缺陷。在精铸车间，一般采用砂轮机打磨去除浇冒口的余根。

(2)矫正　由于熔模变形、型壳变形以及清理与切除浇冒口的外力作用、热处理等因素而引起铸件变形，为此需对铸件进行矫正，使之恢复到图纸要求的几何形状和尺寸，即采用外力，使变形铸件产生一定量的反变形。结构简单的小批量铸件一般采用手工方法矫正，结构复杂的大批量生产的铸件，则采用矫正模具在压力机下进行机械矫正。矫正量应包括金属的回弹量，经过矫正的铸件需加热以消除内应力。

(3)补焊　一般情况下,有气孔、缩孔、浇不足、砂眼、夹砂、渣眼、冷隔等缺陷,经修补后,可满足技术条件要求,又符合经济原则时可允许补焊。铸件在补焊前应将该缺陷加工除去,使该处露出良好的金属,缺陷处的边缘打磨成60°～70°的坡口,其深度不得超过铸件壁的2/3,其所占面积不超过缺陷平面的1/3。

8.2　定向凝固及单晶铸造

航空发动机涡轮叶片的运行经验表明,大多数裂纹都是沿着垂直于叶片主应力方向的晶粒间界即横向晶界上产生和发展的。因此消除这种横向晶界,则可大大提高叶片抗裂纹生长能力。定向凝固就是基于这种设想对叶片铸件的凝固过程进行控制,以获得平行于叶片轴向的柱状晶粒组织。柱状晶之间只有纵向晶界而无横向晶界,这就是定向凝固的柱晶叶片,如果采取某些措施,只允许有一个晶粒成长的柱晶,从而消除了一切晶界,这就是单晶叶片。

由于定向凝固技术用于真空熔铸高温合金涡轮叶片,航空发动机的材料和性能有了极大的提高,特别是单晶叶片的性能和使用寿命比普通精铸叶片提高了许多倍,因此自70年代初期,定向凝固高温合金涡轮叶片开始应用以来,世界各先进的军用及民用航空发动机都普遍采用定向凝固或单晶铸造叶片。

8.2.1　定向凝固原理

进行定向凝固以得到连续完整的柱状晶组织,必须满足以下两基本条件:

(1)在整个凝固过程中,铸件的固-液相界面上的热流应保持单一方向流出,使成长晶体的凝固界面沿一个方向推进;

(2)结晶前沿区域内必须维持正向温度梯度,以阻止其他新晶核的形成。

定向凝固时合金熔液注入壳型,首先同水冷底板相遇,于是靠近板面的那一层合金熔液迅速冷至结晶温度以下而开始结晶，但此时形成的晶粒，其位向是混乱的，各个方向都有。在随后的凝固进行过程中，由于热流是通过已结晶的固体金属合金有方向性地向冷却板散热，且结晶前沿是正向温度梯度，根据立方晶系的金属及合金（Ni、Fe、Co 等及其高温合金）在结晶过程中晶体＜100＞是择优取向，长大速度最快，从而那些具有＜100＞方向的晶粒择优长大，而将其他方向的晶粒排挤掉。只要上述定向凝固条件保持不变，取向为＜100＞的柱状晶继续生长，直到整个叶片，如图 8-7 所示。

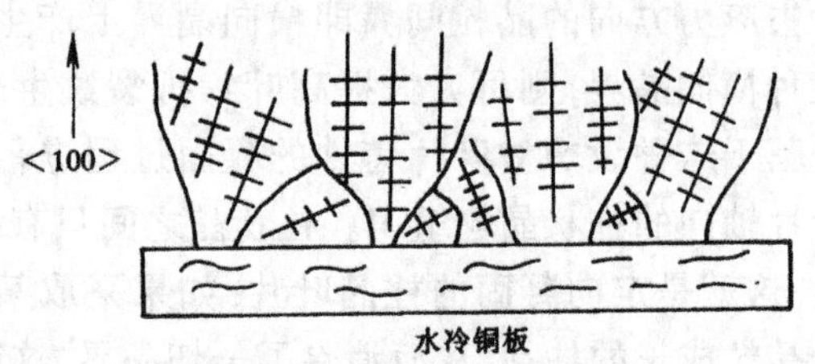

图 8-7　晶体定向成长示意图

定向凝固的结晶组织与凝固参数即温度梯度 G 和凝固成长速率 R 有密切关系。温度梯度是指该处的温度随距离的变化（$\partial T/\partial Z$），特别是凝固区附近的温度梯度 G 值的大小是控制定向凝固的关键性参数。多年来定向凝固工艺的改进多着眼于此，如最初的功率降低法，G 值小于 10℃/cm，而现在的液体金属冷却法则可达到 200℃/cm 以上。G 值愈大，合金的凝固区愈窄，铸件的补缩愈好，疏松愈少组织愈致密。

凝固成长速率 R 是指柱状晶生长的速率，R 值愈大，则凝固过程愈短，生产效率愈高。

温度梯度 G 与凝固成长速率 R 的比值 G/R 是合金凝固区成长形态的特征参数，不同的 G/R 比值，会获得不同的结晶组织。G/R 比值小，通常为树枝状凝固界面，得到柱状晶或等轴晶，目前工业生产中的铸锭和铸件的结晶组织都属于这一类。G/R 比值增大到某临界值以上时，则凝固界面为胞状，得到胞状晶。当 G/R 比值很大时，凝固界面平滑，得到平面型结晶，凝固界面结晶形式与 R、G 值的关系如图 8-8 所示。

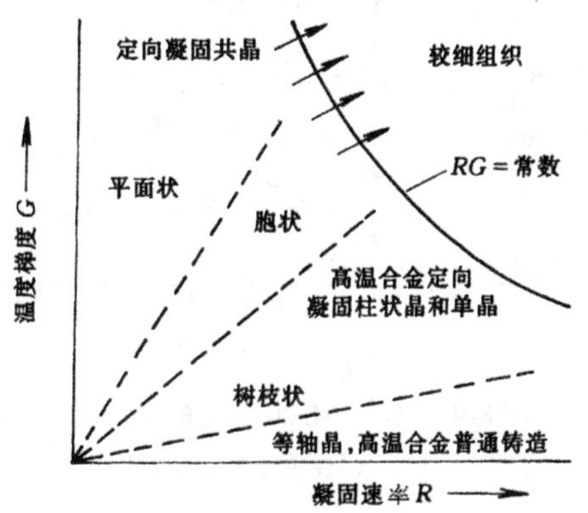

图 8-8　温度梯度 G 和凝固速率 R 对凝固界面结晶形式的影响

温度梯度 G 与凝固速率 R 的乘积 $G \times R$ 用 β 表示，其物理意义为单位时间内的温度变化，即冷却速率。

$$\beta = G \times R = \frac{T_L - T_S}{l} \times \frac{l}{\Delta\tau} = \frac{T_L - T_S}{\Delta\tau}$$

式中　T_L 和 T_S ——为液相线和固相线温度；

$\Delta\tau$ ——局部凝固时间，即铸件某处由液相线温度到固相线温度所经过的时间间隔；

l ——固液相线温度差所经距离，也即为 $\Delta\tau$ 局部凝固时间内柱状晶成长的距离。

一定的合金，冷却速率越大，则局部凝固时间越短，该合金晶体的二次枝晶臂距(s_2)越小，其关系如下：

$$s_2 \propto (\Delta\tau)^n, \quad 1/3 \leqslant n \leqslant 1/2$$

二次枝晶臂距细小，意味着合金组织均匀致密，强度和抗疲劳性能好。图 8-9 为 Mar-M200 合金的 s_2 与 $\Delta\tau$ 的关系。

纯金属熔体在凝固过程中不发生成分的变化，故其内各部分的液相线温度 T_L 是一个恒定值，这样，纯金属熔体内不存在着组

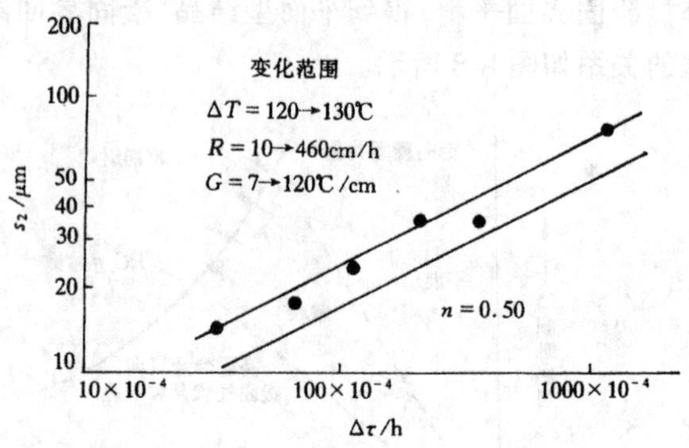

图 8-9　Mar－M200 合金的 $s_2-\Delta\tau$ 关系
($\Delta\tau=\Delta T/RG$)

成过冷现象。与纯金属熔体不同,合金熔体存在着组成过冷,即凝固过程中,通常合金熔体组成在随时变化,因此其内液相线温度 T_L 相应跟着改变,且根据合金性质、凝固成长速率和熔体所在位置而定。这样合金中实际温度分布为 T_1 和 T_2 时,温度梯度虽是正值,但仍有过冷区出现,若过冷度大到足以使液相形核,则将破坏柱状晶的正常成长,只有如 T_3 那样温度梯度正值很大,超过该处液相线温度的变化梯度时,才没有组成过冷,如图 8-10 所示。

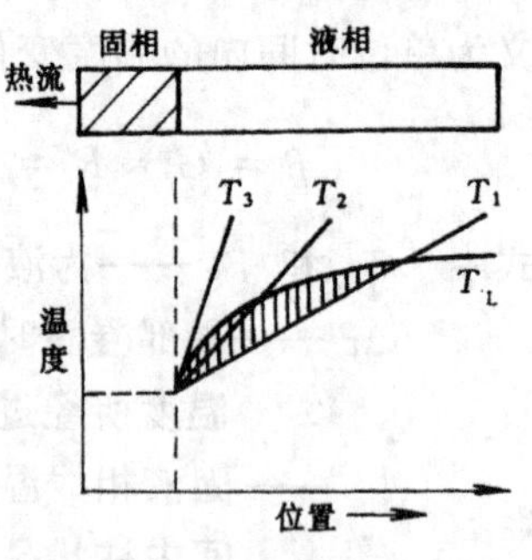

图 8-10　组成过冷示意图

8.2.2　定向凝固工艺

定向凝固工艺主要有发热铸型法、功率降低法、高速凝固法和液态金属冷却法等。目前高速定向凝固法是高温合金精铸定向凝固技术中应用最广的一种方法,大量涡轮叶片都是采用这种工艺生产的,液态金属冷却法尚处于试验阶段。各种定向凝固工艺简述如下:

8.2.2.1　发热铸型法

其凝固过程如图 8-11 *a* 所示。金属液注入后，由于水冷铜板的激冷导热，底部开始结晶，形成细小等轴晶层，以后晶粒择优取向，<100>取向晶粒优先长大，开始柱晶生长。在柱晶长大过程中，铸型周围的发热剂放热补充热流，使柱晶继续长大，直至过热逐渐消失，温度梯度 G 值减小，开始等轴晶的生长。发热铸型法简单便宜，其主要缺点是随板距增大，G 与 R 值均迅速下降，使柱晶由轴向平面转向扇面，树枝晶大小及偏角发生变化。

8.2.2.2　功率降低法(PD 法)

是最初用于生产规模的定向凝固叶片铸造工艺，其装置如图 8-11 *b* 所示。该装置的感应体一般由石墨制成，其内型壳放置于水冷底盘上，合金的熔化、铸型预热、浇注及铸件的凝固等均在真空下进行，型壳预热到合金的浇注温度后，再浇入合金熔液，随之切断下面一组的感应圈的电流，使其内合金熔液在上高下低的温度梯度下从水冷底板处开始结晶并向上长大，随后逐渐降低上部感应圈的电功率，保证柱状晶的生长直至全部凝固结束。

功率降低法可以根据预定的冷凝曲线控制凝固增长速率 R ，从而得到较满意的柱晶组织。缺点是：1）周期长，生产效率低；2）由于凝固过程中凝固区前方发生合金熔体的局部对流，容易在铸件表面产生呈链状分布的“雀斑”缺陷，消除“雀斑”的关键是增大凝固区附近的温度梯度；3）随着柱状晶的生长，凝固区逐渐远离冷却底盘，温度梯度 G 和凝固增长速率 R 逐渐变小，铸件水平方向出现温度差，侧壁的型壳散热，造成铸件组织在垂直和水平方向上的不均匀性。

8.2.2.3　高速凝固法(HRS 法)

为了提高定向凝固速率，发展了高速定向凝固法，其装置如图 8-11 *c* 所示。与功率降低法不同之处，只是在感应加热体下部安装一隔热挡板，并在水冷底盘下添上一个型壳抽出机构，使浇注后型壳随同冷却底板逐渐下移。隔热挡板则挡住了感应体的辐射热，使型壳内未凝固区处于热区的高温下，而型壳移出部分的凝固

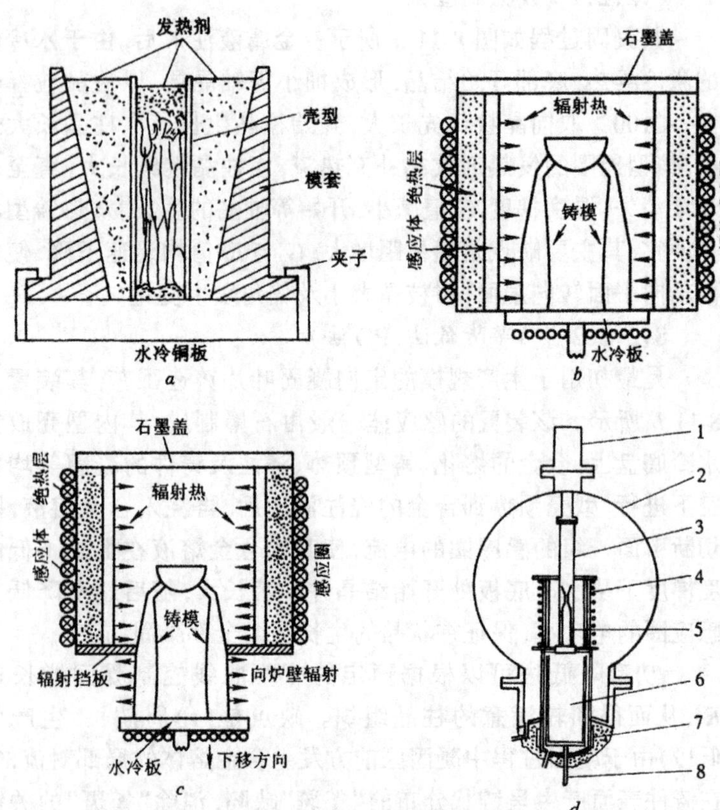

图 8-11　定向凝固工艺装置示意图

a— 发热铸型法；*b*— 功率降低法；*c*— 高速凝固法；*d*— 液态金属冷却法

1—降落机构；2—真空室；3—吊架；4—加热器；5—型壳；

6—液锡池；7—电热丝；8—转轴

区处于冷区，热流则由水冷板通过传导移出，一部分热流则通过辐射向四周散热，从而合金凝固界面前沿的温度梯度 G 值比一般功率降低法提高 2 倍，凝固增长速率 R 值提高近 4 倍。铸件质量和生产效率都显著提高，较长的定向叶片也可由此法制得。

8.2.2.4　液体金属冷却法(LMC 法)

该法装置如图 8-11 *d* 所示，其特点是有一冷却剂槽。对冷却剂的要求是熔点低，沸点高，蒸气压低，且对高温合金的物理化学和力学等性能应无影响。通常用的冷却剂为液体锡，锡的熔点只有505K，沸点高达2540K。

浇注后的型壳从加热器中移出，逐渐浸入到低于约300℃的液锡熔池中，使合金凝固界面上形成很大的温度梯度和凝固成长速率。

功率降低法、高速凝固法和液体金属冷却法的主要冶金工艺参数如表8-12所示。

表8-12 三种定向凝固工艺的主要冶金工艺参数

项　目	PD法	HRS法	LMC法
温度梯度 G /℃·cm^{-1}	7～11	26～30	73～103
生长速度率 R /cm·h^{-1}	8～12	23～27	53～61
粥状区高/cm	10～15	3.8～5.6	1.5～2.5
冷却速率/℃·h^{-1}	90	700	4700
局部凝固时间/min	85～88	8～12	1.2～1.6

8.2.3 单晶铸造工艺

从热流控制角度来看，上述定向凝固工艺均可用来制得单晶。单晶工艺主要是在型壳设计上有所不同，即增设了单晶选择通道，使一定数量的晶粒进入单晶选择通道底部，只有一个晶粒从选择通道顶部露出并充满整个型腔。单晶选择通道一般采用小直径向上角度的螺旋体或几个直角转弯的通道，典型的螺旋体直径为0.3～0.5cm。与定向凝固过程相同，在水冷铜板上首先形成许多任意取向的晶粒，然而在择优取向生长原则下，＜100＞取向的晶粒优先生长，有更快的生长速度，通常有2～6个＜100＞或＜110＞取向的晶粒进入单晶选择通道，经过一或二圈的螺旋体后，只有一个＜100＞晶粒出现于型腔底部并生长，从而制得单晶叶片。

为了阻止型壳内各部分杂晶形核的发生，单晶型壳的预热温度和熔融合金的过热度更高，典型的模温为1500～1600℃，比定向凝固柱晶高出25～100℃，温度梯度也由约36℃/cm提高到72℃/cm。

单晶叶片型壳设计特点及合金熔体在选择通道内的凝固过程示意如图 8-12 所示。图 8-13 是一种单晶涡轮叶片及其选择通道的实物图片。

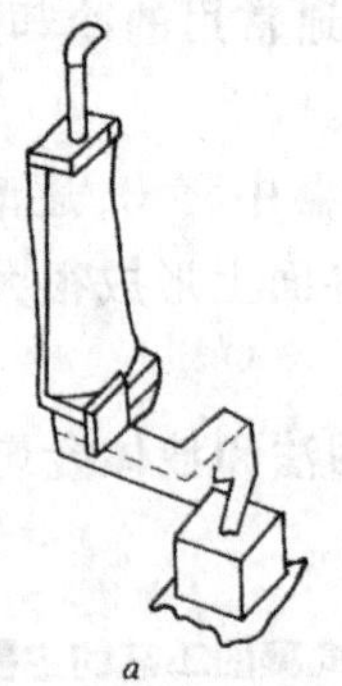

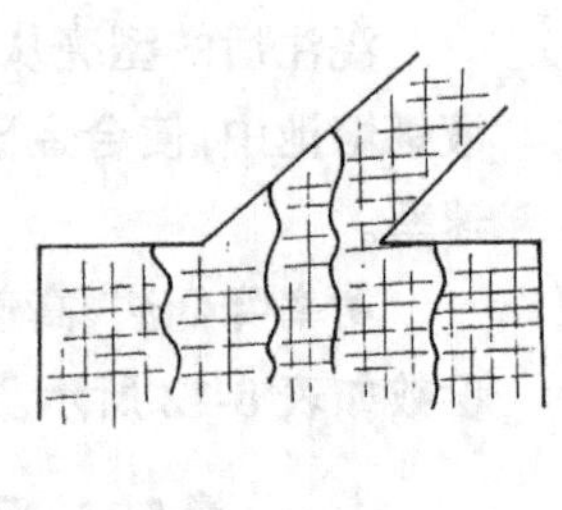

图 8-12　单晶法示意图

a—单晶叶片铸型设计；*b*—单晶叶片凝固过程

在单晶叶片凝固过程中，有一系列的截面变化发生，如叶身到平台及平台到榫根，此时必须调节热流，使固、液相等温线近似水平并使之位于挡板附近处，以防止杂晶生核，破坏单晶的生长，为此必须通过挡板设计、壳模的厚度及型壳移动速度的调节，来恰当地控制热流，使其凝固界面保持水平并在挡板附近。

图 8-13　单晶叶片及其选择通道实型

8.2.4　定向凝固及单晶合金的成分与组织特征

从合金成分上看，定向凝固高温合金与普通精铸合金并无区别，目前常用的定向凝固柱晶合金有 Mar-M200、M002、René80H、René125、René150、B-1900、Жс6у、Жс32、Жс36、DZ4、DZ22 等，如表 8-13 所列。

表 8-13 常用定向凝固高温合金的成分

序号	合金牌号	化学成分(质量分数)/%														
		C	Cr	Co	W	Mo	Nb	Ta	Hf	Zr	Al	Ti	B	Re	Ni	V
1	Mar-M200	0.13	9.0	10.0	12.0		1.0			0.05	5.0	2.0	0.015		余	
2	M002	0.15	9.0	10.0	10.0			2.5	1.5	0.05	5.5	1.5	0.015		余	
3	In100	0.18	10.0	15.0		3.0				0.06	5.5	4.7	0.014		余	
4	René80H	0.073	12.9	9.6	4.9	4.0			0.74	0.01	3.02	4.48	0.015		余	
5	René125	0.11	9.0	10.0	7.0	2.0		3.8	1.5		4.8	2.5			余	
6	René150	0.06	5.0	10.0	5.0	1.0		6.0	1.5		5.5		0.015		余	2.2
7	B-1900	0.10	8.0	10.0		6.0		4.0		0.10	6.0	1.0	0.015		余	
8	Жс6у	0.15	5.0	9.0	11.5	1.1	1.4		0.1		5.9	1.1	0.015	2.0	余	
9	Жс36	0.0001	4.29	8.6	11.6	1.2	0.8			0.02	6.1	1.2		2.0	余	
10	DZ4	0.13	9.5	5.7	5.5	3.9				0.02	6.0	1.9	0.018		余	
11	DZ22	0.14	9.0	10.0	12.0		1.0		1.5		5.0	2.0	0.015		余	

60 年代中期,进行定向凝固研究同时,开始单晶涡轮叶片的早期发展工作,主要努力集中在像 Mar-M200 这样的现成高温合金成分的单晶制造,因此这些单晶与早期的定向 Mar-M200 合金相比在性能上并无多大改进,而价格更昂贵。这一段时间里,单晶方面的工作中止,定向凝固合金得到迅速发展和应用。

70 年代中期,对加铪的 Mar-M200 合金的热处理研究发现:蠕变强度受细小 γ' 相体积百分数支配,而最大提高细小 γ' 相体积百分数的关键是提高合金初熔点温度和固溶热处理温度。由于单晶没有晶界,因此它不需要加入在常用高温合金中必不可少的晶界强化元素 C、B、Zr 和 Hf 等,这样合金的初熔点温度可大大提高,如 DSMar-M247 和 SCNASAIR-100 两个合金,前者为定向凝固合金,后者为单晶合金,只是由于后者没有 C、B、Hf、Zr 等元素,初熔点温度由前者的 1240℃ 升高到 1330℃,净增 90℃,晶界强化元素与初熔点温度的关系见图 8-14。初熔点高的合金可在较高的固溶温度下处理,使一次 γ' 相完全溶解,而在随后的时效处理中得到更多的二次细小 γ' 相,同时又大大减轻树枝状偏析程度,其蠕变强度显著增加,1098℃ 103MPa 的断裂时间由 55.7h 增加到 477.7h。从此,单晶高温合金开始迅速发展和普及应用,目前国内外涡轮叶片常用的单晶高温合金成分如表 8-14 所示。

表 8-14　国内外常用的单晶镍基高温合金

国别	合金牌号	主要化学成分(质量分数)/%										
		Cr	Co	W	Mo	Re	Ta	Nb	Hf	Al	Ti	其他
美国	PWA1480	10.0	5.0	4.0			12.0			5.0	1.0	
	PWA1484	5.0*	10.0	6.0	2.0	3.0	8.7		0.1	5.6		
	CMSX-2	8.0	4.6	8.0	0.6		6.0			5.6	1	
	CMSX-3	8.0	4.6	8.0	0.6		6.0		0.1	5.6	1.0	
	CMSX-4	6.4	9.5	6.3	0.6	2.90	6.50		0.1	5.7	1.0	
	CMSX-6	10.0	5.0		3.0		2.0		0.1	4.8	4.7	
	NASIR-100	9.0		10.5	1.0		3.3			5.75	1.2	
英国	SRR99	8.0	5.0	10.0			3.0			5.5	2.2	
	RR2000	8.0	8.0	4.0	4.0		5.0	1.0		6.0	4.0	
法国	MXON	8.0	5.0	8.0	2.0		6.0			6.1		
中国	DD-3	9.5	5.0	5.5	4.0					5.9	2.2	0.01C
	DD402	8.0	4.7	8.0	0.5		6.0			5.6	1.0	
	DD-8	16.0	8.5	6.0			1.0			3.8	3.8	<0.03C

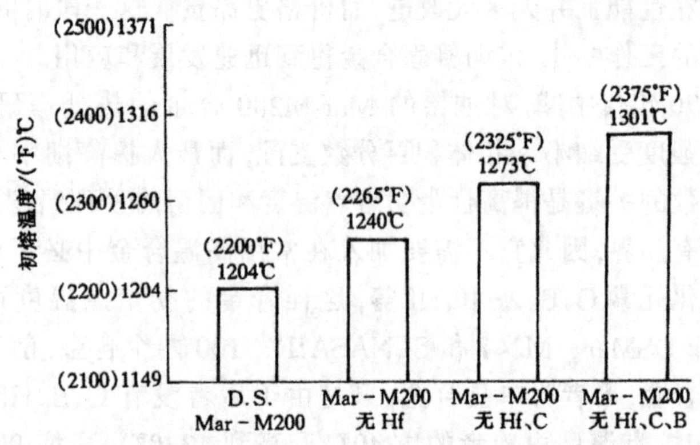

图 8-14　晶界强化元素与初熔点温度的关系

与普通高温合金的成分相比，除了无晶界强化元素 C、B、Zr 等外，单晶镍基高温合金含有较高的钽量，某些单晶合金还添加铼。钽像钨一样提高合金的高温强度，还能显著改善组织稳定性，抗腐蚀性，提高 γ′ 相的体积百分数和扩大固溶处理温度范围，并且有很好的单晶可铸性。铼的强化作用则表现在固溶强化及防止单晶合金中的γ'相粗化。

定向凝固合金呈柱晶组织，按择优取向原则，柱晶取向一般为<100>，但柱晶间并不严格平行，往往有短小的横向晶界存在，柱晶与主应力轴之间的偏离一般控制在10°～15°之内。柱晶合金组织与定向凝固工艺有关，随着温度梯度G与凝固生长速度R值的提高，枝晶组织及γ'相尺寸变细小，碳化物等偏析程度减轻，合金的强度及塑性随之得到改善。

单晶合金组织受定向凝固参数的影响，图8-15是NASIR－100合金在不同凝固速率R下（温度梯度G值不变）的铸态组织形貌，即随着凝固速率R值的增大，分别得到平面、胞状、粗枝和细枝的界面凝固单晶。平面界面凝固的合金显微组织只有γ基体相和γ'相两相组成，γ'相粗大，且呈不规则形状。而在胞状和枝晶界面凝固单晶内，往往有少量γ/γ'共晶出现于胞晶间或枝晶间隙内，γ'相随凝固速率增大而愈益细小，形状趋向于规则的立方体。

当前，单晶炉的温度梯度G值不大，为了获得平面或胞状单晶凝固，必然减小凝固速率R值，而获得过大的不规则形态的γ'相，使合金高温蠕变性能降低，因此至今各国实际研究和应用的单晶涡轮叶片，都是枝晶凝固下的合金组织。

定向及单晶合金对瞬时拉伸性能的影响如图8-16和图8-17所示，与普通铸造合金相比，单晶和定向合金的拉伸强度σ_b提高不多，但延伸塑性有明显的改善。

定向及单晶合金的一个显著特点是其弹性模量小，如图8-18所示，从而定向及单晶合金的热疲劳性能成倍提高，表8-15列出了Mar-M200合金的普通铸造、定向和单晶涡轮叶片典型热疲劳试验结果，图8-19是现代单晶合金和普通铸造的IN100合金的承温能力与热疲劳寿命对比结果。

定向及单晶合金的最显著的性能特点是蠕变强度及持久性能的成倍提高，特别是持久塑性远远高于普通铸造合金，如表8-16所示。

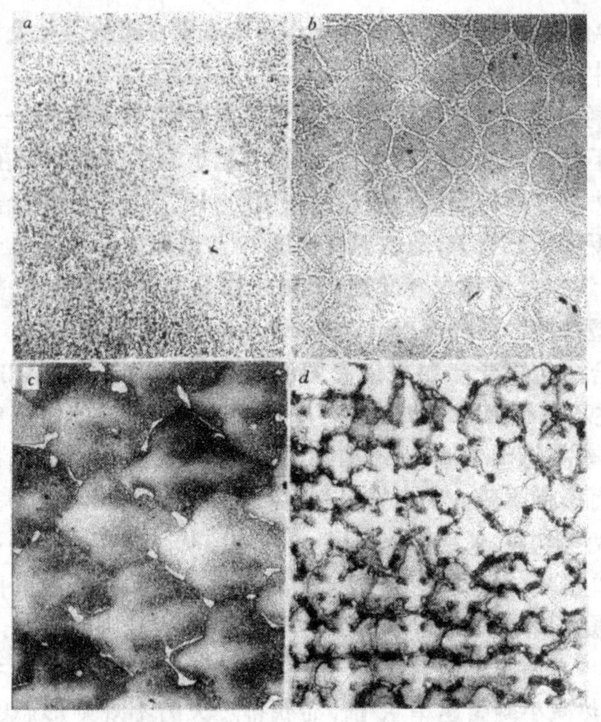

图 8-15　单晶合金凝固组织形貌

a— 平面凝固单晶，1.4μm/s；*b*— 胞状界面凝固单晶，2.8μm/s；
c— 粗枝界面凝固单晶，13.9μm/s；*d*— 细枝界面凝固单晶，83.3μm/s；

表 8-15　Mar-M200 合金典型热疲劳性能

材料	试　样	循环数			总循环数	结果
		1093℃	1149℃	1204℃		
普通铸造	燃气涡轮叶片	300			300	裂纹
普通铸造	燃气涡轮叶片	600	400		1000	裂纹
普通铸造	燃气涡轮叶片	600	200		800	裂纹
定向凝固	燃气涡轮叶片	600	400	400	1400	没损坏
定向凝固	燃气涡轮导向叶片	600	400	400	1400	没损坏
定向凝固	燃气涡轮叶片	600	400	400 + 1232℃ 115 个循环 + 1260℃ 51 个循环	1566	没损坏
单晶	燃气涡轮叶片	600	400	1400	2400	没损坏

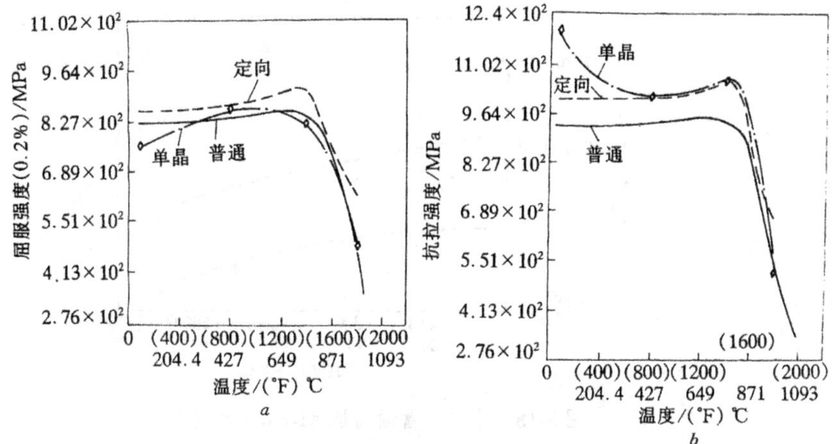

图 8-16 不同温度下三种铸造形态(普通铸造、定向、单晶)的 Mar-M200 合金拉伸性能

a— 屈服强度与温度的关系;*b*— 抗拉强度与温度的关系

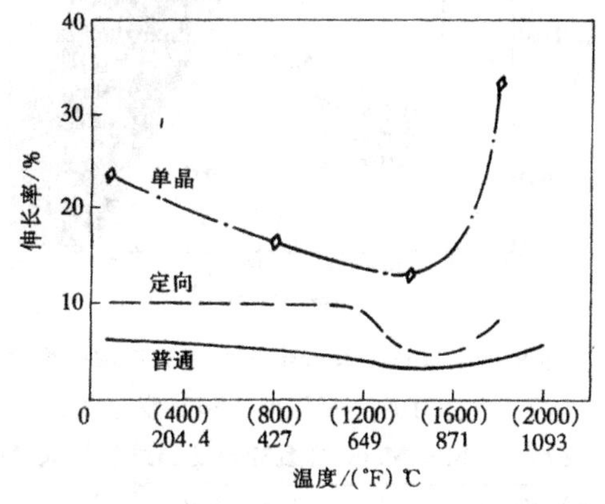

图 8-17 不同温度下三种铸造形态(普通铸造、定向、单晶)的 Mar-M200 合金延伸率

单晶合金的力学性能还与其晶体取向有关,不同取向对单晶合金 PWA1480 持久寿命及屈服强度的影响如图 8-20 及 8-21 所示。

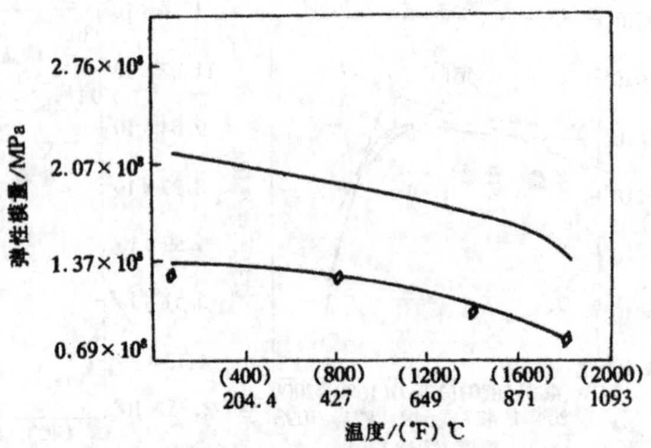

图 8-18　定向与普通铸造 Mar-M200 合金的弹性模量 $E_{静}$ 随温度的变化

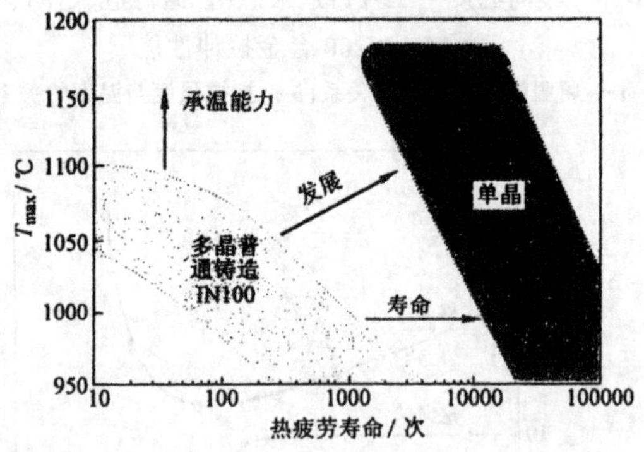

图 8-19　现代单晶合金与普通铸造镍基高温合金 IN100 的承温能力和热疲劳寿命

表 8-16　Mar-M200 合金的蠕变强度和持久性能

铸造类型	760℃,689.5MPa			871℃,345MPa			982℃,209MPa		
	持久寿命/h	δ/%	最小蠕变速率/mm·(mm·h)$^{-1}$	持久寿命/h	δ/%	最小蠕变速率/mm·(mm·h)$^{-1}$	持久寿命/h	δ/%	最小蠕变速率/mm·(mm·h)$^{-1}$
普通铸造	4.9	0.45	70.0×10^{-5}	245.9	2.2	3.4×10^{-5}	35.6	2.6	23.8×10^{-5}
定向凝固	366.0	12.5	14.5×10^{-5}	280.0	35.8	7.7×10^{-5}	67.0	23.6	25.6×10^{-5}
单　晶	1914.0	14.5	2.2×10^{-5}	848.0	18.1	1.4×10^{-5}	107.0	23.3	16.1×10^{-5}

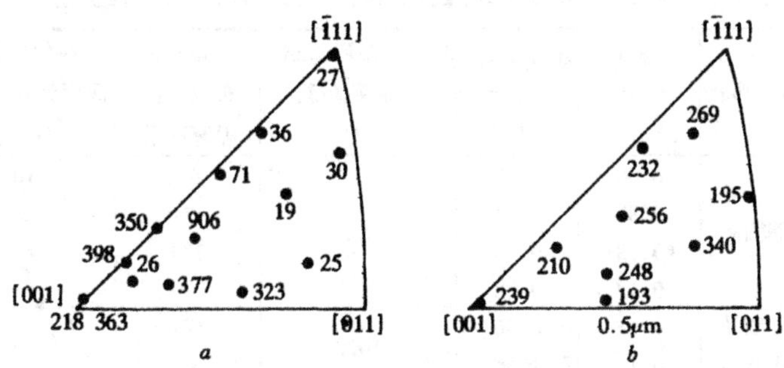

图 8-20　PWA1480 单晶合金的持久寿命与其取向的关系

a —760℃，758MPa；*b* —980℃，200MPa

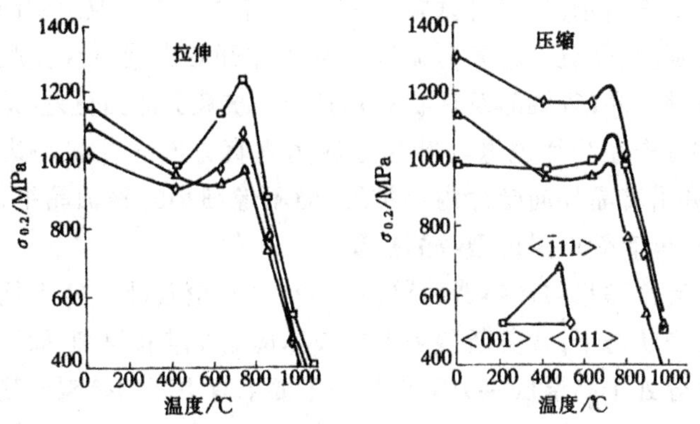

图 8-21　PWA1480 单晶合金的拉伸和压缩屈服强度与晶体取向的关系

8.3　细晶铸造

熔模精密铸造的高温合金叶片铸件，由于铸型焙烧温度高达1000℃左右，通常浇注后的合金晶粒比较粗大，粗大的晶粒固然有较高的耐热强度，但抗疲劳性能降低。实际使用表明，大多数叶片损坏是由热疲劳造成的，为此需要提高其抗疲劳的能力。晶粒大小及形状与高温合金叶片抗疲劳能力的关系见表 8-17。

表 8-17　晶粒大小及形状与高温合金(GE4)涡轮叶片抗疲劳能力的关系

晶粒形状	晶粒平均直径/mm		热疲劳循环(2min)室温到高温/℃	开始发生裂纹时的循环次数	裂纹发展到深度为 0.5mm 时的次数
	外部	内部			
等轴晶	0.60	2.10	920	63	100
	0.37	1.14		174	286
	0.13	0.59		379	475
	0.12	0.88		700	
等轴晶	0.11	0.46	1020	124	
柱状晶	0.18	1.71		43	
等轴晶	0.11	0.47	1070	31	＜41
混合晶	0.21	1.08		13	＜19

如表所示,在各种试验条件下,细晶粒比粗晶粒组织的抗疲劳能力强,经受更多的疲劳循环次数后才开始出现裂纹。此外柱状晶或混合晶(等轴晶及柱状晶)的叶片,抗疲劳能力更差,这是由于裂纹首先在叶片边缘与叶片主应力垂直方向的柱状晶边界处发生,并沿着晶界向叶片内部扩展,而不像细小的等轴晶组织,晶界曲折,能有效地阻碍裂纹的扩展。

叶片和盘整体铸造的整铸涡轮,中心轮毂部分处于低温高应力工作状态下,疲劳断裂是主要破坏模式要求获得细晶粒组织,叶片部分处于高温低应力工作状态下要求有更高的抗蠕变变形能力的粗大柱状晶组织。以往,采用传统的精铸工艺不可能获得中心轮毂细晶组织的整铸涡轮,80 年代以来国内外采用细晶铸造工艺铸出了过去传统精铸工艺所不能获得的这种理想组织的整铸涡轮,如图 8-22 所示。

获得细晶粒铸件的方法有:快速冷凝法、振动法、搅拌法和表面孕育法。快速冷凝、振动和搅拌等三种方法是使整个铸件的外表和内部都获得细晶粒组织,主要应用于高温合金锭和整铸涡轮及细晶涡轮盘坯的铸造上。表面孕育法能获得表面细等轴晶粒而内部为粗晶粒的组织,以保证涡轮叶片或导向叶片兼有良好的抗疲劳和高温热强度性能,因此在叶片精铸件上得到广泛应用。

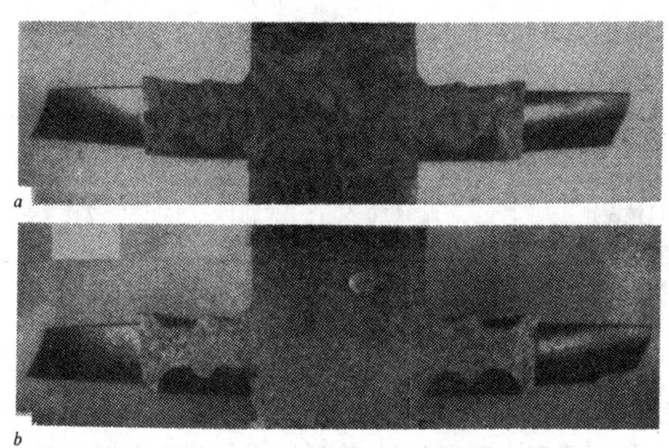

图 8-22 普通精铸和细晶铸造的整铸涡轮晶粒组织对比
a— 普通精铸；*b*— 细晶铸造

8.3.1 快速冷凝、振动和搅拌法

快速冷凝法是靠浇注温度和铸型的热性质，使铸型内的金属熔体过冷并均匀生核。冷却速度 R 提高或凝固界面前沿的温度梯度 G 减小，则 G/R 值随之减小，凝固后的等轴晶粒愈细。只要是不太厚大的铸件，采用快速冷凝法都能获得细晶组织。K18 等铸造镍基高温合金的实验表明：采用传统的精铸工艺下浇注温度为 p +85℃ ~ p +200℃（p 为合金熔化温度），细晶铸造下浇注温度则选用 p +22℃ ~ p +28℃，否则过低温度下浇注叶缘薄部 0.25mm 以下处浇不足，而浇温高于 p +35℃，又会出现大等轴晶或柱状晶粒。控制浇温同时还必须尽可能降低合金的熔化过热温度，模温控制在 1000～1100℃ 为宜。

振动法是在铸件凝固过程中引入振动，使凝固着的树枝晶断裂，并成为新的结晶核心而获得细化，振动包括低频、声频和超声的振动，都能在不同程度上使铸件细化。

搅拌法与振动法原理相同，采用电磁的或机械的搅拌作用，使正在凝固中的树枝晶被未凝固的液体金属流动而断裂破碎，促使晶粒有效细化。

细晶铸造与传统精铸铸件晶粒度对比如表 8-18 所示。

表 8-18　细晶铸造与传统精铸铸件晶粒度对比

铸造工艺	晶粒直径/mm	晶粒数目/mm^3
传统精铸	约 6	1
机械搅拌	约 0.5	7
快速冷凝	约 0.18	170

8.3.2　表面孕育法

为了使铸件表面晶粒细化，目前采用的方法是将孕育剂（或称细化剂）加入到型壳面层浆料，使所制成的型壳面层中包含孕育剂，高温的合金液浇入型壳，即与型壳表面接触并与之发生作用。镍基高温合金普遍使用的孕育剂是钴的氧化物，即氧化亚钴（CoO）或四氧化三钴（Co_3O_4），或为二者的混合物，另一种钴的氧化物 Co_2O_3 很少使用。CoO 是立方晶型，根据制取方法不同，其粉末颜色由灰绿色到暗灰色，密度 6.45g/cm^3，在空气中加热时，约 400℃左右就开始氧化生成 Co_3O_4。Co_3O_4 也是立方晶型，粉末态，呈乌黑色，密度 6.07g/cm^3，当温度升高到 900～950℃时，又能分解析出氧并转变成 CoO：

$$6CoO + O_2 \rightleftharpoons 2Co_3O_4$$

在还原气氛条件下，CoO 在 120～200℃ 就能被还原为金属钴。

面层料中氧化钴孕育剂的含量对叶片铸件晶粒细化的作用示于图 8-23。如图所示，细化效果随着氧化钴含量增加而加强，含量为 15％时，效果显著，达到 20％时效果最佳，再继续增加氧化钴含量，效果不大。当然，细化效果还取决于制壳及熔铸工艺，只要配合适当，氧化钴的用量能适当降低。

除氧化钴之外，铝酸钴、硅酸钴、铬酸钴、钛酸钴等，也可以作孕育剂使用，视合金种类及成分不同而取之。

氧化钴孕育细化作用的原理一般认为：在真空（0.13Pa），高温

(1100～1400℃)及浇注的高温合金熔体中的活性元素铬、铝、钛等作用下，处于型壳面层中的氧化钴或钴的复合氧化物被部分还原成金属钴粒子，这种初生态的钴粒子进入正在凝固的铸件表面层，它与母液镍基合金具有相同的面心立方晶格结构和相近的点阵常数，而作为合金的外来晶核，使铸件表层得以细化。

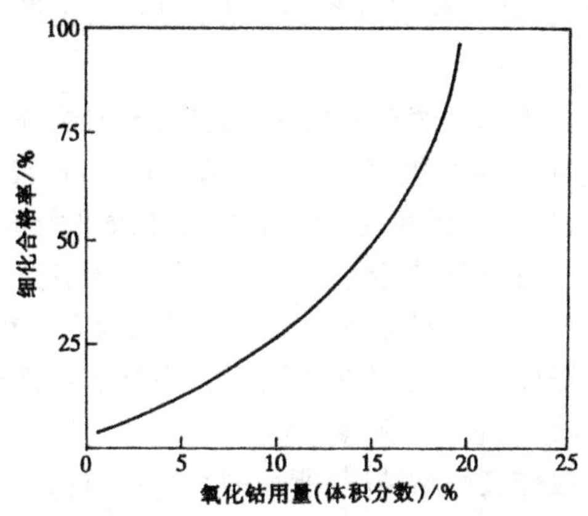

图 8-23　晶粒细化效果与氧化钴用量关系

现将表面孕育法的铸造工艺简述如下。

(1)制壳　将氧化钴粉料(粒度为 2～3μm)与刚玉粉(M20)按 1∶4 配比混合均匀，1300℃下预焙烧 2h，冷却后球磨 4～5h 并过筛 100、140 或 200 号筛，即成所需的面层细化料，将此细化料与水解液按 60％与 40％的质量比例配制成面层涂料制壳。浸涂制壳工艺按一般蜡模精铸工序进行，即浸涂－挂砂－风干和氨干，以后继续用普通浆料涂挂制壳，制好的型壳经脱蜡、焙烧后，即可装入真空感应炉内等待浇注。

氧化钴和刚玉混合粉(Al_2O_3)在高温焙烧时结构不稳定，有固相反应而生成钴的铝酸盐即铝酸钴(mCoO·$n$$Al_2O_3$)，型壳焙烧时这种固相反应将导致面层剥落，影响铸件的表面质量。为此，添加氧化钴的刚玉粉细化料应经 1300℃预焙烧，使上述固相反应在制壳前完成。为了增强晶粒细化效果，焙烧后的细化料需经球磨，使细化料粉末细小。

预焙烧后的面层粉料实际上是由刚玉和铝酸钴所组成，铝酸钴是一种尖晶石型的蓝色结晶物质，随其组成中 m/n 比值增加，颜色由浅变深，$m/n=1$ 时为深蓝色。常用的细化料中 CoO 含量为 20%，该比值约为 0.3，呈天蓝色。

显而易见，采用刚玉粉加 5%～10% 铝酸钴直接配制成面层浆料，配合以合适的制壳和熔铸工艺，同样能获得良好的细化效果。

用硅酸乙酯水解液作粘结剂制壳时，有时会在型壳内表面形成一层 SiO_2 和 Al_2O_3 组成的“白膜”或“白霜”，使浇注的合金液与孕育剂分隔，减少了相互接触的机会，细化效果变坏。“白膜”是由于面层涂料中存在不完全水解物造成的。当型壳进行强化处理时，浸润的硅酸乙酯强化液就渗透到型壳面层与蜡模之间，并附着在型壳的内表面上，也会形成“白膜”。调整水解液配制和制壳工艺，能够防止或减轻“白膜”。

用硅溶胶作型壳粘结剂，所用的细化料与稀释的硅溶胶质量比例为 3∶1 或更大，这样由于浆料粘度很大，涂制的面层厚度可达 0.8～1.0mm，因而能大大减轻型壳内表面“白膜”的形成，得到比硅酸乙酯水解液更强的细化效果。

(2)熔铸工艺　在非真空下浇注高温合金或合金钢时，为了获得细化晶粒的效果，可在浇注前向 800～1000℃ 型壳的型腔中注入少许三氯乙烯或庚烷等溶剂，形成还原性气氛，使型壳面层中的氧化钴孕育剂还原生成金属微粒钴、发挥细化作用。

与传统熔模精铸工艺一样，随着浇注温度升高，表面孕育法的晶粒尺寸也随之增大，只是由于孕育剂有抑制晶粒粗化的作用，因而允许浇注温度稍高些，浇注温度范围更宽些，有利铸件质量的改进。浇注温度愈低，所得晶粒愈细小，但可能导致冷隔、疏松等其他缺陷。

型壳温度提高可以破坏型壳表面的胶膜，使合金液与面层的孕育剂直接接触，并且由于它们接触时的温度更高些，容易发生反应，而有利于铸件表面晶粒的细化，这是表面细化型壳采用较高型壳焙烧温度的原因。

8.3.3 细晶铸造合金性能

细晶铸造的高温合金性能高于传统精密铸造合金性能，甚至于某些性能接近变形合金的性能。现以 IN718 铁镍基高温合金为例，拉伸、持久、低周疲劳和高周疲劳性能对比如下。IN718 合金采用 Microcast－X 细晶精密铸造专利工艺，即快速冷凝法浇铸合金液同时搅拌获得细晶，晶粒度达到 ASTM3～4 级(0.07～0.11mm)，合金细晶铸造后经 1120℃/103MPa/3h 热等静压和标准热处理。

(1)室温强度　室温拉伸性能对比如表 8-19 所示，细晶铸造的 IN718 合金拉伸强度和屈服强度显著高于普通精铸合金，达到变形 IN718 的 90%。

表 8-19　细晶铸造、普通精铸＋热等静压和变形合金 IN718 的室温拉伸性能对比

IN718	σ_b /MPa	与变形合金对比 /%	$\sigma_{0.2}$ /MPa	与变形合金对比 /%	δ/%	与变形合金对比 /%	ϕ/%	与变形合金对比 /%
变形合金	1317 (191.1)	100	1056 (153.2)	100	31.8	100	48.1	100
细晶铸造	1146 (166.3)	87	942 (136.7)	89	15.1	47	23.1	48
普通精铸＋1120℃ (2050°F)HIP	970 (140.7)	74	831 (120.5)	79	16.3	51	28.9	60
普通精铸＋1163℃ (2125°F)HIP	1017 (147.5)	77	891 (129.3)	84	16.7	53	31.2	65

(2)高温拉伸性能　细晶铸造、普通精铸＋热等静压和变形合金 IN718 不同温度的拉伸性能示于图 8-24。如图所示，在该合金使用温度范围内，除面缩率以外，其他拉伸性能(σ_b、$\sigma_{0.2}$ 和 δ%)都是细晶铸造显著好于普通精铸＋热等静压 IN718 合金。

(3)持久性能　细晶铸造、普通精铸＋热等静压和变形合金 IN718 持久性能对比如图 8-25 所示。

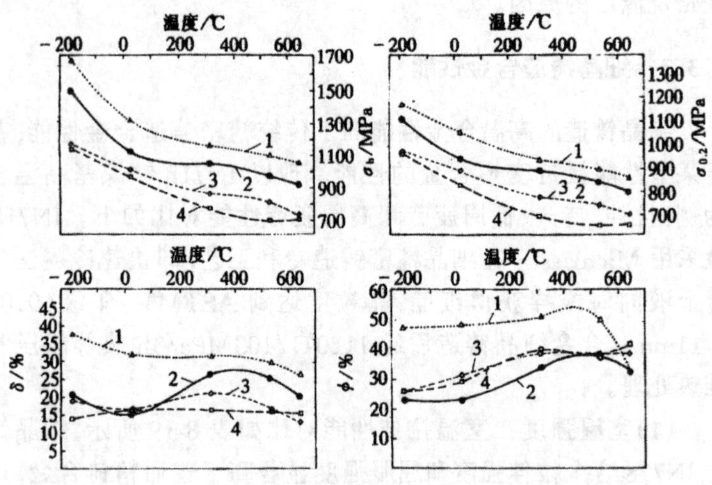

图 8-24　细晶铸造、普通精铸 + 热等静压和变形合金 IN718 不同温度的拉伸性能

1—变形合金 AMS5662；2—细晶铸造 - X；3—普通精铸 + 2125°F 热等静压；4—普通精铸 + 2050°F 热等静压

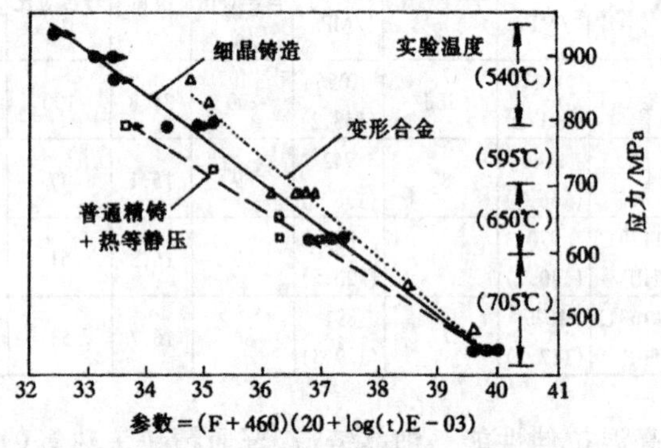

图 8-25　细晶铸造、普通精铸 + 热等静压和变形合金 IN718 持久性能对比

如图所示，细晶铸造 IN718 合金持久性能比普通精铸的提高约 28℃，比变形合金略低约 14℃。

(4)低周疲劳性能　细晶铸造、普通精铸 + 热等静压和变形合金 IN718 的低周疲劳性能对比如图 8-26 所示。图 8-26 表明细晶铸造合金低周疲劳性能几乎与变形合金相同，而高出普通精铸合金疲劳寿命一倍以上。

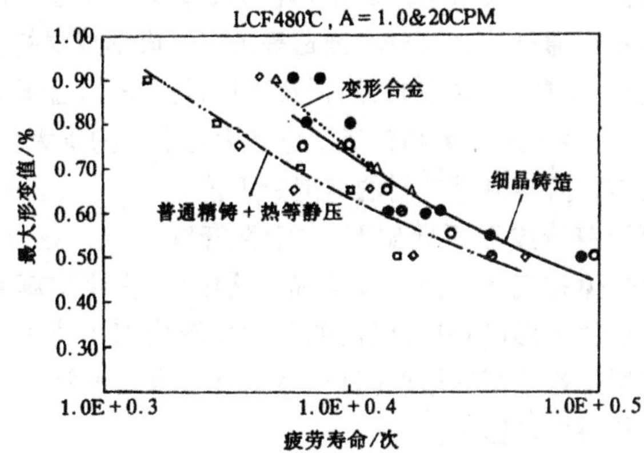

图 8-26　细晶铸造、普通精铸 + 热等静压和变形合金 IN718 低周疲劳性能对比

(5)高周疲劳性能　上述三类不同工艺获得的 IN718 合金高周疲劳性能示于图 8-27，如图所示，细晶铸造 IN718 合金高周疲

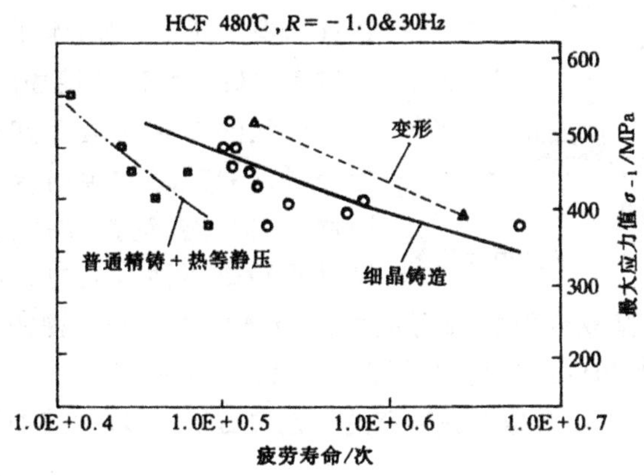

图 8-27　细晶铸造、普通精铸 + 热等静压和变形合金 IN718 高周疲劳性能

劳寿命为普通精铸+热等静压合金的5～14倍。

8.4 喷涂铸造

目前世界上大量生产的板、管、带、棒等各种型材在冶金厂都是采用钢锭通过轧制、挤压、锻造等工艺而成型成材的。但其生产工艺复杂、工序多、成本高、能耗及原材料损失大,金属熔体直接成形成材,是多年来冶金和铸造工作者为之奋斗的重大目标,喷涂铸造就是这种直接成型成材的铸造新工艺。

喷涂铸造成形原理如下:在惰性气体 N_2 或 Ar 保护下,金属或合金熔体在气体压力下经喷嘴雾化喷出,雾化熔滴或固体粒子喷射到底垫上形成基层,以后的雾化熔滴成固体粒子一层一层喷射在基层上连续凝固增厚,直至达到所要求的形状尺寸。图8-28是喷涂铸造原理图示。

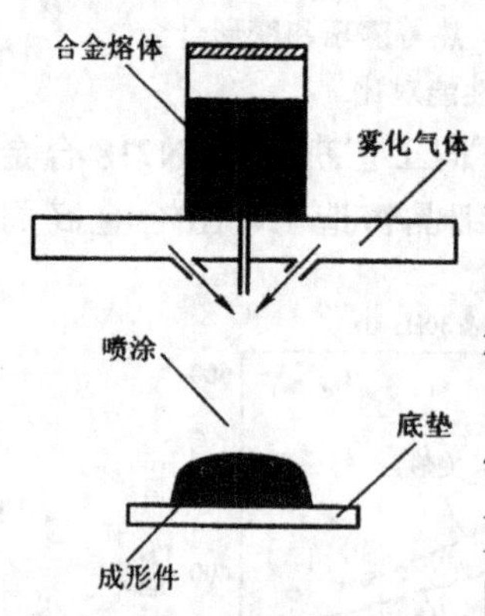

图8-28 喷涂铸造原理简图

喷涂铸造工艺的优点很突出:(1)由熔体直接一步成形成材,节能、省时、降低原材料的消耗。以管件为例与传统的锻轧或粉末冶金工艺相比如图8-29所示,工序可减少4～9道;(2)操作简单方便,本工艺设备可同时完成板、管、带和锭坯的生产,只需对底垫的形状和运动方式略作变更即可;(3)应用的金属合金材料范围宽广,铝、铜、钢铁、高温合金等特别是两种或两种以上的金属合金复合及金属基复合材料都可适用;(4)喷涂铸造是一种快速冷凝过程,获得的制件成分均匀、无偏析、细晶粒组织。

雾化和喷涂是喷涂铸造的工艺关键所在,现叙述如下。

8.4.1 雾化

在流向雾化器之前,需将金属或合金材料熔化,不含活性元素

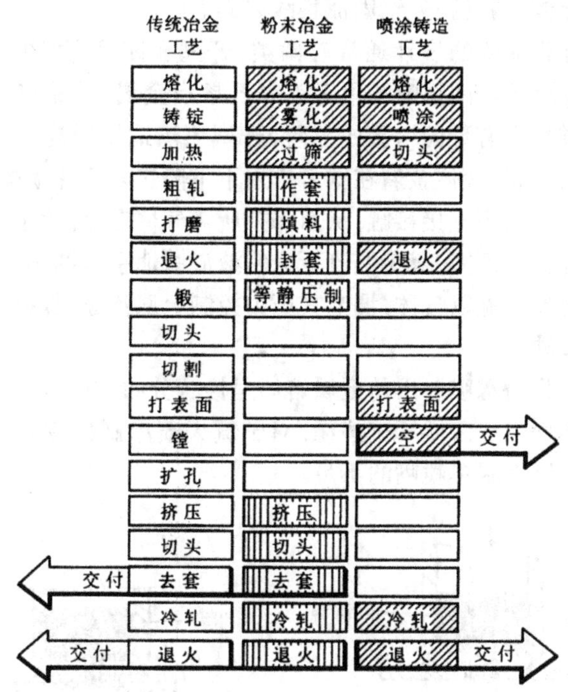

图 8-29　高温合金管件生产工艺过程比较

的合金如 Stellite 等可用倾转炉非真空下熔化，然后顶注浇入坐在雾化器上部的坩埚容器内，含有活性元素较多的高温合金，采用真空感应熔炼，并以底注为宜，液体金属直接从炉底注入坩埚容器。为获得高质量的液体金属，要防止液体金属过热过大和停留时间过长，根据工艺过程和成型件种类不同，一般液体金属供给速率为 1～10t/h。

液体金属流过雾化喷嘴在惰性气体的压力作用下被离散分裂成液滴，液滴颗粒有小有大服从正态分布规律，根据雾化喷嘴的几何形状、气体压力及金属液体与气体的相对速度相对质量比等因素，决定液滴颗粒平均尺寸，通常为 0.1～0.2mm，液滴从雾化喷嘴中喷出，在飞行过程中形成颗粒，同时被气流加速并冷却，释放热量，以达到最佳的喷涂条件，即喷射到底垫上的金属颗粒仍含有部分液体，温度则处于固液相线之间。

雾化喷嘴的设计通常有两类：开型和闭型，如图 8-30 *a* 和图 8-30 *b* 所示。闭型喷嘴用于铝等低熔点金属，其缺点是金属液体输送过程中有凝固堵塞的危险，开型喷嘴适用于高温合金等熔点较高的金属，液体金属在重力作用下下降进入雾化喷嘴，液体金属与雾化喷嘴不直接接触，从而保持所需气体温度，为了保持金属液流在恒压下下降，避免液流下降时液流减速引起的不稳定态，应在坩埚容器内施以气体，调节其压力控制金属流速，保持金属液体的稳定流动。

雾化喷嘴喷射出的金属熔体呈锥状分布，锥中心的质量流大，喷涂制件中心区域厚于边缘，对于宽大喷涂制件应采用双喷嘴或多喷嘴以克服单喷嘴的不足。

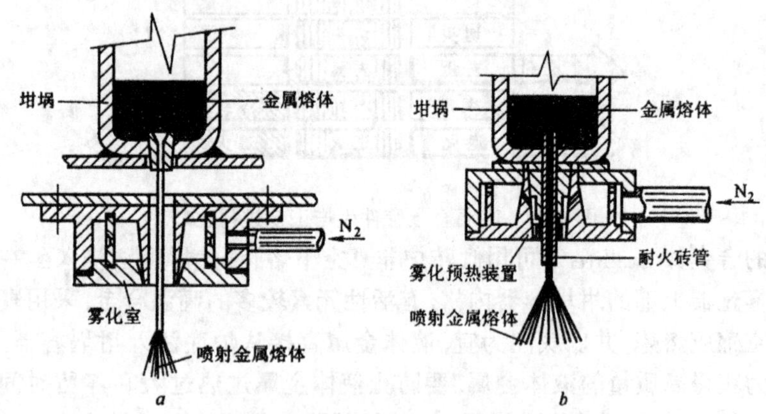

图 8-30　两种喷涂雾化喷嘴简图

a— 开型喷嘴；*b*— 闭型喷嘴

雾化喷嘴控制整个液体金属喷锥体的形状，根据最终制品形状来选择合适的喷嘴，此外喷嘴的功能还有：分配给颗粒以足够的动能，保证制件致密成形；向颗粒提供保护气氛；阻止颗粒在飞行和喷涂凝固过程中氧化。

供给雾化喷嘴的气体的压力和流动状态应予以仔细控制，图

8-31 是喷涂铸造用气体分配和控制系统简图。在低温贮存缸内贮存液氮或液氩，经气化室，液氩或液氮转化成气体状态，在氧气表等气体控制系统下，调节控制喷嘴的气体流量。

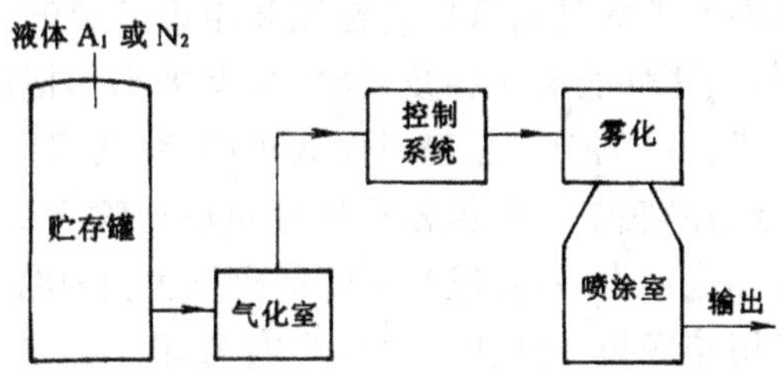

图 8-31 气体分配和控制系统

8.4.2 喷涂凝固

在喷涂过程中，大小、速度、温度和凝固经历阶段不同的各个颗粒、连续地到达底垫表面或已经到达凝固的颗粒表面上，根据喷涂凝固条件的变化，或是所有颗粒都已凝固成粉末，或是由于过热度高，在底垫上形成自由流动的熔化合金层。正确的喷涂铸造应是介乎此二者之间的半凝固状，即部分到达的颗粒尚未凝固，以便在底垫上形成一薄层熔化合金层，部分的颗粒则已凝固成粉末状，此种喷涂凝固又可分为颗粒状和非颗粒状喷涂两种。颗粒状喷涂时，颗粒喷涂到达的表面已经凝固，大部分乃至全部颗粒喷涂凝固后仍保留其颗粒特性，喷涂制件由各种大小、形状和组织特征不同的颗粒组成多孔集合体，其中的大颗粒，在雾化喷涂中最热区域，凝固后具有典型的铸态柱状晶组织。细颗粒，在喷涂凝固较冷区域，颗粒状不变形并具有典型的胞状枝晶组织，类似于粉末冶金制件。这种不均匀的喷涂组织特性保留在喷涂制件上，且在随后的加工过程中也难以消除。非颗粒状喷涂时，颗粒到达的表面还未完全凝固，在半液半凝固层中颗粒失去它的特征，形成均匀致密的细等轴晶粒的喷涂制件，与原喷涂的颗粒大小无关。

喷涂凝固组织还受屏蔽气氛氧化程度及颗粒到达底垫的冲击

程度的影响，屏蔽气氛不完善，造成喷涂层面氧化，使到达的颗粒与原有层的湿润条件恶化、层间不能完全充填，凝固后层与层间形成显微疏松区。

底垫表面对喷涂凝固首层的性能和组织有影响，底垫表面光滑，将导致凝固制件表面呈桔皮皱纹，伴有细小的横向裂纹，在随后轧制时形成大量龟裂。底垫表面太粗糙，将使底垫与凝固制件难以分离，合适的底垫表面粗糙程度应足以使喷涂到达的颗粒停留在原位而不能自由移动，但又不能造成与底垫的粘结，经喷丸处理的钢板可用作底垫，温度以100℃左右为宜。

底垫形状及其运动方式不同，可获得不同种类的喷涂制件，如图8-32所示。管状底垫作旋转运动并与喷吹方向作垂直移动，则为管状喷涂制件，瑞士Sandvik钢铁公司采用感应加热坩埚熔化量1～7t，置于雾化室，雾化速率80～100kg/min，通过液面氩气控制金属流速，以氮气作为雾化气，金属回收率80%～95%，管件致密度接近于100%，力学性能不低于相应的压力加工管件。圆盘状底垫旋转体，沿喷涂方向一致相对移动，保持凝固层面与雾化喷嘴距离不变，即可获得盘状喷涂制件。盘件的直径大小可通过底垫圆盘的直径大小及其与喷嘴距离来调节。板带喷涂制件可由平板底垫横向移动或桶形底垫旋转而成，目前已制得厚5～10mm、宽1m、长2m的带材。平板状底垫与桶

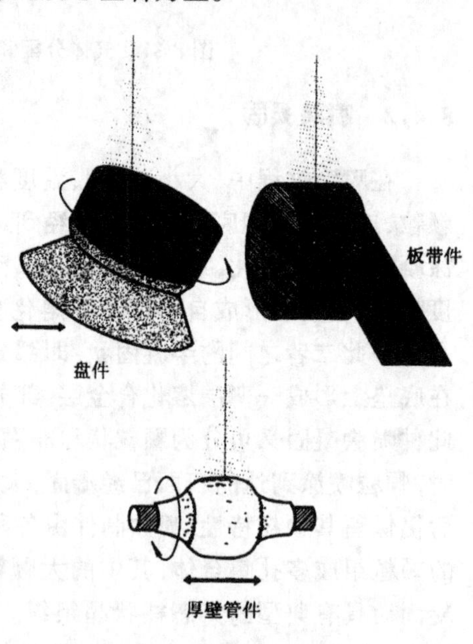

图8-32　喷涂制件与底垫形状及运动方式的关系

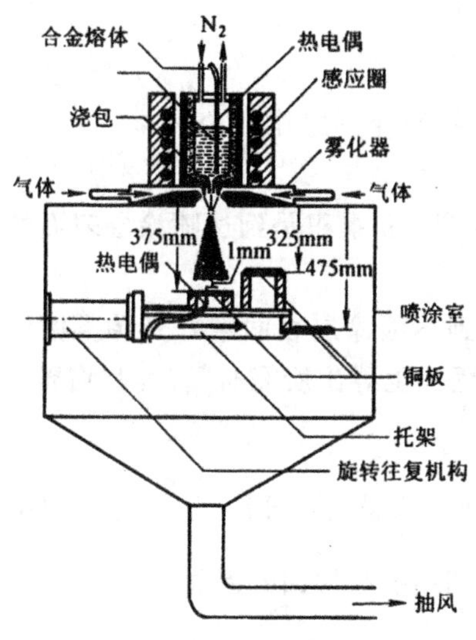

图 8-33　平板状底垫的喷涂铸造

状底垫的喷涂铸造过程如图 8-33 和图 8-34 所示。

喷涂铸造的临界条件简述如下：喷涂铸造是一种随机过程，喷涂颗粒与其位置和时间有关，即颗粒速率的函数。在稳态喷涂铸造过程中，颗粒与时间无关，只是喷涂锥体内的位置的函数，对于致密等轴晶粒的无疏松层状边界的喷涂临界条件下，要求喷涂层在后续颗粒未到达前呈非凝固状态，即：

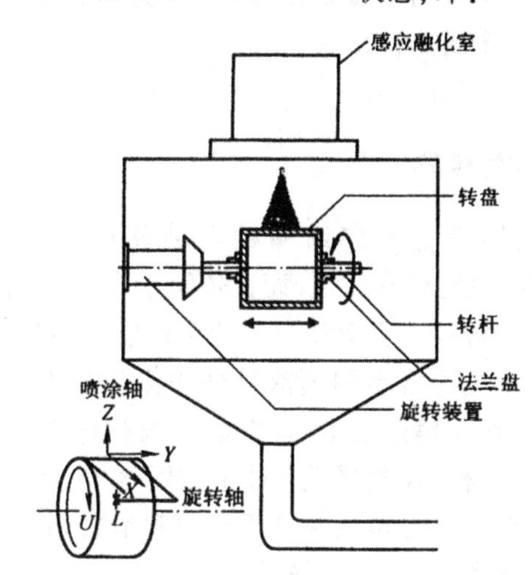

图 8-34　桶形底垫的喷涂铸造

$$u = rs/4\alpha^2\rho v \tag{8-7}$$

式中　u—— 临界速率；

r—— 颗粒平均半径；

s—— 液体密度；

α—— 喷涂层半径与颗粒半径 r 之比，$\alpha > 1$；

ρ—— 喷涂材料密度；

v—— 喷涂颗粒平均速率，ρv 乘积是到达喷涂层表面的金属速率。

在临界速率下，金属颗粒到达喷涂层表面刚好开始凝固所需时间，应等于热量从已喷涂凝固面上导出所需时间，因此临界条件可写作：

$$\frac{q}{\rho v} < 4[(T - T_1)h + H] \tag{8-8}$$

式中 T —— 金属液体颗粒到达喷涂层面的温度；

T_1—— 固相线温度；

q —— 单位面积喷涂层的热转移速率；

h —— 金属热容；

H —— 熔化潜热。

8.4.3 喷涂铸件性能

喷涂铸造制件为均匀细晶粒等轴晶组织，晶粒直径 6～50μm，比粉末冶金制件晶粒粗，而比传统冶金铸造晶粒细得多，因而兼有良好的室温拉伸强度和高温持久性能。经高温退火和标准时效处理后几种高温合金的喷涂铸件中温拉伸性能如表 8-20 所示，喷涂铸造和普通铸造的 René80 的室温拉伸强度 σ_b 和屈服强度 $\sigma_{0.2}$（采用 N_2 和 Ar 气雾化）对比如图 8-35 所示，在 800℃ 以前，喷涂铸造材料的 σ_b 和 $\sigma_{0.2}$ 高于普通铸造材料约 10%～20%，这显然是由于前者细晶粒组织的缘故。

由于氩气雾化环境下，喷涂铸件的含氧和氮量较低，虽高于真空铸造合金，但明显低于粉末冶金和等离子喷涂材料的气体含量，因此高温合金一般都采用氩气雾化。不同成形工艺制件及不同雾化气体下的喷涂铸件气体含量（O_2 与 N_2）对比情况列于表 8-21 和

表 8-22。

表 8-20　几种喷涂铸造高温合金的中温拉伸性能

合　金	René80	AF115	MERL76	Astroloy 650C
$\sigma_{0.2}$/MPa	1040	1080	1007	903
σ_b/MPa	1471	1464	1327	1347
伸长率/%	12	15	21	27
760C $\sigma_{0.2}$/MPa	1008	1049	1007	887
σ_b/MPa	1152	1242	1102	1040
伸长率/%	26	30	30	30

表 8-21　等离子喷涂、粉末热等静压及喷涂铸造 René80 合金气体(O_2, N_2)含量对比

材　　料	O_2	N_2
原材料	$(19\sim17)\times10^{-6}$	$(12\sim14)\times10^{-6}$
Ar 气雾化喷涂铸造	$(40\sim44)\times10^{-6}$	$(18\sim13)\times10^{-6}$
N_2 气雾化喷涂铸造	$(99\sim102)\times10^{-6}$	$(185\sim146)\times10^{-6}$
等离子喷涂	458	96
粉末热等静压(－400 目)	264×10^{-6}	20×10^{-6}

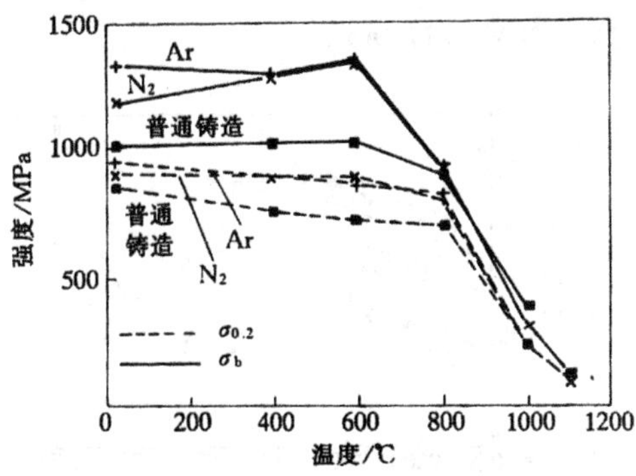

图 8-35　喷涂铸造与普通精密铸造 René80 合金拉伸性能对比

表 8-22 Ar 与 N_2 雾化喷涂制件的 O_2 和 N_2 量

材料	IN718		René80	
	N	O	N	O
真空熔炼	70×10^{-6}	4×10^{-6}	9×10^{-6}	2×10^{-6}
N_2 雾化喷涂铸造	330×10^{-6}	22×10^{-6}	165×10^{-6}	7×10^{-6}
Ar 雾化喷涂铸造	90×10^{-6}	32×10^{-6}	8×10^{-6}	26×10^{-6}

喷涂制件的气体含量还与喷涂颗粒大小有关，随着颗粒增大，比表面积减小，气体含量下降，René80 中 O_2 含量与其雾化颗粒直径的关系示于图 8-36。

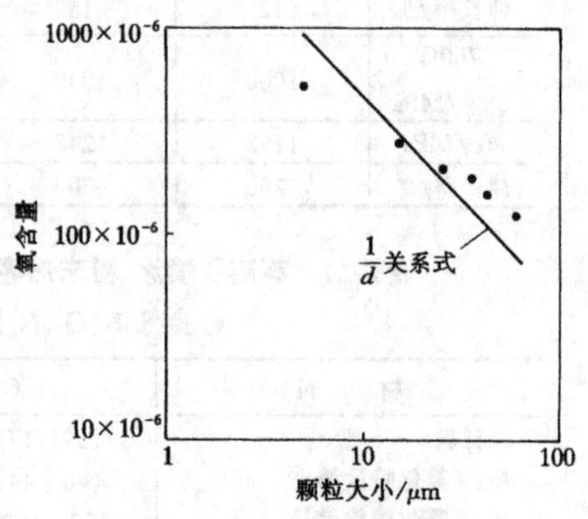

图 8-36 René80 合金雾化颗粒含氧量与其直径的关系

由于氧含量高，真空等离子喷涂或粉末热等静压成形制件有明显的中温低塑性区，在 800～1000℃之间，这两种成形的 René80 材料的伸长率下降到 4%以下，但喷涂成形的 René80 材料即使在 800～1000℃之间，拉伸伸长率仍大于 13%，如图 8-37 所示。

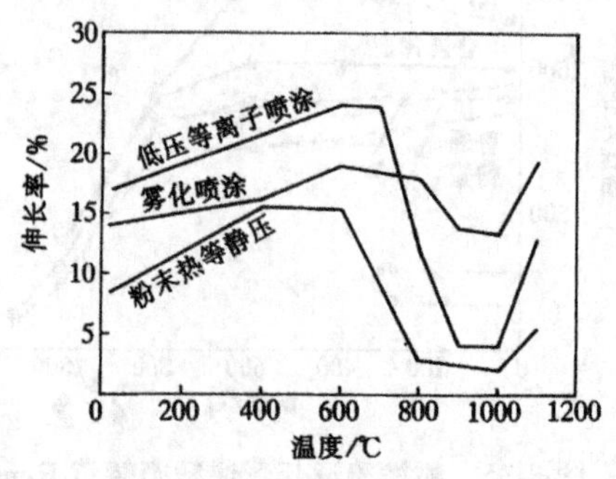

图 8-37 等离子喷涂、粉末热等静压和喷涂铸造 René80 合金的伸长率与温度的关系

参 考 文 献

1 熔模精密铸造编写组编 . 熔模精密铸造 . 北京:国防工业出版社出版, 1981

2 粟祜主编 . 无余量熔模精密铸造 . 北京:国防工业出版社出版, 1984

3 高温合金手册编写组编 . 高温合金手册 . 1982

4 铸造高温合金论文集编委会编 . 铸造高温合金论文集 1993. 北京:中国科学技术出版社, 1993

5 傅恒志主编 . 铸钢和铸造高温合金及其熔炼 . 西安:西北工业大学出版社, 1985: 170

6 VerSnyder F L, Shank M E. Mater. Sci. and Eng., 1970; 6(4): 213

7 Meyer – Olbersleben F, *et al* . Superalloys 1992. Edited by S. D. Antolovich *et al* ., TMS, 1992: 785

8 Shah D, M, Duhl D, N, Superalloys 1984. Edited by Maurice Gell *et al*., AIME, 1984: 105

9 Fiedler H C *et al*. J., of Metals, 1987; 39(8): 28

10 Bricknell R, H. Metall. Trans., 1986; 17A. April; 583

11 Chang K M Fiedler H C. Superalloys 1988. Edited by S. Antolovich *et al*., TMS, 1988: 485

12 Bouse G, K, Behrendt M, R. Superalloy 718. Metallurgy and applications. edited by E. A. Loria. TMS, 1986: 319

9 高温合金热加工

9.1 高温合金热加工基础

在高温合金的发展进程中,由于合金化程度不断提高,合金的加工塑性随高温强度的提高而降低。合金的组织结构变得愈加复杂,锻压加工工艺技术的发展不但要解决变形高温合金的最佳工艺参数选择问题,而且要解决高温合金在选定的工艺参数下,获得要求的组织和性能,以便满足不同零件使用的性能要求。根据不同高温合金的组织性能特点,采取特殊冶炼、热处理工艺获得要求的组织结构,使合金提高工艺塑性和降低变形抗力;控制热加工参数使合金加工后获得要求的组织结构,从而使合金获得优异的使用性能,这是确定热加工工艺的一项基本原则。

9.1.1 变形高温合金的发展

变形高温合金应用于燃气涡轮发动机,主要是燃烧室、涡轮叶片、涡轮与压气机盘。

燃烧室材料目前仍在使用可成形性、可焊接性好的板材合金。在俄罗斯,除使用固溶强化板材 ЭИ602、ЭИ868 等外,目前已经采用 ЭП99、ВЖ-105 等时效强化板材;在美国,仍大量使用 Hastelloy X 合金,发展了 H－188 和 Inconel617 合金,正在发展弥散强化(ODS)板材;在英国,目前较广泛使用 C263 时效板材;在我国,目前大量使用的仍主要是固溶铁基、镍基板材,如 GH1140、GH1015、GH1139、GH3044、GH3128 等合金,研制了 GH99、GH163、GH105 时效板材合金。

涡轮工作叶片材料,在俄罗斯至今仍广泛使用变形合金 ЭИ437Б、ЭИ617、ЭИ929、ЭП220 合金;在英国仍采用 Nimonic80A、105、115、118 等合金;美国早期使用变形合金 Udimet500、

700、Waspaloy 等，目前已广泛采用铸造合金；我国重点发展铸造合金同时仍在使用 GH4033、GH4037、GH4049、GH4220 等变形合金。一般涡轮工作叶片都是用热轧棒材锻造而成。

涡轮盘合金发展如图 9-1 所示，以 650℃ 屈服强度相比较，过去二十多年来，强度提高一倍。俄罗斯目前广泛使用 ЭИ437Б、ЭИ698ВД 合金等；英国主要采用 Inco901、Waspaloy 锻造盘；美国早期广泛使用 A286、Inco901、Waspaloy，目前已采用 IN100 及 René95 合金粉末压制件再经 Gaterizing 方法锻造盘。我国广泛使用的涡轮盘有 GH2036、GH2132、GH33A 和 GH4698 合金，仍然采用的是传统的钢锭锻造的盘件。

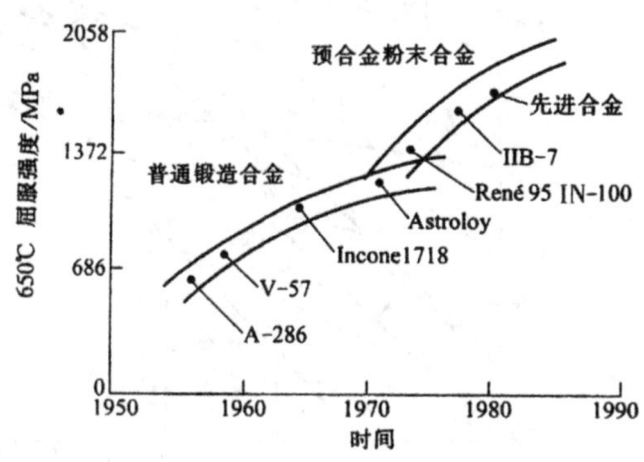

图 9-1　涡轮盘合金的发展趋向

9.1.2　高温合金的合金化特征

高温合金为了不断提高热强性能，合金化程度不断提高。合金化程度愈高，对合金的热加工性能产生恶化作用愈大。总的趋势是随着合金化程度的提高，如图 9-2 所示，热变形区域缩小，合金变得只能铸造而不能采用传统的工艺变形。

9.1.2.1　合金的液、固相线温度变化

在高温合金中，由于添加多种合金元素强化的第一个结果是：使合金的液、固相线温度明显降低。表 9-1 给出 Nimonic 合金的数据表明，从 Nimonic75 发展至 Nimonic118 合金，液相线温度降

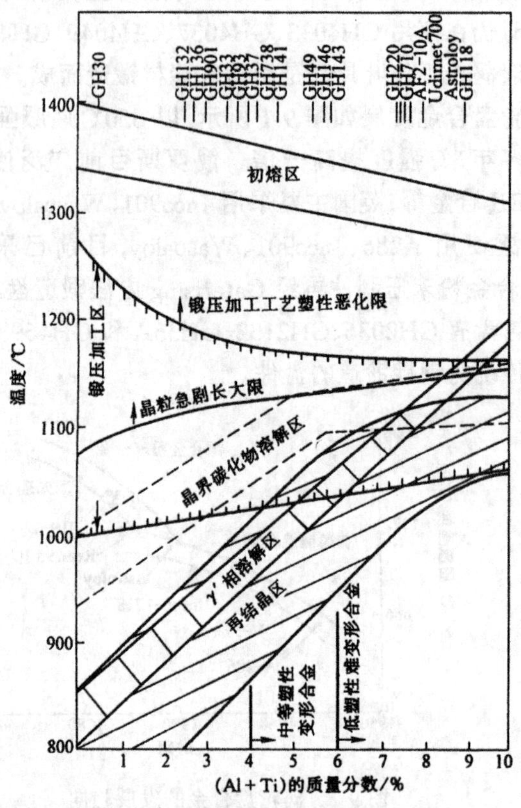

图 9-2　合金化程度与热变形区关系示意图

低 65℃，固相线温度或初熔温度降低 80℃。NPK31 合金初熔温度最低降至 1230℃。

表 9-1　Nimonic 合金液、固相线温度

合　金	N75	N80	N80A	N90	N93	N105	N115	N118	NPE11	NPE16	NPK31	NPK33	C263
液相/℃	1380	1380	1365	1370	1370	1345	1315	1315	1350	1355	1315	1345	1355
固相/℃	1340	1310	1320	1310	1310	1290	1260	1260	1280	1310	1230	1300	1300

合金液、固相线温度降低的主要原因是添加低熔点合金元素 Al、Ti 等，以及残存低熔点有害杂质的结果。因此，难变形合金中

应特别注重控制造成热脆性的有害元素含量，例如国外已将硫含量从小于0.015%降至小于0.008%的控制含量，尽可能避免或减少低熔点共晶体的形成。

9.1.2.2 合金的热扩散与再结晶温度

高温合金中添加多种合金元素强化的第二个结果是：使合金基体的再结晶温度提高，热扩散系数降低。多元素强化合金在同一量级扩散系数（$D_0 \approx 10^{-3} cm^2/s$）下，热强温度有很大提高，热扩散激活能由纯镍51.7提高至111.8kcal/g·at，结果如表9-2所示。

表9-2 合金化对镍基合金热扩散特性及热强性影响

合 金	Ni	Ni-Cr-Ti	Ni-Cr-Ti-Al	6组元	7组元	8组元
热强温度/℃	400	800	950	970	980	1020
Q /kcal·(g·at)$^{-1}$	51.7	84.0	87.6	91.3	98.2	111.8
D_0 , $cm^2 \cdot s^{-1}$	1.6×10^{-9}	3.0×10^{-13}	3.8×10^{-13}	6.2×10^{-13}	5.6×10^{-13}	8.1×10^{-13}

添加5%Mo和9%～10%W可以显著减缓Ti和Cr在700～1000℃范围内的扩散过程和提高其扩散激活能（Q）。添加V则起相反的作用。

镍基合金中添加4%Mo或8%W时，可以使再结晶温度提高约100℃，加入8%Mo与8%W则可提高再结晶温度150℃左右。由表9-3可以看出，GH33合金再结晶温度950℃，发展至Mar-M200合金再结晶温度达到1218℃，通过多元素强化再结晶温度可提高250℃以上。

表9-3 合金化对镍基合金再结晶温度的影响

合 金	GH33	GH37	GH49	GH511	Inconel X750	Inconel 625	Inconel 718
再结晶/℃	950	1000	1080	1100	954	954	969

合 金	Waspaloy	U500	René41	Astroloy	IN100	Mar-M 200
再结晶/℃	1010	1052	1052	1121	1149	1218

9.1.2.3　合金的主要组织与热加工性关系

如表 9-4 所示。随着合金中 Al + Ti 含量的增加，γ′相的固溶温度提高（Nimonic118 合金可高达 1160℃），合金强度提高，而伸长率则降低。由图 9-3 和图 9-4 可以清楚地看出，Nimonic 和 Inconel 系合金的热变形抗力增加，塑性降低。

表 9-4　(Al + Ti)% 对镍基合金 γ′相数量与固溶温度影响

合　金	ЭИ437Б	ЭИ617	ЭИ826	ЭИ929	GH511
(Al+Ti)(质量分数)/%	3.25	4.05	4.50	6.0	8.15
γ′/%	10	20～25	30～35	42	54.95
合　金	Nimonic 80 (80A)	Nimonic 90	Nimonic 100 (105)	Nimonic 115	Nimonic 118
(Al+Ti)(质量分数)/%	2.7～3.8 (3.6)	2.8～4.0	5～8 (5.9)	9	9
$T_{\gamma'固溶}$/℃	820～910 (840～880)	910～970	1060～1080 (1020～1060)	1150	1160

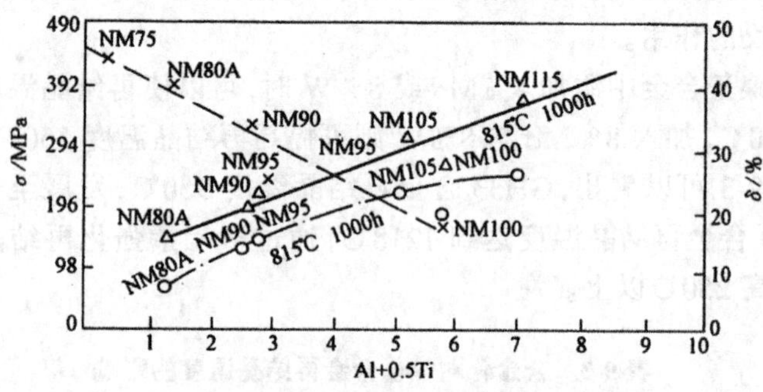

图 9-3　Al + 0.5% Ti 对 Nimonic 合金强度与塑性的影响

同样，在高温合金中，随着 C、W、Mo、Nb 等碳化物形成元素增加，碳化物数量增多，质点变大，且容易形成偏析。碳化物硬而脆，与基体接触的界面不牢，分布在晶界上，则使晶界变脆，而晶内大块碳化物易沿界面产生微裂纹，而使合金塑性降低。

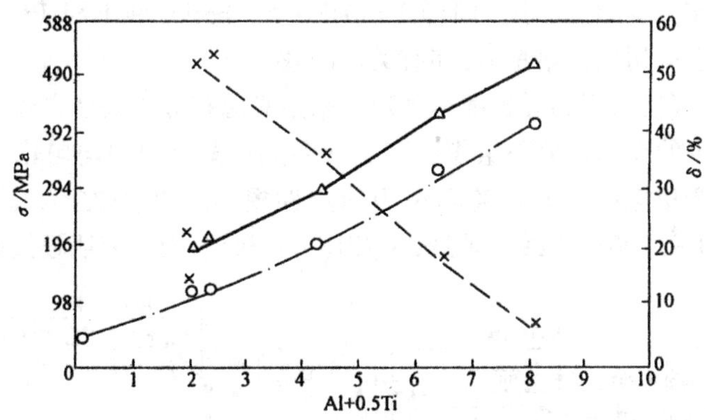

图 9-4　Al + 0.5% Ti 对 Inconel 合金强度与塑性的影响

9.1.3　高温合金铸态偏析及热加工塑性

变形高温合金随着合金化程度的提高,合金的铸态组织变得不均匀,偏析愈加严重,伴之而来的是有害相的析出,严重影响合金的开坯和锻压加工。

减缓铸态偏析的方法有:

(1)控制合金的凝固速度　铸锭结晶一般分三个晶区;细晶、柱状晶和等轴晶区。提高凝固速率可以使枝晶分枝,减小晶胞、枝干间距及晶轴间第二相尺寸。

为此应采用控制熔化速率的电渣熔炼与结晶(水冷结晶器);尽量采用较小尺寸的铸锭和结晶器,可以有效地减缓高温合金偏析的程度。Udimet700 合金采用电渣熔炼工艺后,如图 9-5 对比所示,热加工温度范围加宽,塑性显著改善。原因是凝固速度快,通过渣洗作用使合金中脱 S,夹杂细小和

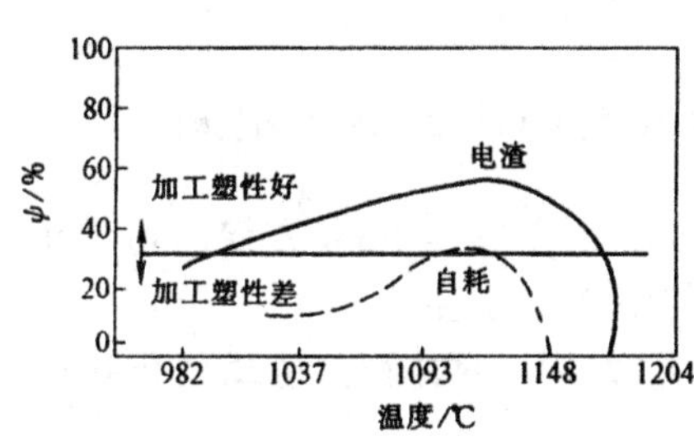

图 9-5　Udimet 700 合金的塑性图

分布均匀，偏析小。同样 Hastelloy X、Incoloy 901 和 Inconel 718 合金采用电渣熔炼后，亦有类似的效果。

(2)采用高温扩散热处理　采用高温扩散热处理方法，可以使合金的铸态成分与组织在高温保温热扩散过程中均匀化，使有害偏析相溶解从而使铸态组织的塑性提高。ЭИ437Б 合金曾采用 900～1200℃范围内保温 2h，如图 9-6 所示，塑性有明显提高。

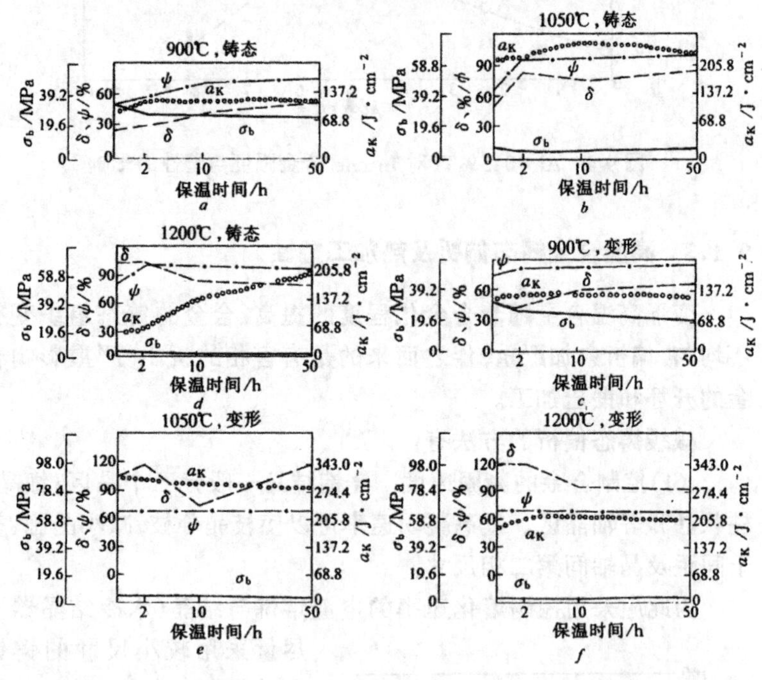

图 9-6　高温扩散热处理对 ЭИ437Б 铸态塑性的影响

Joseph 经研究给出 Inconel718 合金 140mm 方锭的均匀化热处理工艺为：1090～1230℃，保温 2～4h，空冷。

国内对 Inconel718 合金 ϕ375mm 钢锭给出的均匀化热处理制度为：1170℃，24h，空冷。

研究表明：枝晶间 Nb 元素偏析形成的块状 Laves 相是降低热

加工塑性的主要原因。试验得出以下基本规律：

Laves 相溶解的温度、时间服从以下关系：

$$\tau = 2.95 \times 10^{18} e^{-0.036t}$$

式中 τ——t 温度下完全溶解的时间，h；

t——Laves 相溶解试验温度。

(3)采用粉末冶金工艺生产难变形高温合金 采用粉末冶金工艺技术，能得到几乎无偏析、组织均匀，热加工性良好的高温合金，使目前许多难以热加工的高合金化的铸造高温合金发展成为变形材料，在技术上主要解决了两个问题：

1)制粉时合金凝固速度快($10^3 \sim 10^5$℃/s)，粉末颗粒很小(小于 100μm)，消除了偏析，改善了合金的热加工塑性，消除了变形与铸造合金的界线，使变形合金得到很大发展；

2)粉末高温合金由于无偏析，成分很均匀，是细晶粒组织，具有超塑性。如图 9-7 所示，在高温时具有较低的拉伸强度，变形抗力小；伸长率可达 200%～1000%，甚至更高，合金成形性好，使合金可以在小设备上加工出精密锻件。这种特性，在高温合金中得到了普遍的证实，不仅在 Astroloy, IN100 合金中，而且在 In713C 和 NASA TRW－VIA 和 In713C 合金中均有同样的规律，是高温合金内在的普遍属性。一般均可通过试验求出每一合金具体的超塑性工艺参数。

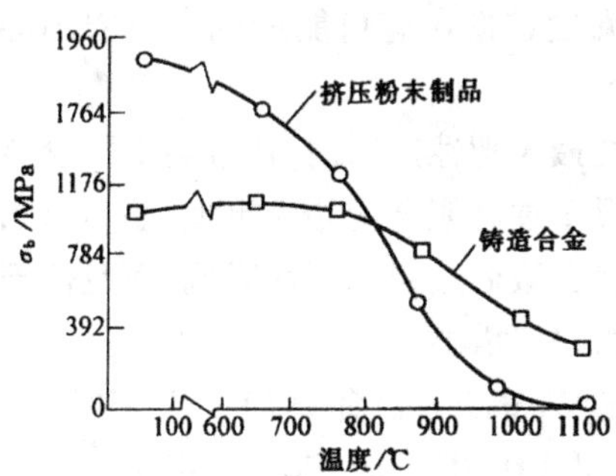

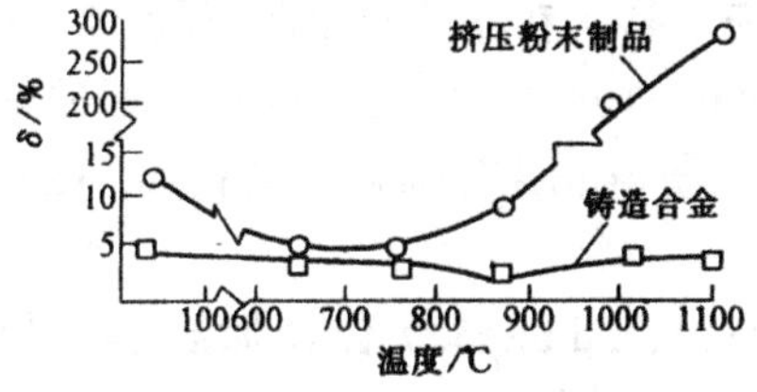

图 9-7 粉末与铸造 NASA TRW－VIA 合金的拉伸性能

9.1.4 热加工工艺参数的确定

热加工工艺参数对保

证锻件质量与组织、性能有密切关系，一般包含预加热温度、开始与终止变形温度范围、变形程度、变形速度。

9.1.4.1 加热与变形温度

加热与变形温度的确定不但要考虑使合金有较好的热加工塑性，而且要使合金获得满意的组织，用以保证锻件获得所需的性能。选择加热和变形温度的基本原则可归纳如下：

(1)加热温度不仅应低于合金的初熔温度和共晶温度，而且还应当低于合金的过热温度。在确定的上限温度下保持时间过长也会造成过热。加热温度过高由于氧化和燃烧产物中硫的侵蚀容易在制件表面晶界区域，甚至沿晶界表面向内部扩展，一经变形即引起严重开裂；

(2)变形的下限温度，除热机械处理以外，一般要接近再结晶温度，避免温度过低造成冷加工现象，致使应力最大部位(沿 45°剪切)开裂；同时，受到冷加工的区域在随后热处理时容易出现粗大晶粒，造成晶粒不均匀。温度过低还有可能造成内应力不能得到消除；

(3)变形温度不仅要选在最大塑性区以内，还应当根据合金的相析出规律，避免由于变形温度过高使合金晶粒粗大，晶界析出薄膜晶界。这种晶界析出，不但在锻造过程中塑性降低，而且使随后锻件的性能降低，造成合金的缺口敏感。

M.J.Donachie 等人研究 Waspaloy 合金热加工工艺时指出：锻造温度超过 γ'相的溶解温度(1080℃)时，高温(1080℃)下 MC 型碳化物溶解，并在 1080℃左右再次在晶界析出薄膜状 MC 碳化物，使合金的塑性降低。在 980～1080℃锻造，可以得到好的加工塑性，而且很少形成 MC 薄膜，获得 $M_{23}C_6$ 颗粒状碳化物，ASTM4～5 级晶粒。

M.Kaufman 等人研究指出：Udimet500 合金加热温度超过 1190℃，容易产生裂纹，锻造温度范围以 980～1190℃为宜。可以通过控制锻造温度与保温时间(图 9-8)来控制晶粒尺寸，晶粒尺寸小于ASTM4级时，由于晶界在单位体积中的面积足够大，

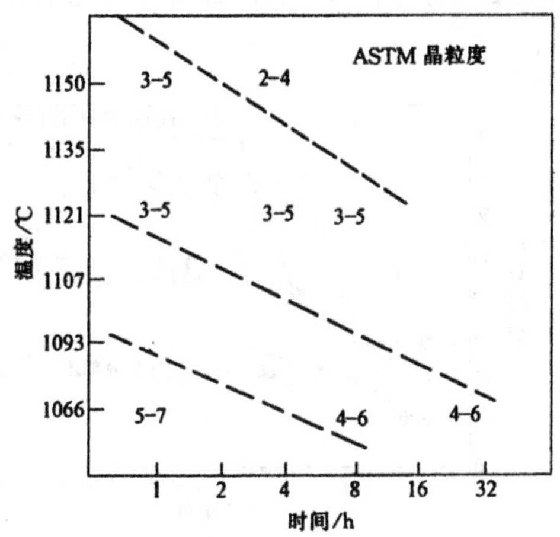

图 9-8 Udimet 500 合金在各种温度、时间条件下加热后的晶粒度(锻棒)

$M_{23}C_6$ 连续薄膜晶界不可能形成。晶粒尺寸与沉淀相数量形成薄膜晶界的倾向如表 9-5 所示。

表 9-5 晶粒大小与沉淀相数量形成薄膜晶界的倾向

ASTM 晶粒度	每单位体积的晶界面积/($mm^2 \cdot mm^{-3}$)	$M_{23}C_6$ 的连续晶界厚度		
		1%	0.5%	0.25%
-2	3.3	0.119	0.060	0.030
0	6.7	0.059	0.029	0.015
2	13.4	0.030	0.015	0.007
4	27.0	0.015	0.007	0.007
6	54.0	0.007	0.004	0.002
8	107.0	0.004	0.002	0.001

应当指出,选择变形温度范围,在考虑上述组织状态情况下,仍然应以合金获得最大塑性的温度范围作为依据。如果以图 9-9 为例,在 GH698 合金塑性图中有铸态与轧态的变形温度范围,应以内部不产生裂纹为依据,1000~1150℃较适合。但是,铸态下合金的塑性在 1150℃有明显降低,铸锭开坯时要避免温度过高。此

外,拉伸强度随加热温度升高而降低,可作为确定加工设备时的参考(图 9-10)。

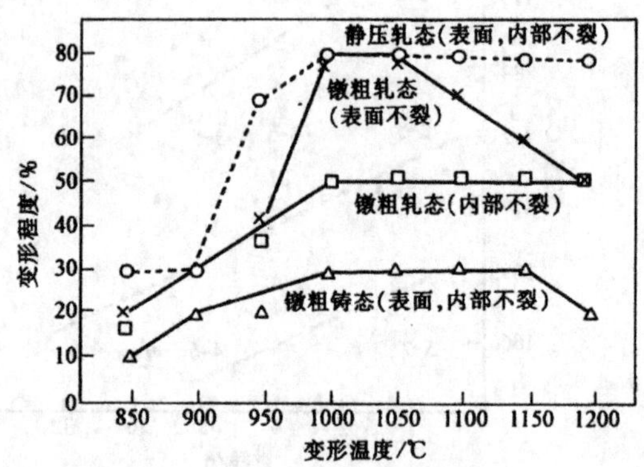

图 9-9 GH698 合金变形温度与变形程度的关系(镦粗试验)

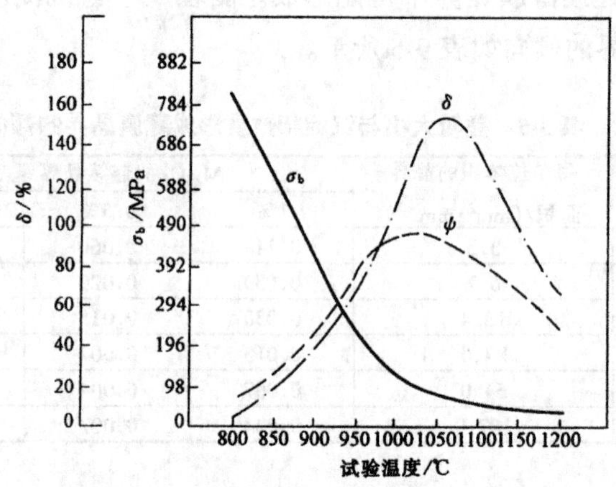

图 9-10 GH698 合金高温拉伸曲线

关于钴基合金变形温度的选择,图 9-11 给出几种变形钴基合金的高温塑性、强度同铁基合金 A286 的对比。在 980℃ 以上,沉淀强化钴基合金 S816、L605 塑性明显提高,强化相开始溶解。在

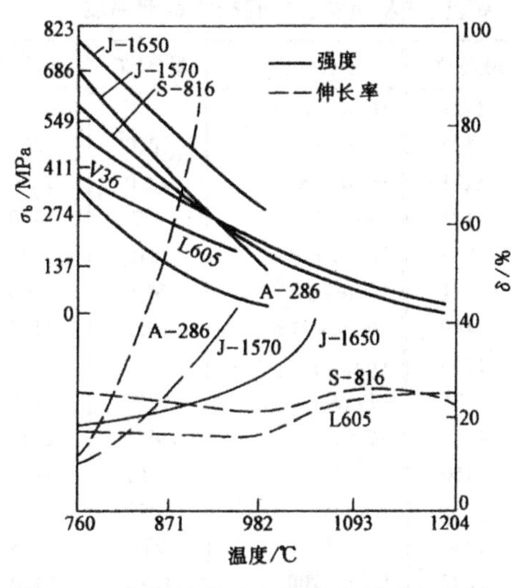

图 9-11　变形钴基合金的高温强度与塑性

相同温度下强度高于A286合金，锻造压力是16-25-6合金的3～4倍。钴基合金锻造上限温度受低熔点相限制，下限温度受沉淀相溶解限制，变形温度范围窄，为保证温度均匀需要多次重复加热。由于钴基合金容易产生加工硬化，重复加热也是为消除加工硬化所需要的。小的变形量会使退火后晶粒剧烈长大。加热温度超过1177℃时也会使晶粒长大较快，变形量超过20%可保证得到细晶粒。为了解决锻造压力大而需要进行润滑。为均匀加热（导热慢）和使变形均匀，需要慢速加热和预热模具。确定钴基合金热加工参数必须充分考虑以碳化物或 Ni_3Ti 沉淀强化的钴基合金的上述特点。

国内变形高温合金热加工温度范围可查阅《高温合金手册》。英、美变形高温合金热加工温度范围列入表9-6供参考。

9.1.4.2　变形程度的确定

高温合金的热加工变形程度应区别以下不同情况来确定：是铸态还是已经变形状态；不同的变形温度；不同的锻压方法即不同的变形速率；不同合金的合金化水平即不同的塑性水平。以图9-9为例，GH698合金在相同的变形温度下，铸态的允许变形程度比轧态低；落锤镦粗的允许变形程度比静压镦粗的低；在过低的和过高的温度下的允许变形程度比最大塑性温度范围的低。

对于形状复杂的锻件而言，一般变形是不均匀的，或者多火次、多锤锻造也存在变形程度确定及其分配问题。一般要参考合

表 9-6 国外铁基、钴基、镍基高温合金的推荐锻造温度

合 金	最低/℃	最高/℃	合 金	最低/℃	最高/℃
A－286	954	1121	Hastelloy		
V57	899	1121	R－235	1010	1205
M308		1121	HastelloyC	1010	1230
19－9DL	649	1121	Inconel718	927	1120
W545	927	1093	Nimonic90	1010	1150
Discaloy		1121	HastelloyX	870	1205
16－25－6		1149	Nimonic115	1093	1130
AFC－260	954	1135	Unitemp		
Pyromet860	1038	1121	1753	1010	1175
J－1570	980	1177	M252	980	1175
J－1650	1010	1150	René41	1010	1175
HS－25			Astroloy	1093	1175
(L－605)	1010	1230	Waspaloy	980	1175
S－816	1038	1205	Udimet700	1025	1120
HA－188	980	1177	Udimet500	1038	1190
MP－35N	1038	1150	Mar－M421	1038	1150
Nickel200	870	1205	Uditemp		
HastelloyW	1038	1205	AF2－10	1065	1175
Incoioy901	980	1175	AF1－10	1065	1120
InconelX750	1038	1205	Udimet710	1065	1175
Inconel600	1038	1150	René95	1065	1120
Inconel751	1038	1205			

金的固溶再结晶图，控制变形程度，使之不出现粗大晶粒，避开临界变形。由图 9-12 可以看出：GH4698 合金有两个临界变形区，一个是所有变形温度在变形程度 3%～13%区内；另一个是 1000～1150℃在变形程度大于 70%区内，均出现粗大晶粒，变形程度控制在 18%～60%是合适的。对于研制新合金而言，应首先通过试验确定其固溶再结晶图，而后再确定锻件合理的变形程度是必要的。

9.1.4.3 变形速度的确定

高温合金随着合金化程度的提高，合金的塑性降低，一般热加工变形速度应当适当降低。以难变形镍基 Udimet700 或 Astroloy

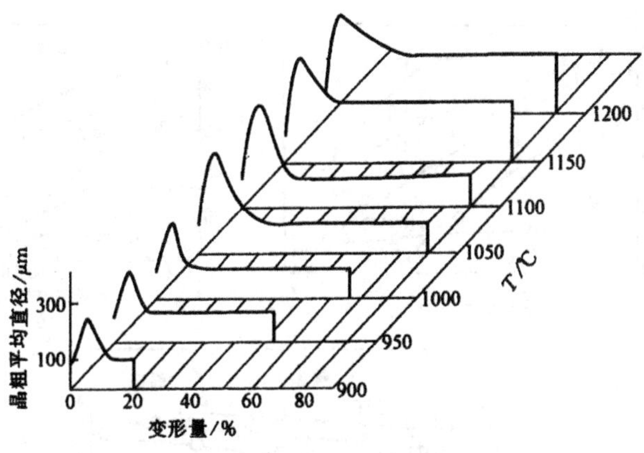

图 9-12　GH4698 合金的固溶再结晶图

合金为例，在不同变形速度条件下，合金的铸态加工性能有如下变化规律：

(1)如图 9-13 *a* 所示，变形速度快(100%/s)比慢的(1%/s)最大面缩率 (ψ) 温度范围要窄，最大面缩率值要低。铁基 A－286 亦得出相同的规律。

(2)在 1095～1205℃ 范围内，在相同温度下，如图 9-13 *b* 所示，延伸率 (δ) 随变形速度增大而降低。在 980～1205℃ 温度范围内，在相同温度下，如图 9-13 *c* 所示，面缩率 (ψ) 随变形速度增大而降低。

(3)在 980～1205℃ 成形温度范围内，如图 9-13 *d* 所示，高速变形需要的应力增大。

9.1.4.4　超塑性锻造

超塑性是金属材料在一定条件下呈现的无缩颈大延伸的特点，其条件是具有超细晶粒组织，在一定的温度(0.7 熔点以上)和适当的应变速率下变形。超塑性变形具有下列特征：

变形抗力急剧减小。塑性指标明显增大，拉伸试验时试样不产生缩颈，流动应力对变形速率非常敏感。

自 1920 年英国 Rosenhain 等人发现了 Zn－Al－Cu 共晶合金

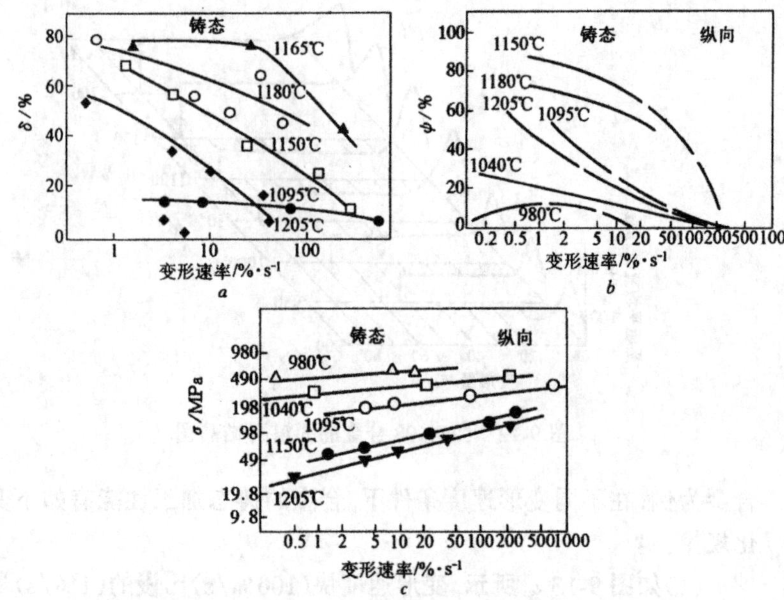

图 9-13　变形速率对铸态 Astroloy 合金

热加工塑性(δ、ψ)及变形应力的影响

a —对加工塑性 δ% 的影响；*b* —对加工面缩率 ψ% 的影响；

c —对变形应力 σ% 的影响

的超塑性，60 年代初特别是 60 年代中期以来，许多国家对超塑性进行了研究。发现许多合金具有超塑性，并且将超塑性应用于零件成型，形成了新的加工工艺，1967 年美国的 PrattWhitney 飞机公司，用超塑性锻造工艺制成了航空发动机涡轮盘，甚至整体涡轮。美国的高性能歼击机 F15 和 F16 的高压压气机盘和涡轮盘就是用热挤压粉末 IN100 合金，经超塑性锻造生产的。

我国超塑性变形的研究于 1982 年开始，研究了粉末 IN100 合金超塑性坯料的制备工艺，性能水平和组织特点以及小型涡轮盘的超塑性锻造工艺。

试验料采用真空熔炼－氩气雾化的 IN100 合金粉。粉末经筛分、装套、真空脱气、焊接后进行挤压，或热等静压、或热塑加工工艺成型、氩气雾化 IN100 合金粉大多呈球形或椭球形，为树枝状或胞状的多晶组织，树枝状间隙存在细小的 MC 型碳化物，一部分粉末中存在着缩孔和气泡。热挤压、热等静压和热塑性加工压坯的金相组织其共同特点是都具有超细晶粒，尤其是热挤压和热塑性加工工艺的晶粒更为细小。超塑性变形后晶粒并不沿应力方向拉长，说明超塑性变形主要靠晶界滑移和晶界扭转来实现。通过几种工艺对比说明，热挤压合金具有最好的超塑性，伸长率超过 1000%。热塑性加工合金的超塑性虽比热挤压的差，但比热等静压的好，伸长率为 328%。热等静压合金的晶粒较粗，所以超塑性稍差，伸长率只有 268%，适当降低热等静压温度，可使晶粒细化并提高合金的超塑性。对三种不同挤压比合金棒材进行拉伸试验，说明都具有良好的超塑性，而以挤压比大者(12∶1)的超塑性最好。由于超塑性坯料具有超细晶粒组织，室温强度高，但高温强度低。因此必须通过热处理、使其晶粒长大，获得良好的组织，以发挥其应有的高温强度。合金热处理后性能测试结果表明，热挤压粉末 IN100 的性能优于铸造的 IN100 合金，尤其是屈服强度和塑性提高更显著，这对涡轮盘的使用是十分重要的，而挤压比 12∶1 的性能最好。

超塑性锻造实际上是一种热锻工艺，其特点是材料处于超塑性状态，在等温和慢速条件下锻造。试验所用的超塑性锻造设备是 500 吨液压机，利用中频感应炉加热，上下压头材料为 TZM 钼合金，模具和作为发热体的模套材料均用 WAZ 铸造高温合金，为了防止工件和模具的氧化，模套内通入氩气。

试验结果说明，粉末冶金技术和超塑性等温锻造工艺相结合，提高了合金的加工塑性，使以前只能在铸态使用的高强度 IN100 镍基高温合金，可以锻造成涡轮盘，甚至形状更复杂的部件，而所需的成型能力很低，盘件尺寸精确，减少了机加工量，又节约了金属，因而可降低零件的成本。

难变形高温合金同样具有超塑性，一般要在接近正常再结晶温度时进行压缩变形，以便得到非常细小的晶粒尺寸（小于

10μm),使之处于“暂时”的超塑性状态,然后在超塑性最佳温度下,在等温的模具中锻造成所需要的形状,最后对锻件进行热处理,使之恢复合金的高温强度状态。

显然,进行超塑性变形的条件首先要得到晶粒极细的原材料。这种材料可以通过粉末冶金工艺获得,也可以通过真空感应与真空自耗冶炼控制钢锭晶粒,将合金在再结晶温度以下约93~232℃进行挤压,挤压比一般不小于4:1,挤压时产生的热量恰好刚使合金发生再结晶,使晶粒细小(小于35μm);挤压时要防止温升,以免引起晶粒明显长大,IN100、Waspaloy、Astroloy的挤压参数如表9-7所示。

表9-7 难变形高温合金超塑性锻造参数

合　金	挤压比(不小于)	挤压温度/℃
IN100	5:1	1038~1149
Waspaloy	4:1	843~967
Astroloy	6:1	900~1066

使用挤压后获得的难变形高温合金细晶粒材料进行超塑性锻造,一般在合金的再结晶图以下大约177℃范围内进行,应用相当于MarM200的TRW2278作为模具材料,用氩气保护以防止其氧化;模具采用感应加热。超塑性变形要求较低的变形速度,一般应小于0.5mm/min;锻压尺寸更精密的部件,应选择更低的变形速度,如0.05mm/min。超塑性温度可以针对不同合金,通过试验来获得,以IN100、Waspaloy、Astroloy为例,其超塑性温度分别在982~1093℃、900~940℃、927~1066℃范围内。由于在超塑性状态下锻造,所用的锻造应力显著降低。通常Astroloy盘模锻在1177℃需应力309.8MPa,超塑性在1038℃,只需要8.2MPa,温度降低140℃,应力降低37倍。

9.1.4.5 热机械处理(TMT)

为了使高温合金获得高的屈服强度与疲劳强度,热机械处理工艺也得到一定发展。

热机械处理方法的原理是将合金在再结晶温度以下，在发生均匀分散滑移的温度范围内进行变形，通过均匀分散滑移变形，使合金获得多边形网状位错亚结构起主要强化作用，其次形成变形织构起辅助强化作用，这种起强化作用的位错亚结构组织通过 γ′相补充析出使之稳定。热机械处理工艺过程如图 9-14 所示。

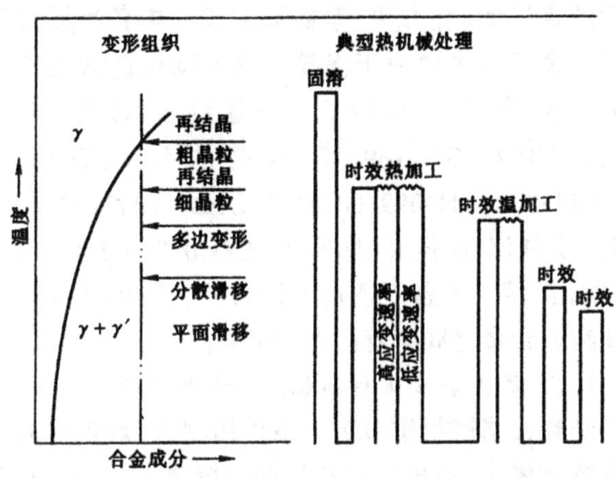

图 9-14　高温合金热机械处理工艺过程原理图

例如 Udimet700 合金的热机械处理工艺的具体工艺过程与参数如下：

(1)在 1177℃，4h，固溶处理，空冷；

(2)在 1066℃，4h，γ′沉淀处理，空冷；

(3)在 1066℃变形，总变形量 78%，每次变形量 6%，反复变形和退火。

再例如 René95 合金的热机械处理工艺的具体工艺过程与参数如下：

(1)在 1121℃热加工变形，接着在略超过 1163℃进行再结晶处理，得到 ASTM5 级晶粒；

(2)在 1080～1093℃变形，总变形量 40%～50%；

(3)在 1093℃部分固溶处理(快冷)和 871℃，16h，空冷时效。

9.2 高温合金的锻轧生产

9.2.1 高温合金板材生产

高温合金板材由于 Al、Ti、Nb 元素较少，在热加工中基本采用不锈钢的普通锻、轧方法，但在加工过程中各种因素要加以控制。高温合金板材主要用于涡轮喷气发动机的火焰筒和加力筒体、板材高温合金牌号较多，铁基的有 GH2135、GH1140、GH1131、GH1016、GH4169 等，镍基的有 GH3030、GH3039、GH3044、GH3128、GH4099、GH4141、GH22、GH3170 等，钴基的有 L605 等，其中沉淀强化型的有 GH4099、GH4141、GH4163、GH4169 等，材料工作温度适用范围较广，从 700℃ 到 1000℃，但变形难度在各合金之间有着巨大的差异。

9.2.1.1 高温合金板材晶粒大小和均匀性的控制

由于受到火焰筒制作和工作条件的制约，对板材晶粒大小和均匀性有较严要求，冷轧板材晶粒度一般要求 5～8 级，晶粒大小级差不超过 3 级。为控制晶粒度及均匀性，除控制成品板材的淬火制度外，控制最终变形前的原始晶粒度十分重要，试验证明，在最终变形量为 30%～40%条件下，原始晶粒应在 4～6 级以上。

9.2.1.2 热变形工艺塑性

板材合金对温度很敏感，尤其铸态下容易锻裂乃至锻废。GH44 合金是一种固溶强化型镍基合金，由于熔炼时作为脱氧剂的金属钙用量不合适，加入温度控制过低，可导致该合金锻造工艺塑性变差。

9.2.2 高温合金棒材生产

高温合金棒材有 GH4033、GH33A、GH4037 和 GH43 等牌号，主要用于制作涡轮叶片，此外也用于紧固件及其他部件。

GH4033 合金含 B≤0.01%，生产实践中发现有 20%的炉号，钢锭锻造开坯出现严重的裂纹报废，其原因是合金硼含量偏高。

统计结果指出，B 含量为 0.008%～0.01%的钢锭，锻造时产生沿钢锭横断面由内向外扩展的裂纹，裂纹附近有硼化物沿铸造晶粒边界熔化的现象。为此，硼含量应控制在 0.008%以下，钢锭加热温度应由 1150℃ ± 10℃ 降到 1120～1140℃，而对于硼含量接近 0.01%的炉号，加热温度更应降为 1100～1120℃。

GH4033 合金采用控制轧制，即通过严格控制棒材热变形过程中关键工艺参数以得到预想的组织和性能的工艺方法，控制轧制的终轧温度应为 985～1010℃之间，有节奏的轧制。

GH4037 合金由电弧炉冶炼改用感应炉与电渣重熔成锭的工艺，塑性有了很大改善，锻造开坯成材率高，表面裂纹显著减少，采用留头锻造和菱形坯放扁锻造的方法，还解决了锻坯头部劈裂和中心裂纹问题。

9.2.3 高温合金饼材和环材的生产

高温合金饼、环材主要用于涡轮盘和承力环件，合金牌号有 GH2036、GH2132、GH33A、GH2901、GH4698、GH4710 和 GH500 等。

饼材和环材一般分两次加工，先是锻造开坯，按所要求尺寸，下成圆柱形坯料并镦成饼坯。后再用此坯料在各种水压机和模锻锤上锻成盘或轧成环坯，经冷加工生产出涡轮盘和承力环。

GH2036 合金试制初期，盘环件出现大量表面裂纹，大部集中在上下端面轮缘内沿圆周上，呈辐射状分布，长 10～40mm，裂纹宽度 1～5mm，深度 0.2～0.5mm。裂纹产生的原因主要是：模压终了温度低于 850℃，模具预热温度低，且“闷模”现象严重。采取相应措施，此问题得以解决。

60 年代初，由于模压时饼坯边部的变形温度低导致 GH36 合金盘件出现局部粗晶，采用了低温镦饼和模压，大而均匀的变形，有效的消除了局部粗晶现象。

在 GH3030、GH2036 合金环件的生产，采用镦粗→上压痕→冲孔，并把冲头直径由 230mm 改为 205mm；同时采用“定径环”，把坯料放在定径环内压痕和冲孔，从而解决了环件穿孔裂纹的生成。

9.2.4 GH4049 合金直接轧制

GH4049 是难变形合金,合金元素含量高,且含有 0.01%~0.02%B。由于塑性低,采用自由锻造和普通轧制、挤压都难以成形,大量试验研究表明,必须建立合适的温度-速度-应力状态条件,GH49 等低塑性难变形合金锭才能变形成材。

9.2.4.1 加热温度和终加工温度

GH4049 合金落锤试验的塑性图如图 9-15 所示,可以看出 1180℃±10℃是该合金的最好加热温度。根据该合金的再结晶图(图 9-16)可知,只要终了加工温度不低于 1080℃,合金可获得完全再结晶组织。若终加工温度在 1050℃,虽可加工,但裂纹较深。

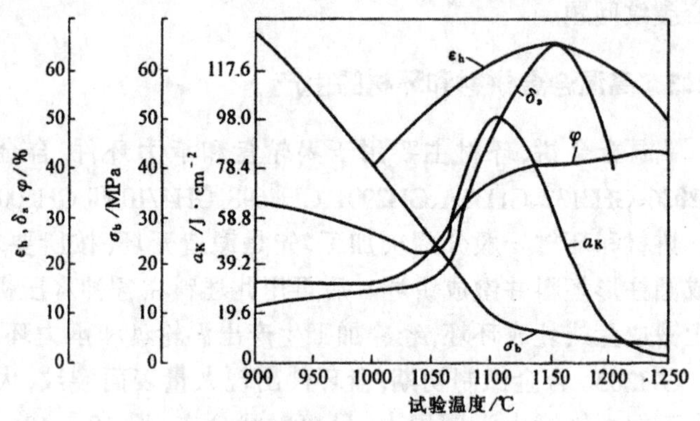

图 9-15 GH4049 合金塑性图

9.2.4.2 直接轧制的变形速度

试验表明低速拉伸(6mm/min)、扭转(6r/min)的最大塑性在 1150℃左右,高速冲击、镦粗则最大塑性在 1100℃左右,即高速度变形最大塑性出现的温度比低速变形低 50℃左右。这是因为难变形合金具有高的再结晶温度和低的再结晶速度。当变形速度低时,只要在再结晶温度范围内,塑性不会降低,成形性也能保得住,相反当变形速度高时,由于再结晶速度恢复较慢,而可能使变形处

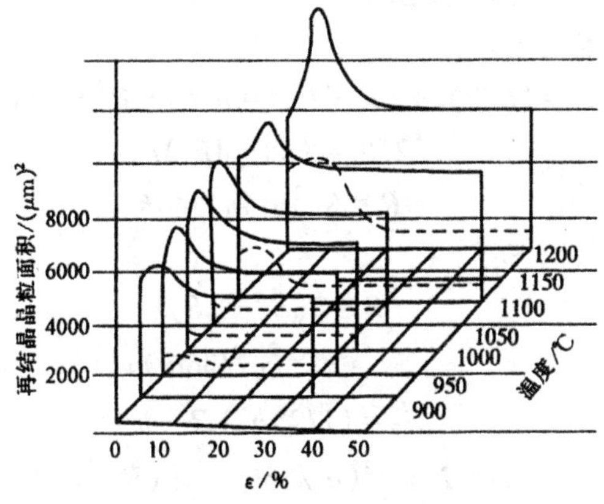

图 9-16　GH4049 合金再结晶图

于再结晶温度范围之外，使塑性下降。但无论如何，轧出的棒材都有深度在 0.5～1mm 的蛇皮状裂纹，称之为龟裂或塑性裂纹，交付使用前可加工去除。

9.2.4.3　孔型设计

(1)孔型的选择

轧制 GH4049 合金选择的是椭圆—菱形—万能孔型系。这一孔型的优点是，椭圆孔型系，压下系数小，变形量小，有利于塑性差的合金。该椭圆设计或切线和圆弧构成的椭圆，孔型包围轧件尺寸大，特别是翻钢后已大到 90%，孔型几乎全包围轧件。轧制时轧件所受绝大部分是压应力。孔型包围越紧，轧件宽展越小，越不易产生裂纹、折叠或其他表面缺陷。菱形孔是增大延伸系数，减少孔型数量，提高生产效率的关键孔型。一般的菱形孔角度太尖，轧件冷却太快，往往产生角裂。另外尖角也不利于咬入。因此把菱形孔设计成 98°的角度，以利于轧制。成品孔选择万能孔型系列。

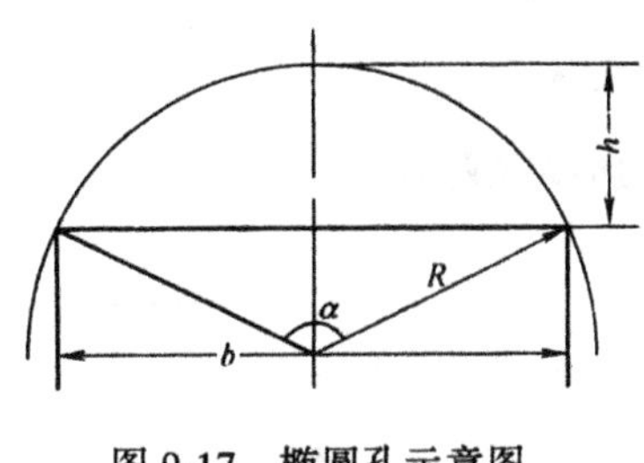

图 9-17　椭圆孔示意图

(2)孔型的设计

1)椭圆孔设计，见图 9-17。

椭圆半径 R：

$$R^2=(b/2)^2+(R-h)^2=b^2/4+R^2-2Rh+h^2$$

$$2Rh=(b^2+4h^2)/4$$

$$R=(b^2+4h^2)/8h$$

椭圆面积 S：

$$S=2(S_1-2S_2)$$

$$S_1=\pi R^2(\alpha^\circ/360^\circ);$$

$$S_2=(1/2)b\cdot(R-h)$$

$$S=2[\pi R^2(\alpha^\circ/360^\circ)-b(R-h)]$$

圆心角 α：

$$\sin(\alpha/2)=(b/2)/R=b/2R$$

$$\alpha=2\arcsin(b/2R)$$

式中　S_1——扇形面积；

S_2——三角形面积。

2)菱形孔设计，见图 9-18。

菱形边长 $a=\sqrt{b^2+4h^2/2}$

总边长比 $i_{总}=a_o/a_n$

式中　a_n——终线边长。

平均边长比 $i_{平均}=1.04\sim1.08$

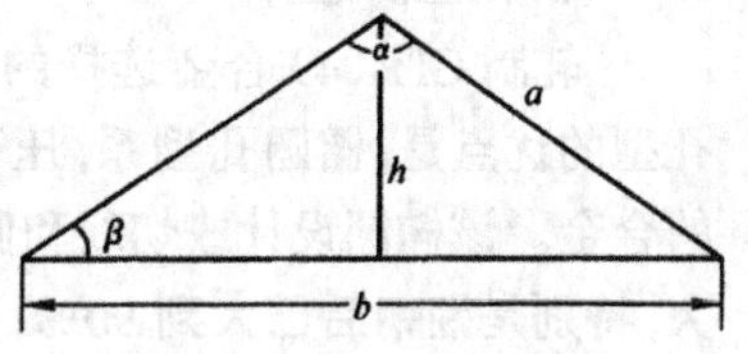

图 9-18　菱形孔示意图

轧制道次 $n=\lg i_{总}/\lg i_{平均}$

菱形内接圆直径比 1.04～1.08，

孔型顶角 92°～94°，顶角小增加展宽阻力。

顶角半径 $r=(0.15\sim0.2)R$。

$b=D/\sin(\beta/2)$

$h=D/\sin(\alpha/2)$

$b_k=b-S/\mathrm{tg}(\beta/2)$

$h_k = h - 2R[\beta/\sin(\alpha/2) - 1]$

依据内接圆 R 和顶角 α 做出菱形图，并校核宽展余量（余量面积等于 1/5～1/7 孔型压缩面积）。

3)万能孔型设计

终方： $A = (1.2\sim1.4)d$

平椭圆： $B = (1.3\sim1.6)d$

$H = (0.9\sim1.1)d$

立椭圆： $H = (1.15\sim1.25)d$

$B = (1.05\sim1.4)d$

$R = 0.75H, r = R/3\sim2R/3$

$y = 30\% \sim 40\%$

成前椭圆：$h = (0.85\sim0.92)d$

$b = (1.30\sim1.35)d$；

$b_k = 2\sqrt{(h-t) - [(h-t)/2]^2}$

$R = [b_k^2 + (h-t)^2]/4(h-t)$

成品圆孔：

圆孔设计非常简单，即圆型加上切线开口即 $K = D + d$。

每道次压缩曲线图示于图 9-19。

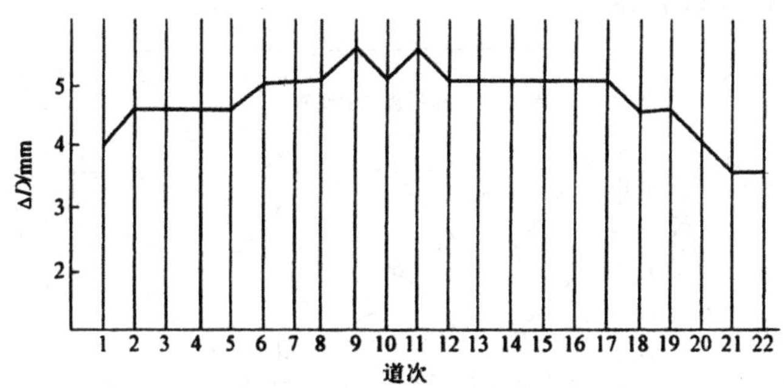

图 9-19 每道次直径压缩 ΔD 曲线

9.2.4.4 最后一火变形量

GH4049 合金的试验表明，只有将最后一火变形量增加到

25%，并在1100℃以上终轧时，才能得到完全再结晶组织。为了探讨最后一火变形量对组织和性能的影响，在现场条件下作了下述试验，60kg圆锭由真空感应炉炼出，在500轧机上进行轧制，轧成ϕ48mm和椭圆后进行试验，最后轧成ϕ40mm的棒材。方案见表9-8。

表9-8 最后一火变形量试验方案

材料状态	材料编号	最后一火变形量			终轧温度/℃	成品尺寸
		最后一火道次	最后一火总变形量/%	最后一道变形量		
ϕ48	611	2	30.5	15%	1070	ϕ40
ϕ48	612	2	30.5	18%	1075	ϕ40
ϕ48	613	2	30.5	21%	1090	ϕ40
椭圆	621	1	15	15%	1075	ϕ40
椭圆	622	1	21	21%	1060	ϕ40
椭圆	623	1	18	18%	1030	ϕ40

试验结果如下：(1)一火二道比一火一道轧后原始组织的再结晶完善。这是因为一火二道的总变形量大，再结晶温度降低所致；(2)无论一火二道或一火一道，在变形18%的轧后组织中，再结晶程度比变形15%和21%的更为完善。不同变形量后的原始组织硬度值示于图9-20；(3)在任何情况下，ϕ40mm的棒材中心比边缘再结晶更充分。

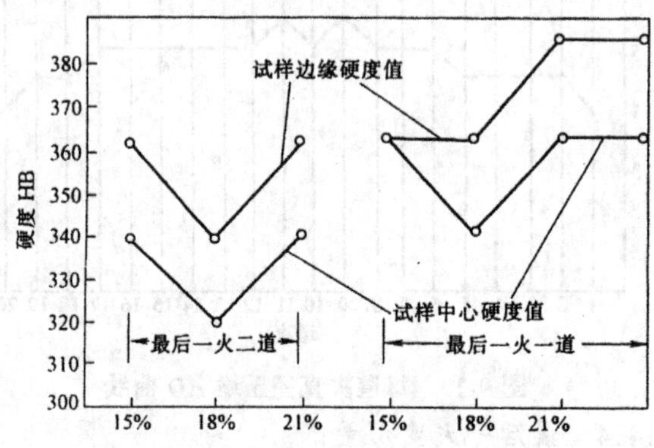

图9-20 不同变形量轧后组织的硬度值

最后一火变形量对合金持久、900℃瞬时拉伸和冲击等性能的影响示于图 9-21，如图所示，一火二道的性能普遍比一火一道好，特别是持久性能高出 50h 左右。

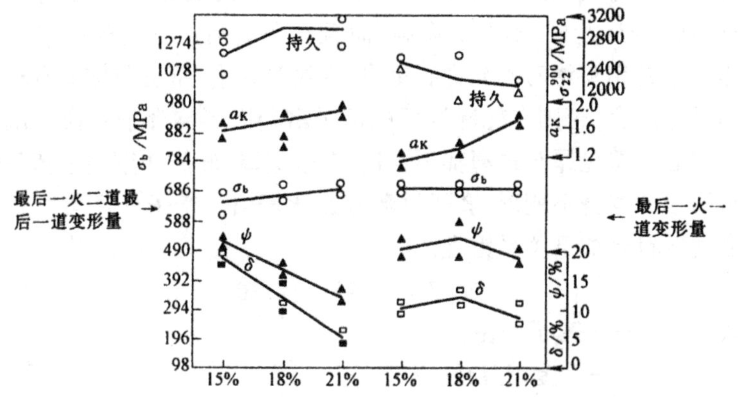

图 9-21　最后一火变形量和高温下各种性能的关系

9.2.5　GH4151 等合金包套轧制

GH4151、GH4118、GH4220 等高温合金，成分复杂，Al + Ti 之和大于 7%，是一种极难变形的沉淀强化型的镍基合金。这些合金要想加工成型通常应满足下述 5 个条件：(1)均匀变形。消除由不均匀变形引起的不均匀晶粒组织，消除了与加工工具接触引起的摩擦应力；(2)三向不等压缩，消除引起裂纹产生的附加应力；(3)多火次、小压下的分散变形，以提高脆性合金的总压缩量；(4)采用缓慢加工方法，使扩散和再结晶过程充分进行；(5)采取一切保温措施，使运送加工过程中保证温度降到最小程度。

包套轧制能满足上述五项要求，包套具有下述作用：(1)避免合金与轧辊直接接触，消除了因接触摩擦产生的拉应力，使合金表面不致产生裂纹或破断，即包套起润滑作用；(2)套子可形成不等的三向压应力，限制合金在孔型中的自由扩展，从而增加合金的塑性，即套子起三向压应力作用；(3)包套起保温作用。据实际测定，

ϕ 30mm 的棒材，外套壁厚 3～5mm 时，内外温差只有 30～50℃，因而合金停轧温度可大大提高。

显然套子是合金包套轧制的关键因素，从开轧到成品外套不能破坏。套子应有较好的抗氧化性和较高的高温强度，以 1Cr18Ni9Ti 为好，不但寿命高，而且合金成品尺寸易于控制。用作套子的钢料绝对不允许有重皮、裂纹等缺陷，钢套与锭要有较好的尺寸配合，否则在轧制过程中锭子窜动而影响套子寿命。试验表明套子壁过厚与过薄都不合适，套子壁厚，轧制初期往往套子变形而合金本身不变形，套子过薄则影响寿命。套子外径与合金锭之间应符合如下关系为宜：

$$D/d = 1.15 \sim 1.30$$

式中 D——套子外径；

d——合金锭直径。

9.2.5.1 孔型设计

孔型分开坯孔和成品孔两种，开坯孔型采用椭圆—菱形—万能孔型系列，轧出 ϕ 100mm 的半成品，这时套子已接近破裂，须换套再轧。成品孔型采用椭圆—矩形—菱形—万能孔型系列，轧出 ϕ 40mm 的成品棒材。

这里只把矩形孔的孔型构成说明如下，如图 9-22 所示。

按延伸系数分配确定带有顶角 α 为 94°～90°的菱形孔边长，辊缝按一般孔型设计给出，则可作 ABC 和 AOD 两个三角形(图 9-22)，顶角半径 r 预先给出 $r=(0.2\sim0.25)a$，a 为矩形孔边长，作图参考。β 角的大小直接确定矩形孔弧度的大小，β 角越小，矩形孔越接近于椭圆，则由椭圆过渡变形越均匀，但不稳定。确定 β 角的原则是接近椭圆的矩形孔 β 角应小，接近菱形的矩形孔 β 角应大。从

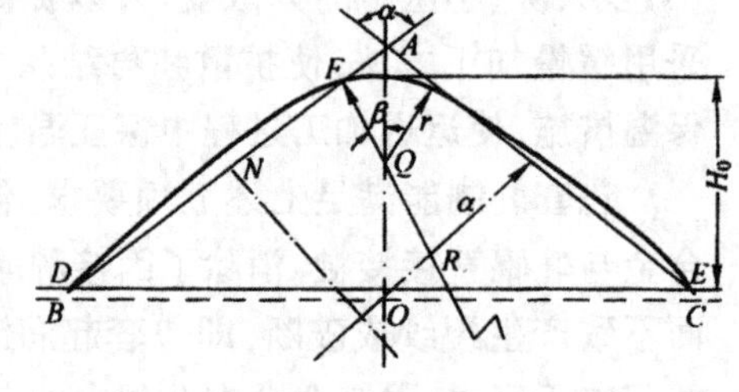

图 9-22 矩形孔的孔型构成

使用的经验认为，当 $a=60\sim90$mm 时，$\beta=25°\sim30°$为宜，R 为矩形孔弧边半径，当 β 角确定后，作 FD 垂直平分线与 FQ 的延长线交于 m 点，Fm 即为 R，以 m 为圆心，以 Fm 为半径即可作矩形孔的圆弧。

为了计算方便，R 可用下列公式计算之。

$$R=[0.5(H_o-S)-r\cdot\sin\beta/\cos(\alpha/2+\beta)]/\cos(\alpha/2+\beta)$$

式中 H_o——菱形孔顶点间距，mm；

S——辊缝高度，mm；

α——菱形孔顶角；

β——半径 R 与菱形孔侧边中垂线间的夹角。

特别值得提出的是，矩形孔用在 $a=60\sim100$mm 之间为宜。小于 60mm 不稳定，大于 100mm 时难于作图。

由于设计了矩形孔，轧件不出现大耳子和壁厚不均问题，从而使合金顶端不产生劈裂，轧材成品光滑。

9.2.5.2 加热温度范围的确定

根据以下试验确定 GH151 的加热温度范围。

(1)铸态和变形状态(轧态)静力拉伸塑性图。前者为开坯轧制提供参考，后者为成品轧制提供参考。试验结果表示在图 9-23 上。

从塑性图可见，铸态最大塑性温度为 1180～1200℃，变形状态为 1160～1200℃。

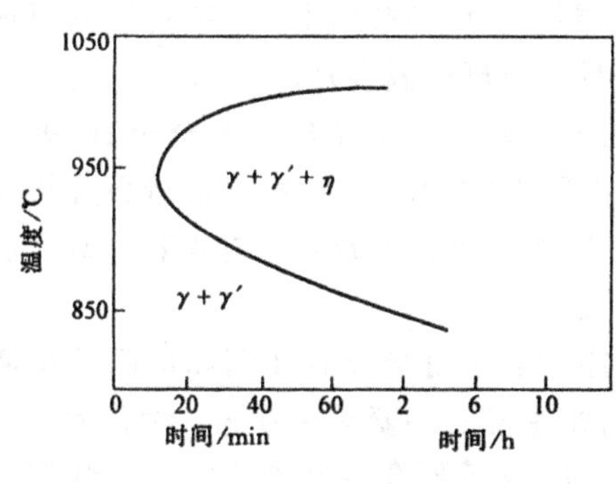

图 9-23 静力拉伸塑性图

(2)顶锻塑性图是用 ϕ15mm×20mm 变形后的试样在落锤上作的。顶锻速度为 6m/s。顶锻后在 100 倍显微镜下观察晶界裂纹来判定塑性指标。

(3)金相观察。金相观察是为了确定过热及过烧温度。为此分别观察静态及变形状态在不同温度之下的晶粒长大趋势，碳化物溶解情况以及晶界低熔点共晶出现的情况。

铸态试样即使1230℃×2.5h处理后，晶粒度少许长大，没有出现低熔点共晶物。为观察变形状态在不同温度下晶粒长大情况，用热轧后的棒材在1220℃×1h，1240℃×1h处理，结果表明，通过(1220～1240)℃×1h处理后，晶粒度没有显著差别，碳化物数量没有变化。

对γ'相及碳化物在不同温度及时间之下的溶解试验表明，1150℃×2h后γ'全溶，碳化物只在1180℃×10min开始溶解。

综合以上试验结果，合金合适的加热温度范围为：原料是铸态的1180±10℃，原料是变形状态的1190±10℃。影响晶粒不均匀性的主要因素是碳化物呈条带状，而改变加工参数也难以改善其分布状态。GH151合金轧后再结晶程度的不同对热处理后晶粒均匀性和持久性能没有影响。为保证轧后再结晶完全以充分发挥加工过程中工艺塑性，停轧温度必须保证在1120℃以上，而变形程度不得小于16%。该合金的加工温度为1120～1200℃，总变形量必须保证在80%以上。

9.2.5.3 GH4118合金包套轧制

与GH4151合金的热压力加工不同之处主要有以下三点：

(1)该合金加热温度低　根据塑性图得知，该合金在1130±10℃时热塑性最高，而终轧温度为1050℃以上，只有80℃的可加工温度范围，因而需要包套轧制以减少温度降。

(2)包套方式和GH4151不同　轧制GH4118合金时，采用1Cr18Ni9Ti无缝钢管包套或用1Cr18Ni9Ti钢板卷成管再焊接成筒，把扒皮好的钢锭放入其中，两头堵死并焊好。这两种包套方法皆可轧制成材，只看哪种方便。

(3)轧制孔型不同　GH4151采用半成品孔型和成品孔型两种孔型，而轧制GH4118时，采用椭圆—菱形—万能一种孔型轧制成材。在椭圆孔中换两次套子，到菱形孔—万能孔中一直轧到成品。

9.2.6 复合包套模锻

80 年代初，GH4698 合金盘件进行了模锻试验，由于合金难以变形，模锻的盘件出现不同程度的表面裂纹，表面裂纹具有如下特点：在分模面以下比分模面以上严重；辐板、取样环、轮缘的凸缘比轮毂严重；上料时间长，开锻温度低则裂纹严重；在模内坯料保温好裂纹小，坯料保温不好裂纹严重；从裂纹的形态看，在较宽的裂纹中鼓出带弧形的金属。根据上述表面裂纹特点的观察和模锻工艺分析，确认表面裂纹产生是由于 GH698 合金导热系数低和水压机操作速度缓慢引起坯料强烈的温降造成的。看来消除表面裂纹的关键在于如何减少表面温降，即减少坯料转移过程中料叉与坯料间的传导热损失，坯料放入模膛中接触热损失以及坯料辐射热损失。为此采用了复合包套模锻的工艺。

复合包套模锻工艺过程如下：

(1)复合包套　用 1～2mm 厚的不锈钢板作钢套，在钢套与坯料之间衬以 2～3mm 厚的二号隔热片，隔热片必须将坯料覆盖严，这样既起保温作用，又起到润滑作用；

(2)坯料加热　坯料先装入中温炉，随炉加热到 1000℃，后转入 1150℃高温炉中，待钢料达到 1150℃后保温 2h 出炉模锻。分中、高两个炉子加热，是防止在低温中升温过快而产生热应力，也防止在高温炉中停留时间过长出现大量氧化和晶粒粗大对盘件质量有所影响；

(3)模芯材料及润滑　考虑到 GH4698 合金热加工温度高、变形抗力大，模芯材料选用热强性较好的 3Cr2W8V 制作，并适当的提高其硬度，克服了模具被模锻件拉伤的毛病。模具预热 400～500℃也可减少坯料在模膛中的温降。采用二号高温润滑剂代替水基石墨，以减低模具因急冷急热而产生的热疲劳裂纹；

(4)预薄和模锻件精化　GH4698 合金热加工温度范围窄，变形抗力大，在模锻过程中因毛边的迅速冷却，变形抗力迅速升高。为了降低模锻时的压比减少欠压量，采取了预薄模锻工艺，从而减

少了涡轮盘的机械加工量,节约了大量的贵重金属,这对涡轮盘组织性能的改善以及成本的降低是十分有益的;

(5)终锻温度,必须≥980℃;

(6)模锻变形程度及模锻火次的选择。

资料表明:采用足够的变形程度进行一火一次压下模锻成型,能促使合金在后来的固溶处理中得到均匀的完全再结晶组织,从而提高模锻件的热强性能。从GH4698的塑性图中可以看出,在热加工温度范围内,GH4698合金变形程度可达84%,而不出现裂纹,其塑性是较好的。

试验结果表明:以四种不同变形量(19%~56%)进行的复合包套模锻,均无表面裂纹,为了改善盘件的低倍流线,取消了镦粗工序,采用预薄工艺,将一次变形量增大到65%和74%,盘件表面质量良好,无表面裂纹。

9.3 热加工对高温合金组织的影响

根据合金的相析出规律,恰当地选择热加工参数,控制合金的组织结构,这是确定热加工工艺的基本原则。现将锻造过程中经常容易产生的异常组织及其形成原因简述如下:

9.3.1 锻件常见低倍组织

当用原始棒坯压制饼坯或直接压制盘形锻件后,沿纵向切开检验低倍组织时,变形可划为四个区域,存在五种组织。

(1)Ⅰ区:原始未变形"死区",在这个区域内呈现铸态树枝晶组织。

(2)Ⅱ区:压缩变形的细晶粒区。由轮心至轮缘一般有偏析、夹杂造成的条带区。条带的严重程度,取决于偏析与夹杂的严重程度。

(3)Ⅲ区:自由扩展产生的拉伸变形减薄区,具有不完全再结晶组织。

(4)过渡区:具有不完全再结晶大晶粒和晶界被碳化物抑制长

大的再结晶细晶粒，呈现“项圈”组织。

(5)不均匀变形区：当变形出现不均匀的情况，如在最后一火或最后一锤变形量太小，在锻件表面或内部一定区域产生临界变形，出现局部“粗晶”与“粗细晶”明显分界的组织。

上述五种组织，在锻件批生产中，如果工艺不合理与不稳定就会经常出现。因此，重视工艺研究与定型，稳定和改进定型的工艺，可以提高和稳定燃气涡轮用盘、轴、环和其他锻件的质量，它是保证产品安全和寿命的重要环节之一。

9.3.2 锻件的晶粒

高温合金常用来制造涡轮与压气机的盘、叶片、轴、环等重要零件，要求获得均匀的细小晶粒和避免晶界形成薄膜状沉淀组织。

晶粒尺寸控制技术主要包括下述三方面：

(1)传统细晶法：根据合金的相溶解与析出规律，恰当地选择锻造温度和变形量，可以使锻件在热处理前获得均匀的细晶粒。一般说，晶粒尺寸主要取决于终锻温度，较低的终锻温度可以得到较细的晶粒，重新加热和用小变形量终锻会引起较粗大的晶粒，或者引起混杂的粗、细晶粒。

Inconel718 合金曾进行不同加热温度、终锻温度、变形量与显微组织间关系的试验，结果如表 9-9 所示。试验表明：较高的变形量和终锻温度(5)形成均匀的细晶粒；较低的终锻温度和两次加热变形(4)得到一般混合的晶粒组织，可以使晶粒尺寸细化，晶界不形成薄膜，并使 Ni_3Nb 大小适中。

在实际锻造过程中，不同的终锻温度所得合金的组织不同，对锻后获得的晶粒尺寸有不同的影响。例如，铁镍基 GH901 合金在 950～1000℃终锻时，有 η 相析出会阻止锻造中的再结晶晶粒长大，可以使锻后获得均匀的细晶粒。再例如，镍基变形合金 René41、IN100、Udimet700 和 AF2－1D，由图 9-24 和表 9-10 可以看出，每种合金均有可利用在锻造过程中析出阻止晶粒长大的组织，只要在控制终锻变形量大于5％～10％(临界变形量)的条件下，

表 9-9 锻造工艺对 Inconel718 合金显微组织的影响

锻造工艺	1	2	3	4	5	6
加热温度/℃	1120	1054	1120	1054	1054	1010
压下量/%	42	71	75	42	75	75
重新加热温度/℃	1054	1038		1054		
压下量/%	40	15		40		
终锻温度/℃	949	938	1054	965	999	916
晶粒度,ASTM	3.2	3.5	5.0	5.7	7.0	9.0
X 光衍射数据(锻态)						
NbC	强	强	中	强	中	中
Ni_3Nb						强
TiN	中	中	中	中	中	
$Ti_2(SC)$	很弱	很弱	弱	很弱		
显微组织观察结果						
Ni_3Nb 片大小	混合的	大	大	混合的	中	小
Ni_3Nb 片体积	大	大	小	中	中	大
晶粒边界膜	少许	小	少许	小	小	小

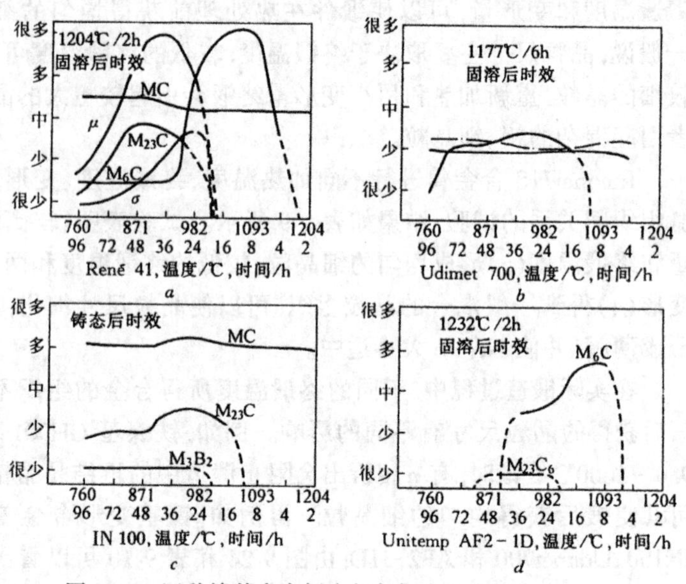

图 9-24 四种镍基合金析出相与析出温度的关系

控制终锻温度范围与上述组织析出温度范围一致，就可以在锻后获得细晶粒组织。现将高温合金中几种主要组织对控制晶粒长大的作用简述如下：

表 9-10 几种镍基合金相析出温度

组织 / 合金	MC	$M_{23}C_6$	M_6C	M_3B_2	σ
René41	760～1150	760～1010	760～1150		760～1010
Inconel718	760～1093				760～816
Waspaloy	760～1150	760～1010			
Udimet700 (Astroloy)	760～1150	760～1065		760～1150	
IN100	760～1093	760～1093		760～980	760～927
Unitemp AF2-1D	760～1150	760～1010	900～1120		

组织 / 合金	μ	$\delta-Ni_3Nb$	γ′	γ′尺寸	
			$Ni_3(Al,Ti)$	稳定温度/℃	尺寸/nm
René41	760～950		1040～1090		
Inconel718		760～1010			
Waspaloy			980～1050	1030	350
Udimet700 (Astroloy)			1130	1080	293～500
IN100			>1160		
Unitemp AF2-1D			>1160		

γ′-$Ni_3(Al,Ti)$的作用：不同合金由于合金化程度不同，其γ′相的溶解温度及其颗粒尺寸不同，随着合金化程度的提高，γ′相的溶解和稳定温度提高，颗粒尺寸较大。在同一合金中γ′相数量与尺寸随温度变化，超过一定温度后数量减少，颗粒变大。显然，这些因素直接影响γ′相在锻造中阻止晶粒长大方面的作用。γ′相起阻止晶粒长大作用应当满足的条件如下：

1)γ′相稳定温度（$T_{\gamma'稳定}$）应大于合金再结晶温度（$T_{再结晶}$）即：$T_{\gamma'相稳定} > T_{再结晶}$；

如图 9-25 所示，Udimet700 合金在 1000～1100℃范围内仍有

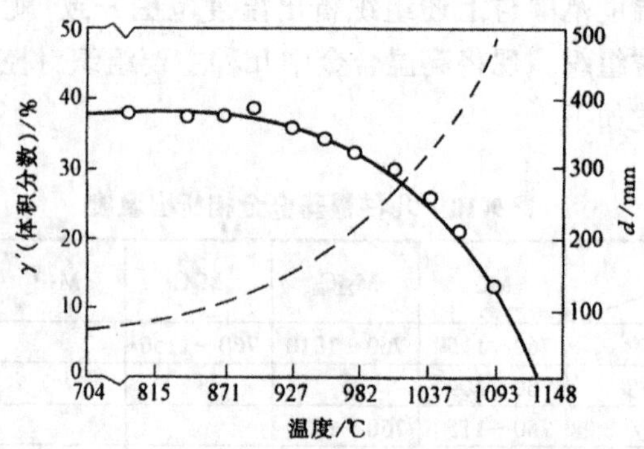

图 9-25 Udimet 700 合金 γ′体积百分数与温度关系

10%～20%体积的 γ′相存在，这就是该合金能利用 γ′相，控制终锻温度，使之获得阻止晶粒长大效果的根据之一。

2）γ′相在终锻温度范围内应有一定体积百分数和颗粒大小。在允许的终锻温度范围内，较低的温度可以得到较多的 γ′相体积百分数，较好的 γ′颗粒尺寸与分散度，从而使 γ′相阻止晶粒长大的作用更显著。显然，在铁、镍基合金中，当 Al + Ti 总量高，Ti/Al 比低，添加 Co、W、Mo、Nb 等元素多，使 γ′相总量增加，热稳定温度提高，γ′相在锻造中所起阻止晶粒长大的作用更显著。

MC 型碳化物作用：铸态生成的一次 MC 型碳化物的热稳定温度较高（约 1150℃左右），在锻压加工后，一般均被破碎呈条带沿变形方向分布在合金内部，在 MC 型碳化物周围是被阻止再结晶长大或热处理晶粒长大的晶粒条带，最终造成晶粒的不均匀。造成晶粒不均匀的原因是一次 MC 型碳化物的分布不均匀，即呈偏析分布。但是，造成这种晶粒不均匀的组织是不希望的，又是难以避免的。只有当 MC 型碳化物在高温使其溶解，随后在锻造过程中二次析出的分散的 MC_{II} 型碳化物才能起到使合金获得均匀细晶粒组织的作用，这也是难以实现的。

M_6C 型碳化物的作用：当合金中 W 和 Mo 的总量大于 60%（摩尔分数）时，一般优先形成 M_6C 型碳化物。它存在的温度范围如表 9-10 所示为 760～1150℃，在 870～1100℃析出量最多。它和 $M_{23}C_6$ 一样存在于晶界上。

René41 和 AF2-1D 合金选择 1010～1175℃和 1065～1120℃范围内锻造，恰好是选择在 M_6C 相析出相量很多的温度范围内进行锻造的典型例子(图 9-24)。

$M_{23}C_6$ 相的作用：$M_{23}C_6$ 存在的温度范围是 760～1193℃，一般在 870～980℃析出量最多，通常存在于晶界上。

显然，由于 $M_{23}C_6$ 较 M_6C 型碳化物热稳定温度低，而一般锻造和热处理温度均高于 870～980℃，不能有效阻止晶粒长大。同样，对于在较低温度范围内稳定的其它相，如 σ、μ、δ-Ni_3Nb 等，也不能起阻止晶粒长大的作用。

如上所述，传统的细晶化锻造方法就是选择较低的锻造温度和较大的变形量，从而得到较细的晶粒尺寸。在确定锻造温度时，不仅要考虑利用在高温稳定的析出相阻止晶粒长大，同时还要使锻造温度选在合金塑性好、变形抗力较小的范围内。此外，最终确定终锻温度时，不能忽视在不同变形条件下变形热对实际锻造温度的影响。

(2)细化晶粒工艺法

细化晶粒工艺如表 9-11 和图 9-26 所示，是将热处理与热压加工相配合。此种工艺第一步进行条件热处理，即析出 γ′、η、δ、Laves 相等阻止晶粒长大的组织；第二步是进行终锻或终变形，变形温度应满足：

$$T_{相溶解} > T_{终变形} > T_{再结晶}$$

表 9-11　合金中控制晶粒度的析出相

合　　金	析　出　相
Waspaloy, Astroloy, René 95	γ′〔$Ni_3(AlTi)$〕
A286, V57, W545, Incoloy 901 Pyromet	η(Ni_3Ti)
Inconel 718	δ(Ni_3Nb)
Uditemp 212	Laves + Ni_3Ti
René62, Udimet630, AF-1753	Laves
D979	μ

变形量大于30%～40%，变形后析出相均匀分散分布，变形后合金是未再结晶的变形组织；第三步进行再结晶处理，再结晶温度要低于析出相的溶解温度，合金得到相当于析出相间距的晶粒直径的细晶组织，靠控制温度控制晶粒的尺寸；第四步进行正常时效处理。

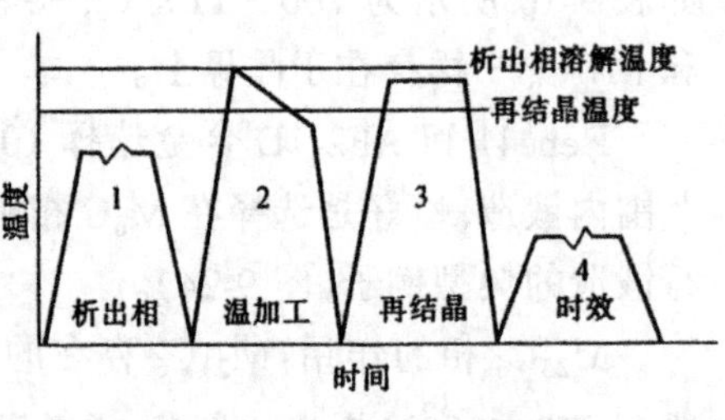

图 9-26　细化晶粒工艺图

例如，Incoloy 901 和 Inconel 718 合金的细化晶粒工艺的四步参数如表 9-12 所示。按此工艺可以得到 ASTM10～13 级细晶粒。

表 9-12　两种合金细化晶粒工艺的参数

步骤 / 合金	Ⅰ 条件热处理			Ⅱ 加工 /℃	Ⅲ 再结晶 /℃	Ⅳ 时效温度/℃	ASTM
	析出范围 /℃	析出最快 /℃	选定温度 /℃				
Incoloy 901	816～930	871～930	900℃×8h	954 30%～40%	954	780℃×2h + 710℃×24h，均空冷	10～13
Inconel 718	816～982	900～927	900℃×8h	约 982 30%～40%	968	760℃×10h，55℃/时降至 650℃×8h，空冷	10～13

(3)细化晶粒热处理工艺

在传统锻造后，采用不同的固溶处理温度可以得到不同的晶粒尺寸。固溶温度与晶粒长大规律，一方面受开始和集聚再结晶温度的影响，另一方面受不同温度下相溶解析出规律的影响。起阻止晶粒长大作用的相组织，只可能是在再结晶温度以上热稳定的组织，如 η、γ′（大颗粒）、M_6C、MC 等。细化晶粒热处理工艺如图 9-27 所示。由图 9-27 可以看出，由于高温合金在再结晶温度以上经历 η、γ′、M_6C 至 MC 相的溶解过程，晶粒相应经历细晶、混合晶、粗晶的过程，确定细化晶粒的固溶热处理温度应符合：

$$T_{再结晶℃} < T_{固溶处理} < T_{相溶解温度}(\eta、\gamma' \cdots\cdots)$$

在以上条件下，固溶处理温度低，热处理后晶粒较细。例如，GH4698 合金采用 1000℃ 固溶，变形后剩留的大 γ'_{I} 和固溶加热与保温过程中形成的大 γ'_{II} 相，都起一定的阻止晶粒长大作用，获得的平均晶粒尺寸为 40μm，相当 ASTM5 级。

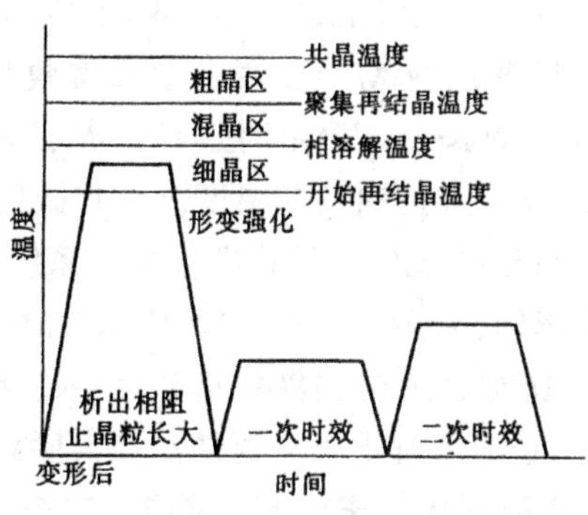

图 9-27　细化晶粒热处理工艺图(锻后)

9.3.3　晶界组织控制

从铁基和镍基合金的晶界强韧化观点出发，晶界组织控制有以下几条一般规律：

1)没有沉淀相的晶界是弱的；

2)粗的 γ′相与碳化物均匀分布在晶界上是有益的；

3)晶界贫化区提供应力松弛区，切变抗力低和应变集中区大，在晶界强度过高时贫化区起有益作用；

4)晶界形成连续的沉淀相即薄膜相是有害的，是低切变抗力的通道；

5)晶界形成胞状碳化物是不利的。在锻造中要求控制的是随后热处理难以改变的有害晶界相，薄膜相即属此类。目的是使晶粒与晶界相对强度相匹配。

(1)铁基合金中的薄膜相控制　在铁基合金中出现膜状碳化物已屡见不鲜，例如 Inconel 718 合金发现有 M_6C 集聚在粗晶界上；A-286 合金在 1090℃ 或更高温度下暴露则形成 TiC 薄膜；V57 合金和 GH135 合金均发现有 TiC 薄膜，甚至有呈羽毛状薄片存在于晶界面上。

(2)镍基合金中的薄膜相控制　晶界沉淀相的形态与晶粒大小有一定的关系，对晶界沉淀相而言，如 M_6C、M_3B_2 等，较小的晶粒具有较大的可用晶界析出的晶界面积，随晶粒增大它将形成较厚的或更连续的膜。Udimet 500 合金当晶粒度大于 ASTM 3 级，有足够量的 $M_{23}C_6$ 使之形成薄膜状脆化晶界。锻造时由于过热造成 Waspaloy 合金时效时晶界容易形成连续的 $M_{23}C_6$ 相。Waspaloy 合金控制锻造温度过高和锻压比低时，通常容易形成的是二次析出的 MC 型膜状碳化物。系统地试验表明，在 1180℃ 加热不变形时，合金在空冷中析出二次 MC 最多，经 40% 变形 MC 减少；在 1080℃ 比在 1180℃ 锻造后空冷析出的二次 MC 有显著减少；在 980℃ 锻造看不出有再结晶和薄膜状二次 MC 碳化物析出。因为，MC 型碳化物未经高温溶解，空冷过程中没有析出二次 MC 碳化物的条件。晶界硼化物 M_3B_2 相的均匀性与其形状，主要取决于合金中的硼含量，少量的硼能消除形成片状沉淀相的倾向，硼化物形成共晶的温度随硼含量增加而降低(一般为 1210～1230℃)，过热与过烧温度也随之降低。由于晶界过多的硼化物造成在高温锻造时，允许的变形量要降低。相反，在较低温度下锻造时，硼化物以颗粒状较均匀分布在晶界，晶界有较好的塑性，允许变形量可以大些，在加工过程中因硼化物热稳定温度较高而起抑制晶粒长大作用。当然，选择较低的锻后热处理温度，使合金获得较细的晶粒尺寸，硼化物仍以颗粒状较均匀分布于晶界，不会呈片状分布。

9.4 热加工对性能的影响

选择恰当的参数进行合金的热加工。选择恰当的热处理制度进行合金的锻后热处理，最终的目的是为了满足用于燃气涡轮发动机各类重要零件的要求，使之达到一定使用温度下的使用性能指标。本节将根据国内外有关资料进行归纳和分析，用以提供作为正确选择热加工工艺参数的参考。

9.4.1 锻造温度的影响

9.4.1.1 铁基 GH2036 加热温度的影响

GH2036 合金涡轮盘模锻前，饼坯加热温度允许升至 1180～1190℃，保温 60min。经过系统研究，GH2036 合金在 1180～

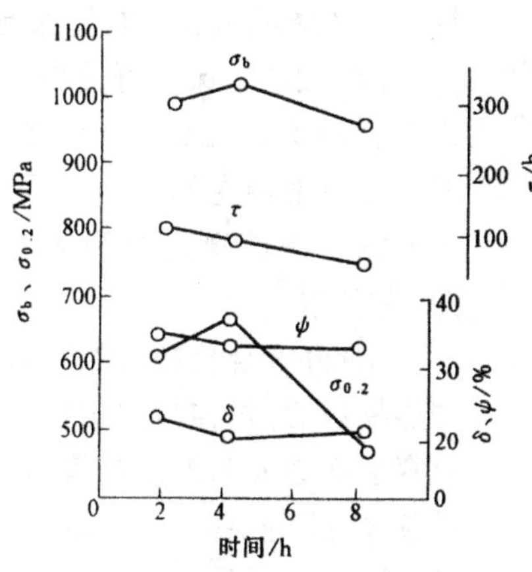

图 9-28 GH2036 合金 1180℃模锻加热保温时间对性能的影响

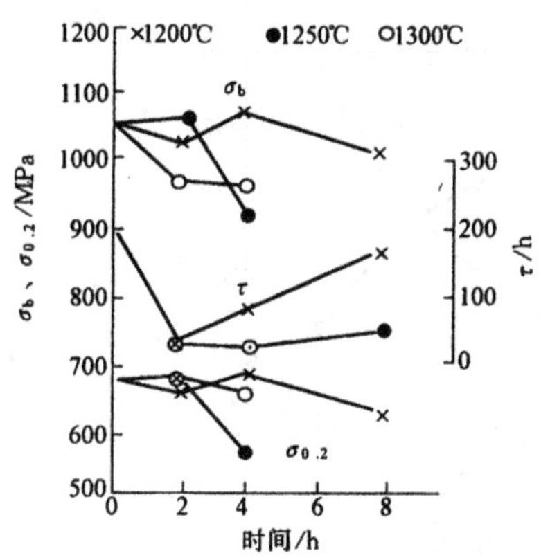

图 9-29 GH36 合金不同模锻温度对拉伸、持久强度的影响

1300℃加热后锻造，合金的组织和性能发生很大变化，锻后在标准热处理制度下(1150 ± 10℃ × 1∶45，水冷 + 670℃ × 16h，升至 790 ± 10℃ × 16h，空冷)热处理后的性能有以下变化：

(1)拉伸性能 GH2036 合金在上限温度加热(1180℃)时，保温时间不超过 4h，σ_b 和 $\sigma_{0.2}$ 稍有提高的趋势，δ 和 ψ 变化不大(图 9-29)。超过上限温度，如图 9-29、图 9-31 所示，当低于过热开始温度(1220℃)，在 1200℃加热对性能影响的趋势与 1180℃相近；当高于 1220℃，在 1250℃、1300℃加热时，随保温时间增加，σ_b、$\sigma_{0.2}$、δ、ψ 均明显降低，过热温度越高性能降低越显著。

(2)冲击性能(a_K) 如图 9-30 所示，在 1200℃、1250℃、1300℃保温 2h 后，a_K 值的降低随加热温度提高而显著加快，1200℃保温 8h，a_K 值仍保持 392kJ/m^2 左右，1250℃、1300℃分别保温 4h 和 8h 后，a_K 值低于 196kJ/m^2。

(3)持久性能 如图 9-32、9-33 所示，1180℃加热随保温时间增加，持久寿命稍有降低；1200℃、1250℃、1300℃加热保温 2h 内

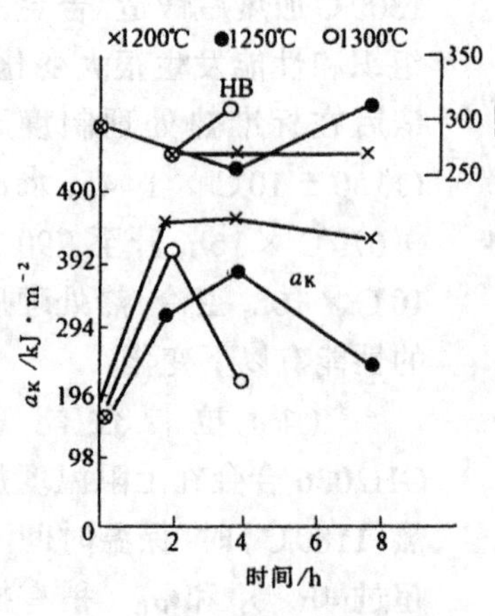

图 9-30 GH36 合金不同模锻加热温度的 a_K 值变化规律

持久寿命降至 70h 左右。保温 2~8h，除 1200℃ 保温可使持久寿命有回升外，1250℃、1300℃ 保温使寿命维持在低水平上，可以超出技术条件规定的持久寿命 50h 的要求。

GH2036 合金经 1220℃ ×2h 加热模锻后，拉伸与冲击试样均由穿晶断裂变为沿晶断裂，标志过热温度开始。经 1250℃ 和 1280℃ ×2h 保温后，晶界出现疏松(局部熔化，即初熔)和形成共晶，导致拉伸、冲击沿晶断裂，全

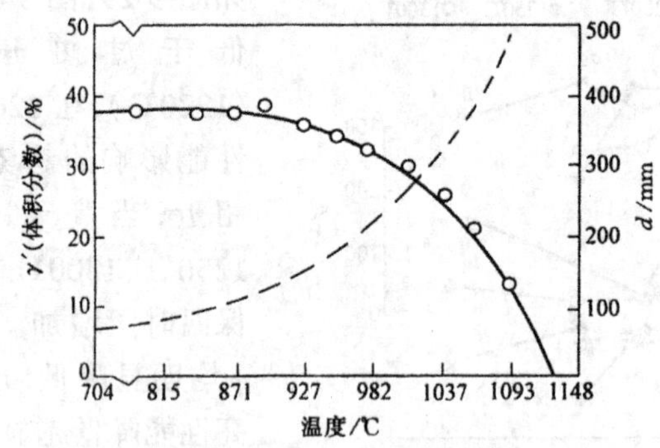

图 9-31 GH36 合金不同模锻温度对拉伸塑性的影响

面性能降低，标志合金过烧。

9.4.1.2 铁-镍基 Inconel 718 合金棒材终轧温度的影响

如表 9-13 所示，当一道轧制压下 25% 的终轧温度控制在 900~955℃，可以使 Inconel 718 合金获得缺口塑性。不难看出，尽管采用的热处理制度均为低温固溶，可以获得较细晶粒，当终轧温度

过高使晶粒不均匀时，仍然无法实现合金缺口塑性的要求。

9.4.1.3　镍基 GH4738(Waspaloy)合金热终轧温度的影响

在相同终轧压下量条件下，如表 9-14 所示，GH4738 合金终轧温度控制在较低温度范围内(930～1020℃)，合金 815℃ 拉伸强度、塑性与持久破断寿命及伸长率均很高，预示合金在此条件下具有的疲劳性能与缺口持久性能。

表 9-13　热轧温度(25%面缩一道)对持久性能的影响

热锻温度/℃	热处理制度	晶粒尺寸		光滑持久①				缺口①
		ASTM	占比例	寿命/h	δ/%	ψ/%	HRC	寿命/h
1120	A	0.5,4.5,6.5,9	2:3:4:1	193.5	3	6.5	45	16.2
	B	1.5	1	209.5	4	8.5	46	16.5
1065	A	8,3	7:3	274.5	7	9.0	45	55.1
	B	3,8,7	6:3:1	291.4	8	10.0	45	56.7
1010	A	4.5,9	9.5:0.5	193.3	11	16.0	46	123.9
	B	4.5,9,7	3.5:6:0.5	231.6	10	13.0	46	99.2
955	A	6,7,2	2:2:6	121.3	13	22.0	46	131.4
	B	7,9,5	4:5.5:0.5	248.3	14	16.0	46	179.6
900	A	9.5	1	48.0	33	53.5	46	426.2
	B	9.5	1	124.3	28	43.0	46	426.1

注：A—955℃×1h，空冷+720℃×8h 炉冷 38℃/h 至 620℃×8h 空冷；

B—980℃×1h，空冷+720℃×8h 炉冷 38℃/h 至 620℃×8h 空冷。

①试验温度与应力为：650℃，686MPa。

表 9-14　终轧温度对 GH4738(Waspaloy)合金性能的影响

编号	终轧温度/℃	815℃拉伸			815℃，274.5MPa 持久		
		σ_b/MPa	δ/%	ψ/%	寿命/h:min	δ/%	ψ/%
3371	930	699	36.4	50.9	125:00	31.2	37.0
		700	29.2	39.1	218:45	29.4	35.5
3412	1020	701	34.2	42.0	199:30	25.7	42.3
		716	35.2	41.6	149:00	23.8	38.5

9.4.2　变形量的影响

如表 9-15 的试验结果表明，改变 GH4738 合金的热轧道次与相对变形量，在相同热处理(标准热处理)条件下，合金的 815℃ 拉伸与持久塑性有一定提高。

表 9-15　相对变形量对 GH4738 合金性能的影响

轧制道次	相对变形量/%	815℃拉伸			815℃,274.5MPa 持久		
		σ_b/MPa	δ/%	ψ/%	寿命/h:min	δ/%	ψ/%
1	16.8	745	27.6	35.7	171:00	25.8	42.0
		745	34.4	39.1	189:30	29.8	41.0
3	32	701	44.4	51.4	159:00	35.7	45.0
		716	30.0	49.9	125:19	38.8	45.2
7	66	696	34.0	44.0	185:25	38.2	39.1
		716	35.2	42.8	139:10	30.2	42.2

应当指出,从铸锭开坯起,如果锻压比小,一般铸态枝晶、成分组织不均匀,会造成合金拉伸塑性 (δ,ψ)、冲击韧性 (a_K)、屈服强度 ($\sigma_{0.2}$) 和疲劳强度明显降低。相反,锻压比大(约 8)可以使铸态枝晶破碎,成分、组织均匀,使合金的塑性、冲击、屈服与疲劳强度大幅度提高。这方面的内容将在下面详细介绍。

9.4.3　热加工形成不同的组织对合金性能的影响

当锻压工艺参数选择和控制不当,锻坯原始情况和锻压条件不合适,最终导致锻件形成不理想的组织,例如前述的残留枝晶组织、碳化物偏析、粗晶粒、项圈组织、膜状晶界等有害组织。下面分别叙述合金形成这些组织对使用性能的影响。

9.4.3.1　残留枝晶对 GH2036 合金性能的影响

(1)对室温拉伸与冲击的影响　如表 9-16 所示,残留枝晶不降低合金的拉伸强度,但使拉伸伸长率 δ 和面缩率 ψ 有一定降低,使冲击韧性 a_K 值明显降低,最低降至接近铸态 73kJ/m^2。

(2)对 650℃持久性能的影响　如表 9-16 所示,残留枝晶对合金持久寿命与塑性没有明显影响。

(3)对旋转弯曲疲劳性能影响　如表 9-17 所示,没有残留枝晶组织的试样,600℃ $\times 10^7$ 循环的疲劳极限应力达 471MPa;残留枝晶严重的试样在 600℃、412MPa 条件下,断裂循环寿命 N_f 值只有 3.67×10^4。结果表明,残留枝晶使合金 600℃ $\times 10^7$ 疲劳极限应力在 392～471MPa 范围内波动。

表 9-16 残留枝晶对 GH2036 合金涡轮盘性能的影响

组织 \ 试验项目		室温性能 σ_b /MPa	$\sigma_{0.2}$ /MPa	δ /%	ψ /%	a_K /kJ·m^{-2}	650℃,313.8MPa τ /h:min	δ /%	ψ /%	650℃,343.2MPa τ /h:min	δ /%	ψ /%	650℃,372.6MPa τ /h:min	δ /%	ψ /%
树枝状	无	907		22.0	35.0	375 422 422	442:45	2.8	4.31	264:25	2.0	1.77	111:30	4.0	4.11
残留组织	有	907		15.8	15.9	73.5 73.5	503:54	2.4	3.92	247:15	2.4	3.92	92:50	2.0	4.31
技术条件		833	588	15	20	245				100			35		

表 9-17 残留枝晶对 GH2036 合金涡轮盘 600℃弯曲疲劳断裂寿命 N_f 的影响

组织 \ 应力/MPa	400	410	420	440	460	480	500	520
有枝晶	1.27×10^7 $>1\times10^7$	$>1.13\times10^7$	3.6×10^4 $>1.03\times10^7$	$>1.14\times10^7$ $>1.15\times10^7$	2.37×10^4 2.53×10^4 1.3×10^4			1.1×10^4 1.15×10^4
无枝晶					1.77×10^6 $>1.3\times10^7$	$>1\times10^7$	3.5×10^4	1.8×10^4

(4)对高温低循环疲劳性能的影响　如表 9-18 所示,残留枝晶在 300℃仍有较高的低循环疲劳寿命,总应变±0.4%时,断裂寿命 N_f 值达 6678 次;残留枝晶轻的可达 11571 次。但是,在 600℃总应变±0.4%时,残留枝晶严重的 N_f 值只有 1028 次,断口分析证实疲劳沿枝晶间碳化物共晶组织起源与断裂扩展。

表 9-18 残留枝晶对 GH2036 合金涡轮盘低循环疲劳的影响

组织 \ 试验项目		±0.4% N_f	±0.4% σ_{ST}	±0.6% N_f	±0.6% σ_{ST}	±0.8% N_f	±0.8% σ_{ST}	±1.0% N_f	±1.0% σ_{ST}
树枝状残留组织	300℃	11571	46	1759	58.6	705	62.6	504	65.7
		6678	46.7	1191	60.0	548	65.2	779	63.5
	600℃	3267	40.5	129	54.1	100	55.2	70	56.7
		1028	44.7	202	61	115	59	344	55.3

(5)对室温断裂韧性的影响　如表 9-19 所示,涡轮盘轮心有残留枝晶的 K_{IC} 只有 69MPa $\sqrt{m}$,涡轮盘轮缘无残留枝晶(呈纤维状组织)的 K_{IC} 值可达到 106MPa $\sqrt{m}$。如果应用 Paris 公式计算临界裂纹长度与剩余寿命,则有显著影响。

研究工作表明,残留枝晶是受铸锭冷却速度影响,在凝固过程中形成，因锻比不够残留下来的。枝晶间由高铬相与铌、钒碳化物偏析组成。它是造成塑性、冲击、断裂韧性、疲劳性能波动的直接原因，采用锻前均匀化处理和加大锻比改善轮盘中心变形死区，可以使枝晶间偏析相破碎并均匀分布，改善和提高合金性能。

表 9-19　残留枝晶对 GH2036 合金涡轮盘断裂韧性的影响

组　织	B	W	a	W－a	J_{IC} /kg·mm^{-1}	K_{IC} /MPa $\sqrt{m}$
轮　心 有残留枝晶	25.3	19.2	10.2	9.01	2.2	69.4
	20.14	30.18	17.44	12.74	2.6	75.6
轮　缘 无残留枝晶	20.10	30.10	17.50	12.60	4.4	97.9
	20.26	30.24	17.36	12.86	4.8	102.6
	20.32	30.26	17.38	12.80	5.2	106.3

9.4.3.2　碳化物偏析对 GH2036 合金性能的影响

碳化物偏析使室温拉伸塑性和冲击韧性明显降低(表 9-20)。其性能降低程度取决于碳化物偏析在试样有效工作截面中所占比例；至于持久强度并不降低(表9-21)；但对600℃旋转弯曲疲劳

表 9-20　碳化物偏析对 GH2036 合金涡轮盘拉伸、冲击性能的影响

项　目	σ_b /MPa	$\sigma_{0.2}$ /MPa	δ /%	ψ /%	HB	a_K /kJ·m^{-2}
正　常 62835－5－1	906	607	19.3	28.2	3.6	269
	966	667	23.7	36.1		450
碳　偏	907	607	15.8	15.3	3.6	72 112
正　常 22144－7－4	917	603	20.0	20	3.5	255
	951	657	29.2	30		441
碳　偏	917	632	12	14.5	3.5	122
	966	662	24	19.5		279
技术条件	＞833	＞588	＞15	＞20	3.45/3.65	＞245

表 9-21　碳化物偏析对 GH2036 合金涡轮盘持久性能的影响

项　目	$\tau_{314MPa}^{750℃}$	δ /%	ψ /%	$\tau_{343MPa}^{750℃}$	δ /%	ψ /%	$\tau_{373MPa}^{750℃}$	δ /%	ψ /%
碳偏(10dB)	730:45	3.2	3.92	158:30	3.6	3.92	60:30	2.0	7.79
碳偏(7～8dB)	353:30	3.6	3.92	144:10	2.8	4.11	47:16	7.2	7.58
碳偏(6dB)	412:45	2.8	4.31	264:25	2.0	1.77	111:30	4.0	4.11
技术指标				＞100			＞35		

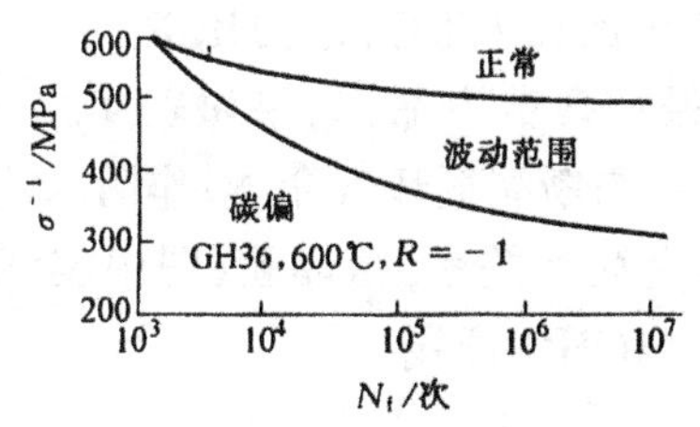

图 9-32　碳化物偏析对 GH36 合金疲劳极限的影响

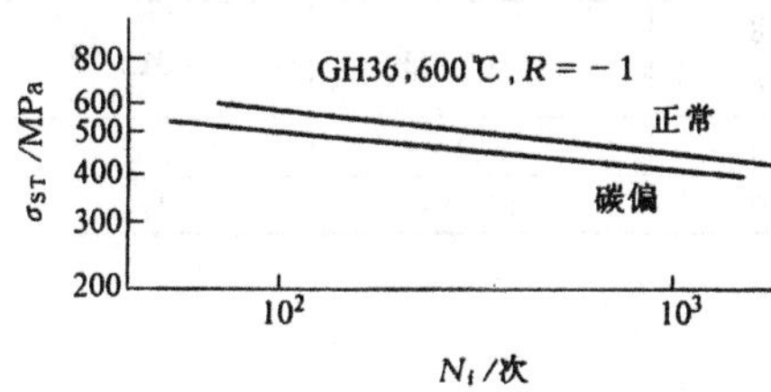

图 9-33　碳化物偏析(15dB)对 GH36 合金低循环疲劳的影响

10^7 循环强度极限的波动影响很大，如图 9-32 所示，碳化物偏析很轻的试样，$\sigma_{-1(10^7)}$ = 510MPa；碳化物偏严重的试样，$\sigma_{-1(10^7)}$ = 353MPa，最大波动范围达 157MPa。对低循环疲劳（$R=-1, f=5$ 次/min，三角形波），GH2036 合金在 600℃试验时，稳定拉应力 σ_{ST} 与循环断裂寿命间，在双对数坐标上呈线性关系（图 9-33），即

$$N_f = (\sigma'_f/\sigma_{ST})^b$$

式中　σ'_f 与 b 分别为疲劳强度系数与指数。在相同 N_f 值下进行比较，碳化物偏析(15dB)使 GH2036 合金疲劳应力降低约 39MPa。采用电渣重熔提高 GH2036 合金结晶凝固速度，同时增大锻比，最终使碳化物偏析减轻或消除，可以使性能得到改善。

9.4.3.3　晶粒尺寸对性能的影响

一般认为，较大的晶粒会得到好的蠕变、持久性能和低的塑性；细的晶粒会获得与时间无关的优良的力学性能和高塑性。均匀的晶粒保证均匀的性能，晶粒不均匀则会造成性能波动。组合锻造工艺和以后的热处理可以使锻件获得均匀的晶粒，大的晶粒产生缺口脆性。现按不同晶粒情况分别叙述如下：

(1)低倍(宏观)晶粒尺寸对 GH4033 合金疲劳性能的影响

GH4033 合金模锻涡轮盘时，往往由于锻压工艺参数选择与控制不好，造成变形不均匀，引起局部出现粗细不均匀晶粒，选择低倍

(肉眼)可见的细晶、混合晶、粗晶对比在650℃,应力比 $R=-1$、相同总应变($\Delta\varepsilon_T$)条件下的低循环疲劳寿命,结果如表9-22所示。如果按试验中稳定拉应力 σ_{ST} 与断裂循环寿命 N_f 作图,如图9-34所示,在双对数坐标上同样呈线性关系,粗晶粒(图中实线)的低循环疲劳寿命明显低于细晶粒(图中虚线)。

表9-22 晶粒尺寸对GH4033合金低循环疲劳的影响

晶粒尺寸	650℃总应变 $\Delta\varepsilon_T$ 下断裂寿命 N_f/次		
	±0.4%	±0.6%	±0.8%
细晶粒	4916 3788 4151 3340	1970 1403	615
混合晶粒	3400 3030	813	363
粗晶粒	1309 1898	646 666	271

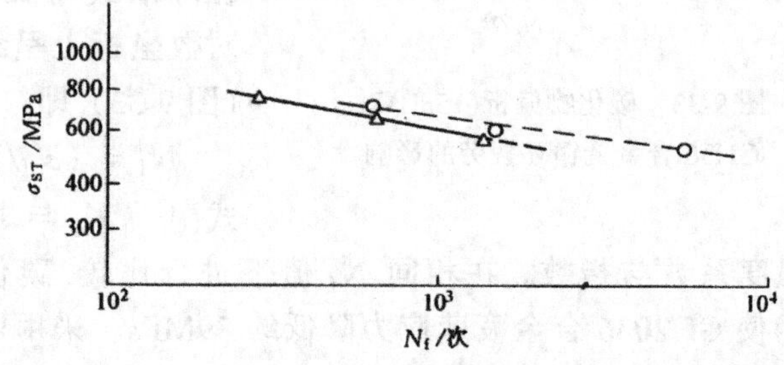

图9-34 GH33合金两种晶粒尺寸的 $\sigma_{ST}-N_f$ 曲线对比

由断口上测量的实际晶粒尺寸与断裂循环数 N_f 值作图,在不同总应变对应的稳定应力条件下,即在 σ_{ST} 为549~716MPa内,细晶粒(<1mm)比粗晶粒(1~5mm)的疲劳寿命提高一倍半以上。如图9-35所示,小于1mm的晶粒展示有更高的疲劳寿命。

(2)显微晶粒尺寸对Inconel 901、Inconel 718合金综合性能的影响 Brown研究的结果如表9-23所示,显微晶粒尺寸对力学性能的影响归纳如下:

1)细化晶粒可以使合金在试验温度范围内(20~650℃)的屈服强度得到明显提高;

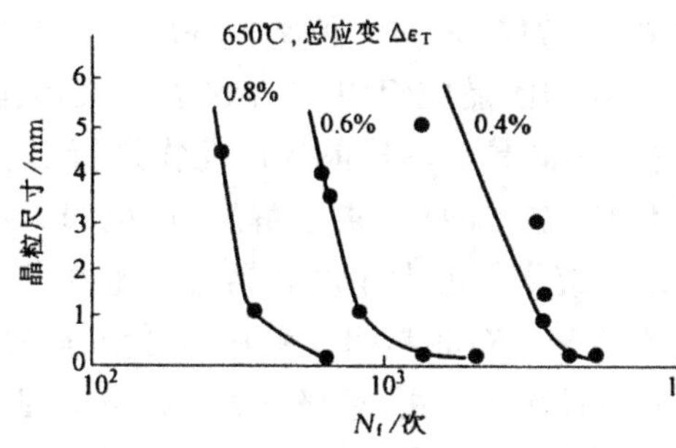

图 9-35　GH33 合金晶粒尺寸对 650℃ 低循环疲劳寿命的影响

2)细化晶粒可以使合金 454℃ 的 $\sigma_{-1(10)}$ 和 σ_{-1}/σ_b 比值大幅度提高；

3)细化晶粒也使合金 454℃ 的低循环疲劳断裂寿命 N_f 值大幅度提高；

4)细化晶粒使 Inconel 718 合金在 600℃ 以下的持久寿命提高；但 600℃ 以上的持久寿命降低。这与合金的等强温度、是穿晶还是沿晶断裂有关。

上述两种合金是通过形变热处理方法获得 ASTM12 级细晶粒的，所列性能代表形变热处理对合金性能的影响。ЭИ787 和 ЭИ437Б 形变热处理试验结果同样表明：它可以显著提高合金的拉伸强度和室温缺口韧性，改善合金抗热疲劳的能力。

表 9-23　晶粒度对合金综合性能的影响

合　金	ASTM	20℃		538℃		650℃		454℃		$N_f^{454℃}$		ASTM	Inconel 718 蠕变			
		$\sigma_{0.2}$ /MPa	δ/%	$\sigma_{0.2}$ /MPa	δ/%	$\sigma_{0.2}$ /MPa	δ/%	σ_{-1} /MPa	$\frac{\sigma_{-1}}{\sigma_b}$	σ /MPa	N_f		温度 /℃	σ /MPa	$\tau_{0.1}$ /%	$\tau_{0.5}$ /%
Inco 901	2	869	21	765	18	700	34	317	0.32	206 ± 529	5000	5	593	689	608	4707
	5	896	22	784	36	737	37	441	0.43		16000		649	551	299	9807
	12	958	19	896	35	862	37	628	0.55		137000		704	275	5315	9807
Inconel 718	2	1117	43	869	44	903	39	379	0.33	275 ± 550	14000	12	593	689	3413	>9807
	5	1172	41	901	43	958	31	551	0.45		24000		649	551	157	2265
	12	1289	37	1069	36	1040	36	792	0.59		53000		704	275	1049	3579

(3)晶粒尺寸均匀性对性能的影响　Donachie 等曾系统地研究热加工对 Waspaloy 合金的组织和性能的影响。研究表明：如果在高温 1177℃ 加热 2h 后进行锻造，锻后经 1080℃ ×4h 空冷固溶

和锻后经 1080℃ × 4h 空冷 + 871℃ × 24h 空冷 + 760℃ × 16h 空冷完全热处理后，均存在不均匀的晶粒组织，在 ASTM2～3 级晶粒周围包围着“项圈”状的细小晶粒。萃取晶界沉淀物进行 X 射线衍射分析指出：在高温(1177℃)加热 γ' 被溶解后，过饱和固溶体在锻后空冷过程中，MC 型碳化物沿大角度晶界与弯扭的孪晶界周围接近连续析出，由于这种 MC 相析出发生在小再结晶晶粒之前，它起到阻止再结晶晶粒长大的作用，最终形成这种不均匀项圈状晶粒组织。这种组织在随后的固溶(1080℃ × 4h 空冷)处理和时效(843℃ × 24h 空冷 + 760℃ × 16h 空冷)处理中不能改变。试验还表明，增大最终变形量，可以减轻不能改变这种晶界上的连续薄膜 MC 型碳化物及由此而形成的不均匀项圈状晶粒组织。此外，当加热等于和低于 1080℃，锻后和热处理后，都可以获得均匀无晶界薄膜 MC 型碳化物的等轴 ASTM4～5 级晶粒组织。时效处理使合金晶界处析出 $M_{23}C_6$ 型碳化物，最终变形量为 0 时(C_4)，晶界以析出连续的 $M_{23}C_6$ 相为主，其次为少量 MC 型碳化物。而 1177℃ 加热后进行固溶、时效，晶界以薄膜 MC 碳化物为主，时效析出的 $M_{23}C_6$ 型碳化物为次(A_4)。加热温度低(1080℃、982℃)晶粒很细，从未发现薄膜碳化物。这种晶粒不均匀组织，包括薄膜 MC 作用，对 Waspaloy 合金性能的影响如表 9-24 所示。不难看出，项圈状不均匀晶界使合金拉伸，持久塑性及冲击值降低(A_1)。如果薄膜晶界与项圈状不均匀晶粒联合作用，拉伸塑性、持久塑性、冲击韧性降低至最低值(A_4)。显然，锻件经 1080℃ 和 982℃ 加热后锻造，其拉伸与持久性能均优于 1177℃ 加热锻造的锻件性能。

Dieter 等人也比较深入地研究了 Inconel 718 合金热加工对其组织的影响。如表 9-25 所示，重新加热和小变形锻造引起粗大晶粒(2)，或引起混杂晶粒(1、4)，较高的变形量和终锻温度产生均匀的细晶粒(5)，较低的终锻温度和两次加热变形得到混合组织(4)。性能试验表明，均匀细晶粒(5)与晶界膜减少、Ni_3Nb 尺寸减小有关。试验表明 ASTM6－7 级晶粒合金有最佳的综合性能，粗大晶

表 9-24　锻造工艺对 Waspaloy 合金性能的影响

工艺	加热温度 /℃	1 火变形 /%	2 火变形 /%	3 火变形 /%	ASTM	σ_b /MPa	$\sigma_{0.2}$ /MPa	δ /%	ψ /%	夏氏冲击 /kJ·m^{-2}	τ /h	δ /%	ψ /%	薄膜	备注
A_1	1177℃ 2h	40	40	40	项圈	1105.2	758.0	21	19	511 509	73.8 41.4	14.0 14.0	38.0 41.0	少	
A_2	1177℃ 2h	20	20	20	项圈	1029.6	774.7	9	10	388 323	42.2 12.9	17.0 6.0	30.0 28.0	次多	
A_4	1177℃ 2h	20	20	0	粗项圈	926.7	711.9	8	6	202 196	51.6 42.6	9.0 8.0	14.0 14.0	最多	连续 $MC+M_{23}C_6$
C_1	1080℃ 2h	40	40	40	4～5	1263.0	740.4	26	25	528 525	35.0 32.9	17.0 18.0	40.0 43.0	很少	
C_2	1080℃ 2h	20	20	20	4～5	1225.8	733.5	26	26	477 471	44.4 50.5	25.0 25.0	36.0 36.0	很少	
C_4	1080℃ 2h	20	20	0	4～5	1256.2	761.9	26	24	467 457	37.5 42.5	20.0 31.0	40.0 40.0	很少	连续 $M_{23}C_6+MC$
E_1	982℃ 2h	40	40	40	4～5	1269.9	761.9	27	27	511 501	44.0 41.9	21.0 22.0	42.0 43.0	无	
E_2	982℃ 2h	20	20	20	4～5	1242.5	734.5	23	22	414 414	57.6 46.2	20.0 13.0	36.0 37.0	无	
E_4	982℃ 2h	20	20	0	4～5	1248.3	759.0	23	20	424 469	65.4 56.6	16.0 29.0	32.0 36.0	无	

粒缺口脆性严重。较细的晶粒会严重降低持久性能。许多作者指出,晶界膜对持久性能没有实际影响。

9.4.3.4　薄膜晶界的影响

美国通用电气公司在 J79 发动机上,采用 V57 合金制作涡轮盘,1966 年前由于锻造工艺和热处理工艺掌握不当,合金在工作温度(610℃)下的持久塑性只有 4%～8%,曾因此发生榫齿折断事故。经过较长时间的研究证实,V57 和 A286 合金在 1090℃或更高的温度下热暴露,晶粒较大,在晶界会形成 TiC 薄膜。这种薄膜状 TiC,如果热处理不当,得不到消除和改善,持久塑性就很低,造成缺口低循环疲劳性能降低,这就是发生事故的根本原因。因此,在较低的温度(小于1090℃)下加热与锻造,控制较大的变

表 9-25　锻造工艺对 Inconel 718 合金组织性能的影响

试验的内容	工艺与性能项目	1	2	3	4	5	6
锻造工艺试验与条件	加热温度/℃	1120	1054	1120	1054	1054	1010
	压下量/%	42	71	75	42	75	75
	二次加热/℃	1054	1038		1054		
	压下量/%	40	15		40		
	终锻温度/℃	949	938	1054	965	999.0	916
	晶粒度 ASTM	3.2	3.5	5.0	5.7	7.0	9.0
锻态 X 光衍射试验	NbC	强	强	中	强	中	中
	Ni_4Nb						强
	TiN	中	中	中	中	中	
	Ti_2SC	很弱	很弱	弱	很弱		
显微组织	Ni_3Nb 片大小	混合的	大	大	混合的	中	小
	Ni_3Nb 片体积	大	大	小	中	中	大
	晶粒边界膜	少许	小	少许	小	小	小
649℃ $\sigma = 758.0$MPa	寿命/h	43	120	0.5	180	156	77
	伸长率/%	(4)	螺纹断	螺纹断	6.2	9	18
	面缩率/%	(10)	螺纹断	螺纹断	20	24	19
676℃,345.1MPa,500h 时效	寿命/h	158	131	181	75	85	22
	伸长率/%	螺纹断	8	11	15	17	18
	面缩率/%	螺纹断	9	14	26	33	34
704℃,345.1MPa,500h 时效后	寿命/h	(24)	23	50	19	18	(420)
	伸长率/%	(14)	18	18	21	25	(9)
	面缩率/%	(19)	31	32	34	46	(37)
热处理	954℃ ×1h 空冷 + 743℃ ×8h 55.6℃/h						

形量,可以得到较细晶粒而不形成薄膜 TiC。此外,这类合金 TiC 不稳定,通过固溶再增加一道中间高温时效,目的是使细胞状 $\eta-Ni_3Ti$ 相领先沉淀,使连续的 TiC 晶界薄膜减少或消除。这才使 1968 年后 V57 合金的持久伸长率提高到 12% ~25%,从而提高了合金的低循环疲劳与周期持久性能。这一关系由图 9-36 中的数据变化得到明确验证。

同样,我国 GH2136 与 GH2135 合金在制造涡轮盘试车试验时也发生过榫齿折断事故,原因也是由于锻造温度过高,热处理不佳,在晶界存在膜状 TiC。此外,GH4698 合金低循环疲劳断口分

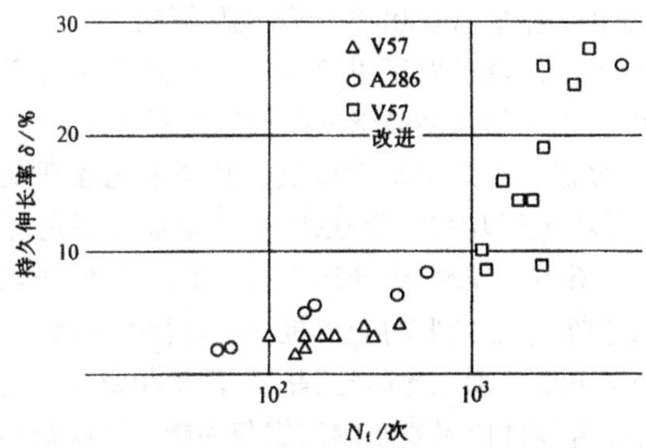

图 9-36　铁基合金塑性与低循环疲劳间的关系

析证实，NbC 集聚分布是造成合金 700℃ 低循环疲劳沿晶起始与扩展的原因，降低终锻温度与提高终锻变形量，热处理细化晶粒是有益的。

9.4.3.5　晶粒、晶界、晶界沉淀相对性能的综合作用

晶粒、晶界、晶界沉淀相对各种力学性能都是综合起作用的。应当根据不同的性能要求来确定应选择的晶粒尺寸及其晶界的组成和结构。

对于蠕变性能而言，细晶粒在高温的蠕变速度大于粗晶粒。原因是细晶粒是无序的，晶界多提供含有大量空位源的高能界面多。相反，粗晶粒是经加热到高温产生的，消除了一些大角度高能晶界，剩下的是空位贫乏的晶界。细晶粒由于晶界上空位多，空位可使位错攀移，因而使蠕变速度加快、强度降低。

对于疲劳性能而言，细晶粒不能总使疲劳性能提高。例如，Udimet 700 在 760℃ 的疲劳断裂是沿晶的，细晶粒的低循环疲劳变坏。尽管其断裂形式并不显示与蠕变现象有关，晶界的空位增多与沉淀相密度的减小，变成在高温下疲劳沿晶裂纹生核、扩展、断裂的通道。这就是细晶粒高温疲劳强度降低的主要原因。

显然，如果是变形不均匀产生的粗细晶粒的混合结构，它包含着粗细晶粒的弱点，将导致力学性能和冶金组织的不稳定性，它为

镍基 Waspaloy 合金 30000h 蠕变试验所证实。

综上所述，细晶粒对于以穿晶断裂形式为主的疲劳与蠕变性能是有利的，对于沿晶断裂形式的性能是不利的。

总之，高温合金的可锻性取决于其合金化程度及均匀性。根据合金的具体组织及其析出规律，恰当地联合锻造、热处理，运用均匀化与相析出预处理、选择适宜的热加工参数，可以使合金获得较好的工艺塑性，在较低的变形抗力下进行锻压加工，使锻后在适宜的热处理下获得满意的晶粒、晶界、沉淀相组织。这样就可以使合金获得适合零件使用要求的组织与性能。这就是高温合金在制定锻压加工工艺时所应遵循的总的指导原则。

参考文献(略)

10　粉末高温合金

10.1　绪　言

随着现代航空、航天事业的迅速发展,对高温合金的工作温度和性能提出了更高的要求,为了满足这些新的要求,高温合金中强化元素含量不断增加,成分也越来越复杂,使热加工性变得很差,以致很难进行热加工变形,只能在铸态下使用。由于铸造合金存在严重的偏析,导致了显微组织的不均匀和性能的不稳定。

60年代初,人们就开始研究用粉末冶金工艺制备高性能的高温合金。当时的主要目标是制造涡轮叶片、涡轮盘及其他高温承载的结构件。由于采用粉末冶金工艺生产高温合金,可以得到几乎无偏析、组织均匀、热加工性良好的高温合金材料,并可使材料的屈服强度和抗疲劳性能大大提高,所以粉末高温合金得以迅速发展。粉末高温合金归纳起来有如下优点:

(1)粉末颗粒细小,其凝固速度较快,消除了合金元素的偏析,改善了合金的热加工性;

(2)合金的组织均匀,性能稳定。使材料的使用可靠性大大提高;

(3)粉末高温合金具有细小的晶粒组织,显著提高了中低温强度和抗疲劳性能;

(4)粉末高温合金可以进行超塑性加工,提高了材料的利用率,节约原材料;

经过近40年的努力,粉末高温合金的生产工艺已相当成熟,质量控制也在不断完善和严格。目前,已有多个牌号的粉末高温合金得到了实际应用,主要用于生产高性能航空发动机的压气机盘、涡轮盘、涡轮轴、涡轮挡板等高温部件。第一个研制成功并得到应用的是IN100粉末高温合金,是美国Pratt Whtney公司于

1972 年将它用于制作 F100 发动机的压气机盘和涡轮盘等部件，该发动机装在 F15 和 F16 战斗机上，现已大批生产。该公司又于 1976 年完成了 JT8D-17R 发动机用粉末 Astroloy 高温合金涡轮盘的研制，以取代原来的 Waspaloy 合金。80 年代初，该公司又将粉末 MERL76 涡轮盘，用于 JT9D 和 JT10D 发动机，提高轮缘温度 20℃。另外，美国 GE 公司则于 1972 年开始研制粉末 René95 合金盘件，首先成功用于军用直升机的 T-700 发动机上，1978 年之后又用于 F404 发动机，CF－6－80 和 CFM56 等发动机上。1983 年，该公司开始研制 René88DT 合金，用于 GE－80E、CFM56－5C2 和 GE90 发动机上。前苏联于 70 年代中期研制成功粉末 ЭП741НП 涡轮盘，大量用于 МИГ29、МИГ31 和 CY27 改型飞机上，年生产能力达 6 万件。此外，英国的 Rolls Royce 公司，德国 MTU 公司和法国等也先后研制了粉末高温合金涡轮盘并应用在各种先进发动机上。表 10-1 是一些粉末高温合金涡轮盘的应用及生产工艺，表 10-2 为几种应用较广的粉末高温合金的化学成分。

我国在 70 年代末开始研究粉末高温合金。1977 年从德国 Heraeus 公司引进了 65kg 容量的氩气雾化制粉装置及粉末筛分、去除夹杂、脱气装套等粉末处理装置，国内自行设计制造了一台 ϕ690mm 的热等静压机和一台 500t 的等温锻造机。80 年代又从前苏联引进了世界先进的等离子旋转电极制粉设备及与其配套的粉末筛分、静电去除夹杂、脱气、装套、焊封、气体净化、包套真空退火、粉末检测等设备，建成了一条较完整的粉末生产线，可年产粉末 250t。与粉末生产线相匹配的还有 ϕ1250mm 大型热等静压机，超声探伤仪等设备。所研制的 FGH95 粉末盘、涡轮挡板等取得了突破性进展。1984 年底采用 12000t 水压机模锻出 ϕ420mm 涡轮盘，盘件晶粒度达到 12～13 级，组织均匀，无缺陷，各项性能指标基本达到了美国同类合金 René95 技术条件的要求。1995 年于 30000t 水压机上包套锻压出 ϕ630mm 的 FGH95 粉末盘，盘面光洁，无裂纹，并经超声探伤检验合格。

表 10-1　粉末高温合金涡轮盘的应用及生产工艺

发动机公司	发动机型号	涡轮前温度/℃	推重比	合金牌号	生产工艺
美国 G.E.	T-700				HIP
	F400	1316	8.0		HIP + HIF
	F110	1371	7.3		HEX + HIF
	F101			René95	HIP + HIF
	CF6-80				HIP + HIF
	CFM56	1260			HIP + HIF
	CF6-80E				HEX + HIF
	CFM56-5C2			René88DT	
	GE90				
	GE90			U720	
美国 P&W	F100	1399	8.0	ln100	HEX + HIF
	JT9D				
	PW2037	1132			
	PW5000	1777	9.5～10	MERL76	HIP + HIF
	PW4000				
	PW4084				
俄国 ВИЛС	РД-33			ЭП741НП	HIP
国际合作 IAE	V2500	1427		MERL76	HIP + HIF
英国 RR	RB211		8.0	APK－1	HIP + HIF
	Trent			APK－6	HIP + HIF
德国 MTU	RB199	1330	8.0	AP－1	HIP + HIF
法国 SNECMA	M88	1570	10	N18	HEX + HIF

注：HIP—热等静压，HIF—等温锻造，HEX—热挤压。

表 10-2　几种粉末高温合金的化学成分

合金牌号	合金成分(质量分数)/%												
	C	Cr	Co	W	Mo	Al	Ti	Nb	V	Hf	Zr	B	Ni
IN100	<0.1	10	14		3.5	5.5	4.5		1.0		0.05	0.01	余
René95	<0.1	14	8	3.5	3.5	3.5	2.5	5.5			0.05	0.01	余
MERL76	0.025	12.5	18.5		3.0	5.0	4.3	1.4		0.4	0.06	0.02	余
René88DT	0.03	16	13	4	4	2.1	3.7	0.7			0.03	0.015	余
ЭП741НП	0.05	9.0	16	5.3	3.7	5.0	1.8	2.6		0.25	≤0.015	<0.015	余

氧化物弥散强化(ODS)高温合金是另一类粉末高温合金，其突出特点是高温(1000～1350℃)下具有较高的强度。对于传统高温合金及前述的粉末高温合金来说，γ′析出相及碳(氮)化物强化

是其主要的强化手段之一。但在高温下，γ'析出相和碳（氮）化物发生粗化和溶解于基体而失去了强化作用。氧化物弥散强化（ODS）高温合金，是将细小的氧化物颗粒（一般选用 Y_2O_3）均匀地分散于高温合金基体中，通过阻碍位借的运动而产生强化效果的一类合金。Y_2O_3 具有很高的熔点（2417℃），且不与基体发生反应，所以具有非常好的热稳定性和化学稳定性，其强化作用可以维持到接近合金的熔点温度，因此，ODS 高温合金的使用温度可以达到或超过 0.9 Tm。

20 世纪初，人们就开始研究 ODS 合金，当时采用的是传统粉末冶金工艺，即用机械混合法将 W 粉与氧化物颗粒混合，但很难分散均匀，在随后的拔丝过程中仍难以使氧化物颗粒的分散均匀性得到满意的改善。在此后的几十年中，如何将超细的氧化物颗粒均匀地分散于合金基体中一直是该合金研究的焦点。直到 70 年代初，美国人 J.S.Benjamin 等人发明了机械合金化（MA）工艺，才使 ODS 合金快速发展起来。并相继研究成十几个牌号的 ODS 高温合金，其中有些合金已在航空发动机中得到应用，如 MA754 用于导向叶片、导向器后箅齿环、层板等，MA6000 用于工作叶片，MA956 用于燃烧室等。

表 10-3 是 ODS 合金制备工艺发展过程的几个主要阶段，表 10-4 是几种典型 ODS 高温合金的化学成分（质量分数）。

我国弥散强化高温合金研究开始于 1965 年，采用 ThO_2 水溶胶的共同沉淀法，于 1967 年制成 TD－Ni（2％ThO_2），由于 ThO_2 的放射性危害，以后停止研究。1976年及1978年我国制成容积

表 10-3　ODS 合金制备工艺的发展阶段

年代	合金	制备工艺
1910	W－ThO_2	传统粉末冶金（压型＋烧结＋拔丝）
1930	Cu, Ag, Be－Al_2O_3	内氧化法
1946	Al－Al_2O_3	Al 粉球磨过程表面氧化法
1958	TD－Ni	化学共沉淀法
1970	In853	机械合金化法

表 10-4　几种典型 ODS 高温合金的化学成分(%)

合　金	Cr	Mo	W	Al	Ti	Ta	B	Zr	C	Y_2O_3	Fe	Ni
MA6000	15	2	4	4.5	2.5	2	0.01	0.15	0.05	1.1		基
MA754	20			0.3	0.5				0.05	0.6	1.0	基
MA753	20			1.5	2.3		0.01	0.07	0.06	1.4		基
MA757	16			3.9	0.6					0.7	0.5	基
MA956	20			4.5	0.5					0.5	基	
MA957	13.5	0.3			1					0.4	基	

9L 和 55L 高能球磨机,后者可装球 100～150kg,装粉 10～12kg,马达功率 7.5kW,垂直搅拌棒转速为 78～100r/min,从此,开始了弥散强化(ODS)高温合金新阶段,1985 年以来,先后研制成 MA956、MA754 和 MA6000 等十余种牌号的弥散强化高温合金,合金的力学性能达到美国同类合金水平。

10.2　粉末的制备

粉末的质量严重影响着粉末高温合金的性能。通常要求粉末的气体含量及夹杂物含量低,粒度分布及形状合适。高温合金粉末的制备方法有多种,但普遍采用的主要有气体雾化法、旋转电极法和真空雾化法,这里重点介绍这三种制粉工艺。

10.2.1　气体雾化法

气体雾化法是应用较广泛的一种粉末生产工艺,所用的设备如图 10-1 *a* 所示。经真空精炼的母合金,在雾化设备的真空室中重熔,熔液经漏嘴流下,在高压惰性气体流中雾化成粉末,所用的气体一般为氩气。粉末颗粒的冷却速率约 10^2℃/s。粉末形状主要是球状,但也有一些空心颗粒、串状颗粒或片状颗粒,粉末的粒度分布范围较宽。因钢液与耐火材料接触。粉末中的陶瓷夹杂含量较高。

10.2.2　旋转电极法

旋转电极法制粉设备如图 10-1 *b* 所示。用合金料作为旋转

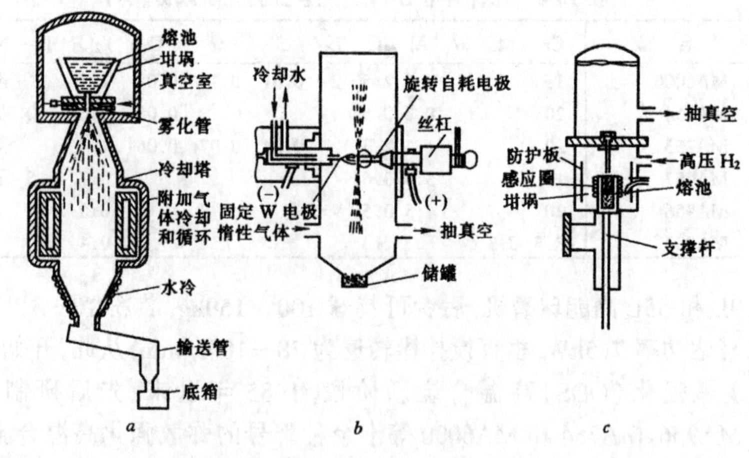

图 10-1 制粉设备示意图

a—气体雾化法；*b*—旋转电极法；*c*—溶入气体雾化法

自耗电极，用固定的钨电极产生的电弧或等离子电弧连续熔化高速旋转的电极，旋转电极端部被熔化的金属液滴，在离心力作用下飞出，形成细小的球状颗粒。粉末颗粒的冷却速率可高达 10^5℃/s。该法制备粉末的特点是：合金料不与坩埚耐火材料接触，所以粉末的陶瓷夹杂少，气体含量低。粉末颗粒绝大部分为球状，空心颗粒和片状颗粒极少，粒度分布比较窄，粉末的收得率高。用该方法制粉需要考虑的问题是：在粉末生产过程中始终存在的电极偏析和高温电弧所引起的挥发。

10.2.3 真空雾化法

图 10-1 *c* 为该制粉设备的示意图。在下部的熔炼室中，合金先在真空下熔化并过热，然后通入高压可溶性气体氢，使其在金属液中溶解并达到饱和状态，此后，将金属液通过导管引入上部膨胀室中，溶解的氢在真空室中突然逸出，将液体金属雾化的粉末。粉末颗粒的冷却速率约为 10^3℃/s。用此法生产的粉末粒度较大，小于 100μm 的颗粒趋于球状，大颗粒主要呈片状。该法生产的批量

小，粉末中氢含量高而且易引起爆炸。

图10-2是前述三种制粉工艺所制粉末颗粒的形貌照片。

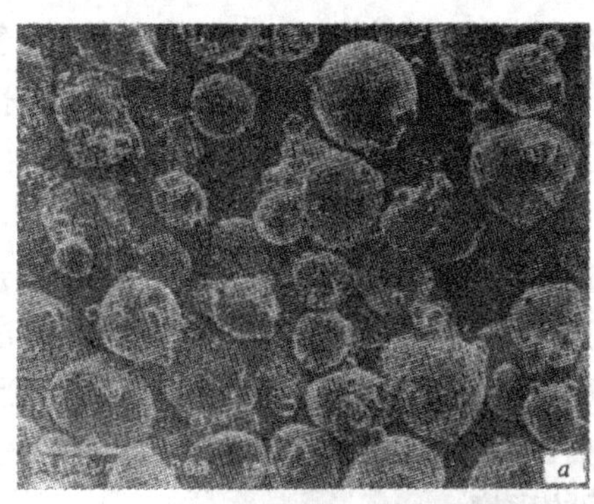

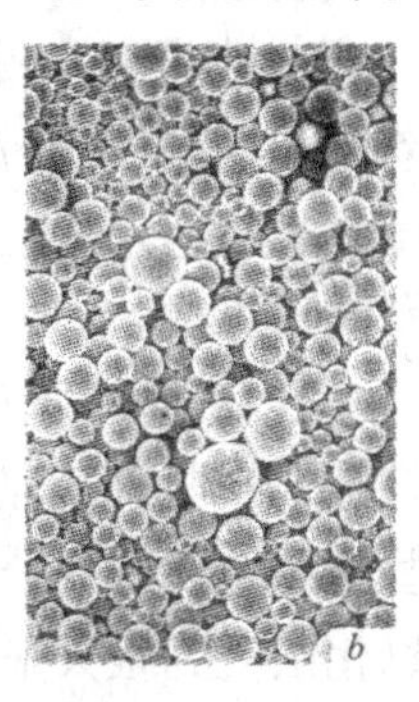

图10-2　不同工艺制备的粉末颗粒的典型形貌　×100

a—氩气雾化法；*b*—旋转电极法；*c*—真空雾化法

由于粉末高温合金对粉末的质量要求十分严格，气体含量要低，其中氧含量小于 100×10^{-6}，氮含量小于 50×10^{-6}，氢含量小于 10×10^{-6}。粉末粒度控制在50～150μm范围内，夹杂物含量小于20粒/kg粉，所以用各种工艺制备出的粉末都必须经过系列地处理才能使用。这些处理主要包括粉末的筛分和混料、夹杂物的去除及表面吸附气体的去除等。必须注意的是要防止在处理过程中造成粉末的二次污染。

ODS高温合金粉末的制备方法与上述的制粉方法有着本质的差异,其关键是将超细的氧化物质点均匀分散于合金粉末中。采用普通的粉末冶金工艺或熔炼工艺几乎是不可能的,下面介绍三种常用方法。

(1)内氧化法　利用合金中含量较少,并且对氧有很强亲和力的合金元素与氧反应,生成氧化物质点作为弥散相。此方法对于某些特殊金属或成分简单的合金是可行的,对于大多数合金来说,内氧化法受到很大限制,因为很难保证其它合金元素不被氧化,此外也较难控制氧化进行的程度。

(2)化学共沉淀法　将合金组成元素的水溶性盐溶液混合,然后与沉淀剂反应生成共沉淀物,经过洗涤、干燥、分解还原成金属粉末,不能被还原的氧化物均匀分散在金属粉末中,作为弥散相质点。TD－Ni、TD－NiCr、TD－NiCrMo都是用此法制备的,该方法也有很大的局限性,对于那些不能被还原的金属元素就无法使其成为合金化元素,如高温合金中常用的Al、Ti,它们的氧化物在合金的熔点以下很难被H_2还原。

(3)机械合金化(MA)法　MA工艺的发明,是ODS高温合金发展史上的一个里程碑。机械合金化是在高能球磨机内完成的,常用的高能球磨机有搅拌式、振动式和滚筒式,如图10-3所示。将合金成分所要求的各种金属元素的粉末、中间合金粉末、超细氧化物粉末(一般小于50nm)装入球磨桶内,按照一定的球料比装入钢球,在惰性气体保护下进行长时间的干式球磨。在球磨过程中,由于钢球高能量的碰撞和碾压,金属粉末会发生塑性变形并产生冷焊现象。氧化物颗粒被镶嵌在冷焊界面上。随着球磨时间的延长,金属粉末因严重的加工硬化而破碎,新鲜的破断表面又会产生新的冷焊并发生原子扩散,如此反复地冷焊—破碎—再冷焊—再破碎过程,使合金元素粉末完全固溶于基体粉末颗粒之中,氧化物颗粒也均匀地分散在基体粉末颗粒内,最终得到含有均匀分布的氧化物质点、成分与合金成分完全相同的合金化粉末。图 10-4 为机械合金化过程不同阶段粉末颗粒的形貌。

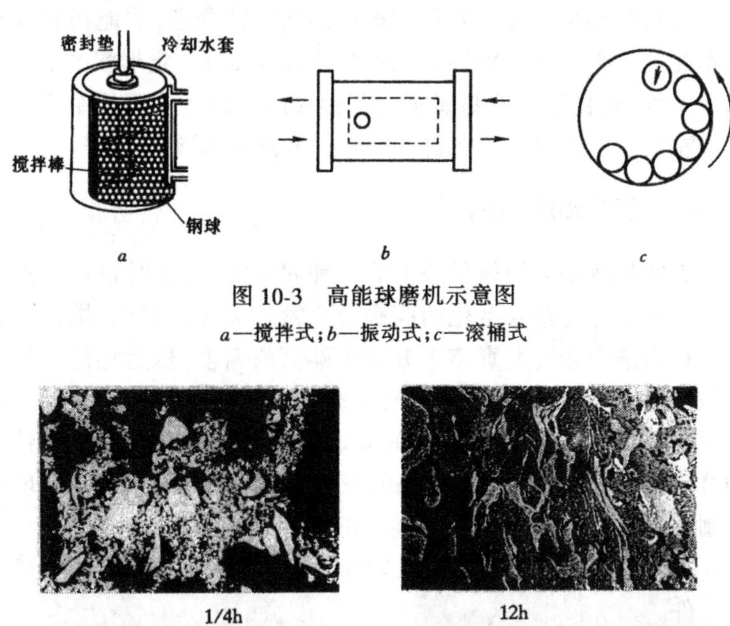

图 10-3　高能球磨机示意图

a—搅拌式；*b*—振动式；*c*—滚桶式

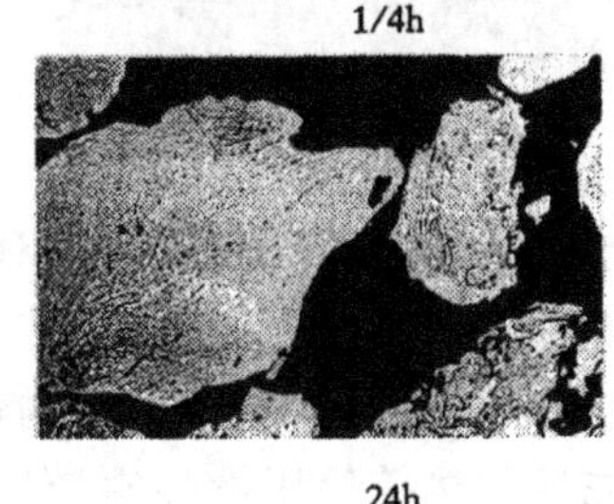

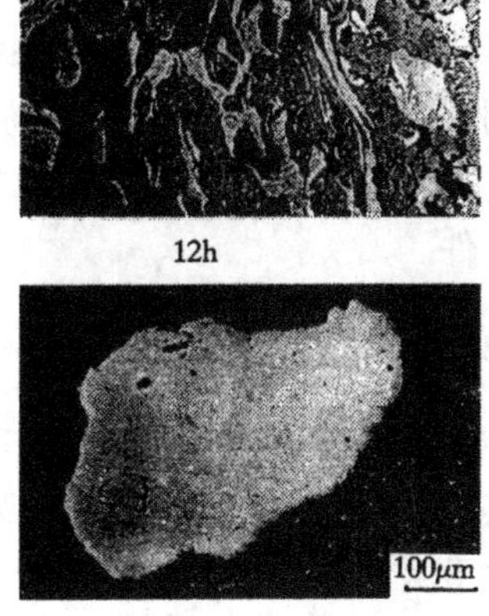

图 10-4　机械合金化不同阶段粉末颗粒形貌

MA 工艺是目前最常用，也是最适合于生产使用的方法，美国最大的高能球磨机一次可处理 2t 重的粉末。

MA 工艺除了用于制备 ODS 高温合金外，还有更广泛的应用，如用于研制非晶、纳米晶、过饱和固溶体、液相不相溶合金、金属间化合物、复合材料等。

10.3 粉末的固实

松散的高温合金粉末只有通过固实工艺处理,才能得到完全致密化的材料。通过固实工艺不仅要获得具有一定形状的部件或预成型坯,而且还要控制固实工艺参数以得到所希望的组织。固实的主要方法有真空热压、热等静压、热挤压、锻造等。

10.3.1 真空热压(HP)

真空热压是人们较早采用的一种固实方法,有时也称为加压烧结。该法是将预合金化的高温合金粉末装在模具内(模具材料最好用钼基合金),在真空下升到足够高的温度,然后加压。粉末颗粒在高温高压的作用下,会发生塑性流动或扩散蠕变,使粉末坯体内的孔隙逐渐排除,颗粒之间紧密地粘结在一起,得到完全致密的合金材料。热压工艺中施加的压力受模具材料在高温下强度的限制,另外该方法采用的是单向加压,所以粉末坯体所受的压力在不同方向上存在着一定的不均匀性。该方法一般适用于较小尺寸的坯件。

10.3.2 热等静压(HIP)

同热压方法相似,热等静压工艺也是同时通过高温高压对粉末坯体的作用,使其达到完全致密化的目的。在热等静压工艺中,通常用氩气作为压力的传递介质,粉末坯体的各个方向在等静压力的作用下发生收缩、烧结。现代先进的热等静压设备的最高使用温度和压力可以达到 2000℃ 和 202MPa,炉膛有效直径达 1250mm,如果需要,一次可制出几吨重的坯体合金。用该方法可以制备出大尺寸的坯件。

用热等静压工艺固实粉末高温合金坯件的一般步骤是:将处理好的高温合金粉末装入洁净的碳钢或不锈钢包套中,在 500～600℃ 抽真空除去包套内的气体和颗粒表面的吸附气体,包套密封后进行热等静压处理。根据产品所要求的晶粒度或后续工艺的需要，热等静压温度可以选择高于或低于 γ′相的固溶温度。

热等静压后的坯料可以继续进行热挤压或锻造，并配合以适当的热处理，以改善合金的组织和性能。例如，FGH95 粉末高温合金，在 1280℃热等静压固实后，在 1050～1150℃温度范围内锻造，将锻坯于 1080℃固溶处理和 650℃时效处理，合金具有高的持久强度和好的综合性能。

10.3.3 热挤压和锻造

热挤压是一种较好的固实化工艺，它综合了热压缩和热加工变形的特点，由此可以获得完全致密的变形材料。热挤压时产生一个剪切效应，颗粒的切变破碎了原始颗粒边界(PPB)。增强了颗粒间的结合。粉末热挤压可以直接热挤压包套粉末，也可以热挤压预成型坯料。在热挤压包套粉末之前，需将粉末装套、除气和密封，然后将包套粉末加热到合适的温度以合适的挤压比进行挤压，如 U700 和 IN100 的挤压温度为 1040～1170℃，挤压比为 4:1 至 10.6:1。

热挤压是用得较多的一种固实化工艺，热挤压后的材料可以继续进行锻造或轧制。

包套粉末加热后直接锻造是另一种简单的固实化工艺。用此方法可以获得尺寸较大的、具有一定形状的部件。但锻造过程中，材料的变形不太均匀，因此一般是将热挤压或热等静压后的材料通过锻造制成最终的部件。

ODS 高温合金固实的主要方法是热挤压。挤压温度、挤压比和挤压速度是三个重要的工艺参数。通过热挤压，既要达到固实的目的，又要在合金内建立足够高的储能，以便在随后的热处理过程中，得到粗大的柱状晶组织。一般要求尽量低的挤压温度、高的挤压比和高的挤压速度。如果挤压工艺参数选择不当，则会明显降低合金的高温性能。挤压温度一般选择 1000～1200℃，挤压比在 10:1 到 20:1 之间，挤压速度随挤压温度和挤压比而变。如 MA753 合金，在 1260℃以 16:1 挤压比挤压，挤压速度为 35.6cm/s，经再结晶处理后，有相当数量的细小晶粒残留下来；在1066℃以16:1挤压比挤压，挤压速度为15.2cm/s，经再结晶处理后，晶粒完全长大成粗大的柱状晶，合金具有最高的高温持久性能。

10.4 粉末高温合金的组织与性能

粉末高温合金的组织特征之一是无偏析、均匀、细小的晶粒组织，如图10-5所示，晶粒尺寸一般在ASTM7－12级范围内。夹杂物、原始颗粒边界(PPB)、热诱导孔洞等是由粉末冶金工艺带来的另一组织特征。所以粉末高温合金的组织与性能强烈地受制粉、固实化和热机械处理等工艺的影响。

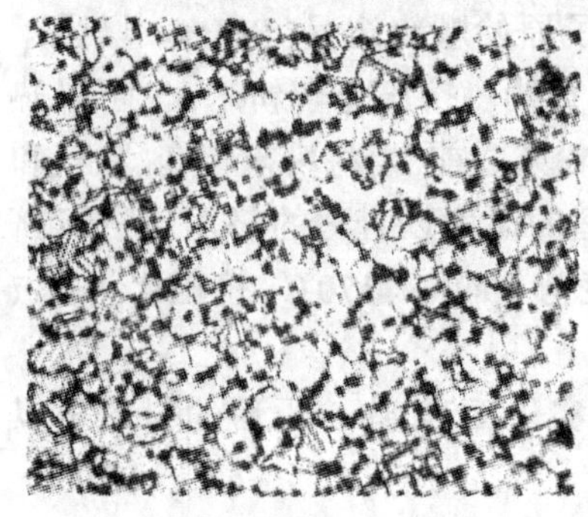

图10-5 典型粉末高温合金的组织 ×500

粉末高温合金的制粉工艺和固实化工艺对拉伸性能的影响示于表10-5和图10-6。从中可以看出，热挤压合金具有最高的强度和塑性。制粉工艺的影响在热等静压合金中能表现出来，不同制粉工艺的粒度分布差异对合金的晶粒和性能有一定影响，但在热挤压合金中，由于破碎完全，已显示不出粒度分布等的影响了。

表10-5 制粉工艺和固实化工艺对IN100室温拉伸的影响

压实工艺	制粉工艺	σ_s/MPa	σ_b/MPa	δ/%	ψ/%
热等静压	氩雾化	943.7	1123.1	8	10
挤压	氩雾化	1205.4	1680.7	20	16
挤压	旋转电极	1176	1633.7	21	17
铸态		936.9	984.9	4	8

粉末高温合金的中低温持久性能高于普通铸造或变形合金，但随着温度的提高，粉末高温合金的持久性能下降较快，如粉末高

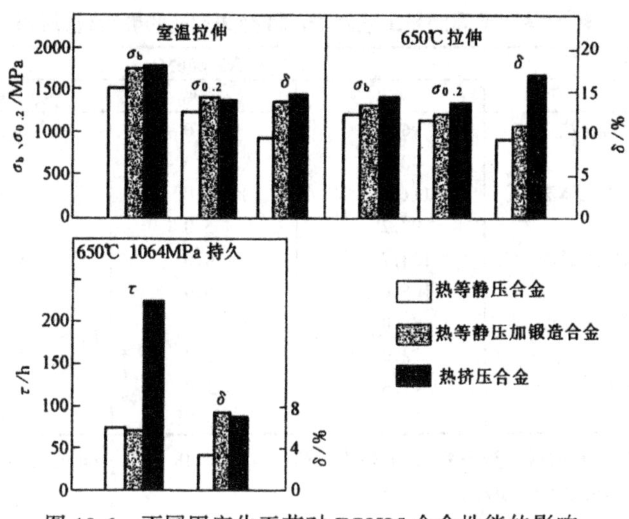

图 10-6　不同固实化工艺对 FGH95 合金性能的影响

温合金 IN100 在 732℃,68.6MPa 应力下的持久寿命为 161h,而铸造合金的持久寿命只有 50h;在 760℃时,两者的持久寿命相差不大;982℃时粉末 IN100 的持久性能比铸造 IN100 的持久性能低得多。这是因为粉末高温合金的晶粒细小,在中低温度范围内蠕变不起主要作用,因而具有较高的强度,而高温时由于晶界的滑动使细晶对持久等性能产生了不利的影响。如果通过适当的热机械处理,便可使晶粒粗化,持久性能会大大提高。不同的制粉工艺和固实化工艺对合金的持久性能也有一定影响,如表 10-6、表 10-7 所示。

粉末高温合金具有均匀的细晶组织,因而有较高的抗疲劳性能,但是各工艺过程中如果带来了缺陷,就会严重影响合金的低周疲劳性能(LCF)适当的热机械处理(TMP)可以改善粉末高温合金的低周疲劳性能(LCF),因为变形过程中缺陷被破碎并更加弥散;晶粒则进一步细化。通过适当控制的热机械处理(TMP)工艺,特别是最有害的 PPB 缺陷的影响也会被大大减少或完全消除。

表 10-6　不同制粉工艺对 IN100 持久性能的影响(挤压材)

工　艺	732℃,686MPa		
	τ/h	δ/%	ψ/%
氩雾化法	96.7	8.0	6.3
	90.4	5.3	9.3
溶入气体法	111.6	6.0	7.1
	97.2	5.0	5.5
旋转电极法	104.7	6.0	8.9
	106.0	5.0	8.0
铸造+变形	81.0	6.0	11.8
	72.0	3.0	3.0
铸态	41.6	1.8	5.6
	72.7	2.7	6.3

注:所有试样除铸态外,经下列热处理:1177℃×4h 油淬+649℃×24h 空冷+760℃×8h 空冷。

表 10-7　不同固实化工艺对 Astroloy 持久性能的影响

固实化工艺	760℃,549MPa①		704℃,755MPa②	
	τ/h	δ/%	τ/h	δ/%
热等静压(1288℃)	40.5	12.3	110.1	27.8
	31.1	10.9	124.9	24.2
热等静压(1232℃)	44.9	21.4	127.5	27.1
	37.8	20.7	(138.7)	(9.6)
挤压	23.1	17.2	112.7	20.0
	18.1	21.4	125.3	21.4
锻造	52.9	19.3	(130.4)	(15.1)
	37.1	19.3	116.1	27.8
真空自耗重熔	37.3	33.3	91.5	30.5
	40.6	33.3	87.1	17.2

①热处理:1127℃×4h 油淬+时效。②热处理:1080℃×4h 油淬+时效。

弥散强化(ODS)高温合金的组织有三个显著的特点:(1)均匀分布的超细氧化物颗粒,其直径一般为 15～50nm,间距为 100nm 左右。实验结果表明,如此细小、弥散的氧化物颗粒,并不会影响合金的塑性;(2)粗大的柱状晶粒,对于不同的合金和采用不同的热机械处理工艺,柱状晶的尺寸会有所变化,其长径比一般为 5～

10 或更大；(3)具有强烈的织构特征，织构的形成受热机械处理(TMP)工艺和弥散相的影响，但其机制尚不完全清楚。如 MA6000 具有〔110〕型织构，MA754 有〔100〕织构，MA956 有〔125〕织构等。

图 10-7 为再结晶退火后 MA754 合金的组织及弥散相的分布照片。

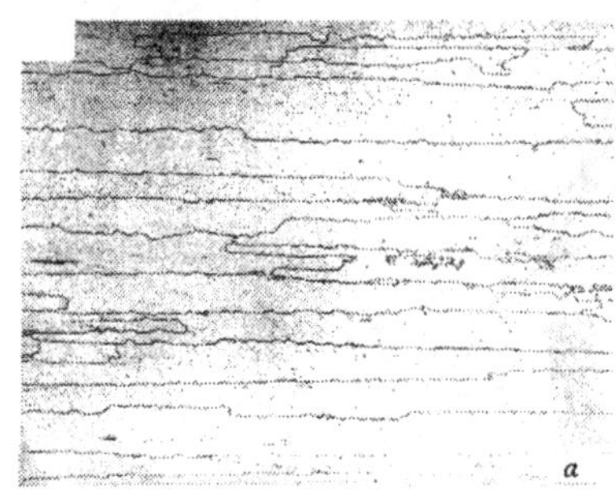

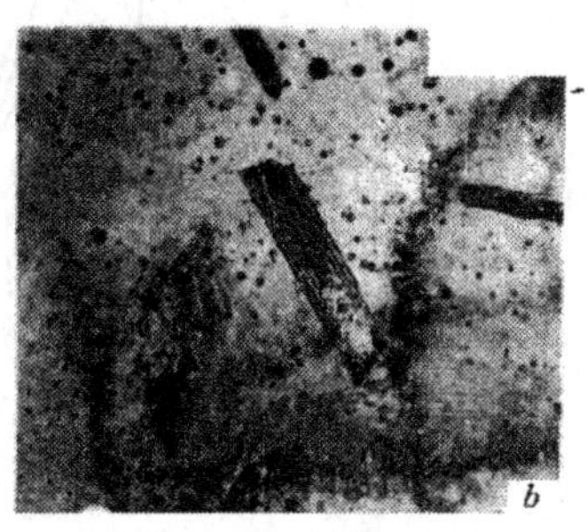

图 10-7 MA754 合金再结晶退火后的组织
(×50)及 Y_2O_3 分布(×22000)
a—组织；*b*—Y_2O_3 分布

弥散强化(ODS)高温合金的组织决定了其性能的各向异性，即沿纵向(平行于加工方向)具有很高的强度和塑性，而横向(垂直于加工方向)性能相对较低。合金的各向异性有时可以加以利用，如 MA754 导向叶片，其纵向平行于加工方向且具有〔100〕类型的织构，面心立方金属的〔100〕方向的弹性模量较小，在一定的热变形量下，产生较小的热应力，有利于合金的抗热疲劳性能。

目前得到广泛应用的弥散强化(ODS)高温合金主要有三类：(1)含有 γ' 沉淀强化相的 ODS 镍基高温合金，如 MA6000，其中 γ' 相的体积含量为 50%～55%，保证了合金在中温具有较高的强度，而在高温下，虽然 γ' 的强化作用消失，但 Y_2O_3 弥散相的强化作用使合金的强度远远高于普通的铸造或变形高温合金；(2)不含 γ' 沉淀强化相的 ODS 镍基高温合金，如 MA754，它是一个单相奥氏体合金,在1000℃以上,其强度高于普通高温合金,但中低温强度不如某些铸造或变形高温合金;(3)铁基ODS高温合金,如

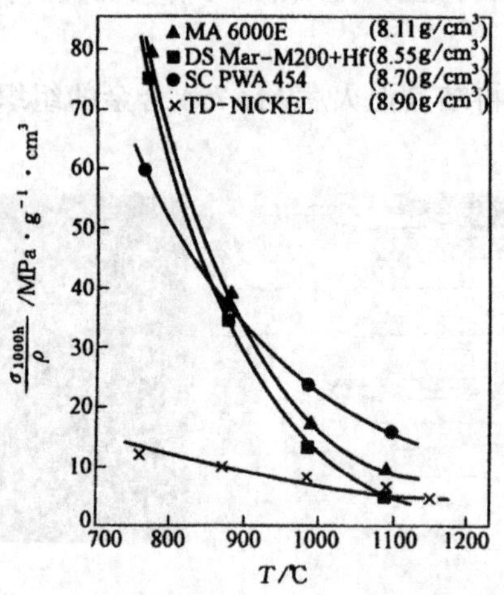

图10-8 MA6000与几种定向凝固铸造合金1000h持久强度的比较

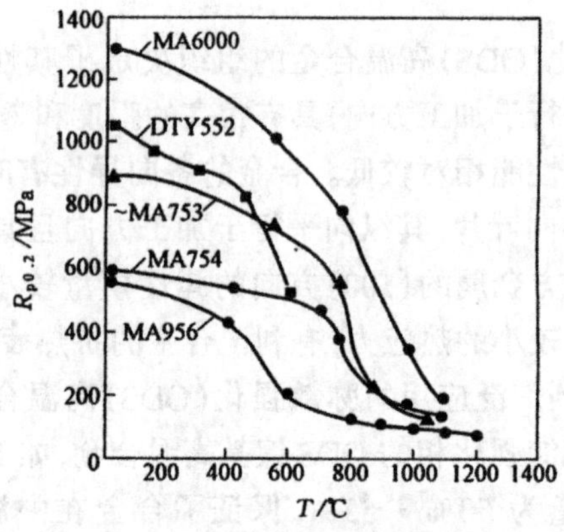

图10-9 几种ODS高温合金的屈服强度与温度的关系

MA956，其特点是熔点高，密度小，较高的高温强度，优良的抗氧化、耐腐蚀性等，被称为抗氧化高温合金之王，其抗氧化温度可高达1350℃。

图10-8是MA6000与几个高强度的铸造高温合金的持久强度比较，图10-9，图10-10，图10-11为几个典型ODS高温合金的持久强度、屈服强度和伸长率随温度变化的曲线。可见，ODS高温合金具有非常优越的高温强度。除此以外，大量的实验数据也证明，ODS高温合金还有很好的抗疲劳性能，抗氧化、耐腐蚀等性能。

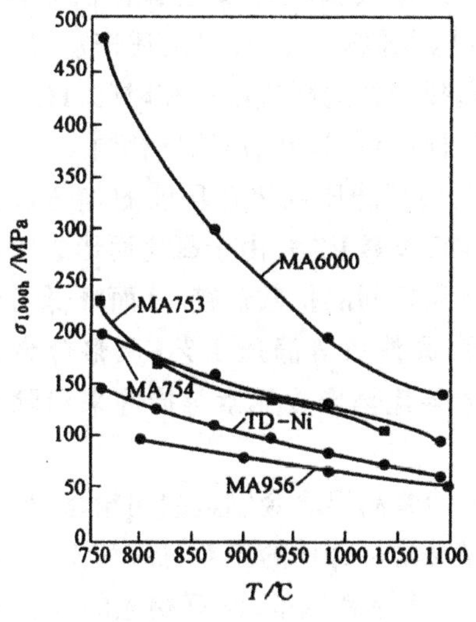

图10-10　几种ODS高温合金1000h持久强度与温度的关系

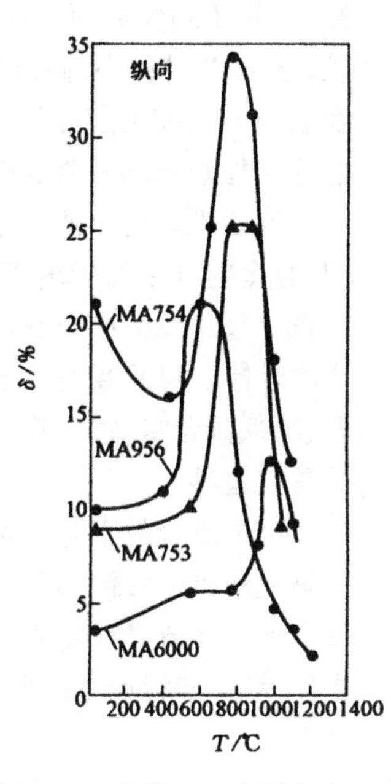

图10-11　几种ODS高温合金的伸长率与温度的关系

10.5　粉末高温合金的缺陷及其控制

粉末高温合金的缺陷与传统的铸-锻高温合金的缺陷有所不

同，它主要是由粉末冶金工艺带来的，其类型主要有：陶瓷夹杂、异金属夹杂、热诱导孔洞和原始颗粒边界等。

陶瓷夹杂主要来源于耐火材料坩埚、中间包、喷嘴等，在制粉的各个工艺过程中应严格控制母合金的清洁度。

热诱导孔洞是由不溶于合金的氩气、氦气引起的，在热成型和热处理过程中，这些残留气体在粉末颗粒间膨胀，致使合金中产生不连续的孔洞，它会使合金的性能下降，尤其是降低 LCF、合金中存在的氩、氦等惰性气体的来源有三：首先是氩气雾化制粉时，一些粉末颗粒内部包含着氩气泡，形成了空心粉；第二是粉末脱气不完全，粉末颗粒表面存在着吸附的氩或氦；第三是包套存在细小裂纹，在 HIP 过程中，高压氩气会压入包套中。针对上述来源，应该在装包套之前把空心粉去除；选择合适的除气温度和时间；HIP 之前仔细检查包套是否有微漏，这样便可以消除热诱导孔洞。

原始颗粒边界的形成，是在热等静压或热挤压前的加热过程中，合金粉末表面析出了一层 MC 型碳化物，由于氧化而形成了碳—氮—氧化物薄膜，阻碍粉末颗粒之间的扩散连接，从而降低了合金的性能。可采用粉末预处理、调整热等静压工艺、调整合金元素、降低碳含量、加入铌、铪等强碳化物形成元素等措施来消除原始颗粒边界。

粉末冶金的工艺复杂，粉末冶金高温合金制造的涡轮盘、轴等又是发动机的关键部件，为确保发动机部件的绝对可靠和稳定，对每个工艺环节必须建立严格的质量控制规范，制订相应的检验方法和标准，实行严格的监控。

参考文献

1 Benjamin J S. Metall. Trans., 1970; 1: 2943

2 Singer R F, Gessinger G H. Metall. Trans., 1982; 13A: 1463

3 Kim Y G, Merrick H F. NASA CR-159493, May 1979

4 Reppich B. Acta. Met., 1975; 23: 1055

5 Gessinger G H. Powder Met. Int., 1981; 13: 93

6 Wilcox B A, Clauer A H., Acta Met., 1972; 20:743

7 Parker J D Wilshire B. Metal. Sci J., 1975;9: 248
8 Singer R F *et al*. Scripta Met., 1980; 14: 755
9 Sims C T *et al*. Superalloys Ⅱ. New York, 1987
10 Hotzler R K *et al*. Superalloys 1980. American Society for Metals, Metals Park. Ohio, 1980
11 Cairns R L *et al*. Metall. Trans., 1975; 6A:179
12 Whittenberger J D. Metall. Trans. 1977; 8A:1863
13 Floreen S K *et al*. Frontiers of High Temperature Materials. Inco MAP, New York, 1981
14 Decker R F *et al*. The Superalloys. 1972
15 Evans D J *et al*. Powder Metallurgy Processing of Astroloy Turbine Disks. Modern Development in Powder Metallurgy Ⅷ, 1973
16 Oblak J W *et al*. Metall. Trans., 1972; 3: 617
17 冶军．美国镍基高温合金,北京:科学出版社,1978
18 师昌绪,陆达,荣科．中国高温合金四十年,北京:中国科学技术出版社,1996

11 航空、航天用高温合金

高温合金主要用于制造航空涡轮发动机热端部件和航天火箭发动机各种高温部件是现代航空、航天发动机的必不可少的关键材料。在航空航天发动机中，高温合金在高温600～1200℃，复杂应力作用下长期工作，条件比较恶劣，对合金各项物理和化学性能的要求非常严格。总的说来，高温合金必须具有足够高的耐热强度，良好的塑性，抗高温氧化和燃气腐蚀的能力以及长期组织稳定性。在航空涡轮发动机上，高温合金主要用于燃烧室、导向叶片、涡轮叶片和涡轮盘四大类零部件。在航天的火箭发动机上，高温合金主要用于制造涡轮盘，此外还有发动机轴、燃烧室隔板、涡轮进气导管及喷管等零部件。以下简要介绍航空发动机四类零部件用高温合金的使用条件、性能要求以及代表性的合金牌号。

11.1 燃烧室用高温合金

燃油雾化、油气混合、点火，燃烧等过程都是在燃烧室(也称火焰筒)内进行的。因此燃烧室是发动机各部件中温度最高的区域、燃烧室内燃气温度达到1500～2000℃时，室壁合金承受的温度可达800～900℃以上，局部处可达1100℃。用作燃烧室合金受急热急冷的热应力和燃气的冲击力外，不承受其它载荷。因此燃烧室材料的特点是承受温度高，热应力大而机械应力小，选用的高温合金极大部分是固溶强化型合金。即合金中含有大量钨、钼、铌等固溶强化元素，对合金技术要求主要有：

(1)具有抗高温氧化和燃气腐蚀的能力；

(2)具有一定的瞬时和持久强度，良好的冷热疲劳性能，较小的线膨胀系数；

(3)具有良好的工艺塑性，如杯突、弯曲性能和焊接性能：

(4)合金在工作温度下具有良好的长期组织稳定性。

用作燃烧室的合金,冶金厂的产品主要以冷轧薄板,退火状态供应,对合金板材表面质量和尺寸偏差要求特别严。航空工厂则将合金板经冲压成型或切料焊接成燃烧室,不经机械加工过程,所以合金板的表面质量和尺寸(主要指板材厚度)就决定了燃烧室产品的质量状态。冶金厂生产合金板材时,除了内在质量外,表面质量和尺寸精度比之其它用途的合金来说,要求更为严格,检测更加仔细,要求板材表面光滑,平整。不能有结疤,重皮、氧化皮,麻坑,

表 11-1 燃烧室用高温合金的主要成分和使用温度

合金牌号	主要化学组成(质量分数)/%	使用温度/℃
GH1140	Fe-37Ni-21Cr-1.6W-2.2Mo-0.4Al-1.0Ti	800~900
GH3030	Ni-21Cr-0.1Al-0.3Ti	800
GH3039	Ni-21Cr-2.0Mo-0.5Al-0.36Ti-1.0Nb	850
GH3333	Ni-25Cr-3.0Co-3.0W-3.0Mo-20Fe	900
GH3018	Ni-21Cr-2W-4Mo-0.6Al-2Ti-30Fe	800
GH3022	Ni-22Cr-2Co-1W-9Mo-19Fe	900
GH3044	Ni-25Cr-15W-0.5Al-0.6Ti	900
GH3128	Ni-21Cr-8W-8Mo-0.6Al-0.6Ti	950
GH3170	Ni-20Cr-18Co-20W	900-1000

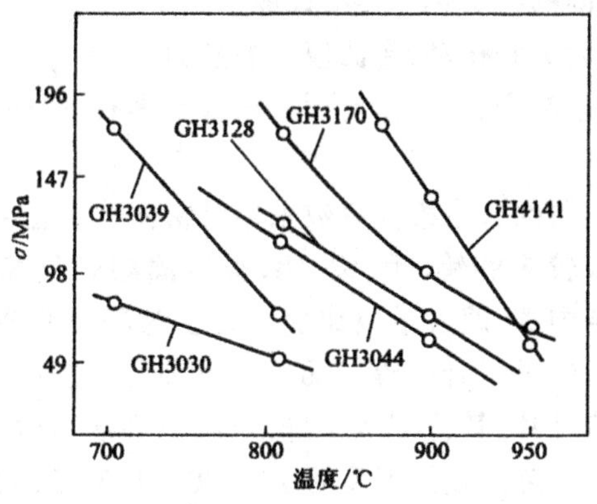

图 11-1 几种合金板材 100h 持久强度比较

过酸洗痕迹,划伤等。

制作燃烧室的高温合金代表性牌号有 GH1140、GH3030、GH3039、GH3333、GH3018、GH3022、GH3044、GH3128、GH3170 它们的主要成分和使用温度见表 11-1。持久强度见图 11-1。

板材合金除了固溶强化外,用于温度较低,应力较大的部件,也采用固溶加时效强化合金,此种合金牌号有 GH2132、GH4169、GH4141、GH4167、GH4163 等。

11.2 导向器用高温合金

导向器也称之为导向叶片,它是涡轮发动机上受热冲击最大的零件之一。尤其当燃烧室内燃烧不均,工作不良时,Ⅰ级导向叶片所受热负荷更大,往往促使导向叶片提前破坏的主要原因。一般说来,导向叶片比在同样条件下的涡轮叶片温度约高 100℃左右,但由于它是静止的,所受的机械负荷并不大。

通常由于热应力引起的扭曲,温度剧烈变化引起的热疲劳裂纹以及局部的烧伤是导向叶片在工作中产生的主要缺陷。根据导向叶片工作条件,导向叶片合金应具有如下性能:

(1)有足够的高温强度、持久性能及良好的热疲劳性能;

(2)有较高的抗氧化和热腐蚀能力;

(3)抗热应力和振动、弯曲应力的能力;

(4)如采用精密铸造合金,则要求合金具有良好的铸造工艺性能。

用作导向器的合金极大多数采用精密铸造工艺生产,这样,合金中可以加入较多的钨、钼、铌、铝、钛等固溶强化和时效强化元素。而且合金中碳,硼含量也比变形合金为高。有些导向叶片则采用时效强化的板材合金焊接而成。目前,先进的航空发动机多采用空心铸造叶片,其冷却效果好,可以提高该合金的使用温度。国内导向叶片合金的使用温度可达 1000～1050℃,代表性精密铸造合金有 K214、K232、K406、K417、K403、K409、K418、K423B 等。

导向叶片合金除了用普通精密铸造工艺生产外,采用定向凝固工艺生产出定向合金和单晶合金。定向合金由于晶界与应力方向一致，单晶合金则无晶界存在，使合金持久强度大大提高，使用温度升高。该类合金有DZ3、DZ5、DZ22、DD3等。

11.3 涡轮叶片用高温合金

涡轮叶片，又称工作叶片是航空发动机上最关键的构件之一，又是最重要的转动部件。虽然涡轮叶片比相应的导向叶片所受温度，约低50～100℃左右。但是它的工作条件最为恶劣。除工作环境温度较高外，转动时承受很大的离心应力，振动应力，热应力，气流的冲刷力等作用。所以对用作涡轮叶片合金的要求有：

(1)具有高的抗氧化和腐蚀能力；

(2)具有很高的抗蠕变和持久断裂的能力，以及良好的高温、中温综合性能，包括高周和低周的机械疲劳、冷热疲劳、足够的塑性和冲击韧性、无缺口敏感性；

(3)具有良好的导热性能和尽可能低的线膨胀系数；

(4)应具有良好的热加工塑性，对铸造合金应具有良好的铸造工艺性能，切削加工性能等；

(5)合金具有长期组织稳定性，尤其是在使用温度下无TCP相(如σ相)析出。

用作涡轮叶片合金是时效强化型镍基变形合金。近二十多年来铸造工艺的发展，普通精铸，定向和单晶铸造叶片合金得到了广泛应用。用作涡轮叶片合金代表性牌号，变形合金的有GH4033、GH4037、GH4143、GH4049、GH4151、GH4118、GH4220等。铸造合金的有K403、K417、K418、K405、DZ3、DZ22等。这些合金主要强化相为γ'，所以当合金中铝、钛、铌的增加，γ'数量增多，使用温度升高，持久时间增长。表11-2列出合金铝、钛含量，γ'析出量和合金使用温度的关系。

随着燃气涡轮进口温度提高，普通精铸涡轮叶片已经不能满足航空发动机的需要，80年代初，国外先进航空发动机采用了单晶涡轮叶片，合金使用温度提高到1100～1150℃以上，使航空发动机的性能进一步提高。

表 11-2 铝、钛含量与 γ′析出量、使用温度关系

合金	Al(质量分数)/%	Ti(质量分数)/%	γ′(质量分数)/%	使用温度/℃
GH4033	0.55~0.95	2.2~2.7	8~9	700
GH4037	1.7~2.3	1.8~2.3	20~22	800
GH4049	3.7~4.4	1.4~1.9	42~44	900
GH4151	5.7~6.2	1.9~2.3 (Nb)	55	950
GH4118	4.5~5.5	3.5~4.5	48	950
GH4220	3.9~4.8	2.2~2.9	45	950
K403	5.3~5.9	2.3~2.9	57	800
K417	4.8~5.7	4.7~5.3	66	900
K418	5.5~6.4	0.5~0.1 (1.8~2.5Nb)	50	950
K405	5.0~5.8	2.0~2.9		950
DZ4	6.0	1.9	55	1000
DZ22	4.75~5.25	1.75~2.25 (1.0Nb)	60	1040

我国于 80 年代初开始进行单晶合金的研制，其中 DD402 和 DD3 单晶合金正在进行装机试车或台架发动机试车考核，预计 21 世纪初，单晶合金叶片在我国航空发动机上应用。

11.4 涡轮盘用高温合金

涡轮盘也是航空发动机上一个很重要的转动部件，在四大类部件中所占质量最大(单件质量 50kg 以上，大型涡轮盘单件质量达几百千克)。涡轮盘工作时，一般轮缘温度可达 550~650℃，而轮心温度只有 300℃左右，整个盘的温差相当大，产生了盘件径向的热应力很大；涡轮正常转动时带着涡轮叶片高速旋转，承受最大的离心力；榫齿部分所受的应力更为复杂，既有拉应力，又有扭曲应力等；每当起动和停车过程中，构成一次大应力低周疲劳等。这些工况条件要求用作涡轮盘合金具有如下性能：

(1)合金具有较高的屈服强度，蠕变强度，良好的冷热疲劳和高周机械疲劳性能，较高的大应力低周疲劳性能；

(2)足够的塑性和较高的冲击韧性，且无缺口敏感；

(3)线膨胀系数要小；

(4)具有一定的抗氧化，抗腐蚀性能，良好的切削加工性能。

用作涡轮盘合金绝大多数是屈服强度很高的，晶粒细小的 Fe - Ni 为基的合金。合金的强化以析出碳化物(VC)，金属间化合物(γ′，γ″)来获得。GH2036 合金是惟一以 VC 沉淀强化的 Fe - Ni - Mn 基合金，最高使用温度为 650℃。其他的涡轮盘合金有 GH2132、GH2135、GH2901、GH4761 等。这些 Fe-Ni 基合金是以 γ′相强化的，GH4169 合金则是以 γ″相强化的，这几种盘件合金的使用温度可达 650～700℃。另外有些机种的涡轮盘合金选用镍基合金，如 GH4033A、GH4698，它们的使用温度可达 700～750℃，主要强化相也是金属间化合物(γ′)相。几种涡轮盘合金的屈服强度见图 11-2。

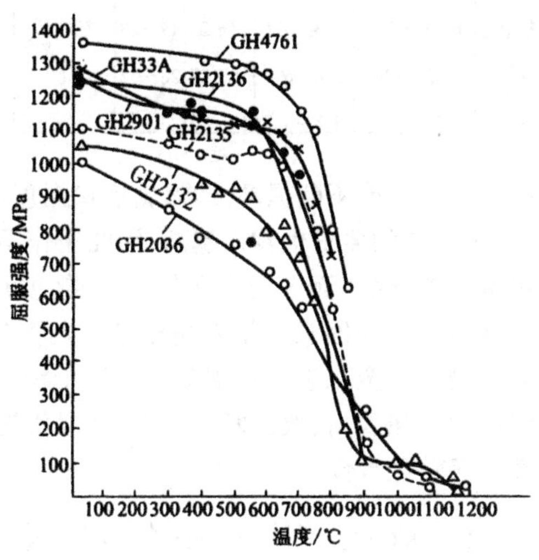

图 11-2　涡轮盘用高温合金屈服强度曲线

高温合金变形抗力比之普通钢大得多，而且变形温度范围很窄。涡轮盘盘件单件质量又大，所以变形需要在高顿位的锻压和模锻设备上才能进行生产。为了简化生产工序和不经锻压和模锻设备,国内首先创制成电渣熔铸涡轮盘。K136 合金就是用这种方式生产的第一个电渣熔铸涡轮盘合金。该合金的晶粒是向某一方位的柱状晶,晶粒的纵向尺寸达 20～30mm。在平行柱状晶和垂直柱状晶方向取样,拉伸强度和塑性以及持久强度没有明显的区别。表 11-3 为 K136 合金不同取样方向的测试数据。试样热处理制度为 1065℃,4h 油冷,700℃,32h 空冷。值得指出的是电渣熔铸与普通铸件不论在工艺上、质量上,以及生产方式上是完全不同的两回事,只要严格控制电渣熔铸工艺,电渣熔铸件不存在因热加工过程可能出现的质量问题。

表 11-3　K136 合金不同取样方向的性能

试验温度/℃	取样方向	瞬时性能					650℃,50kg/mm² 持久时间/h	
		σ_b/kg·mm^{-2}	$\sigma_{0.2}$/kg·mm^{-2}	δ/%	ψ/%	A_k/J	光滑试样	缺口试样
20	平行柱状晶	999.6～1029	774～853	11～16	17～24	33～51	21～54	>1000
	垂直柱状晶	1029～1068	813～911	13～22	19～28	38～49	35～74	>1000
650	平行柱状晶	695～784	578～608	16～27	28～32			
	垂直柱状晶	754～794	568～637	16～20	23～40			

由于航空发动机性能不断提高,即涡轮进口温度,转速和推力的提高,对涡轮盘材料的要求也越来越高,因此用作涡轮盘合金的合金元素含量也增多,随之而来的合金偏析加重,变形抗力增大,采用常规的冶金生产更为困难。粉末涡轮盘应运而生,所谓粉末涡轮盘就是采用粉末冶金工艺生产涡轮盘,粉末涡轮盘合金具有组织均匀,晶粒细小,强度高、塑性好等优点,是现代先进航空发动机上使用的理想涡轮盘合金。

11.5　航天火箭发动机用高温合金

火箭发动机用高温合金原则上都可以采用航空涡轮发动机用合金。但火箭发动机用合金的条件除了承受高温冲击外,还有低温(－100℃以下)环境要求。尽管使用是一次性的,且时间极短

(以秒和分计算),但要求合金的稳定性,可靠性极高。这是因为火箭用料要求特殊,部件必须经得住高梯度温度剧变,大应力幅度变化,高负荷及特殊介质环境的考验,尤其是涡轮转子应能承受爆炸式超载荷冲击。

目前用作航天材料的高温合金有制造涡轮盘的 GH1040, GH2038A、GH4141、GH4169 合金,制造发动机轴的 GH2038A、GH4169 合金,制造燃烧室隔板、涡轮进气导管的 GH1131 合金,制造喷管的 GH600 合金和丝网材料 GH3030 合金。

我国航空发动机用高温合金牌号、成分及用途列表如下。此外,有美国、英国和俄罗斯。中、美、英、苏是当今航空工业大国,都有独立完整的高温合金研究和生产体系,作为比较,我们还列出这些国家的高温合金牌号和成分、性能。表 11-4 为我国以固溶强化为主的铁基板材高温合金;表 11-5 为我国以碳化物强化和以金属间化合物强化为主的变形和铸造铁基高温合金;表 11-6 为我国的镍基高温合金化学成分及其主要用途;表 11-7 为国外以金属间化合物强化的铁基(或铁-镍基)高温合金的成分与屈服强度的关系;表 11-8 为美国变形镍基合金的化学成分;表 11-9 为美国变形镍基合金的 1000h 持久强度;表 11-10 为美国铸造镍基合金的化学成分;表 11-11 为美国铸造镍基合金的 1000h 持久强度;表 11-12 为英国的镍基合金牌号及成分;表 11-13 为俄罗斯的高温合金牌号与化学成分。

表 11-4　我国以固溶强化为主的铁基板材高温合金

序号	合金牌号	化学成分（质量分数）/%													使用温度/℃
		C	Mn	Si	Cr	Ni	Fe	W	Mo	Al	Ti	Nb	B	N	其他	
1	GH1013	0.06	≤1.9	≤0.8	20.0	25.0	余		1.5		0.8	0.8	0.01		0.05Ce	700
2	GH1139	≤0.12	5.0~7.0	≤1.0	23.0~26.0	15.0~18.0	余						≤0.02	0.3~0.45		700
3	GH1140	0.06~0.12	≤0.7	≤0.8	20.0~23.0	35.0~40.0	余	1.4~1.8	2.0~2.5	0.2~0.5	0.70~1.05					800
4	GH1131 (ЭИ126)	≤0.10	≤1.2	≤0.8	19.0~22.0	25.0~30.0	余	4.8~6.0	2.8~3.5			0.7~1.3	0.005	0.15~0.30		900
5	GH1138	≤0.10	1.0~2.0	≤0.8	18.0~22.0	35.0~40.0	余	4.0~5.2	2.0~2.6	≤0.5		1.0~1.7	0.008	0.1~0.25	0.05Zr 0.05Ce	900
6	GH1015	≤0.08	≤1.5	≤0.6	19.0~22.0	34.0~39.0	余	4.8~5.8	2.5~3.2			1.1~1.6	0.01		0.05Ce	900
7	GH1016	≤0.08	≤1.8	≤0.6	19.0~22.0	32.0~36.0	余	5.0~6.0	2.6~3.3			0.9~1.4	0.01	≤0.25	0.1~0.3V 0.05Ce	900
8	GH1014	≤0.08	≤1.5	≤0.6	19.0~22.0	28.0~34.0	余	7.5~9.5	1.5~2.5			0.8~1.3	0.01	0.15~0.25	0.05Ce	950
9	GH1167	≤0.08	≤0.5	≤0.5	13.0~16.0	36.0~40.0	余	5.0~6.5	1.5~2.5	1.4~2.0	2.6~3.4		0.01		0.03Zr 0.02Ce	800~850 时效板材

表 11-5 我国以碳化物强化(Ⅰ)和以金属间化合物强化为主的变形(Ⅱ)和铸造(Ⅲ)铁基高温合金

类别	合金牌号	相应牌号	化学成分(质量分数)/%														使用温度/℃
			C	Cr	Ni	Mn	W	Mo	Al	Ti	Nb	V	B	其他	Al+Ti+Nb	Al/Ti+Nb	
Ⅰ	GH1040	ЭИ395	≤0.12	15~17.5	24~27	1~2		5.5~7.5						0.1~0.2N			600
Ⅰ	GH2036	ЭИ481	0.34~0.40	11.5~13.5	7.0~9.0	7.5~8.5		1.1~1.4		≤0.12	0.25~0.50	1.25~1.55					650
Ⅱ	GH2132	A-286	≤0.08	13.5~16.0	24~27	1~2		1.0~1.5	≤0.4	1.75~2.3		0.1~0.5	0.001~0.01		~2.2	<0.2	700
Ⅱ	GH2136	V-57	≤0.06	13.0~16.0	24.5~28.5	≤0.35		1.0~1.75	≤0.35	2.4~3.2		0.01~0.1	0.005~0.025		~3.0	<0.1	700
Ⅱ	GH2901	Incoloy901	0.02~0.06	11.0~14.0	40~45	≤0.4		5.0~6.5	≤0.3	2.8~3.1			0.001~0.02		~3.2	<0.1	750
Ⅱ	GH4169	Inconel718	≤0.08	17~21.0	50~55			2.8~3.3	0.2~0.8	0.65~1.15	4.75~5.55		≤0.01	Mg	~6.5	<0.1	700
Ⅱ	GH2135		≤0.06	14.0~16.0	33~36	≤0.4	1.7~2.2	1.7~2.2	2.0~2.8	2.1~2.5			≤0.015	≤0.03Ce	~4.7	~1	700~750
Ⅱ	GH2130		≤0.08	12.0~16.0	35~	≤0.5	5.0/6.5		1.4~2.2	2.4~3.2			≤0.02	≤0.02Ce	~4.6	~0.6	800
Ⅱ	GH4302		≤0.08	12.0~16.0	38~42	≤0.6	3.5~4.5	1.5~2.5	1.8~2.3	2.3~2.8			≤0.01	≤0.02Ce ≤0.05Zr	~4.6	~0.8	800
Ⅱ	GH4761		0.02~0.07	12.0~14.0	42~45		2.8~3.2	1.4~1.9	1.4~1.85	3.15~3.65			≤0.01	≤0.03	~5.0	~0.5	750
Ⅲ	K2136	GH2136	≤0.06	13.0~16.0	24.5~28.5	≤0.35		1.0~1.75	≤0.35	2.4~3.2		0.01~0.10	0.005~0.025		~3.0	<0.1	650
Ⅲ	K213	GH2130	≤0.1	14.0~16.0	34.0~38.0		4.0~7.0		1.5~2.0	3.0~4.0			0.05~0.10		~4.6	~0.6	750
Ⅲ	K232	GH2302	≤0.1	12.0~16.0	38.0~42.0	≤0.6	3.5~4.5	1.5~2.5	1.8~2.3	2.3~2.8			≤0.015	≤0.05Zr ≤0.02Ce	~4.6	~0.8	750
Ⅲ	K214	TL-1	≤0.1	11.0~13.0	40~45	≤0.5	6.5~8.5		1.8~2.4	4.2~5.0			0.05~0.15		~6.7	~0.5	900

表 11-6 我国的镍基高温合金化学成分及其主要用途

序号	合金牌号	化学成分（质量分数）/%														主要用途
		C	Cr	Ni	Co	W	Mo	Al	Ti	Fe	Nb	V	B	Zr	其他	
1	GH3030	≤0.12	19.0~22.0	余				≤0.15	0.15~0.35	≤1.0						用于800℃以下的燃烧室，加力燃烧室，该合金可用GH140替代
2	GH4145	≤0.08	14/17	余	≤1.0			0.4~1.0	2.25~2.75	5.0~7.0	Nb+Ta 0.7~1.2					用于600℃以下工作的航空发动机和燃气轮机弹性承力件，如：密封片、高温弹簧等
3	GH4169	0.045	19.09	余			3.25	0.88	0.83	18.0	Nb+Ta 5.08		0.005			用作350~750℃工作的抗氧化热强材料等
4	GH3039	≤0.08	19.0~22.0	余			1.80~2.30	0.35~0.75	0.35~0.37	≤3.0	0.90~1.30					用于850℃以下的火焰筒及加力燃烧室等材料
5	GH3333	≤0.08	24~27	44~47	2.5~4.0	2.5~4.0	2.5~4.0	≤0.2	≤0.2	余	≤0.2		≤0.006			用于900℃以下长期工作的燃气涡轮火焰筒等
6	GH3044	≤0.10	23.5~26.5	余		13.0~16.0	<1.5	≤0.50	0.30~0.70	≤4.0						用作航空发动机的燃烧室和加力燃烧室等
7	GH3128	≤0.05	19.0~22.0	余		7.5~9.0	7.5~9.0	0.4~0.8	0.4~0.8	≤1.0			0.005	0.04	Ce0.05	用于950℃工作的涡轮发动机的燃烧室，加力燃烧室等零件
8	GH4141	0.06~0.12	18.0~20.0	余	10.0~12.0		9.0~10.5	1.4~2.0	2.9~3.5	≤5.0			0.003~0.01			发动机对流式，或发散冷却式导向叶片和工作叶片的外壳等
9	GH3170	≤0.06	18~22	余	15~22	18~21		≤0.5					0.005	0.1~0.2	La0.1~0.3	用于航空发动机燃烧室和加力燃烧室等高温承力件
10	GH4033	≤0.06	19.0~22.0	余				0.55~0.95	2.2~2.7	≤1.0			≤0.01		Ce≤0.01	用于700℃的涡轮叶片和750℃的涡轮盘等材料
11	GH4133	≤0.07	19~22	余				0.7~1.2	2.5~3.0	≤1.5	1.15~1.65		≤0.01			用作700~750℃工作的涡轮盘或叶片材料
12	GH4180	0.04~0.10	18.0~21.0	余	≤2.0			1.0~1.8	1.8~2.7	≤1.5			≤0.008			用于750℃以下工作的涡轮叶片和700℃以下工作的涡轮盘等零件

续表 11-6

序号	合金牌号	化学成分（质量分数）/%														主要用途
		C	Cr	Ni	Co	W	Mo	Al	Ti	Fe	Nb	V	B	Zr	其他	
13	GH4037	≤0.10	13.0～16.0	余		5.0～7.0	2.0～4.0	1.7～2.3	1.8～2.3	≤0.5		0.1～0.5	≤0.02		Ce≤0.02	用于 800～850℃涡轮叶片材料
14	GH4146	≤0.15	13.0～20.0	余	13.0～20.0		3.5～5.0	2.5～3.25	2.5～3.25	≤4.0			≤0.01			用于工作温度 870℃左右的燃气涡轮叶片等
15	GH4049	≤0.07	9.5～11.0	余	14.0～16.0	5.0～6.0	4.5～5.5	3.7～4.4	1.4～1.9	≤1.5		0.2～0.5	0.015～0.025		Ce0.02	用于 900℃的燃气涡轮工作叶片及其他受力较大的高温部件
16	GH4151	0.05～0.11	9.5～10.0	余	15.0～16.5	6.0～7.5	2.5～3.1	5.7～6.2		<0.7	1.95～2.35		0.012～0.02	0.03～0.05	Ce0.02	用于 950℃的燃气涡轮工作叶片
17	GH4118	≤0.20	14.0～16.0	余	13.5～15.5		3.0～5.0	4.5～5.0	3.5～4.5	≤1.0			0.01～0.025	≤0.15		用于工作温度 950℃以下的涡轮叶片
18	GH4710	0.05～0.10	16.5～19.5	余	13.5～16.0	1.0～2.0	2.5～3.5	2.0～3.0	4.5～5.5	≤1.0			0.01～0.03	0.05		用于 980℃以下使用的燃气涡轮工作叶片和涡轮盘、整体涡轮盘、后轴等
19	GH4738	0.03～0.10	18.0～21.0	余	12.0～15.0		3.5～5.0	1.2～1.6	2.75～3.25	≤2.0			0.003～0.03	0.02～0.08		用于 815℃以下工作的涡轮叶片、涡轮盘和压气机盘等
20	GH4698	≤0.08	13～16	余			2.8～3.2	1.3～1.7	2.35～2.75	≤2.0	1.8～2.2		≤0.005		Ce≤0.005	用于 550～800℃的涡轮盘
21	GH4220	≤0.08	9.0～12.0	余	14.0～15.0	5.0～6.5	5.0～7.0	3.9～4.8	2.2～2.9	≤3.0		0.2～0.8	≤0.02		Mg 微量	用于 900～950℃的涡轮工作叶片
22	K406	0.1～0.2	14.0～17.0	余			4.5～6.0	3.25～4.0	2.0～3.0	<5.0			0.05～0.10			用于 750～850℃的燃气涡轮叶片、导向叶片和其他高温受力部件
23	K401	≤0.1	14.0～17.0	余		7.0～10.0		4.5～5.5	1.4～2.0				≤0.12			用于 900℃以下的涡轮导向器叶片
24	K418	0.08～0.16	11.5～13.5	余			3.8～4.8	5.5～6.4	0.5～0.1	≤1.0	1.8～2.5		0.005～0.02	0.06～0.15		用于 950℃以下的涡轮导向叶片和工作叶片以及整体铸造涡轮和整体导向器

续表 11-6

序号	合金牌号	化学成分（质量分数）/%														主要用途
		C	Cr	Ni	Co	W	Mo	Al	Ti	Fe	Nb	V	B	Zr	其他	
25	K438	0.1～0.2	15.7～16.3	余	8.0～9.0	2.4～2.8	1.5～2.0	3.2～3.7	3.0～3.5		0.6～1.1		0.005～0.015	0.05～0.15	Ta1.5～2.0	主要用作工业和海上燃气轮机涡轮叶片及导向叶片等
26	K423	0.11～0.18	15.0～16.5	余	9.0～11.0		7.5～9.0	3.8～4.5	3.3～3.8	≤0.5			0.005～0.015		N<0.5	可用于制造900℃以下使用的燃气涡轮导向叶片
27	K403	0.11～0.18	10.0～12.0	余	4.5～6.0	4.8～5.5	3.8～4.5	5.3～5.9	2.3～2.9	≤2.0			0.01～0.03	0.1	Ce0.01～0.03	可用作900～1000℃工作的燃气涡轮导向叶片和800℃以下工作的涡轮叶片
28	K405	0.10～0.18	9.5～11.0	余	9.5～10.5	4.5～5.2	3.5～4.2	5.0～5.8	2.0～2.9	≤1.0			0.015～0.026	0.05～0.10	Ce0.01	用于制作工作温度950℃以下的燃气涡轮工作叶片
29	K409	0.08～0.13	7.5～8.5	余	9.5～10.5	≤0.10	5.75～6.25	5.75～6.25	0.8～1.2	≤0.35	≤0.10	≤0.10	0.01～0.02	0.05～0.10	Ta4.0～4.5	用作900～950℃长期使用的燃气涡轮工作叶片和导向叶片
30	K417	0.13～0.22	8.5～9.5	余	14.0～16.0		2.5～3.5	4.8～5.7	4.7～5.3	≤1.0		0.6～0.9	0.010～0.022	0.05～0.09		用于950℃以下工作的空心涡轮叶片和导向叶片
31	K417G	0.13～0.22	8.5～9.5	余	9.0～11.0		2.5～3.5	4.8～5.7	4.1～4.7	≤1.0		0.6～0.9	0.013～0.024	0.05～0.09		用于900℃长期工作的燃气涡轮发动机涡轮转子叶片
32	DZ5	0.05～0.12	10.0～11.0	余	9.5～10.5	4.5～5.2	3.5～4.2	5.0～6.0	2.0～3.0				0.015～0.030	0.1		用于制作980℃以下工作的航空发动机和工业燃气轮机的涡轮叶片和导向叶片
33	DZ3	0.08～0.13	10.0～11.0	余	4.5～6.0	4.8～5.5	3.8～4.8	5.3～6.0	2.3～3.2	≤2.0			0.015	0.01	Ce<0.01	适用于980～1000℃工作的航空发动机和工业燃气轮机的涡轮叶片和导向叶片
34	K4002	0.13～0.17	8.0～10.0	余	9.0～11.0	9.0～11.0	≤0.5	5.25～5.75	1.25～1.75	≤0.5			0.01～0.02	0.03～0.08	Ta2.25～2.75 Hf1.3～1.7	用于800～1040℃工作的燃气涡轮工作叶片，也可用作整铸涡轮
35	K419	0.09～0.14	5.5～6.5	余	11.0～13.0	9.5～10.7	1.7～2.3	5.2～5.7	1.1～1.5		2.5～3.5		0.05～0.10	0.03～0.08		用于850～1000℃工作的涡轮叶片和1050℃工作的导向叶片

表 11-7 国外以金属间化合物强化的铁基(或铁－镍基)高温合金的成分与屈服强度的关系

类别	合金名称	析出相主要元素	化学成分(质量分数)/%													Al+Ti+Nb+Ta (Ti+Nb+Ta)	$\sigma_{0.2}$(室温) /MPa
			C	Mn	Si	Cr	Ni	Fe	Co	Mo	W	B	Al	Ti	Nb (Ta)	其他		
第一类	Udimet630	Nb	≤0.04	≤0.2	≤0.2	17	余	17.5	1.0	3.1	3.0	0.005	0.6	1.1	6.0		7.7(7.1)	1274
	Inconel718		0.04	≤0.50	≤0.75	18.6	余	18.5	≤1.0	3.1			0.4	0.9	5.2		6.5(6.1)	1176
第二类	René62	Ti、Nb、Ta、Al复合强化	0.05	≤0.25	≤0.25	15	余	22		9.0		≤0.01	1.25	2.5	2.25		6(4.75)	1098
	Inconel706		≤0.06	≤0.35	≤0.35	16	41.5	余	≤1.0			≤0.006	0.4	1.75	2.9		5(4.65)	989
	CG 27		0.05			13	38	余		5.5		0.01	1.5	2.5	0.6		4.6(3.1)	931
	Unitemp212		0.08	0.05	0.15	16	25	余	20			0.06	0.15	4.0	0.5		4.65(4.5)	921
第三类	Pyromet860	Ti、Al强化，以Ti为主	0.05	0.5	0.1	13	44	余	4	6		0.01	1.0	3.0				
	D979		0.05	0.5	0.5	15	45	余		4	4	0.01	1.0	3.0			4.0(3)	999
	W545		0.02	1.65	0.4	13.5	26	余		1.5		0.05	0.2	2.85			3.0(2.85)	911
	Incoloy901		≤0.10	≤0.5	≤0.4	13	43	34	≤1.0	6.0		0.015	0.2	2.8			3.0(2.8)	892
	V57		≤0.08	≤0.35	≤0.75	15	27	余		1.28		0.015	0.25	3.0			3.25(3)	823
	Discaloy		0.04	0.9	0.8	13.5	26	余		2.75			0.1	1.75			1.85(1.75)	725
	ЭИ787		≤0.08	≤0.6	≤0.6	15	35	余			3.2	≤0.02	1.0	2.8			3.8(2.8)	725
	A286		≤0.08	≤2.0	≤1.0	15	26	余		1.27		≤0.01	0.2	2.0			2.2(2)	686
	ЭИ696M		≤0.10	≤0.6	≤0.6	11.5	23	余		1.3		0.015	0.4	2.8			3.2(2.8)	686
	ЭИ696		≤0.10	≤1.0	≤1.0	11.5	20	余				0.015	0.4	2.9			3.3(2.9)	588

表 11-8　美国变形镍基合金的化学成分

序号	合金	化学成分（质量分数）/ %															
		Ni	Cr	Co	Mo	W	Ta	Nb	Al	Ti	Fe	Mn	Si	C	B	Zr	其他
1	Astroloy	55	15.0	17.0	5.3				4.0	3.5				0.06	0.030		
2	D－979	45	15.0		4.0	4.0			1.0	3.0	27.0	0.25	0.20	0.05	0.010		
3	HASTELLOYX	47	22.0	1.5	9.0	0.6					18.5	0.50	0.50	0.10			
4	HASTELLOYS	67	15.5		14.5				0.20		1.0	0.50	0.40	0.02m	0.009		0.02La
5	INCONEL600	76	15.5								8.0	0.5	0.2	0.08			
6	INCONEL601	60.5	23.0						1.4		14.1	0.5	0.2	0.05			
7	INCONEL617	54	22.0	12.5	9.0				1.0					0.07			
8	INCONEL625	61	21.5		9.0			3.6	0.2	0.2	2.5	0.2	0.2	0.05			
9	INCONEL690	60	30								9.5			0.03			
10	INCONEL706	41.5	16.0					2.9	0.2	1.8	40	0.2	0.2	0.03			
11	INCONEL718	52.5	19.0		3.0			5.1	0.5	0.3	185	0.2	0.2	0.04			
12	INCONELX750	73	15.5					1.0	0.7	2.5	70	0.5	0.2	0.04			
13	INCONELMA754	78	20.0						0.3	0.5				0.05			$0.6Y_2O_3$
14	IN－102	68	15.0		3.0	3.0		3.0	0.4	0.6	70			0.06	0.005	0.03	0.02Mg
15	IN－587	47	28.5	20.0				0.7	1.2	2.3				0.05	0.003	0.05	
16	IN－597	48	24.5	20.0	1.5			1.0	1.5	3.0				0.05	0.012	0.05	0.02Mg
17	M－252	55	20.0	10.0	10.0				1.0	2.6		0.50	0.50	0.15	0.005		
18	NIMONIC75	76	19.5							0.4	3.0	0.30	0.30	0.10			
19	NIMONIC80A	76	19.5						1.4	2.4		0.30	0.30	0.06	0.003	0.06	
20	NIMONIC81	67	30.0						0.9	1.8		0.30	0.30	0.03	0.003	0.06	

续表 11-8

序号	合金	化学成分（质量分数）/%															
		Ni	Cr	Co	Mo	W	Ta	Nb	Al	Ti	Fe	Mn	Si	C	B	Zr	其他
21	NIMONIC90	59	19.5	16.5					14.5	2.45		0.30	0.30	0.07	0.003	0.06	
22	NIMONIC105	53	15.0	20.0	5.0				4.7	1.2		0.30	0.30	0.13	0.005	0.10	
23	NIMONIC115	60	14.3	13.2	3.3				4.9	3.7				0.15	0.160	0.04	
24	NIMONIC263	51	20.0	20.0	5.9				0.45	2.15		0.40	0.25	0.06	0.001	0.02	
25	NIMONIC942	49.5	12.5		6.0				0.6	3.7	37	0.20	0.30	0.03	0.010		
26	NIMONIC PE11	38	18.0		5.2				0.8	2.3	35	0.20	0.30	0.05	0.03	0.2	
27	NIMONIC PE16	43.5	16.5		3.2				1.2	1.2	34.4			0.05	0.003	0.04	
28	NIMONIC PK33	56	19.0	14.0	7.0				1.9	2.0				0.04	0.003		
29	PYROMET860	43	12.6	4.0	6.0				1.25	3.0	30.0	0.05	0.05	0.05	0.010		
30	RENE41	55	19.0	11.0	10.0				1.5	3.1				0.09	0.005		
31	RENE41																
32	RENE95	61	14.0	8.0	3.5	3.5		3.5	3.5	2.5				0.15	0.010	0.05	
33	RGT4	67	20.0		4.5				1.4	2.4	5.0m①			0.06	0.004		
34	RGT13	49	20.0	18.0	4.5				1.5	2.5	5.0m①			0.06	0.004		
35	TD Nickel	98															2.0ThO_2
36	TD Nickel																
37	TD NiCr	78	20.0														2.0ThO_2
38	UDIMET400	60	17.5	14.0	4.0			0.5	1.5	2.5				0.06	0.008	0.06	
39	UDIMET500	54	18.0	18.5	4.0				2.9	2.9				0.08	0.006	0.05	
40	UDIMET520	57	19.0	12.0	6.0	1.0			2.0	3.0				0.05	0.005		

续表 11-8

序号合金	化学成分（质量分数）/%															
	Ni	Cr	Co	Mo	W	Ta	Nb	Al	Ti	Fe	Mn	Si	C	B	Zr	其他
41 UDIMET630	50	18.0		3.0	3.0		6.5	0.5	1.0	18.0			0.03			
42 UDIMET700	53	15.0	18.5	5.2				4.3	3.5				0.08	0.030		
43 UDIMET710	55	18.0	15.0	3.0	1.5			2.5	5.0				0.07	0.020		
44 UNITEMP AF2-10A	59	12.0	10.0	3.0	6.0	1.5	-	4.6	3.0	1.0m①			0.35	0.014	0.10	
45 UNITEMP AF2-10A																
46 WASPALOY	58	19.5	13.5	4.3				1.3	3.0				0.08	0.006	0.06	
47 WASPALOY																

① m = maximum 最大值。

表 11-9　美国变形镍基合金的 1000h 持久强度

序号合金	形式	1000h 持久强度/MPa																					
		1200°F 649℃		1300°F 704℃		1400°F 760℃		1500°F 816℃		1600°F 871℃		1700°F 927℃		1800°F 982℃		1900°F 1038℃		2000°F 1093℃		2100°F 1149℃		2200°F 1204℃	
1 Astmloy	棒	112	770	84	580	62	430	42	290	25	175	16	110	80	55								
2 D-979	棒	75	515	55	380	36	250	21	145	10	69												
3 HASTELLOY X	板	31	215	22	150	15	100	10	69	6.0	41	3.6	25	2.0	14	11	8	0.6	4				
4 HASTELLOY S	棒	39	270	25	170	15.5	105	95	68	5.5	38												
5 INCONEL600	棒							56	39	3.5	24			18	12			0.9	6				

续表 11-9

序号	合金	形式	1000h 持久强度/MPa 1200°F 649℃	1300°F 704℃	1400°F 760℃	1500°F 816℃	1600°F 871℃	1700°F 927℃	1800°F 982℃	1900°F 1038℃	2000°F 1093℃	2100°F 1149℃	2200°F 1204℃
6	INCONEL601		28 195	13 90	9.1 63	62 43	43 30		2.1 14		10 7	0.8 6	
7	INCONEL617		52 360	32 220	24 165	14 97	92 63	62 43	38 26	2.7 19	15 10		
8	INCONEL625	棒	54 370	35 240	23 160	13 90	71 49		2.6 18				
9	INCONEL690		14.5 100	93 64	6.0 41								
10	INCONEL706		84 580	53 365									
11	INCONEL718		86 595	53 365	28 195								
12	INCONEL X750		68 470			15 105	6.5 45	3.0 21					
13	INCONEL MA754	棒									179 125		
14	IN 162		52 360	26 180	13 90	74 51							
15	IN 587			63 435	41 285	24 165							
16	IN 597			75 515	49 340	31 215	18 125						
17	M 252		82 565	60 415	39 270	23 160	14 97						
18	NIMONIC75	棒	25 170	14 97	70 48	40 28	1.0 7	0.7 5	0.5 3	0.4 3	0.3 2		
19	NIMONIC80A		61 420	39 270	23 160	12 83							
20	NIMONIC81		53 365	35 240	21 145	11 76							
21	NIMONIC90	棒	66 455	47 325	30 205	16 110	88 61						
22	NIMONIC105	棒			48 330	34 235	19 130	90 62	4.4 30				
23	NIMONIC115	棒			61 420	41 285	27 185	16 110	9.5 66				
24	NIMONIC263	板	60 415	42 275	26 175	13 90	63 63						
25	NIMONIC942	棒	75 520	58 400	39 270								

续表 11-9

序号	合金	形式	1000h 持久强度/MPa																					
			1200°F 649℃		1300°F 704℃		1400°F 760℃		1500°F 816℃		1600°F 871℃		1700°F 927℃		1800°F 982℃		1900°F 1038℃		2000°F 1093℃		2100°F 1149℃		2200°F 1204℃	
26	NIMONIC PE11	棒	49	335	36	245	21	145																
27	NIMONIC PE16	棒	50	345	34	235	22	150																
28	NIMONIC PK33	板	95	655	70	485	45	310	29	200	13	90												
29	PYROMET860	棒	79	545	53	365	36	250	20	140														
30	RENE41	棒	102	705	80	550	50	345	29	200	17	115	11	76										
31	RENE41	板	82	565	60	415	40	275	28	195	17	115	11	76										
32	RENE95	棒	125	865	76	525																		
33	RGT4	棒	70	485	49	340	29	200	15	105	8.0	55												
34	RGT13	棒	72	495	56	385	37	255	23	160	12	83												
35	TDNickel	棒	26	180	23	160	21	145	18	125	16	110	14	97	12	83	10	69	8.5	59	75	52	60	41
36	TD Nickel	板	21	145	18.5	130	16.5	115	15	105	13	90	12	83	10	69	8.5	59	7.0	48	60	41	45	31
37	TD NiCr	板											10	69	8.0	55	6.5	45	5.0	35	40	28	35	24
38	UDIMET400	棒	87	600	64	440	44	305	28	195	16	110												
39	UDIMET500	棒	110	760	74	510	47	325	30	205	18	125	12	83										
40	UDIMET520	棒	85	585	69	475	50	345	33	230	22	150												
41	UDIMET630	棒																						
42	UDIMET700	棒	102	705	83	575	62	430	43	295	29	200	16	110	7.5	52								
43	UDIMET710	棒	(126)	(870)	(94)	(650)①	67	460	45	310	29	200	17	115	10	69								
44	UNITEMP AF2－10A	棒	(130)	(895)	(102)	(705)	76	525	55	380	38	260	22	150										
45	UNITEMP AF2－10A	板	115	790	99	685	73	500	54	370	36	250	18	125										

续表 11-9

序号	合金	形式	1000h持久强度/MPa										
			1200°F 649℃	1300°F 704℃	1400°F 760℃	1500°F 816℃	1600°F 871℃	1700°F 927℃	1800°F 982℃	1900°F 1038℃	2000°F 1093℃	2100°F 1149℃	2200°F 1204℃
46	WASPALOY	棒	89 615	65 450	42 290	26 180	16 110						
47	WASPALOY	板	(90) (620)										

①括号里的值是外推值。

表 11-10 美国铸造镍基合金的化学成分

序号	合金	化学成分(质量分数)/%														
		Ni	Cr	Ca	Mo	W	Ta	Nb	Al	Ti	Fe	Mn	Si	C	B	Zr	其他
1	Alloy713C	74	12.5		4.2			2.0	6.1	0.8				0.12	0.012	0.10	
2	Alloy713LC	75	12.0		4.5			2.0	5.9	0.6				0.05	0.010	0.10	
3	B-1900	64	8.0	10.0	6.0		4.0		6.0	1.0				0.10	0.015	0.10	
4	Cast Alloy625	63	21.6		8.7			3.9	0.2	0.2	2.0	0.06	0.20	0.20			
5	Cast Alloy718	52.5	19.0		3.0			5.2	0.6	0.8	18.5	0.20	0.20	0.05	0.006		
6	IN100	60	10.0	15.0	3.0				5.5	4.7				0.18	0.014	0.06	1.0V
7	IN162	73	10.0		4.0	2.0	2.0	1.0	6.5	1.0				0.12	0.020	0.10	
8	IN731	67	9.5	10.0	2.5				5.5	4.6				0.18	0.015	0.06	1.0V
9	IN738	61	16.0	8.5	1.7	2.6	1.7	0.9	3.4	3.4				0.17	0.010	0.10	
10	IN792	61	12.4	9.0	1.9	3.8	3.9		3.1	4.5				0.12	0.020	0.10	

续表 11-10

序号	合金	化学成分（质量分数）/ %															
		Ni	Cr	Ca	Mo	W	Ta	Nb	Al	Ti	Fe	Mn	Si	C	B	Zr	其他
11	M-21	74	5.7		2.0	11.0		1.5	6.0					0.13	0.020	0.12	
12	M-22	71	5.7		2.0	11.0	3.0		6.3					0.13		0.60	
13	MAR M200	60	9.0	10.0		12.0		1.0	5.0	2.0				0.15	0.015	0.05	
14	MAR-M200(DS)	60	9.0	10.0		12.0		1.0	5.0	2.0				0.13	0.015	0.05	
15	MAR-M246	60	9.0	10.0	2.5	10.0	1.5		5.5	1.5				0.15	0.015	0.05	
16	MAR-M247	60	8.2	10.0	0.6	10.0	3.0		5.0	1.0				0.16	0.020	0.09	1.5Hf
17	MAR-M421	61	15.8	9.5	2.0	3.8		2.0	4.3	1.8				0.15	0.015	0.05	
18	MAR-M432	50	15.5	20.0		3.0	2.0	2.0	2.8	4.3				0.15	0.015	0.05	
19	MC-102	64	20.0		6.0	2.5	0.6	6.0				0.30	0.25	0.04			
20	NIMOCAST75	73	20.0						0.2	0.4	5.0	0.4	0.4	0.10			
21	NIMOCAST80	71	20.0						1.3	2.4	5.0	0.4	0.4	0.07			
22	NIMOCAST90	53	20.0	17.5					1.3	2.4	5.0	0.4	0.4	0.09			
23	NIMOCAST242	57	20.5	10.0	10.5				0.2	0.3	1.0	0.3	0.3	0.34			
24	NIMOCAST263	55	20.0	20.0	5.8				0.5	2.2	0.5	0.5		0.06	0.008	0.04	
25	NX188(DS)	74			18.0				8.0					0.04			
26	RENE77	58	14.6	15.0	4.2				4.3	3.3				0.07	0.016	0.04	
27	RENE80	60	14.0	9.5	4.0	4.0			3.0	5.0				0.17	0.015	0.03	
28	TAZ-8A	68	6.0		4.0	4.0	8.0	2.5	6.0					0.12	0.004	1.00	
29	TAZ-8B(DS)	64	6.0	5.0	4.0	4.0	8.0	1.5	6.0					0.12	0.004	1.00	
30	TRW-NASAVIA	61	6.1	7.5	2.0	5.8	9.0	0.5	5.4	1.0				0.13	0.020	0.13	0.5Re,0.4Hf

续表 11-10

序号	合金	化学成分（质量分数）/%														
		Ni	Cr	Ca	Mo	W	Ta	Nb	Al	Ti	Fe	Mn	Si	C	B	Zr	其他
31	UDIMET500	52	18.0	19.0	4.2				3.0	3.0				0.07	0.007	0.05	
32	UDIMET710	55	18.0	15.0	3.0	1.5			2.5	5.0				0.07	0.020	0.05	
33	WAZ-20(DS)①	72				20.0			6.5					0.20		1.50	

①(DS)表示定向结晶合金。

表 11-11　美国铸造镍基合金的 1000h 持久强度

序号	合金	1000h 持久强度/MPa																	
		1200°F 649℃		1300°F 704℃		1400°F 760℃		1500°F 816℃		1600°F 871℃		1700°F 927℃		1800°F 982℃		1900°F 1038℃		2000°F 1093℃	
1	Alloy713C			(88)	(605)	65	458	44	305	28	195	18	125	13	90	(7.7)	(53)		
2	Alloy713LC					60	415	45	310	30	205	19	130	13	90				
3	B-1900							55	380	37	255	25	120	15	105	8.8	61	4.9	34
4	Cast Alloy625	44	305	34	235	24	165	16	110	11	76	7.0	48	4.0	28				
5	Cast Alloy718																		
6	IN100					75	515	55	380	37	255	25	170	15	105	8.5	59		
7	IN162					76	525	54	370	37	255	25	170	16	110	13	90		
8	IN731							53	365			23.5	160	15	105	7.0	48		
9	IN788					69	475	48	335	31.5	215	20	140	12	83				
10	IN792					79	545	55	380	38	260	24.5	170	15	105				

续表 11-11

序号	合金	1000h 持久强度/MPa																	
		1200°F 649℃		1300°F 704℃		1400°F 760℃		1500°F 816℃		1600°F 871℃		1700°F 927℃		1800°F 982℃		1900°F 1038℃		2000°F 1093℃	
11	M－21																		
12	M－22					79	545	56	385	41	285	28	195	19	130	12	83	6.0	41
13	MAR－M200					84	580	60	415	43	295	29	200	18.5	130	12	83		
14	MAR－M200(DS)①					96	660							20	140	14	97		
15	MAR－M246					66	595	62	435	42	290	27	185	18	125				
16	MAR－M247(MFB)②									42	290	28	195	18	125				
17	MAR－M421					63	435	44	305	31	215	20	140	12	83	7.0	48	4.0	28
18	MAR－M432					70	485	48	330	31	215	22	150	14	97	7.5	52		
19	MC－102	60	415	38	260	27	185	21	145	15	105	9.0	62						
20	NIMOCAST75																		
21	NIMOCAST80	29	200	21	145	15	105												
22	NIMOCAST90	44	305	32	220	23	160	17	110	12	83								
23	NIMOCAST242					16	110	12	83	8.6	59	6.2	43						
24	NIMOCAST263																		
25	NX188(DS)																		
26	RENE77									31.5	215			9.0	62				
27	RENE80									35	240			15	105				
28	TAZ－8A	(95)③	(655)	(72)	(495)	(55)	(380)	(40)	(275)	(29)	(200)	(22)	(150)	(14)	(97)	(10)	(69)	(6.0)	(41)
29	TAZ－8B(DS)	(140)	(965)	(105)	(725)	(78)	(540)	(55)	(380)	(39)	(270)	(27)	(185)	(17)	(115)	(11.5)	(79)	(6.0)	(41)
30	TRW－NASAVIA					85	585	61	420	44	305	31	215	20	140				

续表 11-11

序号	合金	1000h 持久强度/MPa																	
		1200°F 649℃		1300°F 704℃		1400°F 760℃		1500°F 816℃		1600°F 871℃		1700°F 927℃		1800°F 982℃		1900°F 1038℃		2000°F 1093℃	
31	UDIMET500			67	460	50	395	35	240	24	165	13	90						
32	UDIMET710	(109)	(750)	(87)	(600)	64	440	47	325	31	215	19	130	11	76				
33	WAZ－20(DS)													15	105				

①(DS)表示定向结晶合金；

②(MFB)表示叶片上取样；

③括号里的值是外推值。

表 11-12　英国的镍基合金牌号及成分

合金		化学成分(质量分数)/%											持久强度/kg·mm^{-2}									
		C	Cr	Co	Mo	Ti	Al	Fe	B	Zr	Ni	其他	650℃		732℃		815℃		871℃		982℃	
													10^2	10^3	10^3	10^3	10^2	10^3	10^2	10^3	10^2	10^3
Nimonic	75	0.12	20.0			0.4		<5.0			基											
	80	<0.10	20.0			2.25	1.0	<5.0			基		44.1	35.4	23.6	15	12.1	5.4				
	80A	0.05	20.0	<2.0		2.3	1.3	<3.0	0.003	0.05	基		47	39	32	22	15	6.9				
	90	0.08	20.0	17.0		1.8/3.0	0.8/1.8	<3.0	0.003	0.05	基		56	46.8	39.3	27	20	12.5	11	6.0		
	95	0.08	20.0	16.0		4	1.4/2.5	0.5			基				41.5	28.5	23	14	15	8		
	100	0.30	11.0	20.0	5.0	1.5	5.0	<2.0			基				44	35.5	27.8	19.8	19.6	12.1	6.6	2.1
	105	0.15	15.0	20.0	5.0	1.2	4.7	2.0	0.006	0.10	基		77.8	72	50.9	42.4	31.4	22.1	20.1	13.3	6.7	3.1
	108	0.15	15.0	20.0	5.28	1.25	5.0	<1.0	0.03		基				57.5	46.2	37.6	25.9	26.9	16.7	11.5	6.6
	110	0.15	15.0	20.0	5.0	1.75	5.75				基											

续表 11-12

合金		化学成分（质量分数）/%											持久强度/kg·mm⁻²									
		C	Cr	Co	Mo	Ti	Al	Fe	B	Zr	Ni	其他	650℃		732℃		815℃		871℃		982℃	
													10^2	10^3	10^3	10^3	10^2	10^3	10^2	10^3	10^2	10^3
Nimonic	115	0.16	15.0	15.0	3.5	4.0	5.0		0.014	0.04	基											
	118	0.16	15.0	14.9	3.5	3.85	4.8	≤0.4	0.016	0.045	基											
	120		12.5	10.0	7.5	3.5	4.5				基											
	81	0.05	30.0			1.8	0.9		0.003	0.05	基											
EPK	55	0.05	28.5	20.0		2.3	1.2		0.003	0.05	基	0.7Nb										
EPK	57	0.05	24.5	20.0	1.5	3.0	1.5		0.0012	0.05	基	1.0Nb										
铸造合金	Nimocast80	0.05	20			2.4	1.2				基											
	Nimocast90	0.1	20	16		2.4	1.2				基											
	Nimocast713C	<0.2	13.4		4.5	1.0	6.2		0.01	0.01	基	2.3Nb										
	Nimocast PK16		6.0		2.0		6.0				基	11W，1.5Nb										
	IN738	0.17	16.0	8.5	1.7	3.4	3.4				基	2.6W，0.9Nb，1.8Ta										
	G64	0.12	11.0		3.0		6.0		0.25		基	3.5W，2.0Nb										
	G67	0.12	16.0		3.0	1.0	6.0				基	4.0W 加 B										
	G94	0.06	9.0	10.0	4.0		6.0				基	4.0W4.0Nb 加 ZrB										
	SM200	0.15	9.0	10.0		2.0	5.0				基	12.5W1.0Nb 加 B										
	G104	0.08	5.0	15.0	3.5		6.0		0.1	0.05	基	8.0W 8.0Ta										

注：$1kg/mm^2 = 9.8MPa$。

表 11-13　俄罗斯的高温合金牌号与化学成分

序号	牌号	化学成分（质量分数）/%											
		Ni	Fe	Al	Mo	Ti	Mn	Cr	Si	C	W	Co	其他
0	ЭИ435	75.0	余量		0.2	0.4	0.70	19.0～23.0	0.80	0.12			Cu0.20
1	ЭИ437	基	4.0		0.80	2.0～2.8	0.60	19.0～22.0	1.0	0.08			Cu0.20 Ce0.1
2	ЭИ437A	基	1.00		0.55～0.95	2.20～2.70	0.35	19～22	0.65	0.06			B0.01 Ce0.01
3	ЭИ437B	基	4.0		0.55～0.95	2.30～2.70	0.40	19～22	0.60	0.06			B0.01 Ce0.01
4	ЭИ437БЮ	基			0.6～1.0	2.50～2.90	0.40	19～22	0.65	0.07			B0.01
5	ЭИ444	基		4.0	0.70	2.50		20					N(名义成分)
6	ЭИ445P	基		4.5	0.7～1.7	2.2～2.8	0.50	17.0～20.0	0.60	0.08			Ce0.01 B0.01
7	ЭИ559	基	19.0		3.30		0.45	16.20	0.13	0.05			Ce0.30
8	ЭИ598	基	5.0	4.0～5.0	1.00～1.70	1.9～2.8	0.50	15～19	0.01	0.12	2.3～2.5		B0.01 Ce0.02
9	ЭИ602	基	3.00	1.8～2.3	0.35～0.75	0.35～0.75	0.40	19～22	0.80	0.08			
10	ЭИ607	基	3.00		0.50～1.00	1.80～2.30	1.00	15～18	0.80	0.06			
11	ЭИ 617	基	5.0	2.0～4.0	1.70～2.30	1.80～2.30		13.0～18.0			5～7	0.015	V0.1～0.5 B0.02 Ce0.20
12	ЭИ661	基		9.0～12.0	4.0～4.7					0.07	4.0～6.0		Ce0.01
13	ЭИ675	基	0.76	4.2	1.94	1.30		14.50		0.09	5.2		B0.008
14	ЭИ698	基	2.0	1.3～1.7	2.8～3.2	2.35～2.75	0.4	13～16	0.6	0.08			Nb1.8～2.2 B0.005 Ce0.005
15	ЭИ765	基	3.0	3.0～5.0	1.70～2.30	0.9～1.4	0.50	13～16	0.60	0.10～0.16	4～6	0.035	B0.010
16	ЭИ826	基	5.0	2.5～4.0	2.40～2.90	1.70～2.20	0.50	13～16	0.60	0.12	5～7		V0.1～0.5 Ce0.02

续表 11-13

序号	牌号	化学成分（质量分数）/%										
		Ni	Fe	Al	Mo	Ti	Mn	Cr	Si	C	W	Co	其他
17	ЭИ828	基	4.0	8.0~10.0	4.1~4.6		0.40	9.0~11.0	0.40	0.07	4.5~5.5		B0.01~0.02
18	ЭИ868	基	4.0		0.50	0.30~0.70	0.50	23.5~26.5	0.80	0.10	13~16		
19	ЭИ893	基		3.50~5.00	1.20~1.60	1.20~1.60	0.50	15.0~17.0	0.50	0.08	8.0~10		Ce0.025 B0.01
20	ЭИ929	基		5.0	4.0	1.7		10.5			6.0	14.0	V0.5 B0.01
21	ЭИ57	基	5.0	4.0~6.0	3.7~4.7	2.0~2.8		9.0~12.0			5.0~7.0	14.0~16.0	V0.2~0.8
22	ЭП99	基	5.0	2.5~3.5	3.50~5.0	1.0~1.5	0.4	21~24	0.6	0.10	6.0~8.0	5.0~8.0	B0.005 Ce0.002
23	ЭП220	基	3.0	3.9~4.8	5.0~7.0	2.2~2.9	0.5	9.0~12.0	0.5	0.08	5.0~7.0	14.0~15.5	B0.02
24	ЭП539	基		3.3	2.76	2.5		17.0		0.05	5.77		B0.012 Ce0.01~0.02
25	ЭП590	基	8.0~10.0	8.0~10.0	1.0~1.5	2.2~2.8	0.5	17.0~19.0	0.5	0.07	1.5~2.5		B0.005 Ce0.01
26	ЭП487	基	4.00	9.00~11.0	1.0~1.5	2.20~2.80		17.0~20		0.08	4~5		Ce0.01 B0.01
27	ЭП199	基	4.0	4.0~6.0	2.1~2.6	1.1~1.6	0.5	19.0~22.0	0.6	0.10	9.0~11		B0.008
28		基	5.0					14~17		0.10			Al+W+Ti 4.5~5.5
29	ЭИ618	基		3.0~4.5	1.60~2.20	1.60~2.30	0.60	14~18	0.60	0.11~0.16	4.5~6.5		V0.3 B0.01
30		基	2	4.0~5.5	4.7~5.2	2.2~2.8		11.5~13.5		0.11~0.18	6~8		B0.02
31		基		3.8	5.3	2.8		10.8		0.14	4.9	4.5	B0.06
32		基	2.0	5.5	4.6	3.0		10.5		0.13	4	6.5	Be0.03 Ce0.015

参考文献(略)

12 民用高温合金

高温合金应用的传统领域是航空发动机，早于50年代国外已开始将高温合金用于非航空发动机的其他工业领域，但1950年美国民用高温合金只占航空用高温合金的10%，而1985年即达到50%左右。

随着我国工业化建设的发展，各民用工业对高温合金材料的需求日渐增多，愈益迫切。1965年高温合金首先用于柴油机增压涡轮成功，开始了高温合金在民用工业中的应用。30年来，高温合金已推广用于能源动力、交通运输、石油化工、冶金矿山和玻璃建材等诸多工业部门。

我国高温合金在民用工业中的应用可分三个阶段：(1)起步阶段。1964年研制成功K13铁基铸造高温合金增压涡轮，此后，K13合金一枝独秀，在二十几种型号的柴油机上广泛使用，为柴油机增加功率、节约油耗做出了贡献；(2)增压涡轮、工业燃气轮机和烟气轮机三大件鼎立阶段。除增压涡轮外，70年代中期，研制出M38和K537耐热腐蚀镍基高温合金，于1976年及1980年制成一级涡轮叶片，安装于2.3万千瓦燃气轮机，其后又有11台套的2.3万千瓦燃气轮机陆续投入运行。1975年国产K13合金用于烟气轮机叶片获得成功，1982年，试制成GH132合金的烟气轮机盘，实现了烟气轮机整套材料和部件的国产化，至今共有36台套国产烟气轮机用于国内几十个炼油厂，成为当前世界上烟机生产和应用的头号大国；(3)民用高温合金全面大发展阶段。进入80年代中期，高温合金跳出了“三大件”的范围，在汽车、玻璃建材、冶金和石油化工等工业部门得到广泛应用。

民用工业对高温合金材料的要求不比航空工业低，某些方面甚至更为苛刻。民用工业一般使用低质燃料，燃气中含有固体颗粒，此外在使用中高温合金还与乙烯裂解等化工物质或熔融玻璃等介质接触,或是与其他物体摩擦磨损条件下工作,因此高温合金不仅要求有较高的高温力学性能和抗氧化性能,有些还要求抗热腐蚀和耐磨性能。其次要求民用高温合金的使用寿命长,例如烟气轮机和工业燃气轮机要求 10 万 h 以上。要求材料有长期性能和组织稳定性。再则民用高温合金还要成本低,价格便宜才能推广使用。

高温合金在民用工业中应用,为这些工业部门提供高温关键零部件,促进了这些工业的发展,同时也推动了高温合金本身的发展和提高。出现了一些新牌号的高温合金,如 K213、K537、K60、GH5K 和 4 号合金等,它们或已取得发明专利,或已获得国家科技发明奖,如下按工业部门分类来分别叙述高温合金在我国民用工业中的应用。

12.1 柴油机和内燃机用增压涡轮

增压涡轮是在柴油机上利用从汽缸内排出的废气带动涡轮,增加进气的压力,从而提高进气量,强化燃烧。柴油机增压技术,尤其是其废气增压是 60 年代柴油机发展的一项重要技术,柴油机采用增压技术后,可提高功率 30%~100%,油耗降低 4~13g/kW·h,节约能源且减少污染。内燃机在柴油机增压技术获得成功后也推广了该项技术,并获得效益。增压涡轮是柴油机、内燃机增压器的关键部件,目前使用的增压涡轮工作温度为 550~850℃,转速为 2.5~10 万 r/min 左右,工作寿命为几千小时至几万小时,因此,增压涡轮材料应具有较好的高温力学性能,屈服强度和长期组织稳定性。由于增压涡轮形状复杂、截面尺寸差大,因此增压涡轮材料应有良好的铸造性能,保证铸件成型良好,内部组织致密。

60 年代以来,欧美等国增压涡轮材料多采用 Inconel713C 镍基合金和 X-40 钴基合金,前苏联的涡轮材料为 ЭИ-787Л 和 ВЖ36-Л3,此外美国和日本还采用 CRM-6D 铸造耐热钢制作增压涡轮,上述合金的化学成分和性能见表 12-1 和表 12-2。

表 12-1　国内外增压涡轮用高温合金的牌号及其化学成分

合金牌号	化学成分(质量分数)/%												
	C	Ni	Cr	Co	Fe	Al	Ti	W	Mo	Nb	B	Zr	其他
K213	≤0.1	34~38	14~16		基	1.5~2.0	3.0~4.0	4.0~7.0			0.05~0.10		
K218 (Inconl713C)	0.08~0.20	基	12~14			5.5~6.5	0.5~1.0		3.8~5.2	1.8~2.8	0.005~0.01	0.05~0.15	
X-40	0.45~0.55	9.5~11.5	24.5~26.5	基				7.0~8.0					
ЭИ787Л	<0.08	33~37	12~16		基	0.7~1.4	2.4~3.2	2.0~4.0			≤0.05		
ВЖ36-Л3	<0.08	32~35	15~18		基	1.7~2.1	2.6~3.2	4.5~5.0			≤0.05		≤0.01Ce
CRM6D	1.0	5	22		基			1.0	1.0	1.0	0.003		5Mn

我国 60 年代初即采用了柴油机增压技术，当时涡轮材料多选用前苏联早期的变形耐热钢如 ЭИ69、ЭИ415 等，使用温度 650℃ 以下，用冷加工机械成型的方法生产涡轮，工艺落后，操作复杂，金属利用率低，且难以保证叶型的设计要求。1964 年，研制成功 K213 铁基铸造高温合金，并采用真空精密铸造工艺，制得增压涡轮。对于使用温度更高的烟气涡轮(750～850℃)，研制了 K218 合金烟气涡轮(相当于美国的 Inconel713C)，实现了增压涡轮的国产化和系列化。

经多年开发，K213 和 K218 合金精铸的增压涡轮已广泛用作坦克、船舶、冶金矿山、农用机械、石油钻机、大型运输载重车辆等领域的发动机上，推广应用的柴油机增压器型号近 30 种，内燃机车型号有 45GP80 和 45GP1301 等。年生产量达 15000 多件以上。

表 12-2　国内外增压涡轮用高温合金力学性能

合金牌号	高温拉伸强度/MPa	1000h 持久强度/MPa
K213	731(700℃)	431(700℃)
K218(Inconl713C)	937(760℃)	519(700℃)
X-40	515(650℃)	314(650℃)
ЭИ787Л	490(750℃)	294(700℃)
ВЖ36-Л3	706(700℃)	435(650℃)
CRM6D	537(650℃)	333(650℃)

12.2 烟气轮机

烟气轮机是炼油厂催化裂化装置能量回收系统的核心机组，它将炼油过程中催化裂化装置产生的大量高温高压废气(即烟气)经膨胀作功后转化为轴功输出，驱动发电机组或炼油用空气压缩机。烟气轮机的工作介质为带有颗粒的高温腐蚀气体，进口温度可达750℃以上，设计寿命为10万h，国内外烟气轮机用高温合金牌号如表12-3所示。

表12-3 国内外烟气轮机用高温合金牌号

部件	材料牌号		国内产品系列/mm
	国内	国外	
轮盘	GH2132	A-286	ϕ720, ϕ760, ϕ850, ϕ930, ϕ1050, ϕ1200
	GH864	Waspaloy	ϕ850, ϕ950
	GH2901	Incoloy901	
动叶片	K213		精密铸造
	GH864	Waspaloy	棒材 ϕ40, ϕ70
		Nimonic90	
静叶片	K213		精密铸造
	K640	X-40	精密铸造

国外60年代该项能量回收技术已投入工业使用，1978年我国第一套能量回收系统在炼油厂投入运行。当时烟气轮机功率小，选用GH34轮盘，至70年代后期，随着功率增大，进口温度升高，改为GH2132盘件，但由于设计，制造及应用等各方面缺乏经验，首批GH2132盘件八件在烟气轮机投入运行后630h，发生了盘件断裂的严重恶性事故，使该项技术的发展延迟达三年之久。经过十多年的努力，我国烟气轮机用高温合金部件全部实现了国产化，据1990年统计在全世界运行的101套此类能量回收系统中，我国设计制造的有36套，其拥有量达世界首位，机组类型由单级2000kW的小型机组，发展为双级10000kW以上的大型机组，

总回收功率达 17.2 万 kW，累积运行时间最长的烟机转子达 8 万 h。我国烟气轮机用高温合金产品的质量水平与国外同类产品相当，如表 12-4 和表 12-5 所示。

表 12-4　国产 GH2132 盘件与国外相同产品力学性能对比

盘　　件	室温拉伸				室温 a_K /J·cm^{-2}	室温 HB(d) /mm
	σ_b /MPa	$\sigma_{0.2}$ /MPa	δ /%	ψ /%		
上钢五厂 ϕ 930mm 盘件	1090	684	26.9	36.9	116.6	3.45
美国 Cameron 公司 ϕ850mm 盘件	1058	696	27.2	42.5	118	3.50
日本神户制钢 ϕ 1600mm 盘件	982	621	26.4	40.6		
技术标准	≥933	≥619	≥15.0	≥20.0	≥29.4	3.40/3.80

盘　　件	450℃拉伸				650℃拉伸				650℃，392MPa 持久性能			
	σ_b /MPa	$\sigma_{0.2}$ /MPa	δ/%	ψ/%	σ_b /MPa	$\sigma_{0.2}$ /MPa	δ/%	ψ/%	τ (h:min)	δ/%	ψ/%	τ^H
上钢五厂 ϕ 930mm 盘件	940	659	23.5	40.4	786	629	33.3	48.4	835:05	7.7	11.2	> τ
美国 Cameron 公司 ϕ850mm 盘件	929	623	24.8	46.0	800	620	34.4	56.6	716:55	9.5	9.8	> τ
日本神户制钢 ϕ 1600mm 盘件												
技术标准									≥100	≥5		> τ

表 12-5　国产 GH2864 盘件与国外相同产品的力学性能比较

盘　件	室温拉伸				室温硬度	538℃拉伸				732℃，550MPa 持久性能		
	σ_b /MPa	$\sigma_{0.2}$ /MPa	δ/%	ψ/%	HB_S	σ_b /MPa	$\sigma_{0.2}$ /MPa	δ/%	ψ/%	τ h:min	δ/%	τ^H
抚钢 ϕ 850mm 盘件	1267	923	20.0	25.2	388	1240	870	32.0	33.6	76:15	34.0	> τ
Cameron 公司 ϕ 850mm 盘件	1286	894	28.0	26.5	360	1092	763	16.0	19.3	45:45	37.2	> τ
技术标准	≥1200	≥825	≥10.0	≥12.0	341/401	≥1060	≥715	≥10.0	≥12.0	≥23.00	≥5.0	> τ

在发展能源回收技术过程中，我国烟气轮机用高温合金的研制、生产和使用具有如下特点：

(1)应用相分计算和在线控制公式，对 GH2132 合金成分进行炉前控制，该公式为：

$\Delta N_v' = Ni - 3Ti - 3.5Al - 1.7Si - 0.9Cr - 4.7$(式中元素符号前数字为该元素的百分含量)。

(2)GH2864(Waspaloy)合金加镁微合金化,提高了持久塑性,缺口持久断裂时间明显增加,有利于盘件长寿命安全使用,另外,改善了 GH864 合金的热加工性能,加大了变形量,从而使盘件晶粒细小均匀。

(3)动、静叶片采用我国研制的价格低廉的 K213 铁基铸造高温合金,取代了国外经常使用的钴基合金 X-40 和镍基高温合金 Waspaloy、Nimonic90 等。

1975 年底,K213 合金首次用于 YL-2000 型烟气轮机工作叶片获得成功,至今已用该合金生产的烟气轮机叶片达 15000 多件,装配在 20 多台烟气轮机上,统计结果表明,K213 合金叶片使用寿命达 8000h 以上,运行时间最长的一套装置已超过 30000h。

12.3 工业燃气轮机

工业燃气轮机是用作地面发电和海上舰船的动力装置,由于使用劣质燃料和海盐腐蚀环境下长期运行,因此工业燃机用材,特别是动叶片材料,除一般要求的高温高强度外,还要求有一定的抗热腐蚀能力,和长期组织稳定性。

30 多年来,国外工业燃气轮机技术发展迅猛,在发电装置中大有取代蒸汽轮机之势。单台机组容量由以前的数兆瓦,增长到现在的数十乃至数百兆瓦以上,燃气轮机单循环效率由过去的 25%~30%,提高到如今的 35%以上。我国 60 年代末到 70 年代初,曾先后进口十余台燃气轮机发电机组,以缓解当时电力紧缺状况。1973 年开始研制 2.3kW 燃气轮机一级涡轮叶片 K38(IN738)合金,到 1985 年共生产 2.3kW 瓦燃机用 K38 合金一级叶片 9 台套并投入使用。1974 年我国研制 850℃长期使用的不含钽的 K537 耐热腐蚀镍基铸造高温合金,到 1993 年共生产 6.5 台套一级涡轮叶片投入使用。

工业燃气轮机高温合金叶片材料成分特点如下:(1)铬能生成

Cr_2O_3 保护性氧化层，有效减缓合金的热腐蚀和硫化腐蚀，因此在不过分牺牲合金高温强度，并不致析出 σ 相而导致合金组织不稳定情况下，尽可能提高合金中铬的含量。目前国内外抗热腐蚀高温合金含铬量为 15%～20%；(2)为提高抗热腐蚀的多层保护性氧化膜内形成富钛层，以增加 Cr_2O_3 层粘结能力，Ti/Al 比值应大于 1；(3)固溶强化元素 W、Mo、Nb 等应加入适量，特别是 Mo 对合金抗热腐蚀性能影响较大，加入量以 1.5% 以下为宜；(4)Co 和 Ta 对抗热腐蚀性有利，一般抗热腐蚀镍基高温合金的 Co 含量 10% 左右，Ta 含量 1%～2% 左右，但 Co 和 Ta 价格昂贵且为我国稀缺元素，我国创制的 K537 合金的应用成功表明，抗热腐蚀合金中并不一定要含钽；(5)采用定向凝固工艺，制成定向或单晶耐热腐蚀高温合金，由于消除了横向晶界甚至完全消除晶界，可保持该合金的抗氧化抗热腐蚀性不变，而提高合金使用温度 20～40℃。国内外用于工业燃气轮机叶片的抗热腐蚀高温合金如表 12-6 所示。工业燃气轮机涡轮叶片基本上采用镍基高温合金，其中应用最广的是 K438(IN738)合金，IN939 和 GTD222 合金含 Cr 量最高，因而具有更好的耐热腐蚀性能。K537 合金是我国研制成功的无钽抗热腐蚀镍基高温合金，其机械性能和抗氧化抗热腐蚀性能完全与国外 IN738 合金相当。70 年代以来，工业燃气轮机的功率和效率提高，要求燃气入口温度提高，定向凝固高温合金得以开发和实用化，DZ38G 合金是一种定向凝固镍基高温合金，合金成分与 K38 基本相同，其抗氧化抗热腐蚀性因而与 K438 合金相同，但其强度明显提高，使用温度提高了 45～50℃。

单晶叶片的使用温度高于定向凝固的高温合金，无疑工业燃气涡轮的进一步发展将是单晶高温合金叶片的应用，尽管早于 1982 年美国 Pratt & Whitney 公司的 PWA1480 单晶合金叶片率先用于波音 767 和空中客车 A310 的航空发动机上，而且近些年来国内外所有先进的航空发动机都采用单晶高温合金叶片。但是，至今只有美国 CMSX-4 单晶合金于 1990 年用于 Solar Mars T-14000 工业燃气涡轮。单晶高温合金叶片应用于工业燃气轮机

表 12-6 国内外叶片用抗热腐蚀高温合金牌号及其成分

牌号		化学成分(质量分数)/%													主要用途
国内	国外	C	Cr	Ni	Co	W	Mo	Al	Ti	Fe	Nb	Ta	B	Zr	
GH4710	U710	0.05~0.10	16.5~19.5	余	13.5~16.0	1.0~2.0	2.5~3.5	2.0~3.0	4.5~5.5	<1.0			0.01~0.03	<0.06	燃机用涡轮叶片
GH500	U500	≤0.12	18~19	余	15~20		3~5	2.75~3.25	2.75~3.25	<1.0			0.003~0.008	<0.06	燃机二级以后涡轮叶片
K438	IN738	0.10~0.20	15.7~16.3	余	8.0~9.0	2.4~2.8	1.5~2.0	3.2~3.7	3.0~3.5	<0.5	0.6~1.1	1.5~2.0	0.005~0.015	0.05~0.15	2.3万千瓦燃机一级涡轮叶片
K537		0.07~0.12	15.0~16.0	余	9.0~10.0	4.7~5.2	1.2~1.7	2.7~3.2	3.2~3.7	<0.2	1.7~2.2		0.01~0.02	0.03~0.07	2.3万千瓦燃机一级涡轮叶片
DZ38G		0.08~0.14	15.5~16.4	余	8.0~9.0	2.4~2.8	1.5~2.0	3.5~4.3	3.5~4.3	<0.3	0.4~1.0	1.5~2.0	0.005~0.015	P<0.0005	900℃定向结晶涡轮叶片
DD8		<0.02	16.0	余	8.5	6.0		3.9	3.8			1.0			900℃下单晶涡轮叶片
	IN792	0.21	12.7	60.5	9.0	3.0	2.0	3.2	4.2			3.9	0.02	0.10	
	Mar-M432	0.15	15.5		20.0	3.0		2.8	4.3		2.0	2.0	0.015	0.05	
	GTD222	0.01	22.5	余	19.0	2		1.2	2.3		0.8	1.0	0.008		燃机导叶
K640	X-40	0.45~0.55	24.5~26.5	9.5~11.5	余	7.0~8.0				<2.0					燃机导叶
K44	FSX414	0.2~0.3	28.5~30.5	9.5~11.5	余	7.0~7.5				<2.0			0.005~0.015		900℃以下的燃机导叶
	IN939	0.15	22.5	余	19.0	2.0		1.9	3.7		1.0	1.4	0.009	0.1	燃机涡轮叶片及导叶
	CMSX-4		6.5	余	9	6	0.6	5.6	1.0			6.5	3(Re)	0.1(Hf)	
	CMSX-11B		12.5	余	7	5	0.5	3.6	4.2		0.1	5		0.04(Hf)	
	CMSX-11C		14.9	余	3	4.5	0.4	3.6	4.2		0.1	5		0.04(Hf)	

必须解决下述两个问题:(1)单晶合金需要开发一些耐高温热腐蚀良好的合金成分,即 Cr 含量较高而又能保持良好的高温蠕变强

度;(2)由于工业燃气轮机的涡轮叶片尺寸大,因此在单晶叶片的生产工艺上遇到不少麻烦。首先单晶叶片必须在不小于 7℃/mm 的热梯度下控制生长,否则会出现等轴晶等缺陷,并使性能显著下降。而大叶片高热梯度下将使模壳在高温下长期与金属熔体接触,模壳的高温强度及活性元素导致金属与模壳的反应。

近些年来,美国 Cannon-Muskegon 公司开发了两种用于工业燃气轮机涡轮叶片的单晶高温合金 CMSX-11B 和 CMSX-11C,其高温持久强度高于 IN738 合金 80℃左右,使用温度可达 950℃以上,而抗氧化和抗热腐蚀性能完全与 IN738 合金相当,见图 12-1 至图 12-4。

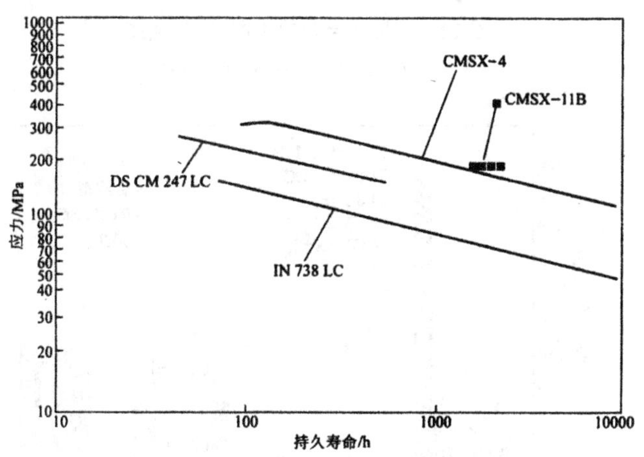

图 12-1　几种合金的 982℃持久强度对比

以 IN738 合金成分为基础,我国研制开发了 DD8 抗热腐蚀单晶高温合金,不仅高温持久和蠕变性能远远高于 In738 合金,且抗氧化和抗热腐蚀性能也有所提高,该合金的承温能力比 In738 合金提高了约 50℃。

工业燃气轮机导向叶片多以 Co-基合金为主,其中 X-40 和 FSX414 为常用的两种牌号,导向叶片的高温持久强度不像涡轮叶片要求那样高,但抗冷热疲劳和耐热腐蚀性能要好。此外合金

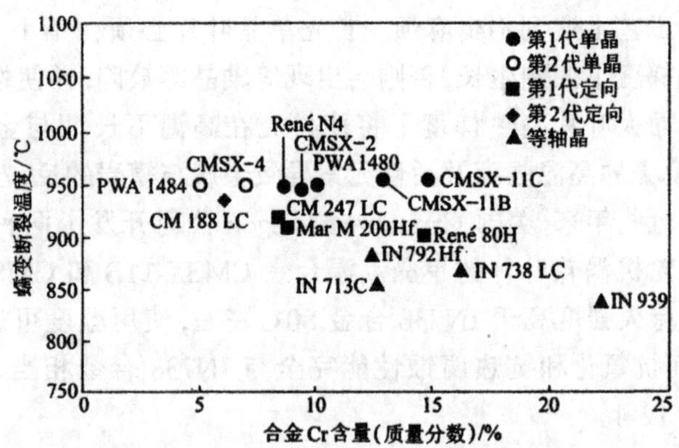

图 12-2 几种合金的 10^4h 持久强度对比

(应力:160MPa;时间:10^4h)

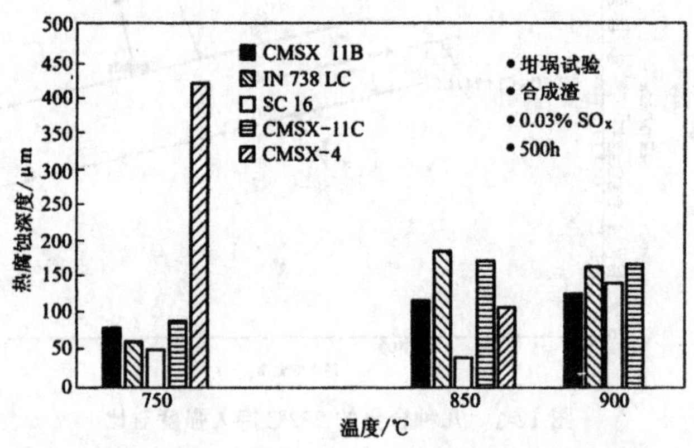

图 12-3 750℃、850℃和 900℃下几种合金热腐蚀性能对比

应有较好的焊接性能和铸造性能,因为导向叶片需要焊补裂纹和缺陷,Co 基合金具有上述特点,这是 Co 基合金广泛用作导向叶片的原因。N155 是 Fe 基高温合金,高温强度略低于 X-40Co 基合金,但其成本较低,适用于燃气轮机后几级导向叶片。

工业燃气轮机燃烧室用材以 Ni 基高温合金为主,经常使用的是 HastelloyX 合金,此外如 Inconel 617、C-263 等合金。

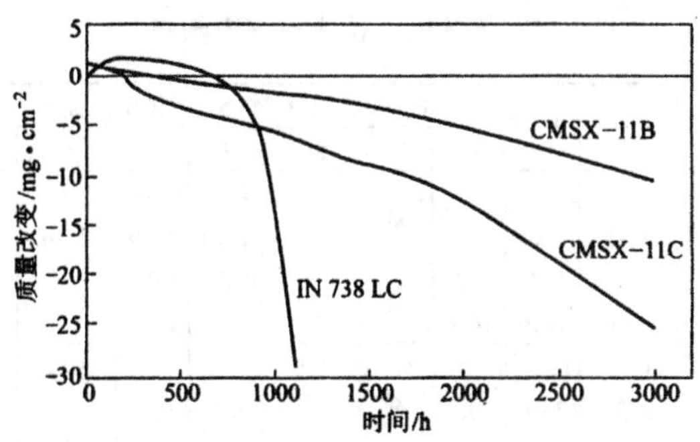

图 12-4　1000℃下三种合金的周期抗氧化性能

工业燃气机涡轮盘材料以铁基高温合金为主，有 A286、Discaloy 及 Inconel718 合金。

12.4　内燃机阀座用高温合金

发动机是汽车的心脏，进、排气阀座则是承受发动机内进、排气阀的高速冲击并与其匹配，以保持气缸密封性并与气阀向缸盖散热的重要零件，阀座尤其是排气阀座的工作条件相当苛刻：(1)阀座表面一般温度达 600～700℃，和阀接触的面接近 900℃；(2)阀门关闭运动的冲击载荷及混合气体点火时的燃气压力所给予的静载荷，两者总载荷可达 $17kg/cm^2$ 左右；(3)燃气流的高速冲刷及其热腐蚀(铅盐、V_2O_5 和硫化物等)；(4)阀座与阀的高速跳动、滑动及转动接触下的复杂机械磨损。显然，作为阀座用高温合金应具有高温强度、硬度、抗氧化及热腐蚀之外，还应具有良好的抗机械、热和腐蚀疲劳磨损性能。80 年代初开始，我国有计划从国外引进各种先进汽车或汽车发动机及其制造技术，其中一些大功率的高、中载荷的先进发动机，大量使用铁基、镍基或钴基合金。为此 1985 年开始，我国先后研制了几种汽车发动机用高温合金材料，并采用真空精铸工艺制作阀座。使国产重载车阀座合金实现了国产化，国内外常用的汽车阀座高温合金牌号与成分如表 12-7 所示。

表 12-7　国内外汽车阀座

国别	合金牌号	化学成分（质量分数）/％									
		C	Cr	Fe	Ni	Mo	W	Co	Si	Mn	其他
中国	G5-1N	2.0~2.75	26.5~31.5	<8.0	余		14.0~16.0	9.0~11.0	1.8~2.10		
	NH	1.40~1.60	25.0~28.0	10.5~14.0	余	9.0~11.0	9.0~1.0	9.0~11.0			
美国		1.70	15.50	余	14.50	1.0			2.20	0.5	
		2.50	20.0	20.0	余		6.0	12.0			
		2.50	28.5	≤9.0	余	2.0		16.50	0.6		2.0V
		2.50	30.0	≤3.0	≤3.0		12.5	余		≤1.0	≤2.0V
日本	V422	1.7~2.3	11~15	余	13~22	0.5~3.0			1.0~1.8	0.8~1.5	
	V423	1.6~2.0	18~22	余	18~21	1.0~3.0	4~6	9~12	1.0~1.8	0.8~1.5	
	V431	1.4~2.0	12~76	余		3.0~5.0			0.5~1.2	0.5~1.0	0.1~0.3Nb
	V432	1.4~2.0	18~22	余		1.6~3.0	4~6	4~6	1.0~1.8	0.5~1.0	
德国	PL12WV	1.8~2.2	12~14	余	<0.5	2~2.5			0.5~1.2	<0.6	
	PL33WV	1.8~2.2	33~35	余	<0.5	2~2.5			1.8~2.1	<0.6	
俄国	ЭП616	1.0	15		余				2.5	0.3	0.6Al, 0.2Ti

柴油发动机噪声小、污染轻和寿命长，比汽油机节约燃料30％，因此欧美等工业发达国家早在60年代就基本上实现了载重汽车柴油化。镶块是柴油机燃烧室内的重要部件，在工作中承受700～750℃的高温燃气流冲刷和腐蚀及热交变应力的作用，1981年我国开发柴油机燃烧室镶块材料代号为K10镍基高温合金，1984年通过了南汽NDJ131汽车5万公里道路试车，证明质量和性能达到进口样机镶块水平。

除上述阀座和镶块外，还有其他汽车零件如进、进气阀、密封弹簧、火花塞、螺栓等采用铁基或镍基高温合金。

12.5　玻璃工业应用

玻璃及其制品在1250℃高温下生产，一些高温部件的使用温度为 950～1250℃，且玻璃成分中有大量的碱性氧化物，作为高温合金材料应能耐高温高碱度的玻璃腐蚀。近 20 年来我国高温合金在玻璃工业中的推广应用已取得显著成就，应用的高温合金零件多达十几种，如生产玻璃棉的离心头和火焰喷吹坩埚，平板玻璃生产用的转向辊，拉管机大轴，端头和通气管，玻璃炉窑的料道，闸板，马弗套，料碗和电极棒等，现摘要叙述于下：

12.5.1 离心头

玻璃棉质量轻，且具有良好的隔热、保温、防火和消音性能，是一种节能的新型建筑装饰材料，已广泛用于建筑、铁路车辆和汽车等行业。玻璃棉离心喷吹技术于 50 年代末法国圣哥本公司研制成功，我国于 1965 年随即开始研制，试制了 ϕ 200mm 高温合金离心喷头，但由于设备设计制造等问题尚未过关，仅试验了几十小时就停止了，试验半途而废。1986 年对离心头及其合金进行了开发研究，于 1989 年制成 P6 和 4 号合金的 ϕ 300mm 离心头在上海平板玻璃厂及北京玻璃钢制品厂使用达到了日本进口 ϕ300mm 离心头 400 小时使用性能指标，实现了离心头材料国产化。

离心头是离心喷吹玻璃棉的关键部件，1250℃的熔融玻璃在离心头的 2400r/min 转速的离心力作用下，通过离心头侧壁的 7000 个 ϕ 1mm 小孔，甩制成 ϕ 7μm 以下的玻璃棉。离心头长期处于 980℃高温高速旋转下工作，既受高温高速燃气的氧化腐蚀和直接冲刷，又受高碱熔融玻璃的冲刷和腐蚀，国外离心头用合金成分列于表 12-8。

12.5.2 火焰喷吹坩埚

近些年来，国外又开发了一种玻璃棉生产方法即火焰喷吹法，该法优点是投资少，见效快。火焰喷吹生产玻璃棉的关键部件是坩埚炉，坩埚炉内盛有高温熔融玻璃，通过坩埚底部的上百个细孔流出的玻璃液，经火焰喷吹成玻璃棉。1993 年试制了我国第一台火焰喷吹坩埚炉，两年多来经玻璃棉制品厂试用，情况良好。

表 12-8　国外喷吹离心头用合金成分

国别	化学成分(质量分数)/%													其他
	C	Ni	Cr	W	Mo	Fe	Si	Mn	Co	Nb	Ta	Zr	B	
法	0.4~0.6	基	28~32	4~6							4~5	0.15~0.35	0.08~0.11	
荷	0.3~0.6	45~53	23~33	1~5		余	<0.5	<2		3.5~6.5			0.1~0.5	
德	0.75	基	25	6	2.8	<5			10	2.0				
日	0.1~1.0	5~15	25~40	2~12			0.1~2.0	0.5~1.0	基		0.5~3.0			
日	0.06~0.08	基	27~28	5~6		0~2	0.6~0.7	0.5~0.6		0.9~1.0		0.11~0.17		0.1~0.2Ti, 0.06~0.2Hf
美	0.3~0.4	基	33~36	7.5~8.5			0.6~1.1	0.1~0.3			0.7~0.9	0.35~0.80		
美	0.15	48.8	33.2	8	3.7	2.4	0.9	1.0	1.8					
美	0.13~0.17	41.8~46.2	36.7~40	2.2~2.5	5.7~6.3	2.7~3.0	1.2~1.4	0.9~1.1	3.5~3.8					
美	0.18~0.30	47~57	34~40		2.5~3.5	3.0~6.0	0.75~1.5	0.1~0.3	0.75~1.5					
美	0.05~0.08	基	27.5~31	6~7.8		7~10	0.7~1.2	0.6~0.9					0.005~0.1	0.5~5Hf
美	0.5~0.6	7.3~8.7	32~33	6.3~7.3					基		3.2~3.8	0.35~0.45	0.008~0.012	0.3~0.4Pt, 0.7~0.8Ru
美	0~1.7	基	23~37						基					<1.5Ti, <1.0Al

12.5.3　转向辊

转向辊是格法平板玻璃生产装置中的关键部件，它是将熔融玻璃由熔池垂直引上后，转向 90°，成水平拉伸状态后变为固态平板玻璃送入退火窑，转向辊与平拉辊直接与熔融玻璃接触，表面工作温度高达 900～1000℃。1991 年开发研制成 K60 镍基高温合金，并在顺义玻璃厂试用成功，一次使用寿命比常用的 HK40 合金提高 1～2 倍，特别是平板玻璃质量有明显提高，近几年已在全国各地普遍推广。

12.5.4 拉管机大轴

水平玻璃拉管机大轴用来驱动旋转水平拉管机，大轴封装在质量200kg左右的耐火材料旋转管内，在1050℃高温燃气作用下，以6～15r/min速度旋转。1981年前后，上海和北京玻璃仪器厂引进了日本NEG拉管机生产线，至今我国已有30多条生产线遍布各地。为了实现拉管机材料及零部件国产化，1983年试制成GH5K高温合金的水平拉管机大轴（ϕ130mm×3000mm），在北京玻璃仪器厂使用，累计寿命达13522h，超过进口的日本HRA800合金大轴10386h的寿命。

12.6 冶金工业应用

目前，高温合金在冶金工业上主要应用有轧钢厂加热炉的垫块、线材连轧导板和高温炉热电偶保护套管等。

(1)加热炉垫块焊在炉底支撑梁上，是加热炉的重要部件，在炉内温度高达1250～1450℃的氧化—硫化气氛下，支撑被加热的钢坯并以步进式带动钢坯向前运动。目前国内外加热炉垫块采用钴基高温合金熔模精铸而成。60年代开始，欧美一些国家的轧钢厂先后采用了步进梁式钢坯连续加热炉，国内70年代后期，太钢、武钢和首钢等企业先后引进移植了几十座该种加热炉。为实现加热炉垫块材料国产化，1990年研制成功ISCo—20等系列钴基合金，并在上述钢铁企业的连续加热炉上应用成功。国产垫块合金的主要成分与国外对应材料相当，但由于采用了双真空工艺及镁合金化手段，材料性能高于国外垫块，如表12-9所示。

表12-9 国产ISCo-50与国外PGUMCo-50合金10^4h的持久强度

试验温度/℃	10^4h的持久强度/MPa	
	ISCo-50	PGUMCo-50
800	75	60
900	39	28
1000	16.5	12.5
1050	10.5	7.0

(2)导板在线材连轧机上的作用是将轧件顺利导入轧槽内进行轧制,并夹持轧件在轧制过程中不倒。导板承受900～1000℃高温轧件的10～20m/s高速冲击和摩擦,因此要求导板材料有良好的高温耐磨性能和冲击韧性,此外还应易于补焊修复。目前国内线材轧机(中轧)一般使用铸铁、高铬镍铸铁、高铬铝和高锰硅合金导板,但这些材料的高温耐磨性差,冲击韧性低,使用中经常发生断裂,一副导板的工作寿命一般生产500～2000t钢材。1989年初,研制成K12镍基合金精铸导板在首钢一线材厂试用,导板在毛轧机三个机架共12副同时使用,经连续试用一年多,导板不断裂,补焊不变形,补焊修复次数达200多次,一副导板工作寿命为一年半以上,超过原高铬铝及高锰硅合金导板8倍以上,提高了轧机作业率,按12副导板计算使用K12合金导板后可增益50余万元。

(3)冶金企业热风炉顶部温度高达1100℃以上,以往使用耐热钢或一般高温合金制作热电偶保护套管,使用寿命不超过3个月,1990年研制成GH214合金,在唐山钢铁公司首先推广使用,经三年多的实际使用表明,GH214合金套管寿命在6个月以上,现已在全国各钢铁企业广泛使用,效果良好。此外加热炉、热风炉和高温设备的测温装置中用作热电偶保护套管的合金还有GH3128、GH3044、GH3039、GH3030、GH3180、GH747、GH841等。

12.7 石化工业应用

乙烯是石油化工的三大合成材料的基础原料之一。乙烯的生产能力标志各国石化工业的发展水平。我国70年代初即开始引进大型的乙烯装置。生产乙烯的装置是乙烯裂解炉,高温炉管是乙烯裂解炉的关键部件。裂解炉管在1000℃以上高温下长时间工作,又处于腐蚀性介质气氛下,目前世界各国主要采用高铬镍合金并通过离心铸造法生产,我国炉管特别是外径为ϕ56mm的细炉管全部依靠进口。

为了加速发展我国石油化工工业,满足乙烯裂解炉管特别是

ϕ 56mm 细炉管的国产化要求，1991 年开始攻关，历经一年时间，攻克了如下工艺难关：(1)离心浇铸时钢水由热端流到冷端的时间小于 4s，避免了流到冷端的钢水因温度过低而形成表面氧化膜，使铸管内夹杂物含量低于日本名牌久保田的 ϕ 56mm 炉管；(2)合金中加入微量有益元素，延缓炉管使用过程中碳化物的聚集长大，提高炉管的使用寿命；(3)采用自制涂料，生产出有均匀颗粒的“珍珠”状表面的炉管，与日本久保田产炉管完全相同。1993 年首批 ZG4Cr25Ni35WNb 合金炉管安装在盘锦天然气化工厂的 SRT-IXHS 型裂解炉第一程炉管，该炉管原采用日本久保田公司的 KHR35C-HISI 合金铸管，管壁设计温度为 1150℃，目前使用时间已达 6000h。国产 ZG4Cr25Ni35WNb 合金炉管与日本久保田的 KHR35CW 炉管力学性能对比结果见表 12-10。

表 12-10　中日离心炉管力学性能对比

试 样 名 称	室温拉伸性能			(982℃，41.2MPa) 持久寿命/h
	σ_b/MPa	$\sigma_{0.2}$/MPa	δ_5/%	
KHR35CW 标准	≥441	≥235	≥8	≥20
ZG4Cr25Ni35WNb 炉管	600～680	300～335	12.5～24	56
日本久保田产 KHR35CW 炉管	593～615	283～316	13～17	25

从 1981～1995 年，我国在石化部门推广使用高温合金取得较大成绩，满足了诸多石化工业关键设备关键部件的国产化需要，如 GH180 合金重油气化炉喷嘴和电热阀阀杆与导轨，乙烯裂解管，GH600 合金的氧气混合器直管等等，为我国石化工业的发展做出了较大贡献。

参 考 文 献

1　杨振凡．钢铁研究学报(增刊)，1994；6：120

2　涂干云等．钢铁研究学报(增刊)，1994；6：114

3　马华政等．钢铁研究学报(增刊)，1994；6：106

4　王庆琛等．钢铁研究学报(增刊)，1994；6：110

5　佟秀崑等．石油化工设备技术，1993；4：16

6　甄宝林等．钢铁研究学报(增刊),1994;6:133
7　张绍津等．冶金部钢铁研究总院学术论文选集(1986～1991)．北京,1992:342
8　黄乾尧等．冶金部钢铁研究总院学术论文选集(1986～1991)．北京,1992:347
9　Patent us 4662920, 87, 5, 5
10　Patent DT 2703801, 78.8.3
11　公开特许(日)昭 59-220548
12　Erickson. G, L. Superalloys 1996. Edited by R. D. Kissinger, *et al*, TMS, 1996:45
13　Stringer J., Heat-Resistant Materials Ⅱ. edited by kimatesan *et al*. ASM, 1995:19
14　李绍裘等．机械工程材料,1985;6:28
15　美国 SAE Handbook, 1986:22

13　高温合金的设计与选用

高温下使用的工程部件的设计和材料选择是比较复杂的，这是由于高温下各种退化过程都被加速，导致部件的可使用性逐步降低。这些退化过程主要包括三方面：合金组织在使用过程中发生变化即组织不稳定性；在温度和应力作用下产生变形和裂纹长大；部件表面发生化学反应，产生氧化腐蚀，这三个方面的因素相互作用使得情况变得尤其复杂。为了恰当地选择与设计材料，必须具有大量的材料性能数据。一般来说，这些性能数据都是在简单的试验条件下测得的，而且往往只反映一种因素变化的作用。例如在一定温度和气氛条件下的力学性能等等，与实际部件的使用条件可能差异极大。

材料的组织与性能数据大多是在实验室小试样下获得的，而工程部件的尺寸可能大的多，几何形状复杂，而且有焊接或其他制造工艺问题。这些因素使实际工程部件的组织可能不同于试验用试样的组织，大型部件还可能由于制造过程产生内应力，这些因素使得工程部件的设计与选用更为复杂。

使用时间是材料设计与选用的重要因素。短时试验的材料与实际长时使用的材料不同，在长时使用条件下，材料的长时组织稳定性，短时力学性能的外推，温度，时间，应力和气氛的交互作用及对寿命的影响等等问题成为必须考虑的重要问题。

现代材料设计与选用的出发点，不仅是传统的安全性与经济性，而且要考虑材料的循环使用与对地球环境的作用。即材料的设计与选用等问题要和整机的设计相适应，要考虑失效部件的回收及再循环的有效性，以及资源利用，制造工艺带来的环境问题及能源利用问题等等。

本章不可能涉及高温合金设计与选用的全部理论与实践，目的只是介绍几个有关的基本问题。

13.1 高温合金显微结构计算机辅助设计

13.1.1 相计算(PHACOMP)

相计算是一种预测合金出现 TCP 相(主要是 σ 相)的重要方法,是一种半理论半经验的方法,其理论基础是认为 TCP 相是电子化合物,电子因素是影响其形成的主要因素,过渡族元素的 d 电子没有被充满,定义 3d 层未被电子充填的空位数为电子空位数,通常各元素的电子空位数 N_{vi} = 10.66-元素的族数。具体为:

元素	Ni	Co	Fe	Mn	Cr、W、Mo	Ta、V、Nb	Zr、Hf、Ti、Si	Al
电子空位数 N_v	0.61	1.71	2.66	3.66	4.66	5.66	6.66	7.66

固溶体的平均电子空位数为:

$$\overline{N}_v = \sum_{i=1}^{n} m_i (N_v)_i \tag{13-1}$$

式中　m_i——i 组元的摩尔分数;

$(N_v)_i$——i 组元的电子空位数。

曾对许多不同的二元及三元系相图中 σ 相区的电子空位数进行计算结果表明,等电子空位数线与相图上的 $\sigma/\sigma+\gamma$ 相界线比较一致,$\overline{N}_v$ 值约为 3.35~3.68,平均值约为 3.61。假定相图上的 $\sigma/\sigma+\gamma$ 相界与 $\gamma/\sigma+\gamma$ 相界接近平行,从而也可以认为 $\gamma/\gamma+\sigma$ 相界线与某一等电子空位线重合,对大量合金进行计算证明,σ 相的析出临界电子空位数为 2.52,μ 相则为 2.3。即镍基固溶体的电子空位数超过 2.52 或 2.3,固溶体将析出 σ 相或 μ 相。但有一些例外。计算与实际试验结果不符。

镍基合金相计算步骤如下:

(1)把合金成分换算成摩尔分数;

(2)假设 $\frac{1}{2}$C 生成 MC 即(Ta, Nb, Ti)C,$\frac{1}{2}$C 生成 $Cr_{21}Mo_{1.5}W_{0.5}C_6$((W+Mo)<6%时),或($NiCo_2Mo_3$)C,((W+Mo)>6%)

合金成分中除去生成碳化物的消耗就得到剩余的成分；

(3)全部硼生成硼化物($(Mo_{0.5}Ti_{0.15}Cr_{0.25}Ni_{0.10})_3B_2$)；由此得到生成硼化物以后的剩余成分；

(4)全部 Al、Ti、Nb、Ta 及 1/10Cr 生成 γ′，γ′组成为 Ni(Al, Ti, Nb, Ta, 0.03Cr, 0.5V)或$(Ni_{0.88}Co_{0.08}Cr_{0.04})_3$(Al, Ti, Ta, Nb, Hf, V)由此得到析出碳化物，硼化物及 γ′ 相以后的剩余固溶体成分；

(5)利用式 13-1 计算剩余固溶体平均电子空位数 $\overline{N}_v$；

(6)$\overline{N}_v$>某临界值(最初规定为 2.49～2.52)，σ 相析出，$\overline{N}_v$<某临界值，无 σ 相析出。

钴基合金相计算方法与上述基本相同，但是它的主要析出相是碳化物，而没有 γ′相析出。因此它在计算剩余固溶体成分时主要是减去生成碳化物的消耗，一般假设，当合金成分中 $Mo+\frac{1}{2}W$ 量不足 6.1%(质量)时，一半碳量生成 MC，一半碳生成 $Cr_{21}(MoW)_2C_6$。当 $Mo+\frac{1}{2}W$ 量大于 6.1%(质量)时一半碳生成 MC，一半碳生成$(Mo, W)_3Co_3C$。当 $\overline{N}_v$ 大于 2.70 时生成 σ 相。

图 13-1 列出各种镍基合金相计算结果。可以看出，变形合金一般符合较好，当 $\overline{N}_v$>2.45～2.50 就可能析出 σ 相，对于铸造合金，由于偏析的影响，析出 σ 相的临界电子空位数略低。但对于无钴的 Ni-Cr-Mo 镍基合金(例如 InCo713C, K18 等)都完全不符合。对于这些合金应做出若干修正，包括计算剩余固溶体的方法的改善，修正元素的电子空位数值，确定合理的临界电子空位数值等，以便这种方法更好地为该合金服务。

铁基高温合金有更强烈的析出 TCP 相倾向，铁基合金中析出的 σ 相基本上是 FeCr 型，除个别高镍高钼合金例外，Cr、W、Mo 视为是 σ 相形成元素(A 类元素)，Fe、Ni、Co、Mn 是形成基体的元素(B 类元素)，而其他 B 类元素如 Al、Ti、Si、V 等溶于基体，起减小 σ 相固溶度的作用。仔细分析 Fe-Cr-Ni 三元相图中 γ/γ+σ 相界线与 $\overline{N}_v$ 值关系指出，临界电子空位数与 B 类元素成分相关，γ/γ+σ

相界线可以用 B 类元素平均电子空位数 $\overline{N}_v^B$ 的函数表示。下面是铁基合金相计算方法。

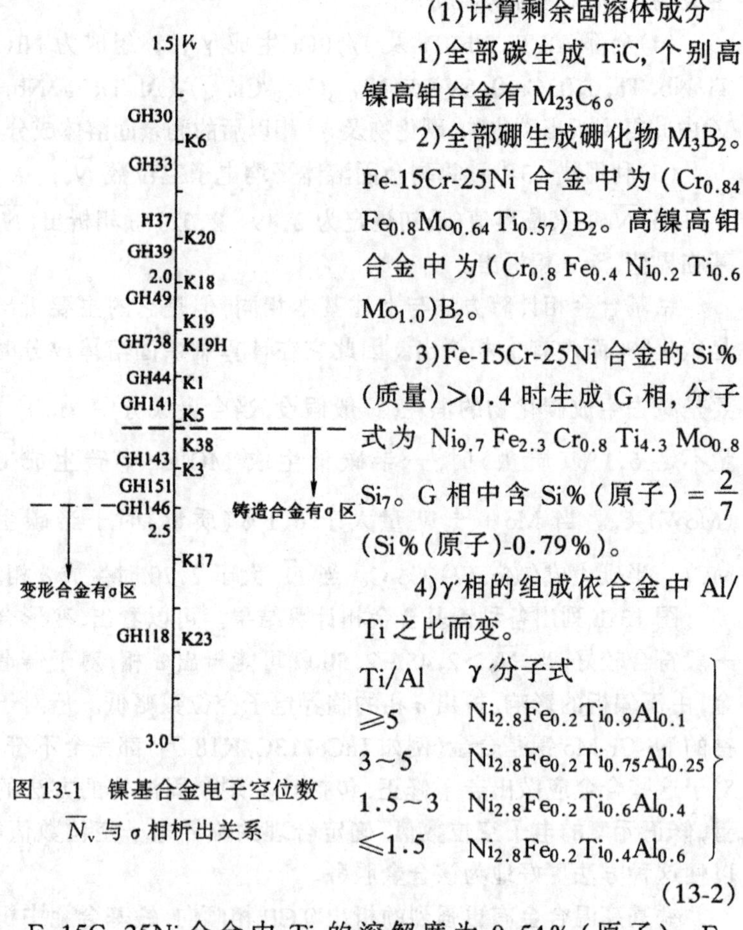

图 13-1 镍基合金电子空位数 $\overline{N}_v$ 与 σ 相析出关系

(1)计算剩余固溶体成分

1)全部碳生成 TiC, 个别高镍高钼合金有 $M_{23}C_6$。

2)全部硼生成硼化物 M_3B_2。Fe-15Cr-25Ni 合金中为 $(Cr_{0.84}Fe_{0.8}Mo_{0.64}Ti_{0.57})B_2$。高镍高钼合金中为 $(Cr_{0.8}Fe_{0.4}Ni_{0.2}Ti_{0.6}Mo_{1.0})B_2$。

3)Fe-15Cr-25Ni 合金的 Si%(质量)>0.4 时生成 G 相, 分子式为 $Ni_{9.7}Fe_{2.3}Cr_{0.8}Ti_{4.3}Mo_{0.8}Si_7$。G 相中含 Si%(原子) = $\frac{2}{7}$(Si%(原子)-0.79%)。

4)γ′相的组成依合金中 Al/Ti 之比而变。

$$\left.\begin{array}{ll} \text{Ti/Al} & \gamma'\text{分子式} \\ \geqslant 5 & Ni_{2.8}Fe_{0.2}Ti_{0.9}Al_{0.1} \\ 3\sim5 & Ni_{2.8}Fe_{0.2}Ti_{0.75}Al_{0.25} \\ 1.5\sim3 & Ni_{2.8}Fe_{0.2}Ti_{0.6}Al_{0.4} \\ \leqslant 1.5 & Ni_{2.8}Fe_{0.2}Ti_{0.4}Al_{0.6} \end{array}\right\} \tag{13-2}$$

Fe-15Cr-25Ni 合金中 Ti 的溶解度为 0.54%(原子)。Fe-15Cr-35Ni 合金中 Ti 的溶解度为 0.30%(原子)。

5)从合金成分(%原子)中扣除生成碳化物, 硼化物, γ′相, G 相的消耗即得剩余固溶体成分。

(2)用式 13-1 计算剩余固溶体的平均电子空位数 $\overline{N}_v$

(3)计算析出 σ 相的临界电子空位数 N_v^C

1)用式 13-1 计算剩余固溶体中 B 类元素的平均电子空位数 $\overline{N}_V^B$。

2)用下式计算 A 类元素临界电子空位数

$$\left.\begin{aligned}(N_v^C)_{Cr} &= 0.23\overline{N}_v^B + 0.0002T + 2.047 \\ (N_v^C)_{Mo} &= 0.60\overline{N}_v^B + 0.0005T + 0.6291 \\ (N_v^C)_W &= 0.66\overline{N}_v^B + 0.0001T + 0.8111 \\ &(T\text{ 在 }650\sim750℃\text{ 之间})\end{aligned}\right\}\qquad(13\text{-}3)$$

对大多数铁基合金,满足 $\Delta N_v = (N_v^C) - \overline{N}_v$ 为正值时组织稳定,没有 σ 相析出,反之亦然。对少量含高钼高镍合金,满足 $\Delta\overline{N}_v = N_v^C - \overline{N}_v$ 为正值时组织稳定,没有 σ 相析出。式中 $\overline{N}_v^C$ 为按 式 13-1 计算的 Cr、Mo、W 三元素的平均临界电子空位数。

图 13-2 为用此方法计算各个铁基合金的结果,其预测的 σ 相形成倾向都是与试验结果符合的。GH135、GH140、GH136、GH132 合金等都可能析出 σ 相,这些合金处于 ΔN_v 为负值的一边(图 13-2),GH901、GH78 是稳定性好的合金。而下限成分的 GH302、GH38A、GH130 等合金则处于 σ 相析出的边缘,看来,少数铁基合金是稳定的,少数合金极易析出 σ 相,而大多数铁基合金处于 σ 相析出边缘,必须严格控制合金成分才能防止 σ 相析出。图 13-2 中列出了国外合金,PE-7、PE-11 两个容易析出 σ 相的合金,经调整成分得到组织稳定的 PE-16 和 PE-17 合金,其 ΔN_v 值也相应由负值变为正值。

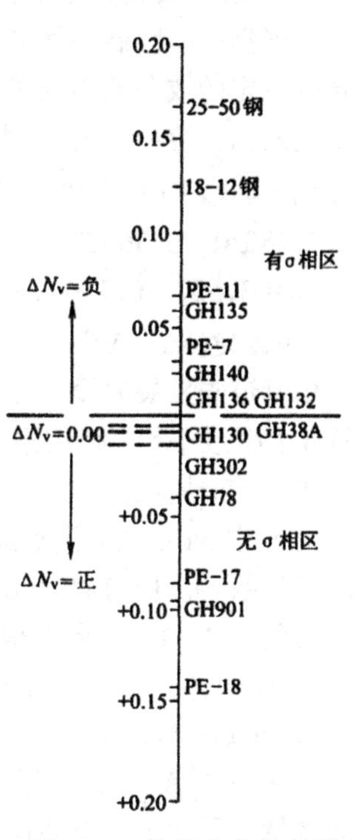

图 13-2 铁基合金的电子空位数与 σ 相析出

13.1.2 以相计算为基础的计算机辅助高温合金设计与选用

计算机辅助高温合金设计的顺序如下:合金设计的第一步选定合金类型,再根据此类合金的组织与性能关系决定对组织的要求及其限制。然后根据成分与组织的定量关系确定合金成分范围,经过这些步骤可以从 5×10^8 个合金中筛选出 10^5 分之一的候选合金,(表 13-1)再在此 4336 个合金中按最好的条件选出少量合金做试验验证和最终选定合金。

具体的设计方法有几种版本,大同小异,基本思路都是以相计算 PHACOMP 及元素在 γ 和 γ相中的分配比为基础,来计算相关系。再根据一些限制条件来筛选合金。表 13-1 是一个例子,给出了合金设定的成分范围及选择合金的限制条件。计算 γ 和 γ相点阵常数及错配度(|LM|)的方程为

$$a_\gamma = 3.524 + 0.130\mathrm{Cr} + 0.024\mathrm{Co} + 0.421(\mathrm{Mo} + \mathrm{W}) + 0.183\mathrm{Al} + 0.360\mathrm{Ti} \tag{13-4}$$

$$a_{\gamma'} = 3.567 + 0.756\mathrm{Ti} + 0.372(\mathrm{Nb} + \mathrm{Ta}) + 0.248(\mathrm{Mo} + \mathrm{W})$$

山崎道夫发展的设计方法示于图 13-3,这种方法的步骤是先设置 γ'的成分,使之得到最大可能的固溶度,经过 Ni_3Al-Xi 系的详细研究,各种合金元素在 Ni_3Al 中的溶解度都已有相当了解,以设置的 γ'中 Ni 合金元素量除以 Ni_3Al-Xi 系中 Xi 的溶解度就得到固溶度指数 Si。所有固溶元素之和就是 γ'相的固溶度指数,一般可以达到 1.3~1.4。同时根据多元系中 γ'相界面方程:

$$\mathrm{Al} = 29.203 - 1.096\mathrm{Cr} - 1.195\mathrm{W} - 1.220\mathrm{Ti} - 1.066\mathrm{Ta} - 1.44\mathrm{Nb} \tag{13-5}$$

计算出 γ'中含 Al 量。γ'相的含镍量就是 100% 减去所有固溶元素的含量。下一步是根据合金元素在 γ 和 γ'相中的分配比,来计算出 γ 相组成。γ/γ' 分配比 R 值为:

表 13-1 计算机辅助高温合金设计方法(Ⅰ)

由合金成分计算γ′量及γ和γ′组成的方法

(1)把合金化学成分从质量分数换算成摩尔分数。

(2)除去生成碳化物。假定 C 含量一半形成 MC 型碳化物,而 MC 型碳化物的一般型式为 $Ti_{0.5}(Nb+Ta)_{0.5}C$,当合金不含 Nb 也不含 Ta 时为 TiC,而当合金不含 Ti 时则为(Nb+Ta)C;合金含 C 量的另一半组成 $M_{23}C_6$ 碳化物,其成分为 $Cr_{21}(Mo+W)_2C_6$。

(3)除去生成硼化物。假定全部含 B 量形成 M_3B_2,其成分一般为 $(Mo+W)_{1.5}Ti_{0.45}Cr_{0.75}Ni_{0.30}B_2$,当合金不含 Ti 时,以(Ta+Nb)替换 Ti。

(4)计算γ′的临时量。假定全部 Al、Ti、Nb 和 Ta 组成γ′,其成分为 Ni_3(Al, Ti, Nb、Ta),而其他元素全部组成γ。

(5)把每个元素分配到γ和γ′中(按γ′的临时量计)。假定在γ′和γ′中每个元素的浓度比如下:

	Cr	Co	Mo	W	Al	Ti	Nb	Ta	Zr
γ	1	1	1	1	0.246	0.097	0	0	1
γ′	0.133	0.345	0.314	0.833	1	1	1	1	0

并假定γ′的组成是$(Ni, Co, Fe, Cr)_3$(Al, Ti, Nb, Ta, Cr, Mo, W),其中γ′含 Cr 量一半置换 Ni 的位置,另一半置换 Al 的位置。

(6)计算γ′的真实量。也就是γ′组成原子的总数与γ和γ′组成原子总数之和的比率。

(7)计算γ和γ′的化学组成

化学成分的计算条件

1. 化学成分范围(质量分数)

C	Cr	Co	Mo	W	Al	Ti	Nb	Ta	B	Zr	Ni
0.15	6~30	0~30	0~25	0~40	1.0~10.0	0~15	0~12	0~24	0.015	0.05	余
固定	每次变	每次变	每次变	每次变	每次变	每次变	每次变	每次变	固定	固定	
		10	1	2	0.5		1	2			

其中 Ti+Nb+Ta=0 的情况除外

2. 选用的条件

(1)25%≤γ′量≤75%

(2)当γ′≤50%时,Cr≥12%

(3) $\frac{C_{Cr}}{0.40}+\frac{C_{Mo}}{0.17}+\frac{C_W}{0.13}\leqslant 1$,其中 C_{Cr}、C_{Mo} 和 C_W 分别代表 Cr、Mo、W 在γ中的浓度。

(4) $\frac{C'_{Ti}}{0.15}+\frac{C'_{Nb}+C'_{Ta}}{0.07}\leqslant 1$,其中 C'_{Ti}、C'_{Nb} 和 C'_{Ta} 分别代表 Ti、Nb、Ta 在γ′中的浓度。

(5) 当 Cr≥12% 时,$a_\gamma \geqslant 0.36$nm,$a_{\gamma'} \geqslant 0.36$nm,当 Cr≤12%时,$a_\gamma \geqslant 0.359$nm,$a_\gamma \geqslant 0.359$nm

(6) |LM|≤0.0007nm

(7) $N_v \leqslant 2.25$,$N_v' \leqslant 2.31$

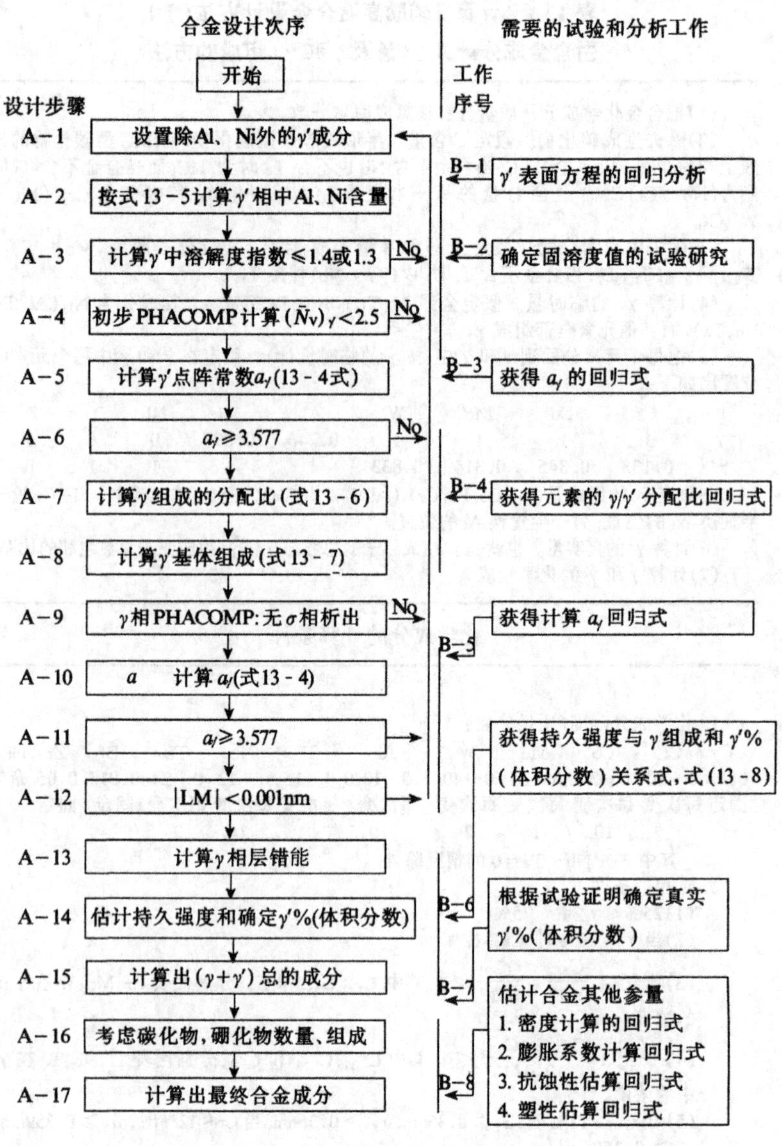

图 13-3 计算机辅助合金设计(Ⅱ)

$$\left.\begin{array}{l}R_{Cr}=0.1811.+0.0070Co-0.0095Ti\ (\text{均为}\ \gamma'\ \text{中浓度})\\ R_{Co}=0.0836+0.0177Co+0.0209Al+0.0492W\\ R_{Mo}=0.1877+0.1129Mo\\ R_{Al}=0.4104-0.0219W-0.0212Ti-0.0239Nb-0.0551Ta\\ R_{W}=0.6753,R_{Ti}=0.1017,R_{Nb}=0.2145,\\ R_{Ta}=0.261,R_{Hf}=0.10\end{array}\right\}\tag{13-6}$$

γ相组成计算式为：

$$\left.\begin{array}{l}(X_i)_\gamma=R_i(X_i)_{\gamma'}(i=\text{Al, Ti, Nb, Ta, Hf})\\ (X_i)_\gamma=(X_i)_{\gamma'}/R_i(i=\text{Co, Cr, Mo, W})\\ (X_{Ni})_\gamma=100-\sum(X_i)_\gamma\end{array}\right\}\tag{13-7}$$

通过回归分析得到成分与持久强度关系为：

$$\left.\begin{array}{l}816℃\ 1000\text{h}\ \text{持久强度}\\ \sigma=17.18+0.1371Co+2.352W+1.785Mo+\\ \quad 0.1870\qquad(\gamma\text{体积百分数})\\ 982℃,100\text{h}\ \text{持久强度}\\ \sigma=13.32-0.4357Al-0.2382Cr+0.9946W+\\ \quad 0.762Mo+0.1236(\gamma'\text{体积百分数})\\ 982℃,1000\text{h}\ \text{持久强度}\\ \sigma=-0.46+0.9944W+0.6408Mo+0.1401\\ \qquad(\gamma\ \text{体积百分数})\end{array}\right\}\tag{13-8}$$

利用式 13-4～式 13-7，按图 13-3 步骤进行设计并进行试验精选，最终可以得到理想的合金，Harada 等人用类似的方法进行合金设计。但采用的回归式不同于式 13-5～式 13-7。

13.1.3 d电子合金理论基础上的计算机辅助设计

d 电子合金理论是以 DV-X_α 分子轨道计算为理论基础，定义两个物理参 量 M_d 和 B_o。其中合金元素 d 轨道能称为 M_d 值。由图 13-4 可见，参量 M_d 作为过渡元素 M 的 d 轨道能与电荷转移相关，

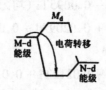

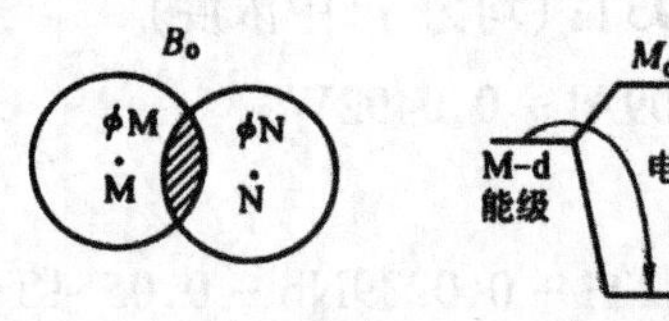

图 13-4　d 电子合金设计的电子结构参量 B_o 和 M_d 示意图

重积分 = ∫ $\phi M \phi N dv$

$B_o = 2C_M C_N \int \phi M \phi N dv$

B_o：结合次数，M 和 N 间共价结合强度

M_d —— 负电性；金属半径

M_d：合金元素 M 的 d 轨道能

当 M 和 N 两个原子结合成分子时，出现结合与反结合两个能级，能级较高的原子 M 将给出电子而表现出较小的负电性，而能级较低的原子 N 获得电子表现出较大的负电性。这样在原来费密能之上引入了新的能级，这种由于 M 元素加入产生的新能级即为 M-d 能级，其平均值定义为 M 元素(对 N 基体) 的 M_d 值。表 13-2 列出镍基合金中各合金元素的 M_d 值。B_o 称为结合次数，它表征原子之间电子云的重叠，是原子间共价键强度的度量，对于具有不成对 d 轨道电子的过渡族元素，由 d 电子云重叠产生的共价键能(即 B_o)占整个结合能的大部分，因此 B_o 值愈高，原

表 13-2　镍基合金中各元素的 M_d 和 B_o 值

合金元素	M_d/eV	B_o
Al	1.900	0.533
Si	1.900	0.589
Ti	2.27	1.098
V	1.543	1.141
Cr	1.142	1.278
Mn	0.957	1.001
Fe	0.858	0.857
Co	0.777	0.697
Ni	0.717	0.514
Cu	0.615	0.272
Zr	2.944	1.479
Nb	2.117	1.594
Mo	1.550	1.611
Hf	3.020	1.518
Ta	2.224	1.670
W	1.655	1.730
Re	1.267	1.692

子之间结合就愈强。各元素在镍基合金中的 B_o 值如表 13-2 所示。合金元素的 M_d 值与元素的负电性和原子半径有关，因此它与合金相稳定性相关联，可以用 M_d 值来描述相界线，从而预测相的稳定性，B_o 直接与原子间结合强度相关，它不仅会影响相的稳定性，还可以与相的特性相关联，因为合金相的许多特性与其结合强度有关。

d 电子合金设计是采用 M_d 和 B_o 值控制合金的相稳定性和性能。首先是计算合金的平均 M_d 和 B_o 值：

$$\overline{M_d} = \sum^{i} x_i (M_{di}) \tag{13-9}$$

$$\overline{B_o} = \sum^{i} x_i (B_{oi})$$

式中 x_i，M_{di}，B_{oi} 分别为合金元素 i 的摩尔分数及 M_d，B_o 值，可以计算 γ 固溶体的平均 $\overline{M_d}$ 及 $\overline{B_o}$，也可以计算 γ′ 相的以及合金的平均 M_d 及 $\overline{B_o}$ 值。分别以 $M_{d\gamma'}$，$M_{d\gamma'}$ 和 M_{dt} 表示。

图 13-5 表示各类三元系中 $\gamma/\gamma+\sigma$ 相界线与 $\overline{M_d}$ 值关系，为了比较图中也给出 $\overline{N_V}$ 计算值，可以看出，在不同的三元系中，等 $\overline{M_d}$ 线均很接近于 $\gamma/\gamma+\sigma$ 相界线，在 Ni-Cr-Co 系 1477K 下约为 $\overline{M_d}$ = 0.925 线，对于 Ni-Cr-Mo 系也是这个数值，对于 Fe-Cr-Ni 系 1073K 下临界 M_d 值为 0.900。$\gamma/\gamma+\mu$ 相界的临界 $\overline{M_d}$ 值为 0.900，小于 $\gamma/\gamma+\sigma$ 相界 $\overline{M_d}$ 值，图 13-5 e 和 f 是 $\gamma/\gamma+\gamma'$ 和 $\gamma/\gamma+\eta$ 相界，由于两者结构相似性，相界 $\overline{M_d}$ 值均为 0.865。此外，对于 Ni-Fe-Al 系中 γ/γ+ NiAl 相界相当于 $\overline{M_d}$ 0.930（1323K）。临界 $\overline{M_d}$ 值与温度的关系为：

$$\left.\begin{aligned} &\text{对 } \sigma \text{ 相：临界 } \overline{M_d} = 6.25 \times 10^{-5} T + 0.834 (T = \text{K}) \\ &\text{对 } \gamma' \text{ 相：临界 } \overline{M_d} = 1.41 \times 10^{-4} T + 0.727 \end{aligned}\right\} \tag{13-10}$$

应用临界 $\overline{M_d}$ 值可以预测高温合金中 σ 相析出倾向。图 13-6 证明 $\overline{M_{d\gamma}}$ 方法能很好预测镍基和钴基合金中 σ 相析出倾向，其效果比电子空位数 $\overline{N_v}$ 方法更好一些。此外，$\overline{M_{d\gamma'}}$ 值愈大析出 σ 相数量愈多（图 13-7）。

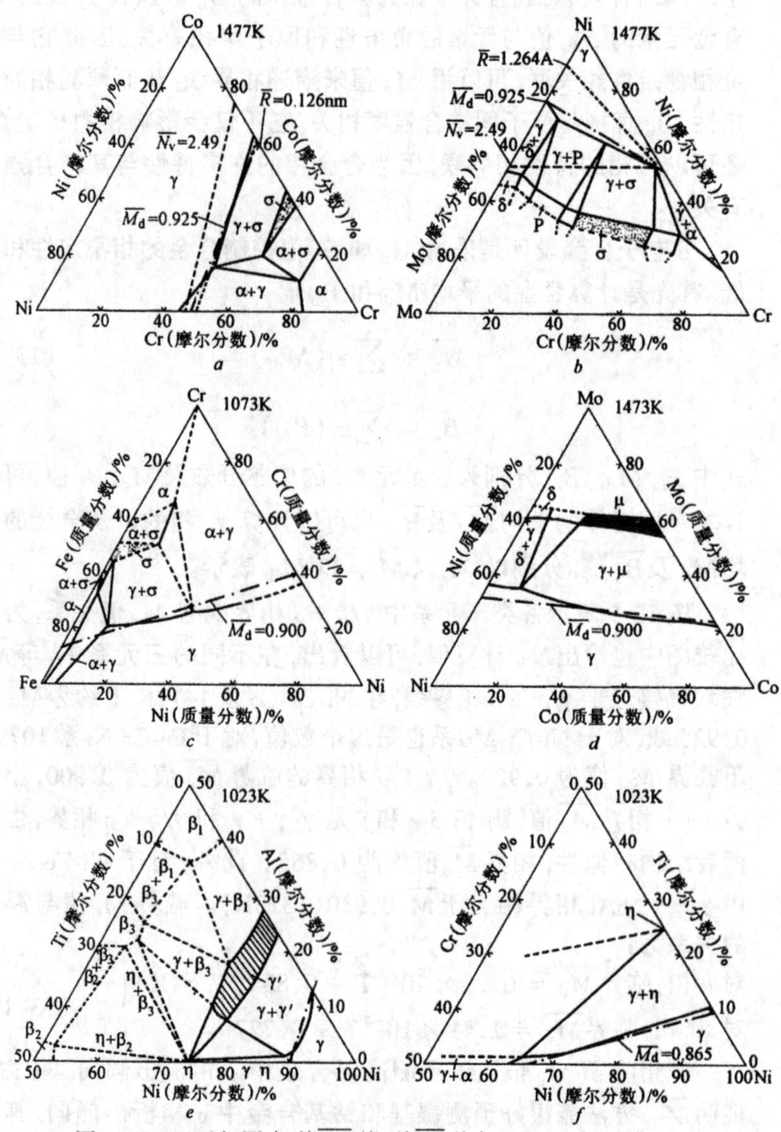

图 13-5　三元相图中 等$\overline{M_d}$线，等$\overline{N_v}$线与 $\gamma/\gamma+\sigma$ 相界线

a —Ni-Cr-Co；*b* —Ni-Cr-Mo；*c* —Fe-Ni-Cr；

d —Co-Ni-Mo；*e* —Ni-Al-Ti；*f* —Ni-Cr-Ti

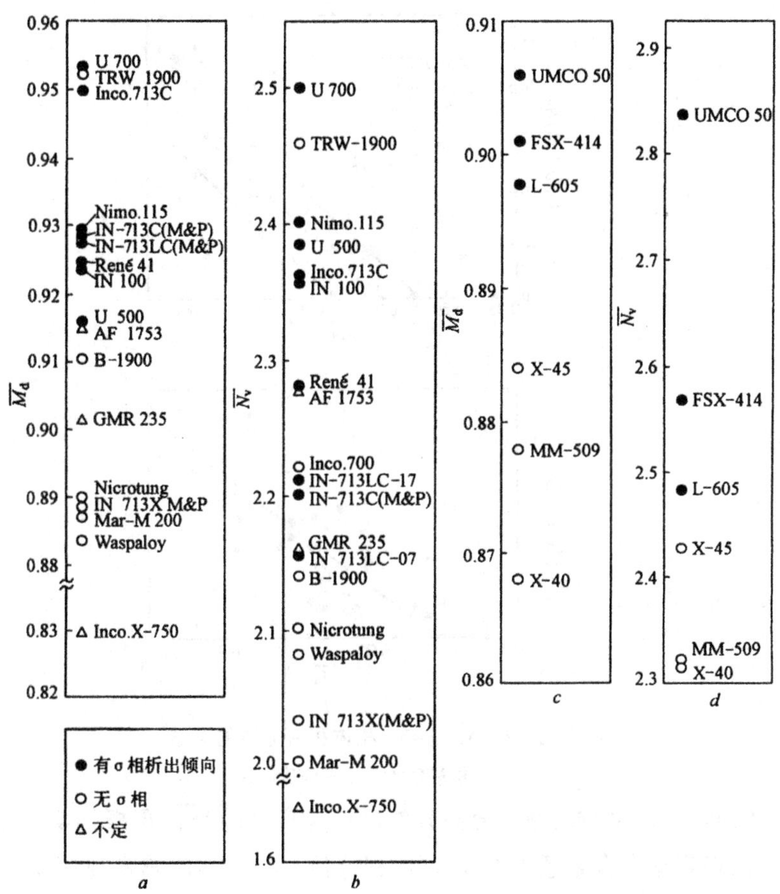

图 13-6　用 M_d 法 预测 TCP 相析出

a、*b*—镍基合金；　*c*、*d*—钴基合金

应用 d 电子理论进行高温合金设计的基本程序见图 13-8。首先是选择合金系，可以选择一个适当的合金作为参考合金，确定成分范围。例如选 Ni-10％Cr(摩尔分数)-12％Al(摩尔分数)-1.5％Ti(摩尔分数)-Ta-W-Mo 作为一个单晶合金的设计成分范围。或以 IN738LC 作为设计耐蚀单晶合金的参考合金，设计成分范围可以定为：Ni-16Cr-9.5Al-4.0Ti-8.0Co-0.55Nb-0.06Zr-0.05B-

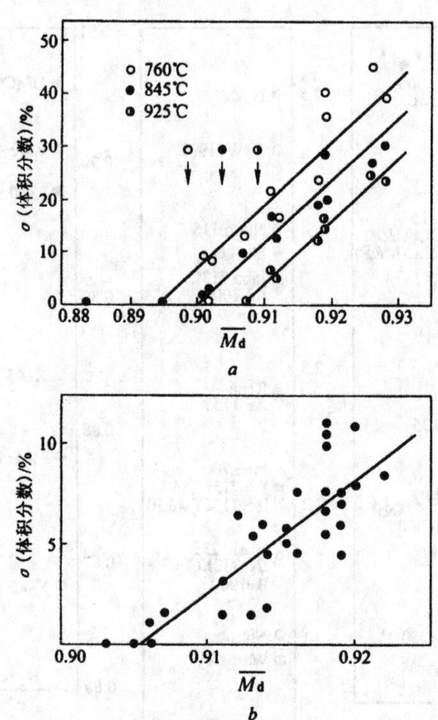

图 13-7　$\overline{M_d}$值与 σ 相体积百分数的关系

a—镍基合金；　*b*—铁基合金

0.47C-Ta-W-Mo(摩尔分数)，然后计算合金的$\overline{M_{dt}}$，再根据实验数据得到这类合金系中的γ%(体积分数)与$\overline{M_{dt}}$的回归式，例如对于Ni-10Cr-12Al-1.5Ti-Ta-W-Mo 合金系为：

$$\gamma'\%(\text{体积分数}) = 255\,\overline{M_{dt}} - 187 \qquad (13\text{-}11)$$

从而可以计算出 γ%(体积分数)，同样根据 γ′成分的多元回归式可以得到 γ′的成分。由此可计算出 γ 基体成分及$\overline{M_{d\gamma}}$。设计的另一方面是设置各种限制条件。为了保证组织稳定性，防止 σ 相析出，要保证$\overline{M_{d\gamma}}\leqslant 0.93$。为了防止 γ-γ′共晶过量析出(大于 2%(体积分数))，根据试验结果，必须保证$\overline{M_{dt}}\leqslant 0.985$，同理为防止析出 α-W，必须使$\overline{M_{d\gamma}}$(Mo + W)≤0.105 或保证 W + Mo≤3.5%。此外

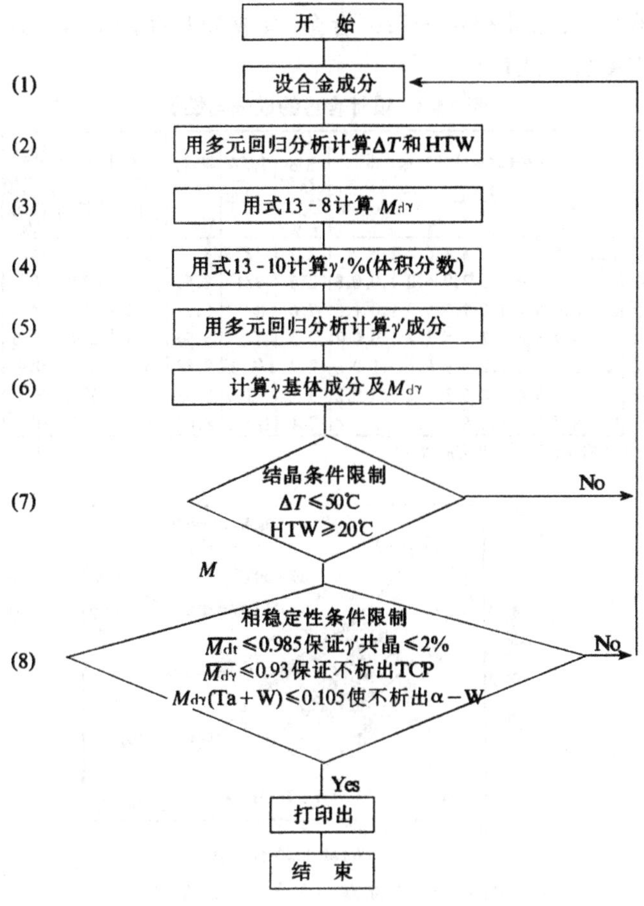

图 13-8 单晶高温合金 d 电子理论设计步骤

为了保证单晶铸造工艺的可行性，必须保证合金的固液相线差 $\Delta T \leqslant 50$℃，及固相线与 γ' 溶解温度之差 HTW≥20℃，这些参量与合金成分关系可以用 DTA 试验确定，由此得到如图 13-9 所示的相稳定性图，图中各条线表示各种限制条件如为限制 TCP 相析出，$\overline{M_{d\gamma}}=0.93$，为限制晶体生长，$\Delta T = 50$℃，为防止共晶 γ'出现，$\overline{M_{dt}}=0.988$ 等，阴影部分为最佳成分区间，箭头表示对各种性能的影响趋势，由此得到一系列合金，其成分及性能见表 13-3。表中的密度按下式计算：

表 13-3　设计合金的成分与性能

合金	成分(质量分数)/%								W+Mo(摩尔分数)/%	Ta/W+Mo	密度/g·cm^{-3}	成本/元·g^{-1}	持久性能		伸长率/mg·cm^{-2}
	Ni	Cr	Al	Ti	Ta	W	Mo	Re					寿命/h	抗腐蚀性能/%	
TUT 11	bal.	8.6	5.4	1.0	8.1	6.2	1.1		2.7	1/1	8.60	3.9	282	15.9	33.5
TUT 31	bal.	8.6	5.4	1.0	7.9	6.0	1.0	0.8	2.6	1/1	8.65	4.6	1700	7.0	15.4
TUT 321①	bal.	8.6	5.4	1.0	7.7	5.9	1.0	1.5	2.6	1/1	8.71	5.3	674	14.4	6.4
TUT 22	bal.	8.7	5.4	1.2	7.5	5.7	1.0	0.2	2.5	1/1	8.56	3.8	219	16.6	22.7
TUT 52	bal.	8.7	5.4	1.2	6.9	6.5	1.1	0.2	2.7	1/1.25	8.57	3.7	574	9.9	27.5
TUT 82	bal.	8.7	5.4	1.2	6.3	7.2	1.3	0.2	3.1	1/1.5	8.58	3.5	652	7.4	36.4
TUT 92	bal.	8.7	5.4	1.2	6.2	7.1	1.2	0.8	3.1	1/1.5	8.62	4.1	950	10.0	13.3

①时效及蠕变试验后发现 αW 和 μ 相。

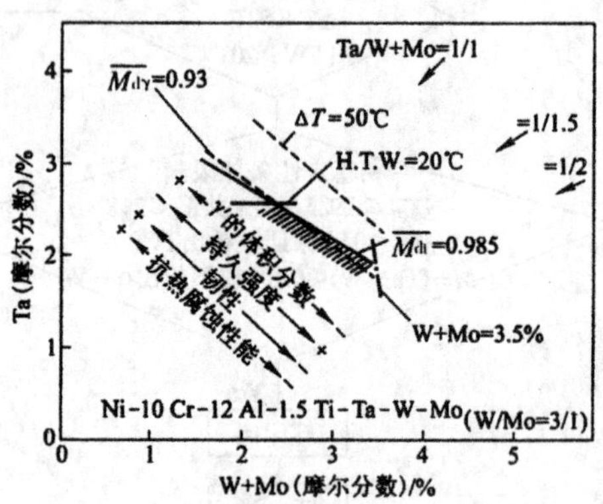

图 13-9　单晶高温合金相稳定性图

$$\rho=(\rho_1+0.1437-0.00137\mathrm{Cr}-0.00139\mathrm{Ni}-0.00142\mathrm{Co}-0.00125\mathrm{W}-0.00113\mathrm{Ta}+0.00040\mathrm{Ti}-0.00113\mathrm{Hf}+0.0000187(\mathrm{Mo})^2-0.0000506(\mathrm{Co})(\mathrm{Ti})\times 27.68$$

$$\rho_1=100/\rho_2(\mathrm{g/cm^2}) \qquad (13\text{-}12)$$

$$\rho_2=\mathrm{Ni}/0.322+\mathrm{Al}/0.0975+\mathrm{Cr}/0.26+\mathrm{Co}/0.322+\mathrm{Ti}/0.163+\mathrm{Re}/0.76+\mathrm{Ta}/0.6+\mathrm{W}/0.697+\mathrm{Mo}/0.369+\mathrm{Hf}/0.48$$

式中成分均为质量百分比。表 13-3 中价格按合金中各元素的单价计算。

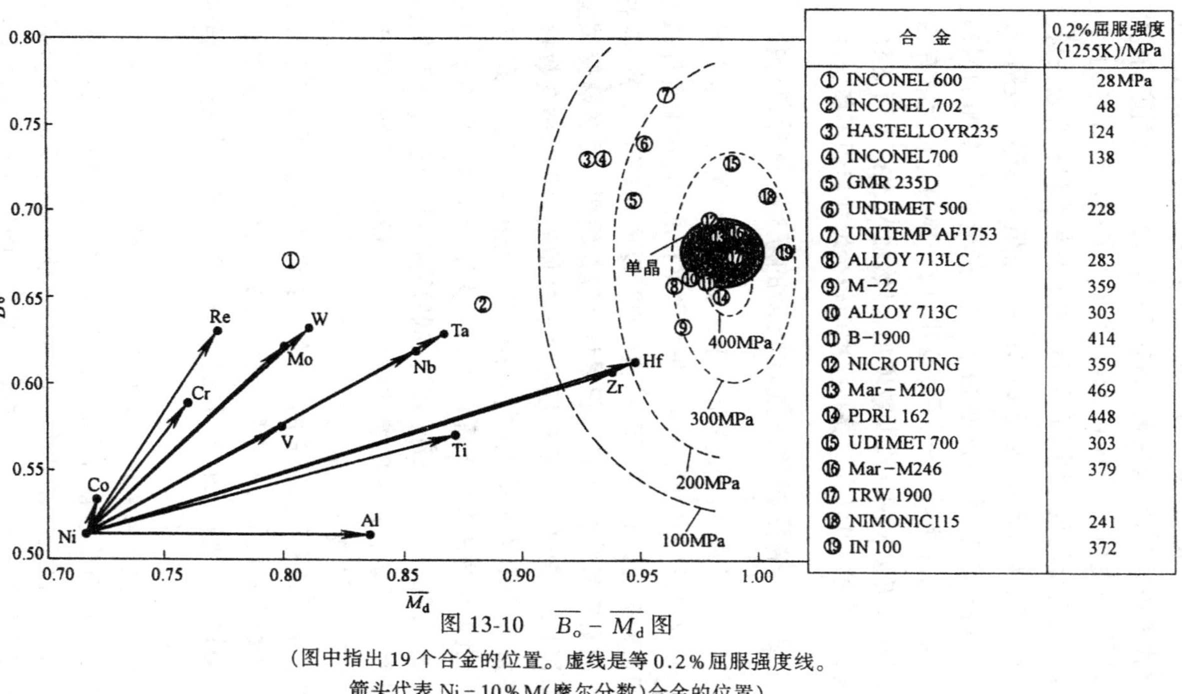

合　金	0.2%屈服强度(1255K)/MPa
① INCONEL 600	28MPa
② INCONEL 702	48
③ HASTELLOYR235	124
④ INCONEL700	138
⑤ GMR 235D	
⑥ UNDIMET 500	228
⑦ UNITEMP AF1753	
⑧ ALLOY 713LC	283
⑨ M−22	359
⑩ ALLOY 713C	303
⑪ B−1900	414
⑫ NICROTUNG	359
⑬ Mar−M200	469
⑭ PDRL 162	448
⑮ UDIMET 700	303
⑯ Mar−M246	379
⑰ TRW 1900	
⑱ NIMONIC115	241
⑲ IN 100	372

图 13-10　$\overline{B_o}-\overline{M_d}$ 图

(图中指出 19 个合金的位置。虚线是等 0.2% 屈服强度线。
箭头代表 Ni－10%M(摩尔分数)合金的位置)

应用 B_o-M_d 图及合金矢量可以指导合金发展。图 13-10 中的数字代表各个合金，虚线是1255K 下等0.2% 屈服强度的轮廓线，最大屈服强度相当于 M_d0.98eV 和 B_o0.67 处，经计算 21 个已有单晶镍基合金均位于图中阴影区，图中箭头线代表合金矢量，表示 Ni-10% M_i(摩尔分数) 合金的 M_d 和 B_o 值与纯镍的差别。合金元素 M_i 的 M_d 与 B_o 值与 Ni 愈相近，这个矢量愈短，矢量的斜率反映 ΔM_d 与 ΔB_o 的相对大小。可以看出，同一族的元素大致有相同的矢量位向，矢量长度随周期数增加。显然加入 ΔB_o 大而 ΔM_d 小的元素是有利的，可以有效提高强度而较少增加组织不稳定性。

13.2 蠕变和持久强度数据的获得、分析和外推

高温材料的设计和选用大多根据材料的蠕变及蠕变断裂数据，为了得到这些数据，一般应根据国家标准和国际通用标准进行单向拉伸蠕变试验，即短时试验(100h 以内)和长时试验，前者为材料质量控制采用，后者为积累设计数据需要。通常蠕变试验是恒载试验，它把试样初始长度直径和初始应力作为蠕变数据的基本参量。然而，在有些条件下，蠕变变形量很大，甚至达到 40%～50%，此时试样承受的实际应力已大大不同于初始应力了。由此也加速了蠕变变形。恒应力蠕变试验可以避免这个困难，但试验设备复杂，要求自动地随着试样尺寸变小而按比例减小载荷。图 13-11 给出恒载蠕变试验与恒应力蠕变试验的区别，可以看出，两种蠕变曲线是有很大区别的，无论是断裂时间，断裂伸长率或蠕变速率和蠕变强度都有所不同，恒应力试验的断裂时间往往比恒载试验得到的数据要长的多，目前，绝大多数的试验数据是由恒载试验获得的。

蠕变试验的精度非常重要，它直接影响试验数据的精确性和分散性。精确性不够和分散性过大将给材料的选用与设计带来很大的麻烦，为此国家标准和国际通用标准都做出规定，即初始应力的精度要满足 ±0.5%。引申计测量变形的误差也有规定，例如当 0.1 应变时误差为 ±0.0002(A 级)，±0.0004(B 级)和 ±0.0008

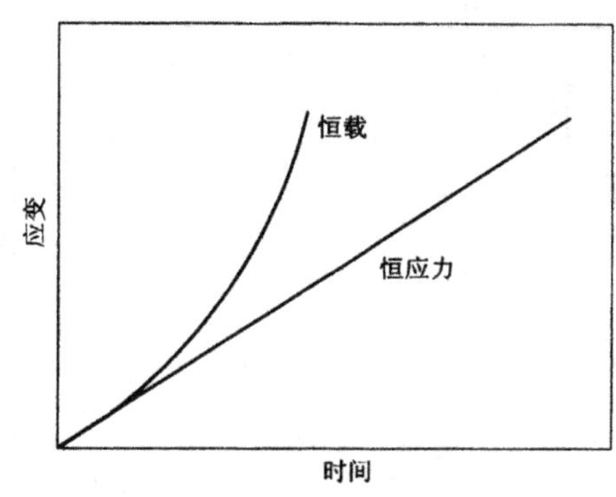

图 13-11　恒载蠕变试验与恒应力蠕变试验的蠕变曲线

(C级),温度必须精确控制,不仅是温度波动范围,还有沿试样长度的温度梯度,对于高精度试样要求±1℃,对一般的试验可以放松一些,600℃以下为±3℃,600～800℃为±4℃,800～1000℃为±6℃。有人用有限元方法证明沿试样长度温差为6℃时使蠕变速率增加1.11倍。并不十分严重。为了保证温度测量的精度,热电偶一般用铂-铑热电偶,因为它很容易校正到测量精度±0.5℃。为了保证试验精度,试验机必须有足够的刚度,并且每次试验要保证载荷系统的同轴性。为此可以在开始蠕变试验之前,用加载法和去载法测一下室温弹性模量值,以此来判断加载同轴性,当然最好是测量蠕变试验温度下的弹性模量。它比测室温弹性模量更有代表性。必须指出,这种操作的最大载荷必须保证不产生预变形。

在国家标准及国际通用标准中总是存在一些不确定因素,它导致试验数据的分散性,例如用两种专门生产的能保证材料均匀性的低合金钢,分别在9个国家57个不同的实验室内测试寿命约30000h的试验,结果发现断裂寿命波动范围为15000～36000h,相当于10%应力分散度。对有些国际材料数据库里的数据,甚至分散度更大,达到20%应力值,相当于寿命有一个数量级的波动。图13-12是两个不同炉号$2\frac{1}{4}$Cr-1Mo钢的高精度恒应力蠕变试验结果,可以看出,尽管两个钢号都在成分合格范围内,都经过相同的回火热处理,其蠕变曲线仍差别很大,而且对同一个钢号重复试验,还有25%的分散度,其原因在于含碳量都在合格范围内,但

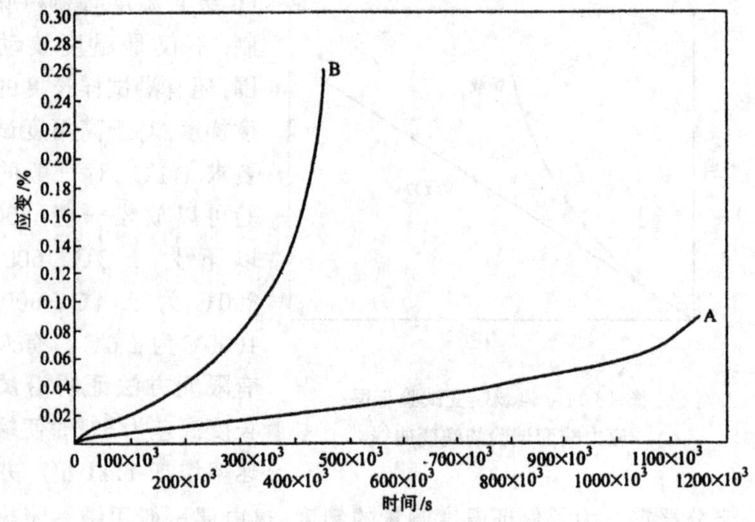

图 13-12 恒应力蠕变曲线(838K,250MPa)

A—2 $\frac{1}{4}$Cr-1Mo 钢含碳 0.12%;

B—2 $\frac{1}{4}$Cr-1Mo 钢含碳 0.08%

组织不同,在 0.12%C 条件下,全部为贝氏体,强度高而塑性低,在 0.08%C 条件下,为铁素体加 20%(体积)贝氏体,强度低而塑性高。由此可见,对于这类材料来说,严格控制成分是极重要的。

蠕变数据的分析与拟合是获得正确材料设计和选用所需要的蠕变数据的重要方法,文献中已提出许多种蠕变曲线方程,这里只做简单介绍。当温度低于 0.3 T_m(熔点),蠕变曲线一般可以用对数方程表达:

$$\varepsilon_t = \varepsilon_0 + \alpha_1 \lg(\alpha_2 t + 1) \tag{13-13}$$

式中 ε_t 和 ε_0 分别为 t 时间的蠕变变形和 t 为零即瞬时弹性变形,α_1 和 α_2 为材料与应力和温度有关的常数。这种低温蠕变的变形量是有限的(≤1%),通常不导致最终断裂。当温度高于 0.3 T_m 时,蠕变曲线一般由蠕变第一阶段(或蠕变减速阶段),第二阶段(或恒速阶段)和第三阶段(或加速蠕变阶段)组成,此时蠕变方程

往往可以用多项式或指数方程描述,例如下述诸式:

$$\left.\begin{aligned}
\varepsilon_t &= \varepsilon_0(1+\beta t^n)\exp(kt)(\text{蠕变第三阶段除外})\\
\varepsilon_t &= \varepsilon_0+\beta_1 t^n+\dot{\varepsilon}_s t(\dot{\varepsilon}_s - \text{第二阶段蠕变速率})+\beta_2 t^3\\
\varepsilon_t &= a_1+a_2 t^n+a_3 t^{n_1}+a_4 t+a_5 t^{n_2}\\
\varepsilon_t &= A\sigma^m t^n \quad (\text{Bailey-Norton 法则})
\end{aligned}\right\}$$

(13-14)

(n 一般接近 1/3, $n_1 \sim 2/3$, $n_2 \sim 3$)

$\beta_i \cdot k \cdot a_i$ 均为常数,与试验温度和应力有关。在恒温下,

$$\beta = \beta_0\sigma^m,\ \dot{\varepsilon}_s = k_o\sigma^{m'} \tag{13-15}$$

这些描述式后来被下式改进,解决了当 $t \to 0$ 时蠕变速率为无穷大的困难。

$$\varepsilon_t = \varepsilon_0+\varepsilon_p[1-\exp(-\gamma_p t)]+\dot{\varepsilon}_s t+\varepsilon_T\exp[\gamma_T(t-t_t)] \tag{13-16}$$

式中　ε_p 为第一阶段蠕变量,γ_p 为常数,与第一阶段蠕变速率降低的速度相关,而 ε_T 和 γ_T 定义蠕变第三阶段的形状,t_t 为第三阶段开始的时间。

只有典型的蠕变曲线才是三阶段的,随着试验温度,应力和材料不同,蠕变曲线各阶段的相对重要性可以有很大变化。许多场合下严格的恒速蠕变阶段不太明确,因此,也可以视蠕变曲线为减速阶段和加速阶段的叠加,这样就可以用 θ 方程来描述:

$$\varepsilon = \theta_1[1-\exp(-\theta_2 t)]+\theta_3[\exp(\theta_4 t)-1] \tag{13-17}$$

式中　θ_1 和 θ_3 描述蠕变第一阶段和第三阶段的变形,θ_2 和 θ_4 描述蠕变第一阶段和第三阶段的变化曲率。

采用计算机程序来拟合蠕变曲线,至少要用 200 个左右的时间—应变数据拟合才能保证精度,一般来说,用多项式和用指数方程都可以得到相似的拟合精度,但在多项式拟合情况下,有时得到的系数为负值,在这种情况下,尽管拟合精度是可以接受的,但却不具备外推数据的意义,因此指数方程通常要好一些,选择式 13-16 或式 13-17 是都可以的,视哪个拟合精度高而定。

恒速蠕变速率 $\dot{\varepsilon}_s$ 或最小蠕变速率 ε_{min} 达到一定蠕变变形的时间，蠕变断裂时间 t_γ，蠕变断裂时的伸长率 ε_f 等是标准的蠕变抗力指标。它们和温度、应力的关系式如下：

$$\left.\begin{aligned}\dot{\varepsilon}_s &= A\sigma^n \exp(-Q_c/RT)\\ \dot{\varepsilon}_s &\propto [\sinh(B\sigma)]^n\\ \dot{\varepsilon}_s \cdot t_\gamma^m &= \varepsilon \text{ 或 } \dot{\varepsilon}_s \propto \frac{1}{t_\gamma}(m \to -1)\end{aligned}\right\} \tag{13-18}$$

式中　Q_c 为蠕变激活能，A、B、n、m 均为常数。

通常蠕变数据多来自短时间的蠕变试验，对于长时间使用的高温部件的设计与选用就要求把短时试验蠕变数据外推得到长期蠕变数据。这个问题对于使用寿命超过 10 万 h 的部件更为重要，按照式 13-18，一般可以把等温蠕变试验数据用 $\sigma/\lg t$ 或 $\lg\sigma/\lg t$ 图上的直线表示（t 可以是达到一定蠕变量的时间或断裂时间），从而可以外推。图 13-13 表明，用这种方法外推会带来严重过高估计的结果，因为，对于几千小时的试验数据，$\sigma/\lg t$ 或 $\lg\sigma/\lg t$ 关系确是直线，但几万小时后就变为曲线了。产生这种变化的原因很多，如氧化，组织不稳定，不同温度和应力下蠕变机制不同等等。当前 ISO 国际标准组织建议一个普遍式（式 13-19），它把所有不同温度和应力下的蠕变数据绘制成一条曲线。这个普遍式为：

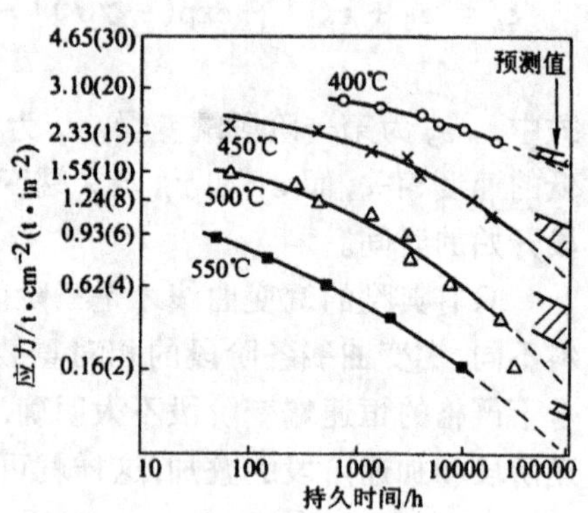

图 13-13　外推到 10 万 h 预测值与实测值对比

$$P(\sigma) = \frac{(\sigma^{-q}\lg t) - \lg t_a}{(T - T_a)^\gamma} \tag{13-19}$$

式中　$P(\sigma)$ 是应力 σ 的函数，q, t_a, T_a, γ 是常数，温度 T 为绝对

温度 K,

当 $q=0, \gamma=1$ 时,式 13-19 就变成著名的 Manson-Haferd 式:

$$P(\sigma)=\frac{\lg t-\lg t_a}{T-T_a} \tag{13-20}$$

当 $q=0, \gamma=-1$ 和 $T_a=0$ 时,就变成著名的 Larson-Miller 式:

$$P(\sigma)=T(\lg t-\lg t_a) \tag{13-21}$$

用式 13-20 或用式 13-21 进行外推,往往用一个应力多项式来表示 $P(\sigma)$,用回归分析法可以得到反映应力-温度-断裂时间关系的主蠕变断裂曲线。$P(\sigma)$ 多项式的阶数选择不必大于 3 次方。选择更高次方增加项数虽可增加短时数据的符合精度,但对外推结果往往产生相反的结果。如果采用对数应力值的多项式为 $P(\lg\sigma)$,虽然对短时试验拟合精度要好一些,但外推效果也没有明显差别。图 13-14 为用式 13-20 和式 13-21 外推结果对比,一般说,用 Manson-Haferd 式外推的值要比用 Larson-Miller 式低一些,为了确保外推的可靠性,一般允许外推 3 倍时间,即要用 30000h 长的试验数据才能足够精确地外推 10 万 h 寿命的强度值。另外,回收得到的 $P(\sigma)-f(T\cdot t)$ 曲线有一定的分散性,一般估计分散性达 ±20% 应力值。或一个数量级的寿命分散度。在用式 13-21 和式 13-20 拟合时,参量 t_a, T_a 的选择也很重要,一般 Larson-Miller 式中的参量选 20。当然严格来说,应该根据不同材料调整此值,以得到最小误差的拟合。同样,对于 Manson-

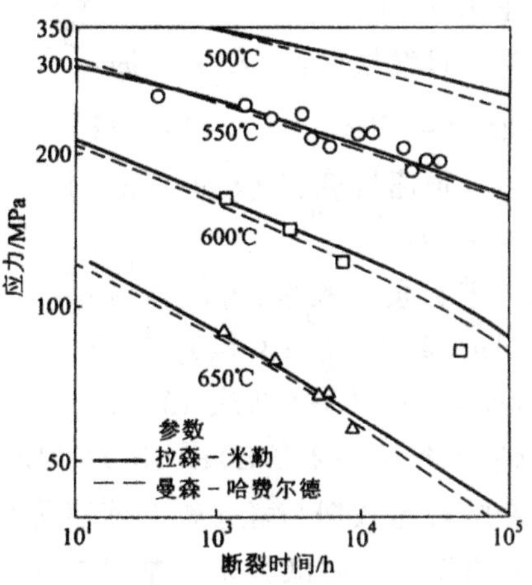

图 13-14 12Cr1Mo 钢中外推方法结果对比 $t_R \leqslant 10000$h

Haferd 式的常数 T_a, t_a，也可以用短时试验得到，在相同蠕变应力条件下，试验温度 T 与 $\lg t$ 呈线性关系，不同蠕变应力下，该直线的斜率不同，因而必然相交，其交点的坐标即为 T_a，t_a 值。

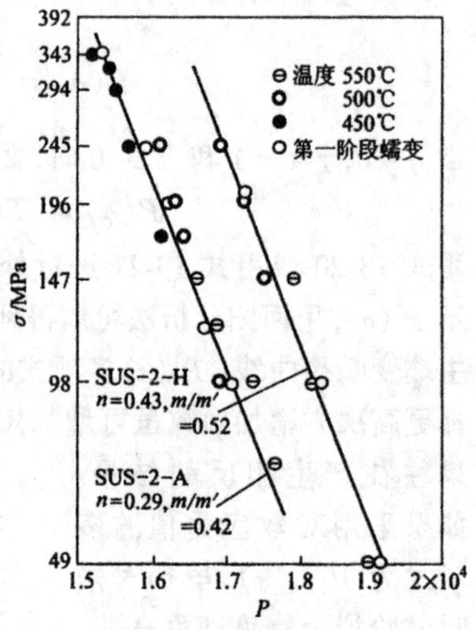

图 13-15　过渡蠕变和稳态蠕变的主蠕变曲线

13Cr 钢：SUS2-A，900℃炉冷 1h

SUS2-H，970℃油淬，760℃回火

某些情况下，材料设计与选用是以达到某一时间的应变或应变速率值为标准，这样，就要把 Larson-Miller 式修正为：

过渡蠕变：$T(t_a + C_1\lg t - \lg\dot{\varepsilon}_t) = P(\sigma)$　　(13-22)

恒速蠕变：$T(t_a + C_2\lg\dot{\varepsilon}_s) = P(\sigma)$

式中 t_a 仍一般为 20，$C_1 = n - 1$（n 值见式 13-14），$C_2 = m/m' \approx$ 常数（见式 13-15）。C_2 一般在 1/2 左右。图 13-15 为一个典型例子。可以看出，过渡蠕变阶段的数据与稳态蠕变速率阶段的数据重合在一条直线上，所以可以用短时试验来外推。对 Manson-Haferd 式也可做类似的修正。

$$(\lg\dot{\varepsilon}_{min} + \lg\gamma_a)/(\lg t_\gamma - \lg t_a)$$

结果使得到的外推值更偏向保守。

另外一种方法是采用 θ 方程外推。即式 13-17 微分得到：

$$\frac{\mathrm{d}\varepsilon}{\mathrm{d}t} = \theta_1\theta_2\exp(-\theta_2 t) + \theta_3\theta_4\exp(\theta_4 t) \qquad (13\text{-}23)$$

$$\frac{\mathrm{d}^2\varepsilon}{\mathrm{d}t^2} = -\theta_1\theta_2^2\exp(-\theta_2 t) + \theta_3\theta_4^2\exp(\theta_4 t)$$

当$\frac{d^2\varepsilon}{dt^2}=0$时得最小蠕变速率，由此得到最小蠕变速率的时间为$t_m$

$$t_m=\frac{1}{\theta_2+\theta_4}\ln\frac{\theta_1\theta_2^2}{\theta_3\theta_4^2} \tag{13-24}$$

把t_m代入式13-23得最小蠕变速率，用恒应力蠕变试验的200对时间-应变数据可以拟合出θ方程，得到较精确的θ_i值、而θ_i值与温度，应力有如下关系：

$$\ln\theta_i=a_i+b_iT+c_i\sigma+d_i\sigma T \tag{13-25}$$

$$\ln\theta_i=a_i+c_i\sigma \quad (\text{T 一定时})$$

由此可以用一定温度下的大应力短时试验或高温度下的短时试验来外推。图13-16为计算的和实测的最小蠕变速率对比，在θ方程基础上可以绘制一定温度下的应力-时间-应变图（图13-17）。如果知道断裂时的应变值，就可以得到断裂时间与应力关系。用θ方法外推的优点是明显的，它不仅可以得到最小蠕变速率，断裂时间，而且可以得到不同时间下达到一定应变值或一定应变速率值的应力值。甚至整个蠕变曲线。但它必须采用恒应力蠕变试验。

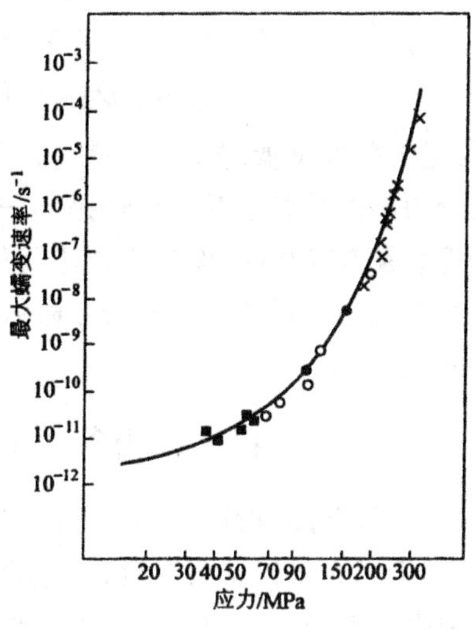

图13-16 $\frac{1}{2}Cr-\frac{1}{2}Mo-\frac{1}{4}V$钢838K下最小蠕变速率实测值与计算值对比

鉴于蠕变数据选用中存在上述种种复杂因素，为材料设计和选用提供精确的高温强度数据就成为一种非常有价值的基础工作。现代高技术发展，对材料设计与选用提出了更高的要求，不允许保守设

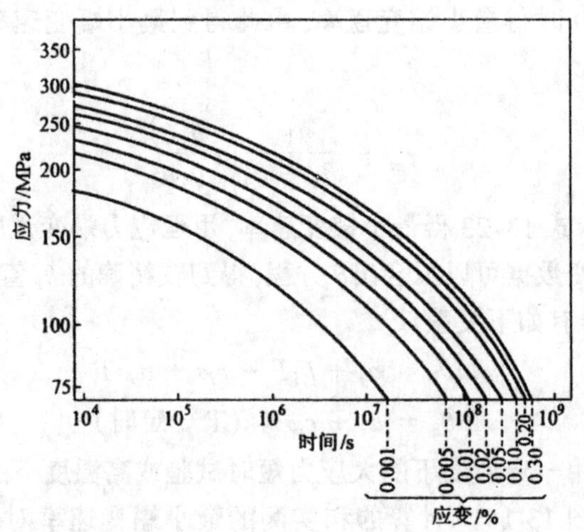

图 13-17　$\frac{1}{2}$Cr－$\frac{1}{2}$Mo－$\frac{1}{4}$V 铁素体钢 838K

计算得到的等值应变曲线(恒应力试验)

计,增大部件重量,要求有更精确可靠的设计数据。当然材料设计寿命和部件的真正寿命总还是不一致的,这是因为部件实际工作条件总是有变化的,设计中也不可能考虑全部因素,因此,在实际使用过程中还存在一个剩余寿命估算问题。这也是一个非常重要的问题。

13.3　接近使用条件下的力学性能与寿命

高温部件的设计与选用方法可以分两类,一类是静态载荷设计,只考虑在机械载荷下造成的蠕变断裂,用平均的蠕变和持久强度数据估算许用应力。不考虑其他因素(主要是疲劳蠕变交互作用)引起的时间相关失效模型。这种设计适合非核电力系统中的许多部件的使用条件。一般要求使用寿命长达 10 万 h,这时剩余寿命估算是非常重要的。这一类静态蠕变设计内容在前面已作了介绍。第二类设计是非静态的,部件承受一个载荷谱的作用,必须考虑蠕变疲劳交互作用。即必须考虑基本应力和二次应力的作用，以及它们的交互作用，基本应力是由部件所受的基本机械载荷产生的，一般是蠕变应力，当机器开动或关闭时，或者调整功率输出时，部件承受的应力、应变、温度均发生变化，这就产生二次应力，在这种条件下，对于高温部件来说，要用非弹性有限元分析方法，需要了解的不仅是持久强度曲线，应力应变时间曲线等，还要了解疲劳蠕变交互作用的评价及本构方程，才能进行正确的设计与选择材料。

通常，下列因素使得高温部件的选用更为复杂，这些因素包括非单轴应力的存在。材料内部缺陷，部件几何形状，焊接区和热影响区，焊后热处理制度，长时间使用等等，为保证安全使用，无论是静态和非静态设计和选用，主要目标都是防止发生突然性的失效，在非静态条件下，经长期使用后，由于材料使用过程中的组织结构变化，损伤积累，脆化以及突然的外载荷等等，这种突然性失效更容易发生。本节着重讲非静态设计和选用条件下要考虑的问题。

13.3.1 不同蠕变载荷下的寿命

在一些使用条件下，部件承受的温度和应力可能有变化，这种变化发生在瞬时之间，但却要保持相当时间，这样的问题可以简化为计算不同蠕变载荷条件下的寿命问题。

通常采用简单的积累损伤原则来处理，计算式为：

$$\sum_i \frac{t_i}{t_{ri}} = 1 \text{ 或 } L_m (L_m < 1) \tag{13-26}$$

式中　t_i 和 t_{ri} 为在 i 应力(或温度) 条件下的工作时间及断裂时间。当采用线性损伤积累法则时各种不同载荷下蠕变损伤之总和为 1 时发生断裂，当考虑各阶段蠕变之间交互作用时，其损伤总和小于 1，设为 L_m 值。它依材料及试验条件而变。

在变化蠕变载荷条件下的总蠕变曲线可以看成由各个蠕变载荷条件下的蠕变曲线合成。图 13-18 和图 13-19 表示两种不同的合成方法。前者为时间硬化规律。后者为应变硬化规律。分别用以下两式表示(由 13 − 14Bailey-Norton 式导出)

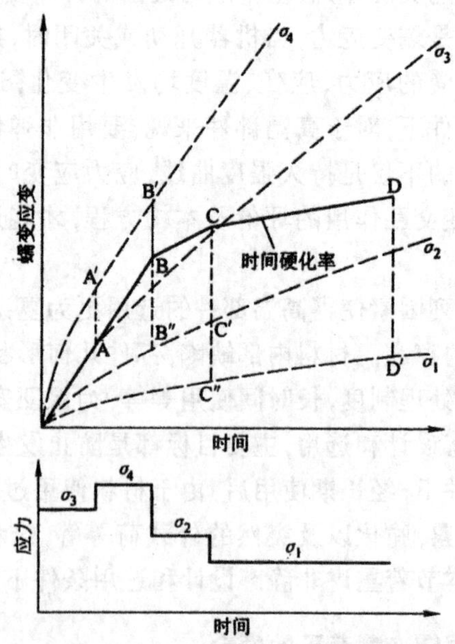

图 13-18　根据时间硬化率预测应变曲线

时间硬化率：$\dot{\varepsilon}_t = A\sigma^m n t^{n-1}$

应变硬化率：$\dot{\varepsilon}_t = A^{1/n} n \sigma^{m/n} (\varepsilon_t)^{\frac{n-1}{n}}$　(13-27)

时间硬化率以时间作为蠕变行为发生变化的量度，应变硬化率以应变值作为蠕变行为发生变化的量度。由此得到不同形状的总蠕变变形曲线。多数试验证明，应变硬化规律的预测曲线更接近实测的蠕变曲线，此外还可以把式 13-14 转化为下式：

$$\dot{\varepsilon}_t = n(A\sigma^m)^2 t^{2n-1} / \varepsilon_t \qquad (13\text{-}28)$$

这样就可以取应变速率等于应变硬化律和时间硬化率的中间值，得到居于两者之间的蠕变曲线。

由于蠕变过程对材料的影响不能简单地用时间或应变来反映，所以上述两种方法原则上都不反映真实情况。由此可以用一个状态有关的量来反映前一蠕变过程对状态的影响，例如用损伤量来表示。或用内摩擦力来表示等等，以相同的状态量作为蠕变

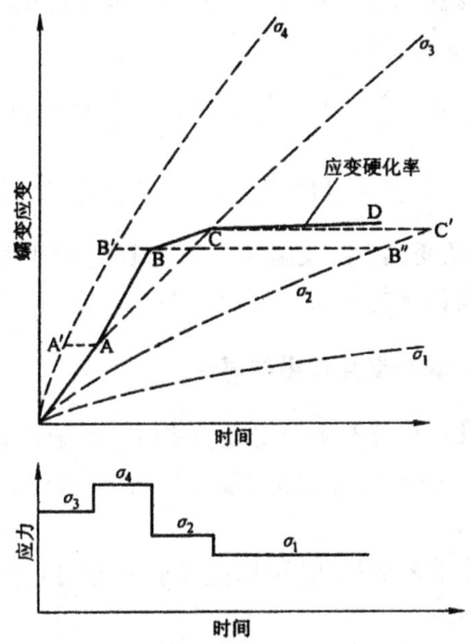

图 13-19　根据应变硬化率预测应变曲线

行为发生变化起始位置的量度，这样可能得到更精确的预测。但是在一般条件下，这种状态有关的量不易得到，甚至连 L_m 值也不易得到，这时就只好用线性损伤法则及应变硬化规律来估算改变蠕变载荷对寿命的影响。

美国早就建立了一种寿命消耗规律计算法，可以根据静态蠕变强度来估算变动温度和应力条件下的寿命，这种方法假设材料在某一蠕变条件下耗去其在总的蠕变寿命中的某一分数，这个寿命消耗分数仅仅取决于此阶段的蠕变应力及温度，而与其它蠕变条件下的消耗率无关。这个假设的出发点是与损耗积累的想法基本相同。可以采用蠕变寿命式 13-29 表示在蠕变应力 σ_0 和温度 T_0

$$t_{r0} = C\sigma_0^{-m}\exp(-qT_0) \tag{13-29}$$

与断裂时间 t_{r0}（C, m, q 为常数）的关系。在一个变动蠕变应力和温度的试验中，各个不同蠕变条件占有的时间分数为 f_i（$f_i < 1$），

应力为 σ_i 和温度 T_i，设总的实际变动蠕变条件试验的断裂时间为 $t_{r'}$，则寿命的变化比率为：

$$t_{r0}/t_{r'} = (1 - \sum_i f_i) + \sum_i [f_i(\sigma_i/\sigma_0)^p \exp(q(T_i - T_0))]$$

$$\text{或} \frac{t_{r0}}{t_{r'}} = (1 - \sum_i f_i) + \sum_i (f_i \cdot \frac{t_{r0}}{t_{ri}}) \tag{13-30}$$

式中　t_{ri} 为蠕变应力σ_i 及温度 T_i 下的断裂时间。用此式可方便地预测已知载荷谱下的寿命。

13.3.2　疲劳蠕变交互作用与寿命

高温部件在机器开关及变动功率时会由于热循环造成应变控制的疲劳，此外还会有应力疲劳。因此必须考虑疲劳蠕变交互作用。

按照发生破断的模式，可以把蠕变疲劳交互作用分为三个不同区域：

(1)疲劳损伤和破断为主的交互作用区(F 区)；

(2)蠕变损伤和破断为主的交互作用区(C 区)；

(3)疲劳和蠕变损伤共同发展区(FC 区)。

图 13-20 为疲劳蠕变交互作用断裂特征图。它是在恒定最大应力条件下取不同最小应力做的一系列交互作用试验。图中表明了 F 区，C 区和 FC 区，按裂纹形核和扩展又可细分为疲劳裂纹形核及扩展致断的 FF 区；疲劳裂纹形核，蠕变裂纹也形核但疲劳裂纹扩展致断的 FCF 区；蠕变裂纹形核和扩展致断的 CC 区；蠕变裂纹形核，疲劳裂纹也形核但蠕变裂纹优先扩展致断的 CFC 区；蠕变裂纹形核扩展和疲劳裂纹形核扩展相互竞争的 CFF 或 CFC 区。图 13-20 为用平均应力(σ_m)和应力振幅值(σ_a)表示的交互作用图。它是在不同平均应力下叠加不同应力振幅值的系列试验结果，以达到一定断裂周次或断裂时间的平均应力和应力振幅组的连线表示，图中直线表示恒应力比($A = \sigma_a/\sigma_m$)线。随着应力比增大，断裂也是逐渐由蠕变为主向疲劳为主过渡。这种倾向在图

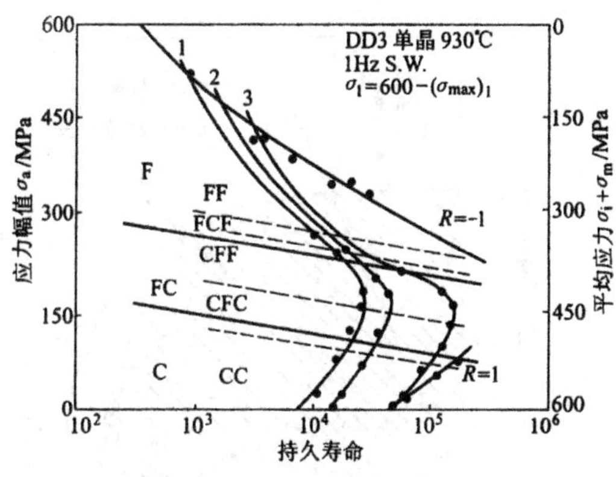

图 13-20　*DD*3 单晶镍基合金的疲劳蠕变交互作用断裂特征图

13-20 所示的断裂特征图上有更直接的反映，纵坐标由上而下，平均应力增大同时应力振幅值减小。所以图的上部多为 F 区，下部为 C 区，FC 区居中。

高温部件载荷谱分析是设计和选择材料的依据，一般在做这类分析时是可能分离出部件所承受的平均应力及交变应力的，或者说是可以分离出所承受的静态应力和振动交变应力的。因此上述两种分析是有用的。但是它还能反映加载时间或循环速率的作用。为此，可以做具有保载的断裂特征图，它反映在一定最大应力下保载时的交互作用(图 13-22)。由图可见，随保载时间增长，蠕变控制区扩大到更高交变应力作用的应力范围。除了应力谱与保载时间外，温度当然是另一个重要载荷条件，一般看作恒温度下工作。温度愈低，出现疲劳致断的机会愈大，承受较小的交变应力就可能产生疲劳破坏。机器开动与关闭及功率变化会造成温度变化，产生热疲劳和低周疲劳破坏。这是一种恒应变疲劳，在经常开或停的使用条件下，有时低周疲劳或热疲劳会成为控制寿命的主要因素。在这种条件下，就要以低周疲劳为基础进行材料设计与选用。总之，通过载荷谱分析判断部件失效是在哪一个交互作用区。然后才能进行正确的材料设计与选择。

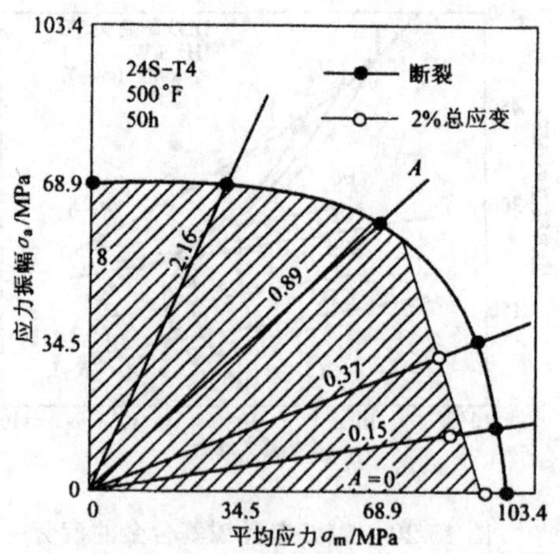

图 13-21　用平均应力 σ_m——应力振幅值 σ_a 表示的等寿命曲线

$$(A=\frac{\sigma_a}{\sigma_m}\text{应力比})$$

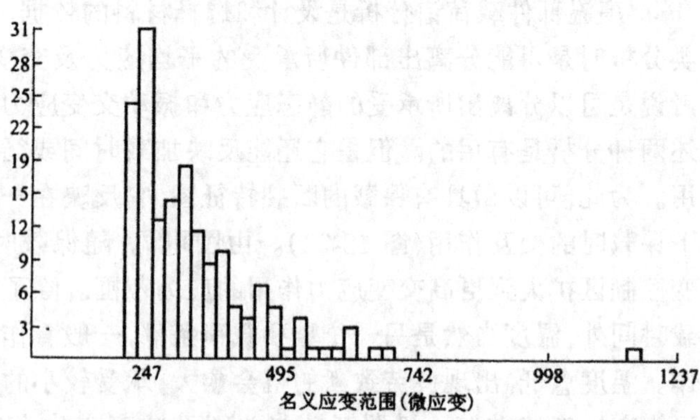

图 13-22　GH136 合金在最大应力保载下的疲劳蠕变交互作用断裂特征图

(650℃,最大应力 735.5MPa)

蠕变为主的交互作用区的变形行为可以视为动态蠕变。其变形-时间曲线基本与蠕变曲线相同。按照疲劳蠕变交互作用断裂特征图理论，C 区的寿命估算式及最小蠕变速率估算式为：

$$\left.\begin{aligned} t_r &= A_2\sigma_m^{\alpha_2}\sigma_{\max}^{\beta_2} \\ \dot{\varepsilon}_{\min} &= A_2'\sigma_m^{\alpha_2'}\sigma_{\max}^{\beta_2'} \end{aligned}\right\} \tag{13-31}$$

此式是用最大应力修正的蠕变方程。对于静态蠕变，最大应力与平均应力为同一值，此式即退化为一般的蠕变方程。对于保载条件下的寿命可以采用频率修正式：

$$t_r = A_2\sigma_m^{\alpha_2}\sigma_{\max}^{\beta_2}\nu^{k_2} \tag{13-32}$$

式中　ν 为频率，k_2 为常数。另外一种方法是用 13.3.1 节中应变硬化规律式来估算。在平均应力上叠加一个小的正弦波交变应力的情况下，可以用等效蠕变应力来估算，等效蠕变应力 σ_e 由下式计算：

$$\sigma_e' = \sigma_m\left[\frac{1}{2\pi}\int_0^{2\pi}(11 + A\sin wtl)^n d(\omega t)\right]^{1/n} \tag{13-33}$$

式中蠕变应力指数 n 值即 $\lg\sigma$-$\lg t_{\mathrm{r}}$ 曲线斜率，ω 为循环应力角频率。

在疲劳断裂为主的交互作用区(F 区)，根据断裂特征图理论，可以用下式描述寿命：

$$\left.\begin{aligned} N_f &= A_1\sigma_a^{\alpha 1}\sigma_{\max}^{\beta_1} \quad (\text{不保载即 } \nu = 1) \\ N_f &= A_1\sigma_a^{\alpha 1}\sigma_{\max}^{\beta_1}\nu^{k_1} \quad (\text{保载}) \end{aligned}\right\} \tag{13-34}$$

在蠕变和疲劳混合损伤区(FC 区)，可以用线性损伤积累法则，即

$$\sum_i\left(\frac{N}{N_f}\right)_i + \sum_j\left(\frac{t}{t_r}\right)_j = 1 \text{ 或 } D(D < 1) \tag{13-35}$$

在某些条件下，用纯蠕变方程和纯疲劳方程求出的$(N_f)_i$ 及$(t_r)_j$ 值来计算时得到的寿命长于实测值，这是由于疲劳蠕变交互作用的影响，这时可以用总的疲劳蠕变损伤($D < 1$) 来表示这种交互作用影响。当用式 13-34 及式 13-31 来计算式 13-35 中的$(N_f)_i$ 及$(t_r)_j$ 时，由于已经考虑了交互作用，一般可以采用 $D = 1$ 计算。这也是一种较好的方法。解决了 D 值不好确定的困难。

在低周疲劳或热疲劳控制寿命条件下,应该以应变控制疲劳试验结果作为设计及选用依据。应变疲劳同样也有疲劳蠕变交互作用,在这种条件下,采用 Manson 提出的应变范围划分法(SPR 法)比较成功,它认为一个循环中所有非弹性应变可以由四种基本循环按不同比例组成。$\Delta\varepsilon_{pp}$ 为拉伸及压缩均为塑性应变,$\Delta\varepsilon_{pc}$ 为拉伸塑性应变加压缩蠕变,$\Delta\varepsilon_{cp}$ 为拉伸蠕变加压缩塑性变形,$\Delta\varepsilon_{cc}$ 为拉伸及压缩均为蠕变,这四种循环分量由四个通用式表示:

$$\left.\begin{aligned}\Delta\varepsilon_{pp}/D_p &= 0.75N_{pp}^{-0.6}\\ \Delta\varepsilon_{pc}/D_p &= 1.25N_{pc}^{-0.8}\\ \Delta\varepsilon_{cp}/D_c &= 0.25N_{cp}^{-0.8}\\ \Delta\varepsilon_{cc}/D_c &= 0.75N_{cc}^{-0.8}\end{aligned}\right\}\tag{13-36}$$

任何一个复杂波形可以分解为由不同比例的四个基本波形的叠加,由此得

$$\frac{1}{N_f} = \frac{F_{pp}}{N_{pp}} + \frac{F_{pc}}{N_{pc}} + \frac{F_{cp}}{N_{cp}} + \frac{F_{cc}}{N_{cc}}\tag{13-37}$$

式中 D_p 和 D_c 分别为拉伸塑性及蠕变塑性,F_{pp}, F_{pc}, F_{cp}, F_{cc} 分别是四种基本循环占总循环应变中的比例。

13.4 计算机辅助材料选择

大多数设计工作者选择材料是根据经验和有限的材料知识。其中历史上该高温部件曾采用过的材料及其使用情况反馈信息是最重要的参考数据,在设计或选材的初步阶段往往是以这种方法选材的。在这种初步选材基础上就可以对产品的功能与效果作出初步估算并作出产品可行性分析。

在这种可行性分析基础上就可以深入分析新产品的主要功能和设计要求,据此对材料提出实际的技术要求,并提出几种选材建议。

进一步做产品初步设计时就必须对材料做进一步选择和估算,设计者要从材料的适用性和可靠性两方面来研究和评价不同

材料的信息。

最后要在产品最终设计中对材料作最终的确定，这时还要从尺寸、使用性能及价格等方面全面考虑，做出最终材料选择，以后还要在使用过程中得到使用信息反馈，特别是频繁需要备件的原因，事故和失效原因等等。这对于正确选材是非常重要的。

在上述选材过程中有几个关键因素：

(1)部件载荷谱计算；

(2)确定主要失效模式及计算寿命方法；

(3)具体被选材料的性能数据选择与处理；

(4)部件尺寸及使用性能寿命估算；

(5)材料和制造过程的最终确定。

在计算机辅助材料选择总程序中应该包括处理上述各关键因素的计算机软件包。首先是部件载荷谱计算。这个软件包需包括两方面。一方面是建立在有限元分析(弹性或弹塑性)基础上的部件承受的温度及应力分布计算程序，给出部件各处承受的温度和应力分布图，由此得到正确的载荷谱作为选材依据。另一方面包括有搜集使用中的载荷谱变化并加以处理的软件，以得到更接近实际使用条件及载荷谱。图 13-23 就是一个测量使用时载荷变化的结果。

其次确定主要失效模式及寿命计算方法，要根据实际使用经验及有限元计算结果进行综合分析，以确定正确的失效模式及寿命计算方法。对于涡轮盘，它承受轮缘处的蠕变应力及轮心处的大离心应力，又有高频振动(榫齿处和轴振动)，开动和关闭或功率改变引起的低周疲劳，在某些条件下还有腐蚀气氛的作用及粒子冲刷磨蚀作用等。在这种情况下，问题就比较复杂，失效模式随外界条件而异，作为最简单的选材方法，是根据最危险断面承受的蠕变负载进行设计和选材。这对于地面涡轮，由于是长期在稳定条件下工作，以蠕变为依据是可以接受的。但是由于使用过程中出现超载，超温及机械振动，或有周期性的变温变载，这样就要考虑不同温度和应力下的蠕变设计，以及考虑叠加振动疲劳的动态蠕

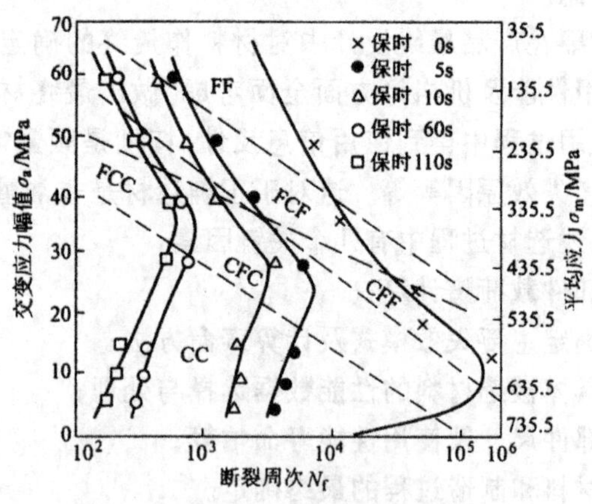

图 13-23　测量使用结果记录图

机器：　试验犁　日期：1976 年 6 月 11 日
地址：　伊利诺州，Moline　试验时间：4min3s
条件：　特别干燥的土壤　试验工程师：Epplia
操作：　在坚硬的土壤上犁地　运行数：1
通道数：　2
最大应变＝1277 微应变　最小应变＝99 微应变

变设计。对于一些航空发动机及高峰用地面涡轮发电机转子，低周疲劳的作用不可忽略，甚至是寿命限定因素。在某些腐蚀条件下，例如海洋气氛条件，热腐蚀条件等，腐蚀的作用不可忽视，特别易造成榫齿腐蚀疲劳开裂。确定寿命估算方法有时候是一个较复杂的问题。应该对已有失效事件进行失效因素分析。已有的分析结果已证明，采用疲劳蠕变交互作用及低周疲劳设计比用纯蠕变设计要更先进。

材料性能数据库是进行正确材料选择的重要环节，目前。世界各国都在开发这种数据库。例如美国金属学会 ASM 就可以出售这类数据库，称为 Mat、DB。它允许以图形、表格及文件等形式输出工程材料的性能和加工制造工艺过程。同时还可以方便地进行检索，分类，阅读及打印出来。它包括各种材料的数据，如合金钢，不锈钢，结构钢，铝、铜、钛、镁、塑料及复合材料等，材料数据占有 25 兆储存量以上。这个数据库还允许使用者增加自己的数据，去除一些数据。同时它还可以提供技术服务。除了这类通用数据库外，企业也可以结合企业自己的需要建立自己的数据库，比较好的数据库应该不仅能提供各类工程材料的性能数据及加工工艺参量，还应该有数据处理的能力，例如可以对长期积累的生产数据进行统计分析，内插，外推等，设计及选材用的数据库还应包括一些材料的加工制造性能有关的软件，如淬透性，焊接性，切削性和成形性等，这方面已经有一些现成的程序，可以选用，总之，建立材料性能数据库是实施计算机辅助材料选择的中心环节。

在设计和选用材料时必须注意性能数据的级别，在初步选材时，由于数据缺乏，有时不得不使用一些研究发表的数据，未经核实的数据(简称灰色数据)，但到产品最后设计阶段就不允许使用灰色数据。那时国家标准才是最重要的设计数据，此外还有国际数据库的数据和公司自己的数据，对于小型企业的数据库常以公司自己的数据为主。

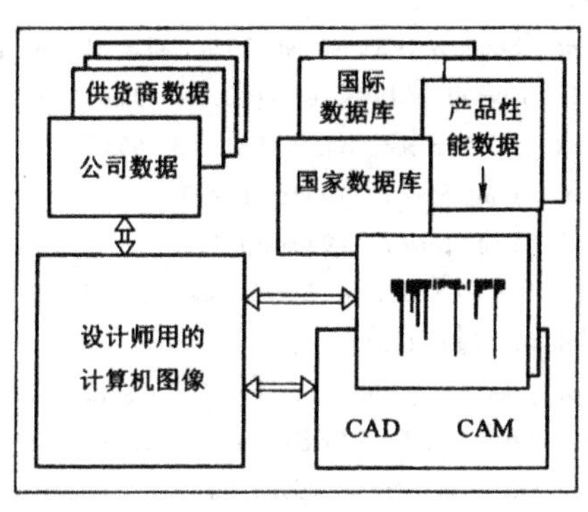

图 13-24　计算机辅助材料选择系统

图 13-24 是一个材料选择系统，设计和选材者可把自己终端接到这个数据库上，这个数据库中不仅有数据，同时还有用于计算的程序，部件设计程序，绘图程序和其他必要的程序，这些都是 CAD 和 CAM 必要的程序。

参 考 文 献

1 Boesh W J, Slaney J S. Met. Prog., 1964,86(1):109

2 Woodyatt L R, Sims C T, Beattie Jr H J. Trans. AIME, 1966;236:519

3 Barrows R G Newkirk J B. Met. Trans., 1972;3:2889

4 Struactural stability in superalloys. Proc. Inter. Symp. Seven Springs, Pa. 1968 ASM - AIME, Summarizcd by Cowan T. W. J. Metals, 1968; 18:1119

5 陈国良．金属学报,1979;4(4):440

6 渡边力藏著．镍基高温合金成分设计研究．杨本英,杨国枢,张瑞波译．北京钢铁学院,1981

7 三岛良绩,岩田修一编．新材料开发和材料设计学ソフトサイエンス社,1985

8 Yamazaki M. High Temperature Alloys For Gas Turbines and Other Applications. 1986 ed. Betz w.etc, 945

9 楠克之,山崎道夫,神谷久夫．鉄と鋼,1984;70:875

10 原田広史,山崎道夫．鉄と鋼,1979;65:1059

11 陈国良主编．高温合金学．北京:冶金工业出版社,1988

12 Harada H *et al*. High Temperature Alloys for Gas Turbines D, Reidel Publishing Co., 1981; 721

13 Yamagata T *et al*. Superalloys 1984, ed. byM Cell *et al*. AIME, 157

14 Harada H. *et al*. Superalloys 1988. ed. by D. N. Duhl. *et al*. AIME, 733

15 Morinaga M *et al*. J. Phys Soc. Jpn., 1984; 53: 653

16 Morinaga M *et al*. Phil, Mag A, 1985; 51:233

17 Morinaga M *et al*. Phil. Mag A, 1986; 53:709

18 Matsugi K *et al*. Proc. of Conf. on High Temperature Materials for Power Engineering. Liege, Belgium, 1990: 1251

19 Morinaga M *et al*. Superalloy 1984. ed. by M. Cell *et al*. AIME, 523

20 Yukawa N *et al*. 1988. ed. by S Reichman. *et al* AIME, 215

21 Yukawa N *et al*. High Temperature Alloys for Gas Turbines and Others Applications 1986. ed. by. w, Betz etc, D, Reidel Publishing Co., 935

22 Matsugi K *et al*. Superalloys 1992. ed. by S D Antolovich *et al*. AIME, 307

23 Hull P, C. Met. prog., 1969; 96: 139

24 Kraus H. Creep Analysis. A wiley-Interscience publication. New york John wiley & Sous: 1980

25 平修二编．金属材料的高温强度理论．设计．郭建亭等译．北京:科学出版社,1983

26 Evans R, W. *et al* . Recent Advances in Creep and Fracture of Engineering Materials and Structures. ed. by. B Wilshire, D R J Owen. Swausea U. K., Pinridge Press, 1982: 135

27 Evans, R, W, *et al* . Streugth of Metals and Alloys. ed. by H J Mequeen *et al* . Oxford N. Y., Pergamon press, 1985; 3: 1807

28 Manson S S, Broun W F., Proc. ASTM. 1953;53: 693

29 E L Robinson *et al* . Trans ASME, 1952; 74: 777

30 ASTM, STP. № 165. Symposium of Effect of Cyclic Heating and Stressing on Metals at Elevated Temperature. ASTM, 1954

31 Chen G., Chin. Mat. Sci Technol., 1990; 6: 391

32 平,田中,小寺沢,田中,藤田.机械学会论文集.25卷,第151号(昭34):163

33 平,小寺沢,小沢;铃木.机械学会论文集,第26卷.167号(昭35):933

34 Manson S, S, *et al* . NASA TMX-67838, 1971

35 T. Ericsson编.计算机在材料工艺中应用.许昌淦译.北京:机械工业出版社,1988:16